NORWEGEN

DIE NORDSEE

Oslo •

SCHWEDEN

Stockholm •

FINNLAND

Helsinki •

IRLAND

Dublin •

DÄNEMARK

Kopenhagen

DIE OSTSEE

DIE
SOWJETUNION

GROSSBRITANNIEN

den Haag

London •

DIE
NIEDERLANDE

BELGIEN

Brüssel •

Berlin •

DIE DDR
Deutsche
Demokratische
Republik

Warschau •

POLEN

DIE ATLANTIK

Bonn •

DIE BRD

Bundesrepublik
Deutschland

Prag •

DIE
TSCHECHOSLOWAKEI

Paris •

LUXEMBURG

DIE SCHWEIZ

Bern •

Vaduz •

Wien •

ÖSTERREICH

Budapest •

UNGARN

RUMÄNIEN

FRANKREICH

LIECHTENSTEIN

Belgrad •

Bukarest •

Madrid •

SPANIEN

ITALIEN

Rom •

JUGOSLAWIEN

Sofia •

BULGARIEN

DAS MITTELMEER

Tirana •

ALBANIEN

Athen •

MAROKKO

ALGERIEN

TUNESIEN

GRIECHENLAND

S0-ACW-630

KONTAKTE

KONTAKTE

A Communicative Approach

Tracy D. Terrell
University of California, San Diego

Herbert Genzmer
University of California, Berkeley

Brigitte Nikolai

Erwin Tschirner
University of Michigan, Ann Arbor

 RANDOM HOUSE, New York

This is an ⊟ book.

First Edition
9 8 7 6 5 4 3 2

Library of Congress Cataloging-in-Publication Data
Kontakte: a communicative approach.

   "EBI book."
   Includes index.
   1. German language—Grammar—1950–
2. German language—Textbooks for foreign speakers—
English.   I. Terrell, Tracy D.
PF3112.K636   1988   438.2'421   87-32344
ISBN 394-37554-8 (Student Edition)
ISBN 394-37555-6 (Teacher's Edition)

Manufactured in the United States of America

Production: Stacey C. Sawyer
Text and Cover Design: Vargas/Williams Design
Cover Illustration: Paul Klee, *Insula dulcamara,* 1938, Paul Klee
   Foundation, Museum of Fine Arts, Berne. © 1987, Copyright
   by COSMOPRESS, Geneva.
Copyeditor: Bert Schuster
Illustrations: Sally Richardson
Photo Research: Judy Mason
Typesetting: Graphic Typesetting Service

Acknowledgment is made here for the use of the following photographs: *half-
title page*—© Ulrike Welsch; *table of contents*—A, B, C © Ulrike Welsch; Chapter
1 © Beryl Goldberg; Chapters 2, 4, 5, 8, 9 © Ulrike Welsch; Chapter 3 © Hiller/
Monkmeyer Press Photo Service; Chapter 6 © Peter Menzel; Chapter 7 © Owen
Franken; Chapter 10 © Katrina Thomas/Photo Researchers, Inc; Chapter 11 ©
Christa Armstrong/Photo Researchers, Inc.; Chapter 12 © Keystone/The Image
Works; Chapter 13 © Luca Gavagna/Photo Researchers, Inc.; Chapter 14 © Reu-
ters/Bettmann Newsphotos.

CONTENTS

v

KAPITEL **1** 70

FREIZEIT UND VERGNÜGEN

KAPITEL **2** 106

BESITZ

KAPITEL **7** 266

UNTERWEGS

KAPITEL **8** 300

KINDHEIT UND JUGEND

TO THE INSTRUCTOR

Kontakte is a complete package of instructional materials for beginning German courses, in which the primary goal is proficiency in communication skills. The package provides both oral and written activities that can be used as starting points for communication. The language is authentic and the materials are designed to encourage you and your students to feel free to interact in German as naturally and as spontaneously as possible. *Kontakte* is an exciting approach to language instruction that offers a true alternative to the methodology of most German-language textbooks available in the United States today.

COMPONENTS

There are two student texts: *Kontakte: A Communicative Approach,* the main text, and *Kontakte: Arbeitsbuch,* the workbook, which is both a laboratory and a writing manual.

The main text consists of three preliminary chapters, **Einführung A–C**, and fourteen regular chapters. All chapters are organized around language functions and vocabulary groups that are essential to communication at the beginning level. A wide variety of cultural materials provides a context for language acquisition. Each regular chapter is divided into three parts:
 • **Sprechsituationen** with **Vokabeln;**
 • **Zusätzliche Texte;**
 • **Strukturen und Übungen.**

The **Sprechsituationen** are materials for oral communication in the classroom; some readings are included in this section as well. The **Vokabeln** at the end of each activities section is a reference list of all new vocabulary items introduced in that section. The **Zusätzliche Texte** are readings, but the section also includes dialogues and cultural notes. The **Strukturen und Übungen** section provides concise explanations of grammar and word usage and short verification exercises.

The *Arbeitsbuch* is organized much like the main text. It also contains the three preliminary chapters, **Einführung A–C**, followed by fourteen chapters, each of which corresponds exactly to the chapters in the main text. Each chapter of the **Arbeitsbuch** consists of four sections:

- **Hörverständnis** (coordinated with tapes);
- **Aussprache** (with tapes);
- **Orthographie** (with tapes);
- **Schreiben Sie**.

Additional parts of the instructional program include:

- The *Instructor's Edition*, with marginal notes containing suggestions for using and expanding the materials in the student text, hints for teaching, and materials for listening comprehension.
- The *Instructor's Manual* (bound into the back of the *Instructor's Edition*), which provides a general introduction to the Natural Approach and to the types of acquisition activities contained in the program. The *Instructor's Manual* contains many pre-text activities designed for use *before* covering the activities in the student text, as well as other suggestions for implementing the Natural Approach.
- The *Testing Package,* with both vocabulary and grammar exams for each chapter and four-skills examinations for the midterm and final.
- An *Audio Program,* with tapes that focus on the topics and functions of each chapter of the student text.
- A *Tapescript,* containing the text of all the materials in the **Arbeitsbuch.**

CHARACTERS

The people who appear in the student materials of *Kontakte* belong to three groups of repeating characters:

- A group of students who are studying German at the University of California, Berkeley;
- People from the four German-speaking countries;
- The Wagner and Ruf families and their neighbors and friends, all fictitious characters from a soap opera set in München and called "**Unsere Straße.**"

Characters from the different groups appear in the drawings, activities, readings, and exercises of *Kontakte* whenever possible. While there is no "story line" that must be followed, the appearance of people from the regular cast of characters gives *Kontakte* a greater sense of unity and makes the materials seem less artificial to students.

THEORY

The materials in *Kontakte* are based on Tracy D. Terrell's Natural Approach to language instruction, which, in turn, draws from aspects of Stephen D. Krashen's theoretical model of second-language acquisition. This theory consists of five interrelated hypotheses, each of which is mirrored in some way in *Kontakte*.

1. The *Acquisition-Learning Hypothesis* suggests there are two kinds of linguistic knowledge that people use in communication. "Acquired knowledge" is normally used unconsciously and automatically to understand and produce language. "Learned knowledge," on the other hand, may be used consciously to produce carefully thought-out speech or to edit writing. *Kontakte* is designed to develop both acquired and learned knowledge. The following sections of the course materials are planned to help students achieve both goals:

ACQUISITION

Sprechsituationen
Zusätzliche Texte
Hörverständnis
Schreiben Sie

LEARNING

Strukturen und Übungen
Aussprache
Orthographie

2. The *Monitor Hypothesis* explains the functions of acquired and learned knowledge in normal conversation. Acquired knowledge, the basis of communication, is used primarily to understand and create utterances. Although learned knowledge is used primarily to edit what we write, some speakers are able to "monitor" their speech, using learned knowledge to make minor corrections before actually producing a sentence. Exercises in the **Strukturen und Übungen** ask students to pay close attention to the correct application of learned rules.

3. The *Input Hypothesis* suggests that the acquisition of language occurs when the acquirer comprehends natural speech. That is, acquisition takes place when acquirers are trying to understand and convey messages. For this reason, comprehension skills are given extra emphasis in *Kontakte*. "Teacher-talk" input in the target language is indispensable, and no amount of explanation and practice can substitute for real communication experiences.

4. The *Natural Order Hypothesis* suggests that forms and syntax are acquired in a "natural order." For this reason, a topical-situational syllabus is followed in the **Sprechsituationen** and other acquisition-oriented sections; students learn the vocabulary and grammar they need to meet the communication demands of a given section. A grammatical syllabus not unlike those in most beginning German textbooks is the basis for the introduction of grammar in the **Strukturen und Übungen** sections, but activities to encourage the acquisition of forms and syntax are spread out over subsequent chapters. The Natural Order Hypothesis is also the basis for our recommendation that speech errors be expanded naturally by the instructor using correct grammar during acquisition activities, but that they be corrected clearly and directly during learning-oriented grammar exercises.

5. The *Affective Filter Hypothesis* suggests that acquisition will take place only in "affectively" positive, nonthreatening situations. *Kontakte* tries to create such a positive classroom atmosphere by stressing student interest and involvement in two sorts of activities and encounters: those relating directly to students and their lives, and those relating to the German-speaking countries. Hence the title, *Kontakte.*

APPLICATION OF NATURAL APPROACH THEORY

These general guidelines, which follow from the preceding five hypotheses, are used in *Kontakte* and characterize a Natural Approach classroom.

1. *Comprehension precedes production.* Students' ability to use new vocabulary and grammar is directly related to the opportunities they have to listen to vocabulary and grammar in a natural context. Multiple opportunities to express their own meaning in communicative contexts must follow comprehension.

2. *Speech emerges in stages. Kontakte* allows for three stages of language development:

Stage 1. Comprehension: **Einführung A**
Stage 2. Early speech: **Einführung B und C**
Stage 3. Speech emergence: **Kapitel 1–14**

The activities in **Einführung A** are designed to give the students an opportunity to develop good comprehension skills without being required to speak German. The activities in **Einführung B** and **C** are designed to encourage the transition from comprehension to an ability to make natural responses with single words or short phrases. By the end of the **Einführung** most students are making the transition from short answers to longer phrases and complete sentences using the material of the **Einführung;** their ability to communicate even at this early stage surpasses that of students learning by most other methods.

With the new material in each chapter, students will pass through the same three stages. The activities in the *Instructor's Edition,* the student text, and the *Arbeitsbuch* are designed to provide comprehension experiences with new material before production.

3. *Speech emergence is characterized by grammatical errors.* It is to be expected that students will make many errors when they begin putting words together into sentences, because it is impossible to monitor spontaneous speech. These early errors do not become permanent, nor do they affect students' future language development. It is best to correct only factual errors, but remember to expand and rephrase students' responses into grammatically correct sentences.

4. *Group work encourages speech.* Most of the activities lend themselves to pair or small-group work, either of which allows for more opportunity to interact in German during a given class period and provides practice in a nonthreatening atmosphere.

5. *Students acquire language only in a low-anxiety environment.* Students will be most successful when they are interacting in communicative activities that they enjoy. The goal is for them to express themselves as best they can and to enjoy and develop a positive attitude toward their second-language experience. The Natural Approach instructor will create an accepting and enjoyable environment in which to acquire and learn German.

6. *The goal of the Natural Approach is proficiency in communication skills.* Proficiency is defined as the ability to convey information and/or feelings in a particular situation for a particular purpose. Three components of proficiency are discourse (ability to interact with native speakers), sociolinguistic skills (ability to interact in different social situations), and linguistic skills (ability to choose correct form and struc-

ture and express a specific meaning). Grammatical correctness is part of proficiency, but it is neither the primary goal of a beginning foreign language course nor a prerequisite for developing communicative proficiency.

STUDENT MATERIALS

Kontakte: A Communicative Approach

The main text contains the **Sprechsituationen,** which aim to stimulate the acquisition of vocabulary and grammar. These activities are organized by topic. Several types of oral activities are repeated from chapter to chapter.

Model dialogues
Narration series
Scrambled dialogues
Definitions
Open dialogues
Matching activities
Situational dialogues
Personal opinion activities
Interviews
Newspaper ads
Affective activities
TPR (Total Physical Response) activities
Interactions
Student-centered input
Association activities
Photo-centered input
Autograph activities

The **Vokabeln** section at the end of the **Sprechsituationen** contains all the new words that have been introduced in the **Sprechsituationen** chapter and is classified by topic. In the **Vocabeln** are the words students should *recognize* when they are used in a communicative context. Later, students will use many of these words "actively" as the course progresses.

The main text also stresses reading skills as an aid to acquisition. Readings are found within the **Sprechsituationen** under an appropriate topic and in the **Zusätzliche Texte** sections. The readings in the **Zusätzliche Texte** sections are more challenging; to understand them, students must use context more frequently to guess the meanings of words.

There are several categories of readings in *Kontakte*. Some readings introduce people from East and West Germany, Austria, and Switzerland to illustrate the specific lifestyle and cultural and political background of each country. Other readings focus on a political issue or on cultural differences between German-speaking countries and the USA. These readings are often accompanied by cultural notes to explain particular points of interest. Special care was taken to make all these readings real and authentic and to avoid cultural clichés and sexist stereotypes. Still other readings involve characters of the soap opera "**Unsere Straße.**" Here exaggerations and clichés *are* used—deliberately—to point out stereotypes and biases. These readings add a humorous side to the cultural information.

Grammar plays an important part in the main text, since it represents the learning side of the Acquisition-Learning Hypothesis. We have set the **Strukturen und Übungen** apart from the **Sprechsituationen** for easier study and reference. However, in most **Sprechsituationen** sections, there are references (marked ☞) to the pertinent grammar sections. The separation of the **Strukturen und Übungen** from the **Sprechsituationen** also permits the instructor to adopt a deductive, an inductive, or a mixed approach to grammar instruction. In the **Strukturen und Übungen** sections, there are short explanations of the rules of morphology (word formation), syntax (sentence formation), and word usage (lexical sets). Orthographic and pronunciation rules and practice are found in the **Arbeitsbuch.** Most of the grammar exercises are short and contextualized. The answers are given in Appendix 2 of the student text so that students can verify their responses.

Kontakte: Arbeitsbuch

The workbook contains both acquisition activities and learning exercises for study outside the classroom.

The **Hörverständnis** section contains recorded oral texts of various sorts:

Dialogues
Narratives
Radio/television commercial announcements

Each oral text is accompanied by a list of new vocabulary, a drawing that orients students to the content of the text, and verification activities and comprehension questions that help students determine whether they have understood the main ideas (and some supporting detail) of the recorded material.

The **Aussprache** and the **Orthographie** provide explanations of the sound system and orthography, as well as additional practice in pronunciation and spelling.

The **Schreiben Sie** sections are open-ended writing activities, coordinated with the topical-situational syllabus of the **Sprechsituationen.**

AUTHORS

Each of the four authors contributed to all parts of *Kontakte.* Tracy David Terrell (University of California, Irvine and San Diego) worked closely with the German team on all aspects of the text. Brigitte Nikolai (Ph.D. candidate, University of Hamburg) wrote most of the oral texts of the **Sprechsituationen**; Erwin Tschirner (San Francisco State University) wrote most of the grammar explanations and exercises; and Herbert Genzmer (University of California, Berkeley) wrote most of the readings.

ACKNOWLEDGMENTS

Some sections of the text are based on materials written by Tracy David Terrell, Magdalena Andrade, Jeanne Egasse, and Elías Miguel Muñoz for the Spanish text, *Dos Mundos.*

The authors wish to thank the many students and instructors who used earlier versions of those Natural Approach materials and who provided us with the indispensable information on how to make Natural Approach ideas "do-able" in the foreign-language classroom. Particular thanks go to the instructors and students who field-tested the materials in various stages of their development.

We especially acknowledge our debt to our editor, Jeanine Briggs, who carefully worked on every section of the text and who offered many useful comments and suggestions. We are also grateful to Gerhard F. Strasser, The Pennsylvania State University, for a very thorough reading of the first draft of the text.

We wish to thank Sally Richardson, the artist who breathed life into the characters, who at first existed only in the authors' minds and who now live in this book.

Special thanks also to the following persons for their participation and constructive criticism during the various stages of making the manuscript into a book: Andrea Deiberl, Helga Kuhnen, Katrin Körner, Bert Schuster, Cynthia Garver, Jo Rubba, Christiane Klaus, Ann Thymé, and Sabine MacQuarie.

TO THE STUDENT

The course you are about to begin is based on a methodology called the Natural Approach. It is an approach to language learning with which we have experimented during the past several years in various high schools, colleges, and universities. It is now used in many foreign-language classes across the country, as well as in classes in "English as a second language."

This course is designed to give you the opportunity to develop the ability to understand and speak "everyday German"; you will also learn to read and write German. Two kinds of experiences will help you develop language skills: "acquisition" and "learning." "Acquired" knowledge is the "feel" for language that develops from practical communication experiences. It is the unconscious language knowledge you use when communicating information to others. "Learned" knowledge comes from studying. Learning is based on lectures or textbooks and leads to knowledge about the language or culture. In this course we want you to both acquire and learn. We will try to provide you with real communication experiences for acquisition as well as factual information in order for you to learn about the German language and the German-speaking countries.

Of the two kinds of knowledge, acquired knowledge is the most useful for understanding and speaking a second language. Learned knowledge is useful when we are writing, or when we have time to prepare ahead of time what we want to say (in a speech, for example). In normal conversations, however, it is very difficult to think consciously about what we have learned and then to apply this knowledge, while at the same time thinking about the content of what we want to say. It is preferable to concentrate on the message—what we want to say—and let the language flow naturally. This doesn't happen after only a few days' experience with a new language, of course, but with experience in communicative situations, as your acquired knowledge develops, it becomes easier and easier. For these reasons, class periods in this course will be dedicated to providing you with opportunities to use German to communicate information and ideas.

The interesting thing about acquisition is that it seems to take place best when you listen to a speaker and understand what is being said. This is why your instructor will always speak German to you and will do everything possible to help you understand without using English. You need not think about the process of acquisition, only about what your instructor is saying. You will begin to speak German naturally after you can comprehend some spoken German without translating it into English.

These Natural Approach materials are designed to help you with your acquisition and learning experiences. There are two textbooks: ***Kontakte: A Communicative Approach,*** and ***Kontakte: Arbeitsbuch.*** Each text and the various parts of the texts serve different purposes. ***Kontakte: A Communicative Approach,*** the main text for the class hour, will be used as a basis for the oral acquisition activities you will participate in with your instructor and classmates. The main section contains the **Sprechsituationen** (*Oral Activities*), which are springboards for your instructor, your classmates, and you to engage in conversation in German about topics of interest to you and to German speak-

ers. The main text also contains the ***Strukturen und Übungen*** (*Grammar and Exercises*) that provide you with learning activities to supplement what you do in class. The **Strukturen und Übungen** section contains explanations and examples of grammar rules followed by exercises whose goal is to provide you with a mechanism to verify whether you have understood the grammar explanation. It is important to realize that the exercises teach you only *about* German; they do not teach you *German.* Only real communication experiences of the type based on the oral activities will do that.

The ***Arbeitsbuch*** (*Workbook*) gives you more opportunities to listen to German outside class and to write about topics that are linked to the oral classroom activities. Many of the activities are recorded on the tapes that accompany the workbook.

USING *KONTAKTE*

Sprechsituationen (*Oral Activities*)

The purpose of the oral activities is to provide you with the opportunity to hear and speak German. Since the goal of an activity is acquisition, it is important that during these activities you concentrate on the topic rather than the fact that German is being spoken. Remember that acquisition will take place only if you are not focused on learning German, but rather on using German to talk about something. The point of an acquisition activity is to develop a natural conversation, not just to finish the activity. It isn't necessary to finish every activity. As long as you are listening to and understanding German, you will acquire it.

It is important to relax during an acquisition activity. Don't worry about not understanding every word your instructor says. Concentrate on getting the main idea of the conversation. Nor should you worry about making mistakes. All beginners make mistakes when trying to speak a second language. Mistakes are natural and do not hinder the acquisition process. You will make fewer mistakes as your listening skills improve, so keep trying to communicate your ideas as clearly as you can at a given point. Don't worry about your classmates' mistakes, either. Some students will acquire more rapidly than others, but everyone will be successful in the long run. In the meantime, minor grammatical or pronunciation errors do no great harm. Always listen to your instructor's comments and feedback since he or she will almost always rephrase what a student has said in a more complete and correct manner. This is done not to embarrass anyone, but to give you the chance to hear more German spoken correctly. Remember, acquisition comes primarily from listening to and understanding German.

How can you get the most out of an acquisition activity? First and most importantly, remember that the purpose of the activity is simply to begin a conversation. Expand on the activity. Don't just rush through it; rather, try to say as much as you can. Some students have reported that it is helpful to look over an activity before doing it in class. You should certainly not engage in an activity you do not understand. Other students have suggested that a quick look before class at the new words to be used in the activity makes participation easier.

Finally, speak *German*; avoid English. If you don't know a word in German, try another way to express your idea. It's better to express yourself in a more roundabout fashion in German than to insert English words and phrases. If you simply cannot express an idea in German, say it in English and your instructor will show you how to say it in German.

Texte *(Readings)*

There are many reasons for learning to read German. Some students may want to be able to read research published in German in their field. Others may want to read German literature. Many of you will want to read signs, advertisements, and menus when you travel in a German-speaking country. Whatever your personal goal is in learning to read German, reading is also a skill that can help you *acquire* German.

There are at least four reading skills you should already have in English that you can transfer to reading German: scanning, skimming, intensive reading, and extensive reading.

- Scanning is searching for particular information. You scan a menu, for example, looking for something that appeals to you. You scan newspaper ads for items of interest. There are a number of ads from German newspapers and magazines in ***Kontakte*** to give you scanning practice. You do not need to understand every word in an ad to search for the information you need or desire. Listen to the questions your instructor asks and scan for that particular piece of information.
- Skimming is getting an overview of the main ideas in a reading. You often skim newspaper articles. Or you skim a new chapter in a textbook before deciding which section to concentrate on. You should always skim a reading selection before reading it.
- Intensive reading is what you do when you are studying. For example, you read a chemistry assignment intensively, thinking about almost every sentence, making sure you understand every word. In ***Kontakte:*** *A Communicative Approach* you will read the selections in the first few chapters intensively in order to start reading in German. But for the most part we want you to avoid intensive reading in order to learn to read extensively.
- Extensive reading skills are used for most reading purposes. When you read extensively, you understand the main ideas and most of the content. You do not study the material, however, and there are usually words you do not understand. When reading extensively you use context and common sense to guess at the meaning of the

words you do not understand. Sometimes there will be whole sentences (or even paragraphs) that you only vaguely understand. You use a dictionary only when an unknown word prevents you from understanding the main ideas in the passage. Extensive reading is associated with reading large amounts. Most of the readings we have provided are for practice with extensive reading.

We do not expect you to understand every word or all the structures used in the reading. Instead, we want you to read quickly, trying to get the main ideas. In fact we have purposely included unknown words and grammar in most readings to force you to get used to skipping over less important details.

A final point but, in our opinion, the most important one: Reading is not translation. If you look at the German text and read in English, you are not reading, but translating. This is an extremely slow and laborious way of getting the meaning of a German text. We want you to read German *in* German, not in English. We recognize that translating into English will be your natural inclination when you first start to read in German, but you must resist that temptation and try to think in German. If you are looking up a lot of words in the end vocabulary and translating into English, you are not reading. The meanings of some words are glossed in English. These are more difficult words or expressions that may cause confusion when you read, or words and phrases whose meaning you really need to know in order to comprehend fully the passage you are reading. You need not learn the glossed words, but you should use them to help you understand what you are reading.

Some readings are scattered throughout the **Sprechsituationen** sections. The meaning of new, unglossed words in these readings is included in the **Vokabeln** list (see the next section). Other readings are included in the **Zusätzliche Texte** (*Additional Readings*) sections. The new, unglossed words that appear in these readings do *not* appear in the chapter **Vokabeln.** You will generally be able to guess the meaning of these words from context. Even if you can't guess them, you can safely ignore them as long as you understand the main ideas of the passage. In fact, the purpose of the **Zusätzliche Texte** is to give you experience in working with context and getting the main idea.

Vokabeln *(Vocabulary)*

Each chapter contains a vocabulary list classified by topics or situations. This list is mainly for reference and review. You should *recognize* the meaning of all these words whenever you hear them in context; however, you will not be able to *use* all these words in your speech. What you actually use will be what is most important or what is needed in your particular situations. Relax, speak German as much as possible, and you will be amazed at how many of the words you recognize will soon become words you use in speaking as well.

Strukturen und Übungen
(Grammar and Exercises)

The final section of each chapter is a study and reference manual. Here, you will study German grammar and verify your comprehension by doing the exercises. Since it is usually difficult when speaking to think of grammar rules and to apply them correctly, most of the verification exercises are meant to be written, in order to give you time to check the forms you are unsure of in the grammar section and/or in a dictionary.

We do not expect you to learn all the rules in the grammar sections. Read the explanations carefully and look at the examples to see how the rule in question applies. At the beginning of each subsection of the **Sprechsituationen** there is a reference to the appropriate section in the grammar. As you begin a new section, read the specific grammar section or sections that apply.

GETTING TO KNOW THE CHARACTERS

The people you will read and talk about in *Kontakte* reappear in activities and exercises throughout the text. Some are American students and others are East and West German, Austrian, and Swiss people living everyday lives. Several are characters in a fictitious German soap opera called "**Unsere Straße**" (*"Our Street"*).

First there is a group of students at the University of California at Berkeley. Although they are all majoring in different subjects, they know each other through Professor Karin Schulz's 8:00 A.M. German class. You will meet six students in the class: Steve (Stefan), Heidi, Al (Albert), Nora, Monique (Monika), and Peter. Each uses the German version of his or her name.

You will be introduced to people who live in various parts of East and West Germany, Austria, and Switzerland. For example, in Göttingen, in the Federal Republic of Germany, you will meet Silvia Mertens and her boyfriend, Jürgen Baumann. You will also get to know the Schmitz family. Rolf Schmitz lives with his parents in Göttingen, but is currently studying psychology at the University of California at Berkeley; he knows many of the students in Professor Schulz's class. Rolf is originally from Krefeld, a town near Düsseldorf, where his grandmother, Helene Schmitz, still lives. Rolf has twin sisters named Helga and Sigrid.

Peter   Heidi   Professor Karin Schulz
Monika

Jürgen   Silvia

Nora   Albert
Stefan

Rolf
Oma Schmitz   Helga   Sigrid

In the Federal Republic of Germany you will also accompany an American student, Claire Martin, on her travels. Her best friends are Melanie Staiger and Josef Bergmann from Regensburg.

Claire   Josef   Melanie

In the German Democratic Republic you will meet Sofie Pracht, a student at the Technische Universität Dresden. Sofie is studying biology and wants to become a biologist. Her best friend is Willi Schuster, who is also a student at the TU Dresden. Marta Szerwinski is a friend of both Sofie and Willi. She is from Poland, but she is currently working in the GDR.

Sofie   Willi   Marta

In Austria you will get to know Richard Augenthaler, who is 18 and has just graduated from high school.

In West Berlin you will meet Renate Röder, who is single and who works for a computer company. Renate travels a lot and speaks several languages in addition to German. In West Berlin you will also meet Mehmet Sengün, who is from Turkey. He came with his family to West Berlin when he was ten; now he works as a truck driver.

Richard   Renate   Mehmet

Finally, in Switzerland you will meet the Frisch family, Veronika and Bernd and their three children. Veronika and Bernd live and work in Zürich, but they like to travel, and we will follow them on different occasions.

Natalie   Veronika   Bernd

die Familie Frisch

Lydia   Rosemarie

On television we will follow a soap opera **"Unsere Straße."** The soap opera takes place in Munich, mostly in one neighborhood. The main characters are the Wagner family: Josie and Uli, their son, Ernst, and their daughters, Andrea und Paula. Jens Krüger, their cousin, comes to visit quite often, so we will meet him as well. The Wagners' neighbors are the Ruf family: Jochen Ruf, a writer who works at home and takes care of the children, and Margret, a businesswoman who is president of Firma Seide, which manufactures toys. They have two children: Jutta, who studies at the Goethe Gymnasium with Jens, and Hans, who is younger than Jutta.

There are others in the neighborhood, as well, such as Herr Günter Thelen and Herr Alexander Siebert, Frau Sybille Gretter, Frau Judith Körner, and Michael Pusch, who is very convinced of himself, and his girlfriend, Maria Schneider. You will meet these people and others in due course.

Remember that the best way to acquire German in a Natural Approach course is to relax and enjoy yourself. Most of all, don't worry about mistakes: all beginners make mistakes. We hope you like these materials and this Natural Approach to the acquisition of German. Acquiring German will be fun!

EINFÜHRUNG

UNDERSTANDING A NEW LANGUAGE

Understanding a new language is not difficult once you realize that you can understand what someone is saying without understanding every word. What is important in communication is understanding the ideas, the message the person is trying to convey. There are several techniques that will help you develop good listening comprehension skills.

First, and most important, you must *guess* at meaning! There are several ways to improve your ability to guess accurately. The most important factor in good guessing at meaning is to pay close attention to context. If someone greets you at three in the afternoon by saying **Guten Tag,** chances are good that they have said *Good afternoon,* and not *Good morning* or *Good evening.* Here, the greeting context and the time of day help you to make a logical guess about the message being conveyed. If someone you don't know says to you, **Hallo, mein Name ist Karin,** you can guess from the context and from the key word **Karin** that she is telling you what her name is.

In the classroom, ask yourself what you think your instructor has said even if you haven't understood most or any of the words. What is the most likely thing he or she would have said in a particular situation? Context,

gestures, and body language will all help you guess more accurately. Be logical in your guesses and try to follow along by paying close attention to the flow of the conversation. People try to make sense when they talk, and they do not usually talk without meaning.

The next most important factor in good guessing is to pay attention to key words. These are words that carry the basic meaning of the sentence. In the class activities, for example, if your instructor points to a picture and says (in German), *Does the man have brown hair?,* you will know from the context and intonation that a question is being asked. If you can focus on the key words *brown* and *hair* you will be able to answer the question correctly.

Second, it is important to realize that you do not need to know grammar to be able to understand much of what your instructor says to you. In the previous sentence, for example, you would not need to know the words *does, the,* or *have* in order to get the gist of the question. Nor would you have needed to study rules of verb conjugation. However, if you do not know the meaning of key vocabulary words, you will not be able to make good guesses about what was said.

VOCABULARY

Since comprehension depends on your ability to recognize the meaning of key words used in the conversations you hear, the preliminary chapters will help you become familiar with many new words in German, probably well over one hundred. You should not be concerned about pronouncing these words perfectly; saying them easily will come a little later. Your instructor will write all the key vocabulary words on the board. You should copy them in a vocabulary notebook as they are introduced, for future reference and study. Copy them carefully, but don't worry now about spelling rules.

Include English equivalents if they help you remember the meaning. Do review your vocabulary lists frequently. Look at the German and try to visualize the person (for words like *man* or *child*), the thing (for words like *chair* or *pencil*), a person or thing with particular characteristics (for words like *young* or *long*), or an activity or situation (for words like *stand up* or *is wearing*). You do not need to memorize these words, but you should concentrate on recognizing their meaning when you see them and when your instructor uses them in conversation with you in class.

CLASSROOM ACTIVITIES

In the first preliminary chapter, **Einführung A,** you will be doing three kinds of class activities: TPR, descriptions of classmates, and descriptions of pictures.

TPR: This is "Total Physical Response," a technique developed by Professor James Asher at San Jose State University in northern California. In TPR activities your instructor gives a command, which you then act out. TPR may seem somewhat childish at first, but if you relax and let your body and mind work together to absorb German, you will be surprised at how quickly and how much you can understand. Remember that you do not have to understand every word your instructor says, only enough to perform the action called for. In TPR, "cheating" is allowed! If you don't understand a command, "sneak" a look at your fellow classmates to see what they are doing.

Description of students: On various occa-sions, your instructor will describe each of the students in the class. You will have to remember the names of each of your classmates and identify who is being described. You will begin to recognize the meaning of the German words for colors and clothing, and for some descriptive words like *long, pretty, new,* and so on.

Description of pictures: Your instructor will take many pictures to class and describe the people in them. Your goal is to identify the picture being described by the instructor.

In addition, just for fun, you will learn to say a few common phrases of greeting and leave-taking in German: *hello, good-bye, how are you?,* and so on. You will practice these in short dialogues with your classmates. Don't try to memorize the dialogues; just have fun with them. Your pronunciation will not be perfect, of course, but it will improve as your listening skills improve.

Der Watzmann, höchster Berg im Berchtesgadener Land (©Comstock)

Blumenpracht
in einem Park
in Mainz
(©Peter Menzel)

Morgens in einer
Kleinstadt
(©Peter Menzel)

Der Viktualienmarkt im
Zentrum von München
(©Peter Menzel)

Abendstimmung in einer
mittelalterlichen Stadt (©Peter Menzel)

Viktualien—ein altes Wort
für Lebensmittel

Volksfest in Süddeutschland
(©Monkmeyer, Edith Reichmann)

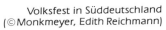

Eine Mahlzeit im Freien
(© Peter Menzel)

Stuttgart, die Metropole
Schwabens (© Comstock)

Öffentliche Verkehrsmittel in
der Großstadt—die Straßenbahn
(© Comstock, Hartman-DeWitt)

Wäsche im Hinterhof
(©Peter Menzel)

Schweizer Fahnen in Zürich
(©Comstock, A.J. Hartman)

Enge Gasse in einem
Städtchen am Rhein
(©Comstock, A.J. Hartman)

Historischer Brunnen in Baden-Baden
(©Comstock, A.J. Hartman)

Schlösser und Burgen wie im
Märchen gibt es viele.
(©Comstock)

Innsbruck im Winter (©Peter Menzel)

Das Matterhorn, einer
der höchsten und
eindrucksvollsten Berge
in den Schweizer Alpen
(©Comstock, A. J. Hartman)

Baden-Baden, ein
berühmtes Kurbad in
Baden-Württemberg
(©Peter Menzel)

(©Peter Menzel)

Menschen im Regen
(© Peter Menzel)

Historische Häuser in
Weilheim in Oberbayern
(© Peter Menzel)

Wohnen in der
Bundesrepublik
(© Peter Menzel)

Ziegenherde in den
Schweizer Alpen
(© Comstock, A. J. Hartman)

Heidelberg am Neckar, eine alte Universitätsstadt (© Peter Menzel)

Bei der Feldarbeit hilft
oft die ganze Familie.
(© Peter Menzel)

KONTAKTE

EINFÜHRUNG A

Studenten in der
Bundesrepublik

In Einführung A you will learn to understand a good deal of spoken German and get to know your classmates. The listening skills you develop during these first days of class will enhance your ability to understand German whenever you hear it spoken and will also make learning to speak German easier.

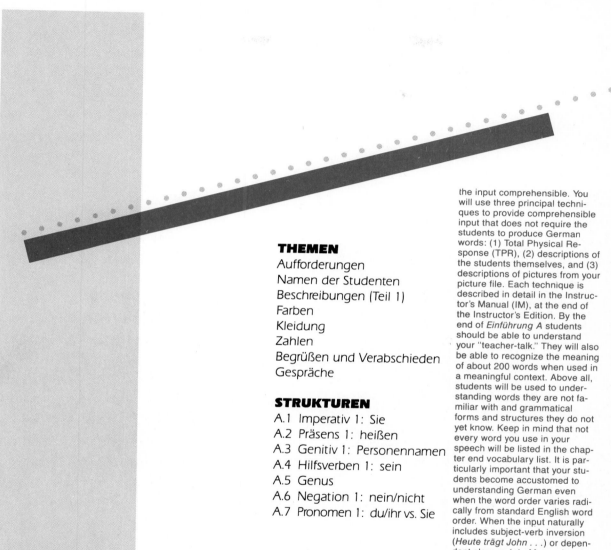

THEMEN

Aufforderungen
Namen der Studenten
Beschreibungen (Teil 1)
Farben
Kleidung
Zahlen
Begrüßen und Verabschieden
Gespräche

STRUKTUREN

A.1 Imperativ 1: Sie
A.2 Präsens 1: heißen
A.3 Genitiv 1: Personennamen
A.4 Hilfsverben 1: sein
A.5 Genus
A.6 Negation 1: nein/nicht
A.7 Pronomen 1: du/ihr vs. Sie

GOALS

Einführung A has four goals: (1)
to convince students that they
will be able to understand the
German you speak in class, (2)
to help lower anxiety levels by
letting them get to know their
classmates, (3) to begin the binding of meaning to key words in
the input, and (4) to learn to use
a listening strategy of attending
to key words and to context. All
activities are designed to make
the input comprehensible. You
will use three principal techniques to provide comprehensible
input that does not require the
students to produce German
words: (1) Total Physical Response (TPR), (2) descriptions of
the students themselves, and (3)
descriptions of pictures from your
picture file. Each technique is
described in detail in the Instructor's Manual (IM), at the end of
the Instructor's Edition. By the
end of *Einführung A* students
should be able to understand
your "teacher-talk." They will also
be able to recognize the meaning
of about 200 words when used in
a meaningful context. Above all,
students will be used to understanding words they are not familiar with and grammatical
forms and structures they do not
yet know. Keep in mind that not
every word you use in your
speech will be listed in the chapter end vocabulary list. It is particularly important that your students become accustomed to
understanding German even
when the word order varies radi-
cally from standard English word
order. When the input naturally
includes subject-verb inversion
(*Heute trägt John . . .*) or dependent clauses (*ein Mann, der eine
Brille trägt*), emphasize content
words and use body language to
make the meaning clear. Students will quickly learn to depend
on the meaning of the words and
the context rather than word order to understand the sentences.

SPRECHSITUATIONEN

AUFFORDERUNGEN

☞ **Grammatik A.1**

I. PRE-TEXT ORAL ACTIVITIES

1. Classroom commands. TPR: (See the IM for suggestions on how to introduce TPR commands.) Introduce the following actions in the first class session: *stehen Sie auf, setzen Sie sich, laufen Sie, schauen Sie* (hand over eyes), *singen Sie, tanzen Sie, nehmen Sie einen Bleistift,* and so forth. In later class sessions add: *hören Sie zu* (with hand behind ear), *öffnen Sie das Buch* (use any text), *schließen Sie das Buch, schreiben Sie (Ihren Namen)* (in the air), *lesen Sie* (as if they were reading a book), *sprechen Sie* (blah, blah, blah!). Finally introduce the command *Sagen Sie* with short greetings: *Sagen Sie „Guten Tag". Sagen Sie „Auf Wiedersehen".* Have students shake hands and pretend to greet and say goodbye to each other. Then have them say a short dialogue: *Guten Tag. Wie geht's? Gut, Danke. Auf Wiedersehen. Auf Wiedersehen.*

2. Names and descriptions of the students. (See the IM for suggestions on student-centered input in Stage I.) The purpose of this activity is to learn the names of the students in the class and provide good comprehensible input. Ask the students to concentrate on learning as many of their classmates' names as possible in the first class hour. Phrase all questions and comments so that the students are required to produce only the name of another student. Write key nouns and adjectives on the board. Introduce the following words for people: *Professor, Professorin, Student, Studentin, Mann, Frau;* and for physical appearances *Haar (kurz, lang, braun, blond, schwarz, rot), Augen (blau,*

Stefan   Nora   Peter   Frau Schulz   Albert   Heidi

Situation 1.   Aufforderungen

a.   b.   c.   d.

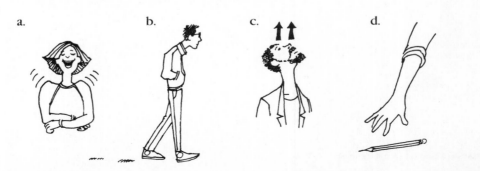

4

braun, schwarz, grün, grau), Bart, Schnurrbart, Brille, Kleidung (Bluse, Rock, Jacke, Hose, Hemd, Schuhe, Pullover/Pulli), and other colors (weiß, gelb, orange, rosa). The words you introduce will depend on your particular students. Other words and expressions you will probably use: Wer ist . . . ? Wer hat . . . ? Wer trägt . . . ? Wie heißt . . . ? das, er, sie, ich, Sie, auch, aber, sondern, ja, nein, nicht, kein. (All of these and other words suggested in the Instructor's Notes will be included in the chapter end vocabulary list.)

3. Names and descriptions of people. (See the IM for suggestions on teacher talk based on

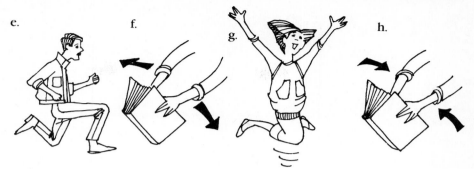

e.   f.   g.   h.

1. Lachen Sie.
2. Öffnen Sie das Buch.
3. Schließen Sie das Buch.
4. Nehmen Sie einen Stift.

5. Gehen Sie.
6. Springen Sie.
7. Laufen Sie.
8. Schauen Sie nach oben.

NAMEN DER STUDENTEN

☞   **Grammatik A.2–3**

photos from your Picture File [PF].) (We refer to magazine pictures as Fotos in German. You may prefer other terms such as Bilder.) The goal of this activity is to use pictures to continue the learning of the names of the students in the classroom. Include at least the following nouns: Junge, Mädchen, Herr, Frau, Kind; and these adjectives: jung, alt, dünn, dick, klein, groß. Other new words and expressions to introduce are: Wer hat das Foto von. . . ?, auch, aber.

Wie heißt du?
Ich heiße Stefan.

Wie heißen Sie?
Ich heiße Lee, Nora Lee.

4. Numbers. Introduce numbers by counting things in class for which students recognize the words: the number of men, women, total students, women with skirts, men with beards, women with blond hair. Then ask students to react to statements with numbers. Write the numbers on the chalkboard, as with all key words, or prepare a large number chart (or cards) and place it in a location visible to all during activity. The first time introduce numbers to 20 and then add others in subsequent activities up to 100.

The students in Frau Schultz's 8:00 AM German class will reappear frequently in all compo-

Situation 2.   Freunde und Freundinnen

Wie heißt Stefans Freund?
Er heißt _____.

Wie heißt Heidis Freundin?
Sie heißt _____.

nents of **Kontakte.** Review all commands with TPR. Add the following commands if you have not yet done so in previous TPR activities: lachen Sie, schauen Sie nach oben/nach unten, springen Sie, gehen Sie, laufen Sie, öffnen Sie das Buch, schließen Sie das Buch. Do one or two review activities with your PF, recombining most of the vocabulary introduced in the pre-text activities.

BESCHREIBUNGEN (TEIL 1)

☞ **Grammatik A.4**

ich	bin	**wir**	sind
sie	sind	**Sie**	sind
du	bist	**ihr**	seid
er sie } ist es		**sie**	sind

Then explain the meaning of words that will be used with the text: *Einführung, Sprechsituationen, Kapitel, Arbeitsbuch, Vokabeln, Lesetext, Situationen, Deutsch, Englisch, Klasse.* Point out the reference to the grammar section in the purple pages. Introduce the words: *Grammatik, Übungen.* Assign the grammar sections and exercises as homework (*Hausarbeit*). Remind the students that all grammar exercises serve to verify comprehension of the grammar explanation and that the answers should be checked in the appendix.

Sit. 1. Give the commands and have students point to the appropriate sketches (and/or say the numbers).

Review the names of all of the students in the class using techniques in 2 and 3 of the pre-text oral activities of this chapter. Include expansions of student answers. (See the IM for suggestions on expansion techniques.) Use photos of famous people from your PF and ask: *Wer ist das? Wie heißt er/sie?* Have the students look at the drawings in the text and ask: *Wie heißt die Frau, die mit Stefan spricht?* (Mime the meaning of *spricht.*) Because of the clear context, word order in these dependent clauses will cause the students no comprehension difficulties.

Sit. 2. Ask: *Wie heißt der Freund/die Freundin von Stefan/Peter?* Students answer with a name only or with: *Er/sie heißt . . .*

Go over the display with students. Give examples: *Ich bin groß, ich bin nicht alt* (use mime to demonstrate the meaning of *nicht* and *alt*), *ich habe einen Bart/keinen Bart* (use mime to illustrate *kein*), and so forth. Then use your PF to introduce a wider variety of physical types and ages. Pass the photos out to students and ask questions: *Wer hat das Foto von einem großen Mann? Wer hat das Foto von*

groß
Schnurrbart   alt
Bart   jung
klein   langes,
braunes
Haar   kurzes,
blondes Haar   hübsch
dick

Michael
Pusch   Herr
Thelen   Jens
Krüger   Maria
Schneider   Jutta
Ruf   Frau
Körner

einer Frau mit kurzem blondem Haar? Include questions about clothing the people are wearing: *Wer hat das Foto von einer Frau, die einen Pullover trägt?* Ask yes/no questions about the pictures: *Ist der Mann jung? Hat er einen Bart?* Then ask yes/no questions about the display: *Hat Michael Pusch einen Bart? Ist er groß? Ist Frau Körner dünn?* The

use of adjectives with a variety of inflections should cause no comprehension problems. If questions arise regarding the various forms, explain that German adjective endings change a great deal, but that the changes do not affect the meaning of the sentence and that with experience they will soon become used to the variation in adjective endings.

Sit. 3. First, ask the students to identify famous people who fit these descriptions. Encourage a variety of responses and introduce additional descriptive adjectives whenever possible. Remember not to use students as examples of negative traits.

Situation 3. Beschreibungen

Im Deutschkurs: Wer ist _____?

1. blond   2. groß   3. hübsch   4. jung

FARBEN

Use your PF to review and introduce additional words for colors of clothes. Then use TPR with words in the display: *Wo ist schwarz?* (Students should point to the color in their text and answer: *Hier.*) Then introduce the names of the objects illustrated by asking questions: *Wo ist der rote Apfel?* Use these words with the illustrations: *das Meer, der Kaffee, der Baum, die Zweige, die Blätter, die Sonne, das Schwein, der Apfel, der Schneemann, die Apfelsine, die Fabrik, der Rauch.* Remind students that the German equivalent of *the* is *der, das, die, den,* or *dem* and that with experience they will learn which to use. Finally, pass out sheets of colored paper to students and ask: *Wer hat das gelbe Papier?*

Sit. 4. Have the students match logical colors with these items. They may answer with just the number, but the pattern is so simple that many will also say the entire sentence. Allow more than one color for each item (for example, an automobile can be white, brown, yellow, or almost any color) and allow for colors not listed. Stress the use of the conjunctions *und* and *oder: Ja, ein Apfel ist grün oder rot.* Note that we have purposely used only the form *ein* in this activity.

Use your PF to introduce the word *Kleidung* and other new words for clothing in the display. Ask yes/no questions about the illustrations in the text. Then ask a volunteer to stand up. Ask the class yes/no questions about the clothes he/she is wearing: *Trägt Lisa einen blauen Rock? Trägt sie auch eine blaue Bluse?*

blau   schwarz   grün braun   gelb

rosa   rot   weiß   orange   grau

Situation 4. Farben

Welche Farbe hat _____? Ein _____ ist _____.

1. ein Auto
2. ein Baum
3. ein Schwein
4. ein Schneemann
5. ein Apfel
6. _____

a. rot
b. gelb
c. grün
d. rosa
e. weiß
f. _____

KLEIDUNG

☞ **Grammatik A.5–6**

der Hut   die Krawatte   die Bluse
das Sakko   das Hemd   der Rock
die Jacke
der Anzug   die Hose   das Kleid
der Mantel
die Schuhe   die Stiefel

Michael Pusch   Jens Krüger   Maria Schneider   Josie Wagner

Sit. 5. Ask students to write the names of five or so other students in the class on a separate sheet of paper, following the format in the text. On the board write a list of clothing and colors to choose from. Have students fill in the chart individually and then follow up with questions about each student. Use the yes/no format: *Trägt Mary einen Pullover? Ist ihr Pullover gelb?*

Sit. 6. Ask students to use names of students in the class (or names of famous people) to complete the questions.

Distribute at random 10 numbers between 0 and 100 printed on construction paper. Call out numbers and ask students to say the name of the student holding the correct number: *Wer hat Nummer 16?* Count as many different categories of people and descriptions in the classroom as you can; then use yes/no questions to verify. For example, first count aloud the number of men; then ask: *Wie viele Personen sind Männer? 15? 16?* Count categories such as: *Wie viele Männer haben blondes Haar?* Do not force the students to say the numbers, but rather follow your questions immediately with a number: *14? 17?*

Situation 5.   Meine Mitstudenten

Schauen Sie Ihre Mitstudenten an. Sagen Sie den Namen, und beschreiben Sie die Kleidung.

NAME	KLEIDUNG	FARBE
1. Heidi	Rock	blau
2. _____	_____	_____
3. _____	_____	_____
4. _____	_____	_____
5. _____	_____	_____

Situation 6.   Ja oder Nein?

Ist Stefan klein?   Ja, er ist klein.
                     Nein, er ist nicht klein.

Ist Heidis Jacke rot?   Ja, sie ist rot.
                         Nein, sie ist nicht rot.

1. Ist _____ Hose grün?
2. Ist _____ Hemd schwarz?
3. Ist _____ groß?
4. Ist _____ Rock weiß?
5. Ist _____ klein?
6. Ist _____ blond?
7. Ist _____ Jacke rot?
8. Ist _____ jung?
9. Ist _____ Bluse rosa?
10. Ist _____ Anzug gelb?

ZAHLEN

0	null	10	zehn	20	zwanzig
1	eins	11	elf	21	einundzwanzig
2	zwei	12	zwölf	22	zweiundzwanzig
3	drei	13	dreizehn	30	dreißig
4	vier	14	vierzehn	40	vierzig
5	fünf	15	fünfzehn	50	fünfzig
6	sechs	16	sechzehn	60	sechzig
7	sieben	17	siebzehn	70	siebzig
8	acht	18	achtzehn	80	achtzig
9	neun	19	neunzehn	90	neunzig
				100	hundert

Sit. 7. Have students count the number of students in the class who fit the descriptions given in the activity. Ask questions such as: *Wie viele Studenten und Studentinnen tragen eine Brille?* (*John trägt eine Brille, Ann trägt eine Brille, . . .*) *Wie viele Frauen tragen eine Brille?* (*Drei.*) Students may say the number or hold up three fingers. *Ja, drei Studentinnen tragen Brille. Und wie viele Männer? Wie viele Studenten und Studentinnen tragen eine Hose?* The words *tragen* and *haben* appear in the plural form in print for the first time.

(See the IM for suggestions on the teaching and use of dialogues in Stage I.) Read and act out the dialogues as the class silently follows along in the text. Explain new words and expressions with mime.

Situation 7.   Wie viele?

Wie viele Studenten/Studentinnen im Kurs . . . ?

tragen		haben	
Hose	_____	Bart	_____
Brille	_____	langes Haar	_____
Hemd	_____	Schnurrbart	_____
Bluse	_____	braunes Haar	_____
Rock	_____	blondes Haar	_____
Tennisschuhe	_____	blaue Augen	_____

BEGRÜSSEN UND VERABSCHIEDEN

Guten Morgen!   Guten Tag!   Guten Abend!

Baumann.
Angenehm, Pracht.

Auf Wiedersehen!
Bis bald!

Tschüß!
Mach's gut.

Sit. 8. These dialogues consist of patterns that are simply memorized as "chunks." The *du/Sie* contrast will be formally introduced in the next section.

You may have to make a few comments in English about *du* and *Sie*, especially if you have many students who have not previously been in contact with the concept of formal and informal pronouns of address. (See the IM for details on usage of second-person pronouns in this text.) Point out that in some parts of the United States, the informal plural often takes the form "you all," while in other parts of the country "you guys" is frequently heard.

Situation 8.   Dialoge

1. **Jürgen Baumann spricht mit einer Studentin.**

   JÜRGEN: Hallo, bist du neu hier?
   PATRIZIA: Ja. Du auch?
   JÜRGEN: Ja. Du, sag mal, wie heißt du?
   PATRIZIA: Patrizia. Und du?
   JÜRGEN: Jürgen.

2. **Frau Frisch spricht am Telefon mit Herrn Koch.**

   HERR KOCH: Koch.
   FRAU FRISCH: Guten Tag, Herr Koch. Hier ist Frau Frisch.
   HERR KOCH: Guten Tag, Frau Frisch.

3. **Jutta spricht mit Frau Körner.**

   FRAU KÖRNER: Na, Jutta?
   JUTTA: Guten Abend, Frau Körner.
   FRAU KÖRNER: Was macht die Schule?
   JUTTA: Ach, es geht so.
   FRAU KÖRNER: Und wie geht's deiner Mutter?
   JUTTA: Gut, danke.

GESPRÄCHE

Grammatik A.7

Situation 9.   Dialoge

1. Herr Wagner trifft Jutta von nebenan.

   HERR WAGNER: Guten Tag, Jutta.
   JUTTA: Guten Tag, Herr Wagner.
   HERR WAGNER: Wie geht es deinem Vater?
   JUTTA: Ganz gut, danke.
   HERR WAGNER: Grüß ihn bitte von mir.

2. Jutta trifft ihren Freund Jens.

   JUTTA: Hallo, Jens.
   JENS: Ach, hallo Jutta.
   JUTTA: Was machst du so?
   JENS: Ich habe schrecklich viel zu tun.
   JUTTA: Na, dann mach's gut.
   JENS: Tschüß!

Situation 10.   Du oder Sie?

Was sagen diese Personen: du oder Sie?

1. zwei Studenten
2. Mathematikprofessor und Student
3. zwei Mädchen von 10 Jahren
4. zwei Freundinnen
5. eine Frau von 40 Jahren und das Kind von nebenan
6. Sekretärin und Student
7. Doktor und Patient

VOKABELN

Aufforderungen	Requests
beschreiben Sie	describe
gehen Sie	go, walk
hören Sie zu	listen
lachen Sie	laugh
laufen Sie	run
lesen Sie	read
nehmen Sie	take
öffnen Sie	open
sagen Sie	say
schauen Sie	look
nach oben	up
nach unten	down
schauen Sie . . . an	look at . . .
schließen Sie	shut
schreiben Sie	write
setzen Sie sich	sit down
singen Sie	sing
sprechen Sie	speak, talk
springen Sie	jump
stehen Sie auf	stand up, get up
tanzen Sie	dance

Beschreibungen	Descriptions
Er/sie ist . . .	He/she is . . .
alt	old
blond	blond
dick	thick, fat, heavy
dünn	thin, skinny
groß	tall
hübsch	pretty, cute
jung	young
klein	small, little
kurz	short
lang	long, tall

Körper	Body
das Auge	eye
der Bart	beard
das Haar	hair
der Schnurrbart	moustache
Er/sie hat . . .	He/she has . . .
einen Bart	a beard

eine Brille	glasses
einen Schnurrbart	a moustache
Er/sie hat . . . Haar.	He/she has . . . hair.
blondes	blond
braunes	brown
graues	grey
hübsches	pretty
kurzes	short
langes	long
rotes	red
schwarzes	black
Er/sie hat . . . Augen.	He/she has . . . eyes.
blaue	blue
braune	brown
graue	grey
große	large, big
grüne	green
hübsche	pretty, cute
kleine	little

Farben	Colors
blau	blue
braun	brown
gelb	yellow
grau	grey
grün	green
orange	orange
rosa	pink
rot	red
schwarz	black
weiß	white

Kleidung	Clothes
Er/sie trägt . . .	He/she wears . . .
einen Anzug	a suit
eine Armbanduhr	a wristwatch
eine Bluse	a blouse
eine Brille	glasses
ein Hemd	a shirt
eine Hose	pants
einen Hut	a hat
eine Jacke	a jacket
ein Kleid	a dress
eine Krawatte	a tie

einen **Mantel**	a coat
einen **Pullover/Pulli**	a sweater
einen **Rock**	a skirt
ein **Sakko**	a sports coat
Schuhe	shoes
Stiefel	boots
Tennisschuhe	tennis shoes

Dinge / Things

der **Apfel**	apple
die **Apfelsine**	orange
der **Ast**	branch
der **Baum**	tree
das **Blatt**	leaf
der **Bleistift**	pencil
das **Buch**	book
(das) **Deutsch**	German (*language*)
der **Deutschkurs**	German course/class
das **Jahr**	year
der **Kurs**	(academic) course, class
der **Rauch**	smoke
der **Schneemann**	snowman
die **Schule**	school
das **Schwein**	pig
der **Stift**	pen

Ähnliche Wörter (*Similar Words* [*in German and in English*]): das **Auto** / **Englisch** / das **Foto** / die **Klasse** / die **Mathematik** / der **Name** / das **Telefon**

Personen / People

die **Frau**	woman; Mrs., Ms.
der **Freund**/die **Freundin**	friend (*male/female*)
der **Herr**	gentleman; Mr.
der **Junge**	boy
das **Kind**	child
das **Mädchen**	girl
der **Mitstudent**/die **Mitstudentin**	fellow university student (*male/female*)
die **Mutter**	mother
der **Vater**	father

Ähnliche Wörter: der **Doktor** / die **Doktorin** / der **Mann** / der **Patient** / die **Patientin** / der **Professor** / die **Professorin** / der **Sekretär** / die **Sekretärin** / der **Student** / die **Studentin**

Verben / Verbs

(be)grüßen	to greet
beschreiben	to describe
du bist	you are
gehen	to go, walk
haben	to have
er/sie hat	he/she has
ich heiße	my name is (I am called)
er/sie heißt	his/her name is (he/she is called)
er/sie ist	he/she is
machen	to make; to do
sagen	to say
sag mal	tell me
er/sie spricht	he/she talks
tragen	to wear; to carry
er/sie trägt	he/she wears
er/sie trifft	he/she meets
tun	to do
verabschieden	to say good-bye

Begrüßen und Verabschieden / Greetings and Farewells

Angenehm!	Pleased (to meet you).
Auf Wiedersehen!	Good-bye.
Bis bald!	So long.
Danke, gut.	I'm fine, thank you.
Es geht so.	So-so.
Ganz gut.	Quite all right.
Grüß ihn von mir.	Say hello to him (from me).
Guten Abend!	Good evening.
Guten Morgen!	Good morning.
Guten Tag!	Hello. (*for.*)
Hallo!	Hi. (*infor.*)
Mach's gut.	Take care. (*infor.*)
Na!	Howdy!
Tschüß!	So long. See you. (*infor.*)

Fragen / Questions

Was machst du so?	So what are you up to?
Was macht die Schule?	How's school?
Was macht Peter?	What is Peter doing?
Welche Farbe hat . . . ?	What is the color of . . . ?
Wer ist . . . ?	Who is . . . ?
Wie geht es deiner Mutter/deinem Vater?	How is your mother / your father?

Wie geht's?	How are you?
Wie heißen Sie?	What is your name? (*for.*)
Wie heißt du?	What is your name? (*infor.*)
Wie viele . . . ?	How many . . . ?

Zahlen — Numbers

null	zero
eins	one
zwei	two
drei	three
vier	four
fünf	five
sechs	six
sieben	seven
acht	eight
neun	nine
zehn	ten
elf	eleven
zwölf	twelve
dreizehn	thirteen
siebzehn	seventeen
zwanzig	twenty
einundzwanzig	twenty-one
zweiundzwanzig	twenty-two
dreißig	thirty
vierzig	forty
fünfzig	fifty
sechzig	sixty
siebzig	seventy
achtzig	eighty
neunzig	ninety
hundert	hundred

Nützliche Wörter und Wendungen — Useful Words and Phrases

aber	but
Ach!	Ah! Alas!
am Telefon	on the phone
auch	too, as well
beide	both
bitte	please
dann	then

dein, deine	your (*infor. sg.*)
der, den, das, die	the
du	you (*infor. sg.*)
ein, eine	a, an
er	he, it
es	it
hier	here
ich	I
ihr	you, you all (*infor. pl.*)
ihr beiden	you two
im	in the
ja	yes
kein (Stift/Auto),	no/not any (pen/car),
keine (Klasse)	no/not any (class)
mein, meine	my
mit	with
mit einer Studentin	with a student (*female*)
nein	no
neu	new
nicht	not
oder	or
schrecklich	horrible
sie	she; it
sie	they
Sie	you (*for.*)
sondern	but (*on the contrary*)
und	and
viel	much
von	of, from
von nebenan	from next door
wir	we
zu (tun)	to (do)

Wörter im Text — Words in the Text

das Arbeitsbuch	workbook
die Einführung	introduction
das Gespräch	conversation
die Interaktion	interaction
das Kapitel	chapter
die Sprechsituation	conversational situation
die Übung	exercise

Ähnliche Wörter: der **Dialog** / die **Grammatik** / die **Situation**

STRUKTUREN UND ÜBUNGEN

A.1 Imperativ 1: Sie

The commands your instructor gives you in class consist of a verb, which ends in **-n** or **-en**, and the pronoun **Sie** (*you*).* As with the English *you*, the German **Sie** can be used to indicate one person (*you*) or more than one person (*you* [*all*]). In English commands the pronoun *you* is normally understood, but not said. In German, **Sie** is a necessary part of commands.

> **Stehen Sie auf.**
> *Stand up.*
>
> **Nehmen Sie das Buch.**
> *Take the book.*

With certain commands you will hear the word **sich** (*self*).†

> **Setzen Sie sich, bitte.**
> *Sit down, please.*

A.2 Präsens 1: heißen

Use a form of the verb **heißen** (*to be called*) to tell your name and to ask for the name of others.

> **Wie heißen Sie?/Wie heißt du?**‡
> *What is your name?*
>
> **Ich heiße . . .**
> *My name is . . .*

Here are the present-tense singular forms of the verb **heißen** with the personal pronouns.

ich	heiße	*my name is/I am called*		
Sie	heißen	*your name is/you are called*		
du	heißt			
er }		*his* }		*he* }
sie } heißt		*her* } *name is/she* } *is called*		
es }		*its* }		*it* }

---

*The pronoun **Sie** (*you*) is always capitalized to differentiate it from another pronoun, **sie** (*she*; *it*; *they*).

†**Sich** is a reflexive pronoun, and its use will be explained in detail in Chapter 9.

‡The difference between **Sie** (formal) and **du** (informal) will be explained in Section A.7. **15**

Übung 1

Ergänzen Sie die folgenden Dialoge mit der richtigen Form des Verbs **heißen**. (*Complete the following dialogs with the correct form of the verb* **heißen**.)

1. ERNST: Hallo, wie _____ du?
   JUTTA: Ich _____ Jutta. Und du?
   ERNST: Ich _____ Ernst.
2. HERR THELEN: Guten Tag, wie _____ Sie bitte?
   HERR SIEBERT: Ich _____ Siebert, Alexander Siebert.
3. CLAIRE: Hallo, ich _____ Claire, und wie heißt ihr?
   MELANIE: Ich heiße Melanie, und er _____ Josef.

A.3 Genitiv 1: Personennamen

All German nouns are capitalized, whether they are common nouns (**Jacke, Freund**) or proper nouns (**Heidi, Stefan**).

Both German and English add an **s** onto someone's name to denote possession.* Note that this is possible only with proper names in German and that there is no apostrophe before the **s**.

Heidis Jacke
Heidi's jacket

Stefans Freund
Stefan's friend

A.4 Hilfsverben 1: sein

Use a form of the verb **sein** (*to be*) to describe people and things.

Sind Heidi und Nora blond? —Nein, **Heidi ist** blond, aber **Nora ist** brünett.
"Are Heidi and Nora blonde?" "No, Heidi is blonde, but Nora is brunette."
Peter ist groß.
Peter is tall.
Das Fenster ist klein.
The window is small.

Here are the present-tense forms of the verb **sein** with both singular and plural personal subject pronouns. (These pronouns are used as the subject of a sentence and are called nominative case pronouns.)

---

*In grammatical terms possession is called the genitive case.

ich	bin		*I*	*am*	wir	sind		*we*	*are*
Sie	sind	}	*you*	*are*	Sie	sind	}	*you (all)*	*are*
du	bist				ihr	seid			
er			*he*						
sie	} ist		*she*	} *is*	sie	sind		*they*	*are*
es			*it*						

Übung 2

Beschreiben Sie die folgenden Personen. Verwenden Sie die richtige Form von **sein**. (*Describe the following people. Use the correct form of* sein.)

1. Michael Pusch _____ groß.
2. Ich heiße Monika, und ich _____ Studentin.
3. Ernst und ich, wir _____ Freunde.
4. Herr Thelen _____ alt.
5. Josef und Melanie _____ jung.

A.5 Genus

All nouns (words that name people, things, or concepts) are classified grammatically as masculine, neuter, or feminine in German. Except when referring to people, this grammatical gender usually has nothing to do with biological sex. The personal pronouns **er**, **es**, **sie** (*he, it, she*) must match the gender of the nouns they replace. For example, **der Stift** is referred to as **er**, because its grammatical gender is masculine; **das Papier** is **es**, because it is neuter; and **die Tür** is **sie**, because it is feminine. Grammatical gender is also represented by the definite article, *the*: **der** (masculine), **das** (neuter), and **die** (feminine).

> Welche Farbe hat **der Stift**? —**Er** ist rot.
> *"What color is the pen?" "It is red."*
>
> Welche Farbe hat **das Papier**? —**Es** ist weiß.
> *"What color is the paper?" "It is white."*
>
> Welche Farbe hat **die Tür**? —**Sie** ist braun.
> *"What color is the door?" "It is brown."*

A.6 Negation 1: nein/nicht

Use **nein** to give a negative answer to yes/no questions. Use **nicht** to say that something isn't so. **Nicht** usually precedes the word or phrase it negates.

Ist Heidis Haar lang? —**Nein**, es ist **nicht** lang.
"Is Heidi's hair long?" "No, it is not long."

Sind Josefs Augen braun? —**Nein**, sie sind **nicht** braun.
"Are Josef's eyes brown?" "No, they are not brown."

When you hear a statement followed by **nicht wahr**, it is a question that asks for confirmation.

Josef kommt aus Regensburg, **nicht wahr**? —Ja, er kommt aus
  Regensburg.
"Josef is from Regensburg, isn't he?" "Yes, he is from Regensburg."

Melanies Augen sind grün, **nicht wahr**? —Nein, sie sind nicht grün.
"Melanie's eyes are green, aren't they?" "No, they are not green."

Übung 3

Sagen Sie, daß die folgenden Aussagen über Frau Schulz und ihre Studenten nicht stimmen. (*Say that the following statements about Ms. Schulz and her students are wrong.*)

MODELL: Stefan ist blond, nicht wahr? →
      Nein, Stefan ist nicht blond!

1. Heidi ist dick, nicht wahr?
2. Alberts Schuhe sind alt, nicht wahr?
3. Peter ist alt, nicht wahr?
4. Noras Auto ist gelb, nicht wahr?
5. Frau Schulz ist klein, nicht wahr?
6. Alberts Jacke ist weiß, nicht wahr?

A.7 Pronomen 1: du/ihr vs. Sie

German speakers distinguish between two modes of addressing others: the formal **Sie** versus the informal **du** (singular) or **ihr** (plural). You usually use **Sie** with someone you don't know or someone older than you. The use of **Sie** and **du/ihr** corresponds roughly to being on a last-name basis versus being on a first-name basis. As you have seen, **Sie** may be used for both singular and plural, whereas the plural of **du** is **ihr**.

	SG	PL
INFORMELL	du	ihr
FORMELL	Sie	Sie

Frau Röder, Sie sind 28, nicht wahr?
Ms. Röder, you are 28, aren't you?

Jens und Jutta, ihr seid beide 16, nicht wahr?
Jens and Jutta, you are both 16, aren't you?

Ernst, du bist jetzt 8, nicht wahr?
Ernst, you are 8 now, aren't you?

Übung 4

Verwenden Sie bei den folgenden Personen die formelle Form oder die informelle? (*Do you use the formal or the informal form of address with the following people?*)

1. eine Professorin

   a. Wie heißen Sie bitte?
   b. Wie heißt du bitte?

2. ein Mitstudent

   a. Wie alt sind Sie?
   b. Wie alt bist du?

3. ein Kind

   a. Wie heißen Sie?
   b. Wie heißt du?

4. eine Sekretärin

   a. Sind Sie neu hier?
   b. Bist du neu hier?

5. ein Freund

   a. Sie sind intelligent.
   b. Du bist intelligent.

EINFÜHRUNG B

In der Universität

© Beryl Goldberg

In Einführung B you will continue to develop your listening skills in German and will begin to speak German. You will get to know your classmates better as you work with them in pairs or small groups. You will learn more vocabulary for describing your immediate environment and your family members. Finally you will start to learn how to talk about the weather and the seasons.

THEMEN

Die Klasse
Der Körper
Beschreibungen (Teil 2)
Die Familie
Wetter und Jahreszeiten

STRUKTUREN

B.1 Genus und Artikel
B.2 Bestimmter und unbestimmter Artikel
B.3 Plural der Substantive
B.4 Imperativ 2: Sie und du
B.5 Hilfsverben 2: haben
B.6 Negation 2: kein
B.7 Akkusativ 1: ein/kein

GOALS

The purpose of *Einführung B* is to give students opportunities to make the transition from Stage I (Comprehension) to Stage II (Early Speech). Continue to emphasize the development of the students' ability to comprehend German, but, at the same time, encourage students to begin to respond using single words and short phrases. In some activities students will work in pairs or in small groups. The semantic focus continues to be on identification and descriptions of common items and people in their environment. [See the IM for a discussion of activities for Stage II (*Einführung B–C*).]

PRE-TEXT ORAL ACTIVITIES

1. Classroom commands. Use TPR to review classroom commands from *Einführung A*. Sample sequence: *Stehen Sie auf, öffnen Sie das Buch, schließen Sie das Buch, setzen Sie sich.* Repeat and recombine commands during the sequence. Narrow the size of the group participating by giving selective commands: *Männer, die Jeans tragen, stehen Sie auf, heben Sie die rechte Hand, setzen Sie sich.*

2. Transition to Stage II. Use the topics from *Einführung A* to make the transition from Stage I to Stage II. (See the IM for suggestions on the use of types of questions appropriate for Stage II activities.) Talk about numbers, clothes, and colors. Hold up fingers and ask either/or questions such as: *Sind es 5 oder 6?* Expand answers: *Ja, richtig, das sind 5.* Create sequences in which several question types are used: *Wer trägt ein weißes Hemd?* (Look around the room searching as if you really didn't know.) (*Robert.*) *Ja, das ist wahr. Heute trägt Robert ein weißes Hemd.* (Use subject-verb inversion frequently to get the students used to both word orders.) *Trägt Tom eine gelbe Hose?* (*Ja.*) *Ja? Ist die Hose gelb? Nicht orange?* (Appear to be puzzled and to change your mind based on what the students say.) *Wirklich? Und welche Farbe hat Janes Bluse? Ist sie grün oder braun?* Try to make the questions seem real and not just designed to practice German.

21

SPRECHSITUATIONEN

☞ **Grammatik B.1–3**

3. Classroom objects. Introduce (and/or review) the names of several classroom items: *Das ist ein Buch, ein Heft, die Wand, Papier, Tafel, Tisch, Tür, Fenster, usw.* Distribute portable items to students. As you distribute the items ask: *Nun, wer hat . . . ?* Ask one of the students with an item to take it to a student who doesn't have an item: *Geben Sie Stephen die Kreide*. The person receiving the item should thank the person giving the item: *Danke. Bitte.* After several items have been exchanged, the instructor can then ask: *Und nun, wer hat . . . ?* Vary the activity by directing the student to give the item to another student without mentioning the second student's name. *Robert, geben Sie der Studentin, die eine rote Bluse trägt, den Bleistift.* Do several of these so that students are introduced to comprehending dependent clauses with the verb in end position. If the context is clear, and your input is given slowly, students do not experience major problems in comprehending sentences with dependent clauses.

Ask questions such as the following: (Hold book.) *Das ist ein Stuhl, nicht wahr?* (Nein.) *Das ist kein Stuhl, das ist ein Buch!* (Point to chair.) *Das ist ein Stuhl.* Review/introduce common adjectives to describe items in the classroom: *schön, häßlich, groß, hoch, kurz.* Also introduce *einfach* and *schwer* to describe texts. Use either/or and yes/no questions: *Ist der Tisch alt oder neu? Sind die Wände grün oder weiß?*

	M	N	F	PL
BESTIMMTER ARTIKEL	der	das	die	die
UNBESTIMMTER ARTIKEL	ein	ein	eine	—

Sit. 1. Have students count aloud with you.

AA 1. [See the IM for suggestions of the use of AAs (Additional Activities) and their uses.] You may introduce new vocabulary in the ASs but these words will not be included in the chapter end vocabulary until the word is formally introduced in the same or a subsequent chapter. Use classroom objects with commands such as: *Bringen Sie mir ein Buch (einen Stift, einen Radiergummi). Zeigen Sie auf die Tür (das Fenster, die Tafel, den Tisch). Gehen Sie an die Tafel (das Fenster, die Tür).* Remember you can also give commands in a sequence: *Gehen Sie zu einer blonden Frau. Geben Sie ihr die Hand. Sagen Sie „Guten Tag". Sagen Sie, wie Sie heißen.*

Sit. 2. Matching. (See the IM for suggestions on the use of matching activities in Stage II.) Ask students to pick nouns from the first column to match the adjectives in the second. They may choose more than one noun and you may wish to add others. This activity gives the opportunity to produce the definite articles with nouns and to hear that adjectives in predicate position are not inflected.

Situation 1.   Die Klasse

Wie viele _____ sind in der Klasse?

1. Studenten
2. Tische
3. Fenster
4. Lampen

5. Uhren
6. Türen
7. Bücher
8. Tafeln

Situation 2.   Dinge in der Klasse

Was ist grün? —Die Tafel!

1. weiß
2. schmutzig
3. alt
4. neu
5. groß
6. klein
7. grau
8. grün
9. sauber
10. _____

AA 2. Mix either/or questions with yes/no questions as in the following example. Hold an eraser and say: *Ist das ein Radiergummi oder ein Stift? (Ein Radiergummi.) Ist der Radiergummi blau? (Nein.) Ist das ein Schwamm oder ein Heft?* Include the words introduced in *Einführung A* such as: *Armbanduhr, Hemd, Hose, Jacke, Mantel, groß, klein, lang, kurz, usw.* Expand all responses: *Ist das die Tür oder der Tisch? (Tisch.) Richtig, das ist der Tisch und nicht die Tür. Ist der Tisch rot? (Nein.) Nein, der Tisch ist nicht rot sondern blau.*

a. der Boden
b. das Fenster
c. die Tafel
d. die Uhr
e. der Schwamm
f. der Tisch
g. das Buch
h. die Tür
i. die Decke
j. _____

DER KÖRPER

Use TPR to introduce parts of the body. Begin with the hand: *Das ist eine/meine Hand. Und das, das ist mein Bein.* Add other parts one by one, making sure to repeat each new word several times: *Haar, Augen, Rücken, usw.* Alternate with the touch command: *Berühren Sie Ihren linken Arm. Berühren Sie Ihren rechten Arm mit Ihrer linken Hand. Berühren Sie Ihr rechtes Bein mit Ihrer Linken Hand. Legen Sie beide Hände auf Ihren Kopf.* Teach the students to recognize the following words for parts of the body in this activity (in some cases you will want to introduce both singular and plural forms): *Ohr(en), Hand (Hände), Kopf, Mund, Arm(e), Schulter(n), Bein(e), Nase, Rücken, Bauch, Fuß (Füße), Auge(n).* (Remind the students that the plural definite article is always *die*.)

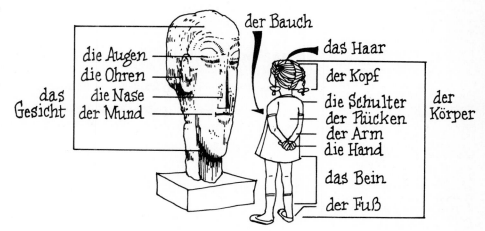

Sit. 3. Direct students' attention to the first figure. Ask questions such as: *Hat er ein Ohr? Hat er ein Bein? Hat er einen Fuß?* Finally ask the questions that require a negative response: *Hat er einen Kopf? (Nein.) Nein, er hat keinen Kopf. Der Kopf fehlt.*

Situation 3.   Was fehlt?

MODELL: **Was fehlt A? —der Kopf**

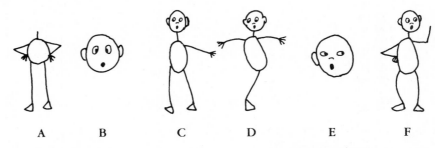

A   B   C   D   E   F

1. Was fehlt B?
2. Was fehlt C?
3. Fehlt D eine Nase?

4. Fehlt E eine Hand?
5. Fehlt F ein Arm?

BESCHREIBUNGEN (TEIL 2)

    Grammatik B.4

In this section we want to allow the students an opportunity to produce some of the words introduced in *Einführung A* to describe their classmates: clothing, colors, hair, eyes, etc. In addition, we will introduce a large number of cognates to describe personality traits and states of being. Use your PF to show photos of various sizes, ages, and types of people. Use both predicate and adjective structures: *Ist sie hübsch? Ist sie eine hübsche Frau?* Note that the use of inflected adjectives is no problem for comprehension, and indeed the students need to get used to hearing a variety of endings in this position without letting it interfere with their ability to comprehend. The students themselves will usually produce only single adjectives, mostly in uninflected forms. Ask either/or questions using adjectives introduced in *Einführung A: Ist der Mann in dem Foto alt oder jung?* Then use mime to introduce the new adjectives in the display: *Ich bin traurig.* (Show a sad face with tears.) *Jetzt bin ich müde.* (Fall

ernst   traurig   freundlich   doof   wütend   pfiffig

Situation 4.   Interaktion: Gefühle zeigen

Nützliche Wörter: ernstes, trauriges, freundliches, doofes, wütendes, pfiffiges.

1. Sagen Sie zu Ihren Mitstudenten: Mach ein lustiges Gesicht!
2. Sagen Sie zu Ihrem Professor/Ihrer Professorin: Machen Sie ein lustiges Gesicht!

Situation 5.   Interaktion: Wie bist du?

nervös	progressiv	reserviert	sportlich
intelligent	spontan	schüchtern	praktisch
freundlich	realistisch	aggressiv	dogmatisch
frech	kultiviert	verrückt	optimistisch

into your chair with a loud sigh.)
Review/introduce: *jung/alt,
hübsch/häßlich, groß/klein,
dumm/intelligent, nervös/ruhig.*
Then use your PF to ask questions such as: *Ist der Mann
müde?*

Sit. 4. Have students pair up and
give orders to each other to
mime the words illustrated in the
display. Then give students a list
of famous people (Einstein, Fidel
Castro, Columbus, Shakespeare,
Hitler, etc.) and ask them to write
a single descriptive word (adjective) that comes to mind when
they think of that person. Introduce the expression, *Wie sagt
man . . . auf deutsch? auf
englisch?*

Sit. 5. Interaction. This is the first
interaction activity in the text.
(See the IM for details on the use
of interaction activities in Stage
II.) Ask questions such as: *Sind
Sie nervös?* Use mime wherever
possible. Encourage students
to create sentences using the
words given in the activity, or
they can ask for others they
might that to use. Most of the
words in the display are new cognates that are immediately rec-
ognizable, but you will probably
have to explain *verrückt, schüchtern,* and *hilfsbereit.*

AA 3. Bring articles of clothing
from home. Introduce/review
German words for each piece of
clothing and then pass them out
to students. Use TPR techniques
to ask the students to take their
article of clothing to students
who have none: *Geben Sie
mir . . . , Bringen Sie mir . . .* Then
ask: *Wer hat . . . ? Hat Robert
. . . ?* Although the students have
not studied the accusative case
formally yet, they should have
no problem understanding your
questions even when the masculine singular *den* is used.

Sit. 6. Note that the sentences in
these dialogues are much longer
than in previous dialogues. Allow
ample time for the students to
practice in pairs.

Sit. 7. These open dialogues focus on the use of adjectives to
describe people. Point out to students that the gender marker *-in*
is important in this context.

idealistisch	hilfsbereit	tolerant	exzentrisch
enthusiastisch	konservativ	emotional	pessimistisch

1. Ist Stefan nervös?
   Ja, Stefan ist nervös./Nein, Stefan ist nicht nervös.
2. Wie ist Heidi?
   Sie ist exzentrisch.
3. Wie bist du?
   Ich bin etwas/relativ reserviert.
   Ich bin nicht verrückt.

Situation 6.   Dialoge

1. Der neue Freund

   GABI: Du, wer ist der Typ da drüben?
   JUTTA: Der mit dem Bart?
   GABI: Ja, genau der.
   JUTTA: Das ist mein neuer Freund Sven. Er ist ein bißchen schüchtern, aber
   sonst sehr nett.
   GABI: Ich bin auch schüchtern. Macht das was?

2. Die neue Freundin

   ALBERT: Wie ist denn deine neue Freundin, Peter?
   PETER: Wirklich nett und auch sehr hübsch. Sie ist groß, schlank und hat
   braunes Haar.
   ALBERT: Und wie heißt sie?
   PETER: Karina.

Situation 7.   Offene Dialoge

1. Der beste Freund/die beste Freundin

   S1: Wer ist deine beste Freundin/dein bester Freund?
   S2: Ich habe zwei.
   S1: Wie heißen sie?
   S2: Sie heißen _____ und _____, und sie sind sehr _____.
   S1: Sind sie auch _____?
   S2: Na klar! (Natürlich nicht!)

2. Der Deutschprofessor/die Deutschprofessorin

   S1: Wie ist dein Deutschprofessor/deine Deutschprofessorin?
   S2: Er/sie ist sehr _____.
   S1: Ist er/sie auch _____?
   S2: Ja, er/sie ist _____ und _____.

Sit. 8. This is the first use of an interview in this text. (See the IM for suggestions on the use of interviews in Stage II.)

Situation 8. Interview: Meine beste Freundin/mein bester Freund

S1: Wie heißt dein bester Freund/deine beste Freundin?
S2: Er/sie heißt _____.
S1: Wie ist er/sie? Ist er/sie idealistisch oder praktisch?
S2: Er/sie ist _____.
S1: Ist er/sie sympathisch?
S2: Ja/nein, er/sie _____.
S1: Ist er/sie _____?
S2: _____.

DIE FAMILIE

 Grammatik B.5–7

Use your PF to introduce: *Vater, Mutter, Sohn, Tochter.* Use the display to introduce other family relationships: *Bruder, Schwester, (Geschwister), usw.* Ask questions such as: *Wer hat Geschwister? Wie viele?*

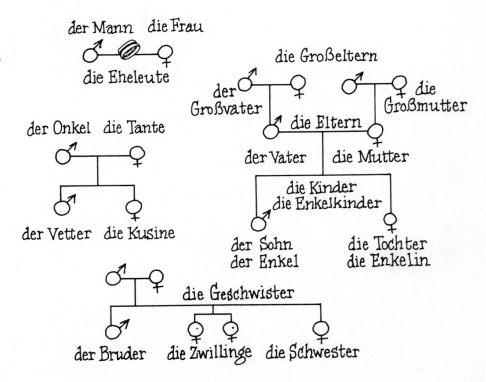

Situation 9.   Die Familie

1. Wie viele Kinder haben Dora und Johannes Schmitz?
2. Wie viele Geschwister hat Rolf Schmitz?
3. Wie heißt der Mann von Helene Schmitz?
4. Wie heißt der Vater von Helga und Sigrid?
5. Hat Manfred eine Schwester?
6. Wie heißt Helgas Bruder?
7. Wie heißt Rolfs Großmutter?
8. Hat Sigrid eine Kusine?
9. Wie heißt Claudias Vetter?
10. Wie heißen die Eltern von Thomas?

Situation 10.   Verwandtschaft

MODELL: Hat Johannes Schmitz einen Sohn? —Ja, er hat einen Sohn.

Hat Johannes Schmitz einen Bruder? —Nein, er hat keinen Bruder.

1. Rolf	a. einen Bruder
2. Ursula	b. eine Kusine
3. Johannes	c. eine Schwester
4. Thomas	d. eine Frau
5. Ulf	e. einen Enkel
6. Viktor	f. einen Ehemann
7. _____	g. ———

Sit. 11. The characters are all from the soap opera (*Familienserie*) *Unsere Straße.*

Situation 11. Dialoge

1. Herr Siebert trifft Frau Wagner.

>HERR SIEBERT: Guten Tag, Frau Wagner.
>FRAU WAGNER: Guten Tag, Herr Siebert.
>HERR SIEBERT: Sind das Ihre Töchter?
>FRAU WAGNER: Ja, das sind zwei von meinen Kindern, Andrea und Paula.
>HERR SIEBERT: Zwei? Wie viele haben Sie denn?
>FRAU WAGNER: Ich habe drei. Diese beiden und meinen Sohn Ernst.

2. Herr Ruf spricht mit Herrn Thelen.

>HERR THELEN: Wer ist denn dieser Herr da?
>HERR RUF: Das ist Bernd Ruf.
>HERR THELEN: Ruf? Ist das Ihr Bruder?
>HERR RUF: Nein. Er heißt zwar auch Ruf, aber er ist nicht mein Bruder.

Sit. 12. Let students work in groups of 3 or 4. One student can interview the others in the group and report to the class later.

Situation 12. Interview: Die Familie

1. Wie heißt dein Vater? Wie alt ist er? Wo wohnt er? Mein Vater _____.
2. Wie heißt deine Mutter? Wie alt ist sie? Wo wohnt sie? Meine Mutter _____.
3. Hast du Geschwister? Wie viele? Wie heißt dein Bruder/deine Schwester? Wie heißen deine Brüder/deine Schwestern? Wo wohnt/wohnen . . . ? Wie alt ist/sind . . . ?

WETTER UND JAHRESZEITEN

Use your PF to introduce vocabulary that describes weather: *sonnig, heiß, kalt, es regnet, usw.* Then use a calendar to point out the names of the months of the year. Use your picture file with a scene in which the weather and season are clear. First, use either/or questions to ask about the weather (*Ist es sonnig oder regnet es?*) and about the season: *Denken Sie, daß es Winter oder Frühling ist?* (Use mime to introduce *denken Sie.*)

Wie ist das Wetter?

Es ist sonnig.   Es ist sehr heiß.

Es ist sehr schön.

Es ist kalt.

Es regnet.   Es ist kühl.   Es schneit.   Es ist windig.

Sit. 13. Use your PF to illustrate the weather conditions in the activity. For a particular photo, ask: *Wie ist das Wetter?* Then: *Welche Farbe assoziieren Sie mit . . . ?*

Situation 13.   Das Wetter

Welche Farbe assoziieren Sie mit dem Wetter?

1. Das Wetter ist schlecht.
2. Es ist kalt.
3. Es ist heiß.
4. Es regnet.
5. Es schneit.
6. Es ist schön.
7. Die Sonne scheint.

a. rot
b. weiß
c. blau
d. gelb
e. grün
f. grau
g. ___?___

Source: Frankfurter Allgemeine Zeitung 7. Mai 1987 Nr. 105 S. 29

Sit. 14. Claire is a visiting American student in Regensburg. Use the display to acquaint students with German cities and German spellings and pronunciations of foreign cities. Ask questions such as *„Wie ist das Wetter in Rom?"*, *„Wieviel Grad Celsius hat es in Moskau?"* You may wish to point out the difference between Celsius and Fahrenheit.

Situation 14. Dialog: Das Wetter in Regensburg

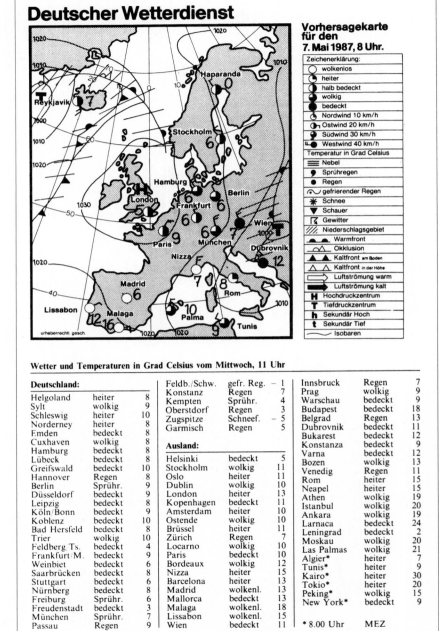

Deutscher Wetterdienst

Vorhersagekarte für den 7. Mai 1987, 8 Uhr.

Zeichenerklärung:

- ◐ wolkenlos
- ◐ heiter
- ◐ halb bedeckt
- ◐ wolkig
- ● bedeckt
- Nordwind 10 km/h
- Ostwind 20 km/h
- Südwind 30 km/h
- Westwind 40 km/h

Temperatur in Grad Celsius

- ≡ Nebel
- Sprühregen
- ● Regen
- ∿ gefrierender Regen
- ✳ Schnee
- ▽ Schauer
- ⚡ Gewitter
- /// Niederschlagsgebiet
- ⌒⌒ Warmfront
- ⌒△ Okklusion
- ▲▲ Kaltfront am Boden
- △△ Kaltfront in der Höhe
- ⇨ Luftströmung warm
- ⇨ Luftströmung kalt
- H Hochdruckzentrum
- T Tiefdruckzentrum
- h Sekundär Hoch
- t Sekundär Tief
- — Isobaren

Wetter und Temperaturen in Grad Celsius vom Mittwoch, 11 Uhr

Deutschland:

Helgoland	heiter	8
Sylt	wolkig	9
Schleswig	heiter	10
Norderney	heiter	8
Emden	bedeckt	8
Cuxhaven	wolkig	8
Hamburg	bedeckt	8
Lübeck	bedeckt	8
Greifswald	bedeckt	10
Hannover	Regen	8
Berlin	Sprühr.	9
Düsseldorf	bedeckt	9
Leipzig	bedeckt	8
Köln/Bonn	bedeckt	9
Koblenz	bedeckt	10
Bad Hersfeld	bedeckt	8
Trier	wolkig	10
Feldberg/Ts.	bedeckt	4
Frankfurt/M.	bedeckt	9
Weinbiet	bedeckt	6
Saarbrücken	bedeckt	8
Stuttgart	bedeckt	6
Nürnberg	bedeckt	8
Freiburg	Sprühr.	6
Freudenstadt	bedeckt	3
München	Sprühr.	7
Passau	Regen	9

Feldb./Schw.	gefr. Reg.	− 1
Konstanz	Regen	7
Kempten	Sprühr.	4
Oberstdorf	Regen	3
Zugspitze	Schneef.	− 5
Garmisch	Regen	5

Ausland:

Helsinki	bedeckt	5
Stockholm	wolkig	11
Oslo	heiter	11
Dublin	wolkig	10
London	heiter	13
Kopenhagen	bedeckt	11
Amsterdam	heiter	10
Ostende	wolkig	10
Brüssel	heiter	11
Zürich	Regen	7
Locarno	wolkig	10
Paris	bedeckt	10
Bordeaux	wolkig	12
Nizza	heiter	15
Barcelona	heiter	13
Madrid	wolkenl.	13
Mallorca	bedeckt	13
Malaga	wolkenl.	18
Lissabon	wolkenl.	15
Wien	bedeckt	11

Innsbruck	Regen	7
Prag	wolkig	9
Warschau	bedeckt	9
Budapest	bedeckt	18
Belgrad	Regen	13
Dubrovnik	bedeckt	11
Bukarest	bedeckt	12
Konstanza	bedeckt	9
Varna	bedeckt	12
Bozen	wolkig	13
Venedig	Regen	11
Rom	heiter	15
Neapel	heiter	15
Athen	wolkig	19
Istanbul	wolkig	20
Ankara	wolkig	19
Larnaca	bedeckt	24
Leningrad	bedeckt	2
Moskau	wolkig	20
Las Palmas	wolkig	21
Algier*	heiter	7
Tunis*	heiter	9
Kairo*	heiter	30
Tokio*	heiter	20
Peking*	wolkig	15
New York*	bedeckt	9
* 8.00 Uhr	MEZ	

Heute:	Sonnenaufgang:	5.45 Uhr	Mondaufgang:	13.31 Uhr
	Sonnenuntergang:	20.54 Uhr	Monduntergang:	3.49 Uhr

JOSEF: Schön heute, nicht?

CLAIRE: Ja, sehr sonnig, aber ein bißchen zu heiß.

JOSEF: Stimmt, aber es regnet so oft hier in Bayern—auch im Sommer.

CLAIRE: Ist es hier oft kühl und windig?

JOSEF: Ja, im Frühling. Und manchmal schneit es noch im April.

Situation 15.   Offener Dialog: Wie ist das Wetter?

Sit. 15. Extend the open dialogue to discuss weather in your own area of the country.

S1: _____ Wetter heute?

S2: _____ und _____.

S1: Ist es hier oft _____?

S2: Nein, es _____.

Situation 16.   Das Wetter

Sit. 16. Compare weather in different parts of the country—for example, New York vs. Miami in December. Then talk about weather in German-speaking countries.

Wie ist das Wetter im _____?

1. August
2. Januar
3. April
4. Juni
5. Dezember
6. Februar

a. Es ist schlecht.
b. Es ist heiß.
c. Es ist kalt.
d. Es regnet.
e. Es ist schön.
f. Es ist sonnig.
g. Es schneit.
h. Es ist warm.

VOKABELN

Dinge im Klassenzimmer / Things in the Classroom

der **Boden**, ⸚	floor
die **Decke**, -n	ceiling
das **Fenster**, -	window
das **Heft**, -e	notebook
die **Kreide**	chalk
die **Lampe**, -n	lamp
das **Papier**, -e	paper
der **Schwamm**, ⸚e	sponge
der **Stuhl**, ⸚e	chair
die **Tafel**, -n	blackboard
der **Tisch**, -e	table
die **Tür**, -en	door
die **Uhr**, -en	clock, watch
die **Wand**, ⸚e	wall

Körperteile / Parts of the Body

das **Bein**, -e	leg
der **Fuß**, ⸚e	foot
das **Gesicht**, -er	face
der **Kopf**, ⸚e	head
der **Körper**, -	body
der **Mund**, ⸚er	mouth
das **Ohr**, -en	ear
der **Rücken**, -	back

Ähnliche Wörter: der **Arm**, -e / die **Hand**, ⸚e / die **Nase**, -n / die **Schulter**, -n

Erinnern Sie sich (*Remember*): das **Auge**, -n / das **Haar**, -e

Beschreibungen / Descriptions

Er/sie ist . . . — He/she is . . .

doof	stupid
ernst	serious
frech	impudent, cheeky, fresh
fröhlich	happy, cheerful, merry

hilfsbereit	helpful
kultiviert	sophisticated
lustig	funny
müde	tired
nett	nice
pfiffig	sly, smart
sauber	clean
schlank	slim
schlecht	evil, bad
schmutzig	dirty
schön	beautiful
schüchtern	shy
sportlich	athletic
sympathisch	nice, warm, friendly
traurig	sad
verheiratet	married
verrückt	crazy
wütend	furious, upset

Ähnliche Worter: aggressiv / **dogmatisch** / **emotional** / **enthusiastisch** / **exzentrisch** / **freundlich** / **idealistisch** / **intelligent** / **konservativ** / **modern** / **nervös** / **optimistisch** / **pessimistisch** / **praktisch** / **progressiv** / **realistisch** / **reserviert** / **spontan** / **tolerant**

Die Familie / Family

der **Bruder**, ⸚	brother
die **Eheleute** (*pl.*)	married couple
die **Eltern** (*pl.*)	parents
der **Enkel**, -	grandson
die **Enkelin**, -nen	granddaughter
die **Enkelkinder** (*pl.*)	grandchildren
die **Frau**, -en	wife
die **Geschwister** (*pl.*)	brothers and sisters, siblings
die **Großeltern** (*pl.*)	grandparents
die **Großmutter**, ⸚	grandmother
der **Großvater**, ⸚	grandfather
die **Kusine**, -n	cousin (*female*)
der **Mann**, ⸚er	husband
der **Onkel**, -n	uncle
die **Schwester**, -n	sister

der **Sohn**, ⸚e	son
die **Tante**, -n	aunt
die **Tochter**, ⸚	daughter
die **Verwandtschaft**	relatives
der **Vetter**, -n	cousin (*male*)
die **Zwillinge** (*pl.*)	twins

Erinnern Sie sich: die **Mutter**, ⸚ / der **Vater**, ⸚

Das Wetter | ## Weather

Es ist . . .	It is . . .
heiß	hot
kalt	cold
kühl	cool
schön	beautiful, nice
sonnig	sunny
warm	warm
windig	windy
Die Sonne scheint.	The sun is shining.
Es regnet.	It's raining.
Es schneit.	It's snowing.

Monate | ## Months

der **Januar**	January
der **Februar**	February
der **März**	March
der **April**	April
der **Mai**	May
der **Juni**	June
der **Juli**	July
der **August**	August
der **September**	September
der **Oktober**	October
der **November**	November
der **Dezember**	December
im (**Januar**)	in (January)

die Jahreszeiten | ## Seasons

der **Frühling**	spring
der **Sommer**	summer
der **Herbst**	fall
der **Winter**	winter
im (**Frühling**)	in the (spring)

Nützliche Wörter und Wendungen | ## Useful Words and Phrases

assoziieren	to associate
geben Sie	give
zeigen	to show
das **Gefühl**, -e	feeling, sentiment
der **Typ**, -en	guy
bester, beste	best
da	there
da drüben	over there
denn	well, then (*often untranslated*)
dieser, dieses, diese	this
ein bißchen	a bit
einfach	simple, simply
Er heißt zwar Ruf, aber . . .	His name *is* Ruf, but . . .
etwas	a bit, something
genau	exactly
heute	today
Ihr, Ihre	your (*formal*)
in	in
klar	clear
na, klar	of course
manchmal	sometimes
noch	still, yet
nun	now
offen	open
oft	often
relativ	relatively
richtig	right, exactly
schwer	heavy
sehr	very
sonst	otherwise
wahr	true
wirklich	really
zu	too
zwar	of course
Macht das was?	Does it matter?
Sie hat kein (Buch).	She doesn't have a (book).
Sie hat keine (Kreide).	She doesn't have any (chalk).
Sie hat keinen (Stuhl).	She doesn't have a (chair).
Stimmt!	That is correct!
Was fehlt?	What's missing?
Wo wohnt (er)?	Where does (he) live?
Wo wohnen (sie)?	Where do (they) live?

STRUKTUREN UND ÜBUNGEN

B. 1. Emphasize to students the helpfulness of color-coded charts for learning grammatical gender.

B.1 Genus und Artikel

As you know from Einführung A, German nouns are classified into three genders: masculine, neuter, and feminine. Sometimes gender can be determined from the ending of the noun; for example, nouns that end in **-e**, such as **die Tasse** or **die Pflanze**, are feminine (unless they specifically denote male beings). As you will see later, suffixes often signal the gender of the noun, such as the feminine **-in**: **die Studentin**, **die Professorin**.

Usually, gender cannot be predicted from the form of the word. With experience listening to and reading German, however, you will begin to associate gender with nouns.*

M	N	F
der Tisch	das Papier	die Decke
der Stuhl	das Fenster	die Kreide
der Professor		die Professorin
der Student		die Studentin

Übung 1

Der, das oder die?

1. _____ Tür ist grau.
2. _____ Bleistift ist neu.
3. _____ Heft ist klein.
4. _____ Apfel ist rot.
5. _____ Schwein ist rosa.
6. _____ Buch ist modern.
7. _____ Tafel ist schwarz.
8. _____ Boden ist schmutzig.
9. _____ Kreide ist weiß.
10. _____ Mantel ist alt.

---

*Some students report that the following suggestions are helpful. When you hear or read new nouns you consider to be useful, write them down in your vocabulary notebook using different colors for the three genders; for example, blue for masculine, black for neuter, and red for feminine. Some students even write nouns in three separate columns according to gender.

B.2 Bestimmter und unbestimmter Artikel

Use the definite article **der**, **das**, **die** to refer to specific things (the book, the apple) and the indefinite article **ein**, **eine** to talk about classes of things (a book, an apple). Note that **ein** is both masculine and neuter; **eine** is feminine.

Das ist **ein Buch**. —Welche Farbe hat **das Buch**? —**Es** ist blau.
"This is a book." "What color is the book?" "It is blue."

Das ist **ein Stift**. —Welche Farbe hat **der Stift**? —**Er** ist gelb.
"This is a pen." "What color is the pen?" "It is yellow."

Das ist **eine Tür**. —Welche Farbe hat **die Tür**? —**Sie** ist braun.
"This is a door." "What color is the door?" "It is brown."

There is only one plural definite article for all three genders: **die**. The indefinite article has no plural.

	SG	PL
M	der Stift	die Stifte
	ein Stift	Stifte
N	das Buch	die Bücher
	ein Buch	Bücher
F	die Tür	die Türen
	eine Tür	Türen

Übung 2

Fragen und antworten Sie.

MODELL: Ist das ein Heft?
   Nein, das ist ein Bleistift.

1. Ist das eine Tür?   2. Ist das ein Student?   3. Ist das eine Lampe?

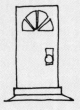

4. Ist das ein Tisch?   5. Ist das ein Bleistift?   6. Ist das eine Tafel?

Übung 3

Welche Farbe hat_____?

MODELL: der Stift / schwarz →
         Welche Farbe hat der Stift?—Er ist schwarz.

1. die Apfelsine / orange
2. das Papier / rosa
3. die Decke / grau
4. das Heft / rot
5. die Wand / grün

6. die Kreide / weiß
7. das Buch / blau
8. der Tisch / braun
9. der Apfel / rot
10. das Schwein / rosa

B.3 Plural der Substantive

Just as with gender, you will learn the plural of most common nouns as you gain experience listening to and reading German.

> In Klasse A ist eine Tür, in Klasse B sind zwei **Türen**.
> *In class A, there is one door; in class B, there are two doors.*

> In Klasse A ist ein Fenster, in Klasse B sind vier **Fenster**.
> *In class A, there is one window; in class B, there are four windows.*

> Heidi hat ein Heft, Monika hat zwei **Hefte**.
> *Heidi has one notebook; Monika has two notebooks.*

There are a few guidelines to acquaint you with plural forms. Feminine nouns usually add **-(e)n**, as do some masculine nouns; masculine and neuter nouns usually add **-e**, but sometimes **-er**; nouns that end in **-el**, **-en**, or **-er** usually do not add anything.

Starting with **Einführung B**, the plural ending of nouns will be indicated in the vocabulary lists. The symbol ⁼ indicates that the stem vowel of the plural has an *umlaut*.

> -(e)n   die Lampe, die Lampen
>   die Tür, die Türen
>   der Student, die Studenten

-e	das Heft, die Hefte
	der Tisch, die Tische

In the group that adds **-e**, neuter nouns do not add an *umlaut*, although feminine and many masculine nouns do.

⸚e	die Wand, die Wände
	der Stuhl, die Stühle

Nouns that have an **-er** plural ending also add an *umlaut* whenever possible.

⸚er	das Buch, die Bücher
	der Mann, die Männer

-	das Fenster, die Fenster
	der Enkel, die Enkel

In the group of nouns that do not add endings, neuter nouns also do not add an *umlaut*, although many masculine nouns do.

⸚	der Boden, die Böden
	der Vater, die Väter

Feminine nouns that end in **-in** take the plural ending **-nen**.

-nen	die Studentin, die Studentinnen

Nouns that end in a vowel other than **e** take the plural ending **-s**.

-s	das Auto, die Autos
	das Taxi, die Taxis

Übung 4

Helga und Sigrid sind Zwillinge. Sigrid hat immer mehr als Helga.

MODELL: Helga hat ein Buch, aber Sigrid hat zwei Bücher.
Helga hat einen Bleistift, aber Sigrid hat zwei _____.

einen Kugelschreiber	eine Uhr	ein Kleid
eine Freundin	einen Hut	ein Hemd
ein Heft	einen Apfel	eine Hose

B.4 Imperativ 2: Sie und du

As you saw in A.1, you may use an imperative form to ask someone to do something. The formal imperative consists of a verb + **Sie**.

Sprechen Sie bitte lauter.   *Please speak louder.*

The informal imperative (a command or request you would give to a fellow student for example) consists of only the verb stem without the **-n** or **-en** ending. (You will learn some slight irregularities in this pattern in later grammar sections.)

Steh auf!	Lauf!
Stand up!	*Run!*

Übung 5

Wiederholen Sie die Aufforderung für Ihre Freundin/Ihren Freund.

MODELL: Stehen Sie bitte auf. → Steh bitte auf!

1. Lachen Sie bitte. _____!
2. Gehen Sie bitte. _____!
3. Springen Sie bitte. _____!

4. Schauen Sie nach oben. _____!
5. Sagen Sie „Guten Tag". _____!

B.5 Hilfsverben 2: haben

The verb **haben** (*to have*) is often used to show possession.

> **Hast du** ein Heft? —Ja, **ich habe** ein Heft.
> *"Do you have a notebook?" "Yes, I have a notebook."*
> **Frau Ruf hat** ein Auto.
> *Mrs. Ruf has a car.*

Here are the present-tense forms of **haben**.

ich	habe		wir	haben
Sie	haben		Sie	haben
du	hast		ihr	habt
er				
sie	} hat		sie	haben
es				

Übung 6

Was haben diese Personen?

1. Nora _____ zwei Freundinnen.
2. Stefan _____ ein Buch.
3. Ich _____ eine Uhr.
4. Jutta und ich, wir _____ langes Haar.
5. _____ du einen Kugelschreiber?

6. Ich _____ zwei Hefte.
7. Frau Wagner _____ drei Kinder.
8. _____ ihr alle ein Deutschbuch?
9. Zwei Studenten _____ Tennisschuhe.

B.6 Negation 2: kein

Use a form of **kein** (*no, not a/any*) to negate the existence of something.

> Da ist **kein Fenster**.
> *There's no window there.*
>
> Hier sind **keine Stühle**.
> *There aren't any chairs here.*

You may also use **kein** to show that you don't have something.

> Ich habe **keine Schwester**.
> *I have no sister. (I don't have a sister.)*
>
> Sophie hat **kein Auto**.
> *Sophie doesn't have a car.*

The gender endings for **kein** are the same as those for **ein**.

M	N	F	PL
ein	ein	eine	—
kein	kein	keine	keine

Übung 7

Die Klasse ist furchtbar! Sagen Sie, was alles nicht da ist.

MODELL: Stühle → Hier sind keine Stühle!
　　　　 eine Uhr → Hier ist keine Uhr!

1. Lampen
2. eine Tafel
3. ein Fenster

4. Kreide
5. ein Schwamm
6. ein Tisch

B.7 Akkusativ 1: ein/kein

German uses a case system to highlight the function of a particular noun or pronoun in a sentence. The subject of a sentence is in the nominative case (**Nominativ**), and the direct object is in the accusative case (**Akkusativ**). Usually case is not shown on the noun itself but rather on the words that accompany it, such as the articles and adjectives.

> Der Anzug ist schön. —Ich habe schon **einen Anzug**.
> *"The suit is nice." "I already have a suit."*
>
> Das Fenster ist offen. —Ich sehe **kein Fenster**.
> *"The window is open." "I don't see a window."*

Here are the nominative and accusative forms of the indefinite article **ein** and the negative article **kein**.

	M	N	F	PL
NOM	(k)ein	(k)ein	(k)eine	keine
AKK	(k)einen	(k)ein	(k)eine	keine

As you can see from the chart, only the masculine has a special form in the accusative; the other genders and the plural have the same forms in the accusative as in the nominative.

> Ich habe **einen Bruder**, aber ich habe **keine Schwester**.
> *I have a brother, but I don't have a sister.*

Übung 8

Was haben die Personen?

MODELL: Stefan → Stefan hat einen Kugelschreiber.

1. Frau Schulz   2. Peter   3. Nora

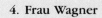

4. Frau Wagner   5. Herr Wagner   6. Ernst

Übung 9

Was haben die Personen?

Heidi

MODELL: Hat Heidi ein Buch? —Nein, sie hat kein Buch, aber sie hat ein Heft.

Peter   Albert   Stefan   Nora

Frau Schulz   Monika   Rolf   Richard

1. Hat Peter einen Bart? —Nein, Peter hat _____ Bart, aber er hat _____ _____.
2. Hat Albert eine Brille? —Nein, Albert hat _____ Brille, aber er hat _____
   _____.
3. Hat Stefan einen Tisch? —Nein, Stefan hat _____ Tisch, aber er hat _____
   _____.
4. Hat Nora eine Lampe? —Nein, Nora hat _____ Lampe, aber sie hat _____
   _____.
5. Hat Frau Schulz einen Baseball? —Nein, Frau Schulz hat _____ Baseball, aber
   sie hat _____ _____.
6. Hat Monika ein Heft? —Nein, Monika hat _____ Heft, aber sie hat _____
   _____.
7. Hat Rolf Stiefel? —Nein, Rolf hat _____ Stiefel, aber er hat _____.
8. Hat Richard ein Sakko? —Nein, er hat _____ Sakko, aber er hat _____ _____.

EINFÜHRUNG C

Weltzeituhr am
Alexanderplatz in Berlin

In Einführung C you will do much more speaking than in the previous sections. You will talk about people from many countries. You will learn vocabulary to talk about your classes, and you will also learn how to give personal information—your address, phone number, birthdate, and so on.

THEMEN

Uhrzeit
Herkunft und Nationalität
Studienfächer
Geburtstage und
   Jahreszahlen
Biographische Informationen

STRUKTUREN

C.1 Uhrzeit
C.2 Präsens 2: kommen
   (aus)
C.3 Pronomen 2: man
C.4 Präpositionen 1: Zeit
   (um/am/im/—)
C.5 Ordnungszahlen
    1: Datum, Geburtstag

GOALS

The purpose of *Einführung C* is
to extend the students' listening
and speaking skills to situations
in which personal information is
exchanged. Students will continue to respond mostly with single
words; but short phrases will become more and more common in
their speech, and they will even
use a good number of complete
sentences in guided activities.

ZUSÄTZLICHE TEXTE

Unsere Straße: Ernst stellt sich vor.
Eine Schweizerin stellt sich vor: Veronika Frisch
Kulturelle Begegnungen: Begrüßen und Verabschieden
Eine Karte aus der Schweiz
Kulturelle Begegnungen: Die deutsche Sprache
Kulturelle Begegnungen: Allgemeines über die BR
   Deutschland, die DDR, Österreich und die Schweiz

SPRECHSITUATIONEN

 Grammatik C.1

Use a clock with movable hands to teach how to tell time in German. Begin with time on the hour. Teach the standard patterns: *Es ist fünf nach neun. Es ist fünf vor sieben.* Then teach *Viertel nach/vor* and the pattern with *halb.*

Wie spät ist es?

Es ist ein Uhr.

Es ist drei Uhr.

Es ist halb zwei.

Es ist halb zehn.

Es ist Viertel nach elf.

Es ist Viertel vor elf.

Es ist fünf nach neun.

Es ist zehn vor acht.

Es ist zwanzig nach drei.

Sit. 1. Say a specific time and have students point to the appropriate clock on their page. Then divide the students into groups of two and let them practice asking and answering: *Wie spät ist es?* (*Es ist . . .*)

Situation 1.   Interaktion: Wie spät ist es?

1.

2.

3.

4.

5.

6.

7.

8.

9.

10.

s1: Wie spät ist es?
s2: Es ist _____.

Situation 2.   Dialoge

1. Wie spät ist es?

   HERR WAGNER: Entschuldigen Sie, wie spät ist es?
   HERR SCHMIDT: Es ist genau 11 Uhr.
   HERR WAGNER: Vielen Dank.

2. Schon so spät?

   JENS: Wie spät ist es?
   JUTTA: Halb zehn.
   JENS: Was! So spät?
   JUTTA: Vielleicht geht meine Uhr vor.
   JENS: Hoffentlich.

Situation 3.   Interview: Wann beginnt der Kurs?

1. Wie spät ist es?
   Es ist _____.
2. Wie viele Kurse hast du?
   Ich habe _____.
3. Hast du einen Kurs um 9 Uhr?
   _____.
4. Wann beginnt der Deutschkurs?
   Um _____.

HERKUNFT UND NATIONALITÄT

☞ **Grammatik C.2 – 3**

BRD = Bundesrepublik Deutschland

DDR = Deutsche Demokratische Republik

Situation 4.   Interaktion: Herkunft

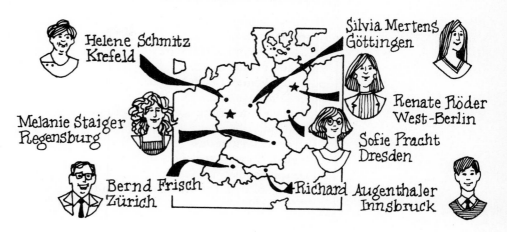

S1: **Woher kommt Silvia Mertens?**
S2: **Sie kommt aus _____ .**

S1: **Kommt Bernhard Frisch aus Innsbruck?**
S2: **Nein, er kommt aus _____ .**

Situation 5.   Dialog: Woher kommst du?

MELANIE: **Wie heißt du?**
CLAIRE: **Claire. Und du?**
MELANIE: **Melanie. Bist du Amerikanerin?**
CLAIRE: **Ja.**
MELANIE: **Und woher kommst du?**
CLAIRE: **Ich komme aus New York. Und du?**
MELANIE: **Ich komme aus Regensburg.**

Situation 6.   Offener Dialog

S1: **Guten Tag, Herr/Frau _____ . Wer ist der Herr da?**
S2: **Das ist _____ . Er kommt aus _____ .**
S1: **Welche Sprache spricht man da?**
S2: **In _____ spricht man _____ .**

Situation 7.   Interview

1. Woher kommst du?
   Ich komme aus _____.
2. Woher kommt dein Vater?
   Er kommt aus _____.
3. Woher kommt deine Mutter?
   Sie kommt aus _____.
4. Hast du einen Freund/eine Freundin aus Frankreich (Italien, der Schweiz,
   Holland, . . .)?
   Ja, er/sie kommt aus _____.
5. Welche Sprache spricht man da?
   Da spricht man _____.
6. Wie heißt dein Freund/deine Freundin?
   Er/sie heißt _____.

Situation 8.   Nationalitäten

Er/sie heißt . . .
Er/sie kommt aus . . .
Er/sie spricht . . .

García Márquez	Japan	Italienisch
Prinzessin Diana	Italien	Schwedisch
Federico Fellini	Österreich	Französisch
Noboru Takeshita	Großbritannien	Spanisch
Arnold Schwarzenegger	Frankreich	Japanisch
Juan Carlos	Schweden	Englisch
Yves St. Laurent	Spanien	Deutsch
Mats Wilander	Kolumbien	

Situation 9.   Wo spricht man . . . ?

s1: Wo spricht man Französisch?
s2: In Frankreich.

1. Französisch
2. Englisch
3. Deutsch
4. Spanisch
5. _____?

STUDIENFÄCHER

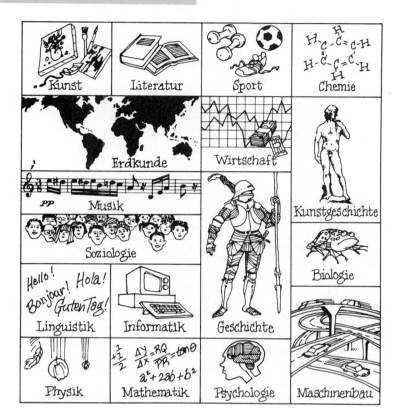

Kunst · Literatur · Sport · Chemie · Erdkunde · Wirtschaft · Kunstgeschichte · Musik · Soziologie · Biologie · Linguistik · Informatik · Geschichte · Physik · Mathematik · Psychologie · Maschinenbau

Sit. 10. This is the first use of an extensive chart for an interaction activity. Teach the days of the week first. Point to the calendar and ask: *Welcher Tag ist heute? Ist heute . . . ? Wenn heute Montag ist, welcher Tag ist morgen? Und welcher Tag war gestern?* Then ask simple scanning questions such as: *Um wieviel Uhr hat Jutta Chemie?* Include the expressions: *morgens, mittags, nachmittags, nachts.* Follow up with the interaction. Then have the students make a chart of their own schedule using German.

S1: **Was hat Jutta Montag um 8 Uhr?**
S2: **Jutta hat Latein.**
S1: **Was hat sie _____?**
S2: **Sie hat _____.**
S1: **Hat sie um _____ Uhr _____?**
S2: **Nein, sie hat _____.**

Situation 10.   Interaktion: Juttas Stundenplan

STUNDENPLAN

	Montag	Dienstag	Mittwoch	Donnerstag	Freitag
8⁰⁰ - 8⁴⁵	Latein	Mathematik	Deutsch	Biologie	Französisch
8⁵⁰ - 9³⁵	Deutsch	Englisch	Englisch	Latein	Physik
9³⁵ - 9⁵⁰	←		Pause		
9⁵⁰ - 10³⁵	Biologie	Sozialkunde	Mathematik	Geschichte	Religion
10⁴⁰ - 11²⁵	Geschichte	Französisch	Physik	Mathematik	Deutsch
11²⁵ - 11³⁵	←		Pause		→
11³⁵ - 12¹⁵	Sport	Musik	Erdkunde	Sport	Latein
12²⁰ - 13⁰⁰	Erdkunde	Deutsch	Kunst	Sozialkunde	

Sit. 11. Have students work in pairs to create a similar dialogue.

Situation 11.   Dialog: Was studierst du?

STEFAN: Hallo, bist du neu hier?

ROLF: Ja, ich komme aus Deutschland.

STEFAN: Und was machst du hier?

ROLF: Ich studiere Psychologie im sechsten Semester. Und du?

STEFAN: Chemie im dritten Semester.

GEBURTSTAGE UND JAHRESZAHLEN

  Grammatik C.4–5

Have students draw a grid of 16 squares (or ditto off a grid). Dictate 25 numbers over 100 and have the students choose any 16 to write in the boxes of the grid. Then play bingo, calling out in random order the numbers you previously dictated.

100	hundert
200	zweihundert
300	dreihundert
400	vierhundert
500	fünfhundert
600	sechshundert

1.000	tausend
2.000	zweitausend
. . .	
10.000	zehntausend

1.000.000 eine Million

Sit. 12. Call out the numbers in random order and have the students point to the correct number. Then have them add one and then two zeros to each number and repeat the activity. In a later class have them do the activity in pairs.

Situation 12.   Jahreszahlen

Hören Sie zu und unterstreichen Sie die richtige Jahreszahl.

1. 1492   1810   1776   1854
2. 1976   1929   1914   1945
3. 1015   1515   1999   2000
4. 1983   1986   1889   1965

Sit. 13. Introduce the word *Geburtstag* and tell the students your own birthday: *Ich bin am 23. Juni geboren.* (Introduce horoscope signs, if you and your class are interested.) Then do an association activity and learn as many birthdays as possible. Then summarize: *Wie viele Studenten sind*

Situation 13.   Interaktion: Geburtstage

NAME	GEBURTSORT	GEBURTSTAG
Rolf Schmitz	Krefeld	15. Oktober 1967
Willi Schuster	Dresden	30. Mai 1965
Melanie Staiger	Regensburg	4. April 1964

im Juli geboren? Und wie viele im November? Then ask students to look at the illustration while you ask questions such as: *Ist Rolf Schmitz am 26. August geboren?*

Richard Augenthaler	Innsbruck	12. Oktober 1968
Heidi Miller	Martinez	23. Juni 1967
Nora Lee	Berkeley	4. Juli 1967

S1: Wer ist am 30. Mai 1965 geboren?
S2: Willi Schuster.
S1: Wo ist er geboren?
S2: In Dresden.

Sit. 14. First review birthdays and places of origin of the students. *Woher kommt Stefan? Ist er im Januar geboren? usw.* Then have students do the interaction in pairs.

Situation 14.   Geburtstage

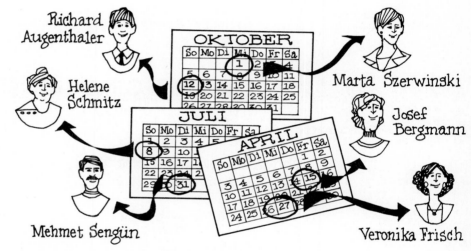

S1: Wann ist Josef Bergmann geboren?
S2: Am 15. April.
S1: Wann ist Mehmet Sengün geboren?
S2: _____

Sit. 15. Reintroduce the calendar, this time using dates and days of the week. Ask questions such as: *Ist der achtzehnte ein Samstag?* You may wish to contrast *der fünfte* for dates with *am fünften* (on the . . .) for occasions. Usually students have no problem with this if the two functions are introduced and practiced separately first.

Situation 15.   Interaktion: Der Kalender

SONNTAG	MONTAG	DIENSTAG	MITTWOCH	DONNERSTAG	FREITAG	SAMSTAG
		1	2	3	4	5
6	7	8	9	10	11	12
13	14	15	16	17	18	19
20	21	22	23	24	25	26
27	28	29	30			

S1: Welcher Tag ist der achtzehnte?
S2: Das ist ein Freitag.
S1: _____?

Sit. 16. Have students do similar dialogues in pairs.

Situation 16.   Dialog: Welcher Tag ist heute?

MARTA: Welcher Tag ist heute?
SOFIE: Montag.
MARTA: Nein, welches Datum?
SOFIE: Ach so, der dreißigste.
MARTA: Mensch, heute ist Willis Geburtstag! Er hat am dreißigsten Geburtstag.
SOFIE: Natürlich.

Sit. 17. Let students work in pairs.

Do an association activity with the question *Wo wohnen Sie? In* (+ name of city). Since most will live in the same city ask: *Und Ihre Eltern?* Also ask: *Wohnen Sie in einem Apartement, in einem Haus oder in einem Studentenheim?* Introduce *Was ist Ihre Adresse und Telefonnummer?*

Situation 17.   Interview: Wann bist du geboren?

s1: Bist du im Juli geboren?
s2: Ja, ich bin im Juli geboren./Nein, ich bin im _____ geboren.

BIOGRAPHISCHE INFORMATIONEN

☞   **Grammatik C.5**

Ich wohne Gesandtenstraße 8, und meine Telefonnummer ist 24353.

Sit. 18. Have the students look at the ID cards and ask questions such as: *Wer wohnt in der Merkelstraße? Was ist Melanies Telefonnummer?* Have them do the interaction in pairs.

Situation 18.   Interaktion: Studentenausweis

Universität Göttingen
Name: Jürgen Baumann
Adresse: Merkelstraße 12
          3400 Göttingen
Telefon: 0551/31447
Geburtsdatum: 26. Februar 1965
Familienstand: ledig
Studienfach: Sport und Soziologie
Staatsangehörigkeit: deutsch
Matrikelnummer: 10785322

Universität Regensburg
Name: Melanie Staiger
Adresse: Gesandtenstraße 8
            8400 Regensburg
Telefon: 0941/24353
Geburtsdatum: 4. April 1964
Familienstand: ledig
Studienfach: Kunstgeschichte
Staatsangehörigkeit: deutsch
Matrikelnummer: 30853379

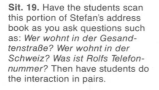

s1: **Welche Nummer hat der Ausweis von Jürgen Baumann?**
s2: 10-78-53-22.
s1: **Wo wohnt Melanie Staiger?**
s2: Gesandtenstraße 8.
s1: **Wie alt ist sie?**
s2: _____.

Sit. 19. Have the students scan this portion of Stefan's address book as you ask questions such as: *Wer wohnt in der Gesandtenstraße? Wer wohnt in der Schweiz? Was ist Rolfs Telefonnummer?* Then have students do the interaction in pairs.

Situation 19.   Interaktion: Stefans Adreßbuch

Stefan hat viele Freunde in der Bundesrepublik, der DDR und der Schweiz. Hier sind die Adressen.

NAME UND ADRESSE

Rolf Schmitz	Melanie Staiger	Willi Schuster
Keplerstraße 28 c	Gesandtenstraße 8	Julian-Grimau-Allee 19
D-3400 Göttingen	D-8400 Regensburg	DDR-8012 Dresden
Tel. 0551/55483	Tel. 0941/24353	
Bernd Frisch	Renate Röder	Sofie Pracht
Feusisbergli 6	Eylauer Straße 7	Lindenstraße 3
CH-8408 Zürich	D-1000 Berlin 61	DDR-8012 Dresden
Tel. 01/634791	Tel. 030/7843014	

s1: **Woher kommt Renate?**
s2: Aus Berlin.

s1: **Wo wohnt Sofie Pracht?**
s2: In Dresden.
s1: **Wo genau?**
s2: Lindenstraße 3.

s1: **Welche Telefonnummer hat Bernd?**
s2: 01/634791.

Situation 20.   Der Reisepaß

Reisepaß   Nr. G 7080384
Name: Mertens   Vorname: Silvia
Geburtsdatum: 25. April 1966
Geburtsort: Hannover
Wohnort: Göttingen
Besondere Kennzeichen: keine
Farbe der Augen: blau
Größe: 165 cm
Unterschrift: _Silvia Mertens_

1. Wie heißt die Frau?
2. Wo wohnt sie?
3. Welche Farbe haben ihre Augen?
4. Wie groß ist sie?
5. Wie alt ist sie?
6. Wann ist sie geboren?
7. Wo ist sie geboren?
8. Welche Nummer hat der Reisepaß?

Situation 21.   Interview: Paßamt

1. Wie heißen Sie?
2. Wie schreibt man das?
3. Wo wohnen Sie?
4. Wie groß sind Sie?
5. Wann sind Sie geboren?
6. Wo sind Sie geboren?

VOKABELN

Uhrzeit	Telling Time	Fragewörter	Question Words
Meine Uhr geht vor.	My watch is fast.	**wann**	when
Um wieviel Uhr?	At what time?	**was**	what
um halb drei	at two-thirty	**Was machst du**	What are you doing
um Viertel vor vier	at a quarter to four	**Sonntag?**	Sunday?
um zwanzig nach fünf	at twenty past five	**welcher, welches,**	which
um sechs Uhr	at six o'clock	**welche**	
Wie spät ist es?	What is the time?	**wer**	who

wie	how
wo	where
woher	where . . . from
Woher kommen Sie/ kommst du?	Where are you from?
Ich komme aus . . .	I'm from . . .

Erinnern Sie sich: wie viele

Nationalitäten — Nationalities

der **Deutsche, -n**/ die **Deutsche, -n**	German
Ich bin Deutscher/ Deutsche.	I am German.
der **Franzose, -n**/ die **Französin, -nen**	French
der **Österreicher, -** / die **Österreicherin, -nen**	Austrian
der **Schweizer, -** / die **Schweizerin, -nen**	Swiss

Ähnliche Wörter: der Amerikaner, - / die Amerikanerin, -nen / der Chinese, -n / die Chinesin, -nen / der Engländer, - / die Engländerin, -nen / der Holländer, - / die Holländerin, -nen / der Italiener, - / die Italienerin, -nen / der Japaner, - / die Japanerin, -nen / der Kanadier, - / die Kanadierin, -nen / der Mexikaner, - / die Mexikanerin, -nen / der Spanier, - / die Spanierin, -nen

Länder — Countries

die **Bundesrepublik Deutschland**	Federal Republic of Germany
die **Deutsche Demokratische Republik**	German Democratic Republic
Frankreich	France
Großbritannien	Great Britain
das **Land, ̈er**	country
Österreich	Austria
die **Schweiz**	Switzerland

Ähnliche Wörter: Amerika / China / England / Holland / Italien / Japan / Kanada / Kolumbien / Liechtenstein / Mexiko / Schweden / Spanien

Himmelsrichtungen — Points of the Compass

der **Norden**	north
der **Osten**	east
der **Süden**	south
der **Westen**	west

Sprachen — Languages

Französisch	French
Holländisch	Dutch

Ähnliche Wörter: Amerikanisch / Chinesisch / Italienisch / Japanisch / Latein / Russisch / Schwedisch / Spanisch

Erinnern Sie sich: Deutsch/Englisch

Schul- und Studienfächer — Academic Subjects

die **Erdkunde**	geography
die **Geschichte**	history
die **Informatik**	computer sciences
die **Kunst**	art
die **Kunstgeschichte**	art history
der **Maschinenbau**	mechanical engineering
die **Sozialkunde**	social studies
der **Sport**	physical education
die **Wirtschaft**	economics

Ähnliche Wörter: die Biologie / die Chemie / die Linguistik / die Literatur / die Musik / die Physik / die Psychologie / die Soziologie

Erinnern Sie sich: die Mathematik

Die Universität — University

studieren	to study
Ich studiere.	I am a student.
die **Matrikelnummer, -n**	student registration number
das **Semester, -**	semester
der **Studentenausweis, -e**	student ID
das **Studienfach, ̈er**	subject, class
der **Stundenplan, ̈e**	schedule

Erinnern Sie sich: der Kurs, -e

Zahlen — Numbers

zweihundert	two hundred
tausend	one thousand
zweitausend	two thousand
zehntausend	ten thousand
eine Million	one million
eine Milliarde	one billion

der erste	the first
der zweite	the second
der dritte	the third
der vierte	the fourth
der fünfte	the fifth
der sechste	the sixth
der siebte	the seventh
der achte	the eighth
der neunte	the ninth
der zehnte	the tenth
der elfte	the eleventh
der zwölfte	the twelfth
der dreizehnte	the thirteenth
der zwanzigste	the twentieth
der einundzwanzigste	the twenty-first
der zweiundzwanzigste	the twenty-second
der dreißigste	the thirtieth
der hundertste	the hundredth
der tausendste	the thousandth

Wochentage — Days of the Week

der Montag	Monday
der Dienstag	Tuesday
der Mittwoch	Wednesday
der Donnerstag	Thursday
der Freitag	Friday
der Samstag/Sonnabend	Saturday
der Sonntag	Sunday
Welcher Tag . . . ?	Which day . . . ?

Biographische Informationen — Biographical Information

der Ausweis, -e	ID-card
der Familienstand	marital status
das Geburtsdatum	date of birth
der Geburtsort	place of birth
der Geburtstag, -e	birthday
die Größe, -n	height
die Herkunft	origin

die Nationalität, -en	nationality
das Paßamt	passport issuing office
der Reisepaß, *pl.* die Reisepässe	passport
die Staatsangehörigkeit	nationality
der Vorname, -n	first name
der Wohnort, -e	residence

besondere Kennzeichen	distinguishing marks
ledig	single
Ich wohne Goethestraße 1.	I live at 1 Goethe Street.
Wann sind Sie/bist du geboren?	When were you born?

Ähnliche Wörter: die **Adresse, -n** / das **Adreßbuch, ¨er** / das **Datum,** *pl.* die **Daten** / die **Telefonnummer, -n**

Erinnern Sie sich: verheiratet

Nützliche Wörter und Wendungen — Useful Words and Phrases

hören	to hear
schreiben	to write
sprechen (spricht)	to speak
unterstreichen	to underline

die Jahreszahl, -en	(year's) date, year
die Unterschrift, -en	signature

hoffentlich	hopefully
man	one (*impersonal pronoun*)

natürlich	of course
schon	already
vielleicht	maybe

Entschuldigen Sie!	Excuse me.
Hören Sie gut zu.	Listen carefully.
Mensch!	Oh boy!
Vielen Dank!	Thank you very much.
Was machst du Sonntag?	What are you doing Sunday?
Woher kommen Sie/kommst du?	Where are you from?
Ich komme aus . . .	I'm from . . .

Ähnliche Wörter: beginnen / der **Kalender, -**

STRUKTUREN UND ÜBUNGEN

C.1 Uhrzeit

You may ask the time in German in one of two ways.

Wie spät ist es (bitte)?
How late is it (please)?

Wieviel Uhr ist es?
What time is it?

You may answer informally (for example, 3.30) or with official time (15.30), which goes from 0.00 to 24.00, as in American military time.

Es ist fünfzehn Uhr dreißig.
It is three-thirty P.M.

Es ist drei Uhr dreißig.
It is three-thirty (A.M. *or* P.M.).

Official time is usually given in train or plane schedules, listings for performances, radio or TV programs, and so on.
Minutes after the hour may be stated in conversation with **nach** (*past*).

Es ist fünf **nach** zwei.
It's five past two.

Es ist Viertel **nach** sechs.
It's a quarter past six.

Minutes before the hour may be expressed in conversation with **vor** (*before, to*).

Es ist Viertel **vor** acht.
It's a quarter to eight.

Es ist fünf **vor** zehn.
It's five to ten.

The half hour is expressed as "half of the following hour."

Es ist halb sieben.
It is six-thirty (half before seven).

Übung 1

Schauen Sie auf die Uhr und sagen Sie, wie spät es ist.

MODELL: → Es ist acht Uhr.

1. 2. 3. 4.

5. 6. 7. 8.

C.2 Präsens 2: kommen (aus)

The infinitives of German verbs end in **-n** or **-en**. Most verbs follow a conjugation pattern similar to the one below for **kommen** (*to come*). Some verbs, though, follow a slightly different pattern, which will be presented in Chapter 1.

ich	komm**e**	wir	komm**en**
Sie	komm**en**	Sie	komm**en**
du	komm**st**	ihr	komm**t**
er sie es	} komm**t**	sie	komm**en**

Kommen Sie heute abend?
Are you coming tonight?

Warten Sie! Ich komme mit!
Wait! I'll come along!

To ask for someone's origin, use the question word **woher** (*from where*) followed by the verb **kommen**. In the answer use the preposition **aus** (*from, out of*).

Woher kommst du/kommen Sie? —Ich komme aus Berlin.
"Where do you come from?" "I'm from Berlin."

Übung 2

Woher kommen die folgenden Personen?

1. Woher _____ du, Renate? —Ich _____ aus Berlin.
2. Woher _____ Lydia? —Lydia kommt _____ Zürich.
3. _____ kommen Josef und Melanie? —Sie _____ aus Regensburg.
4. Woher kommt Frau Schulz? —Sie kommt aus _____.
5. Kommt _____ aus Regensburg? —Nein, sie kommt aus Dresden.
6. Kommen _____ aus Innsbruck? —Nein, sie _____ aus Regensburg.
7. Silvia und Jürgen, kommt _____ aus Göttingen? —Ja, wir kommen aus Göttingen.

C.3 Pronomen 2: man

Use the indefinite pronoun **man** (*one, people, they, you*) to refer to everybody, but nobody in particular.

> Wo spricht **man** Italienisch? —In Italien.
> *"Where does one speak Italian?" "In Italy."*

> Wie schreibt **man** das? —Das schreibt **man** mit ch.
> *"How do you spell it?" "You spell it with ch."*

> Wie lange arbeitet **man** in Deutschland? —Acht Stunden am Tag.
> *"How long do people work in Germany?" "Eight hours a day."*

Use the same verb form with **man** as you do with **er/sie/es**.

> Lydia spricht nur Deutsch, aber **man spricht** auch Französisch, Italienisch und Rätoromanisch in der Schweiz.
> *Lydia only speaks German, but they also speak French, Italian, and Rhaeto-Romanic in Switzerland.*

C.4 Präpositionen 1: Zeit (um/am/im/—)

Use the question word **wann** when you ask for a specific time. The preposition in the answer will vary, however, depending on whether it refers to clock time, days and parts of days, months, or seasons.

To tell the time of the day, use **um**.

> Wann beginnt die Klasse? —**Um** neun Uhr.
> *"When does the class start?" "At nine o'clock."*

For a particular part of the day, use **am.***

> Wann arbeitest du? —**Am** Abend.
> *"When do you work?" "In the evening."*

For days (**Tage**), use **am.**

> Wann ist das Konzert? —**Am** Montag.
> *"When is the concert?" "On Monday."*

For seasons (**Jahreszeiten**) and months (**Monate**), use **im.**

> Wann ist das Wetter schön? —**Im** Sommer und besonders **im** August.
> *"When is the weather nice?" "In the summer and especially in August."*

Unlike English, German does not use a preposition before the year.

> Wann bist du geboren? —Ich bin 1960 geboren.
> *"When were you born?" "I was born in 1960."*

Uhrzeit	um	Die Klasse beginnt **um zwei Uhr.** Der Film endet **um zehn Uhr.**
Tageszeit	am ABER:	**Am Nachmittag** arbeite ich. **Am Morgen** ist es schön. **In der Nacht** ist es dunkel.
Tag	am	**Am Sonntag** kommt Maria. **Am 6. Mai** ist das Konzert.
Monat	im	**Im Januar** beginnt das Semester. **Im Juni** habe ich Geburtstag.
Jahreszeit	im	**Im Sommer** ist das Wetter schön. **Im Winter** schneit es.
Jahr	—	Ich bin **1968** geboren. Ich mache **1992** Examen.

Übung 3

Ergänzen Sie **um, am, im** oder —.

MELANIES GEBURTSTAG

Melanie hat _____ Frühling Geburtstag, _____ April. Sie ist _____ 1964 geboren, _____ 4. April 1964. _____ Dienstag kommen Claire und Josef _____ halb vier zum Kaffee. Melanies Mutter kommt _____ vier Uhr. Josef hat auch _____ April Geburtstag, aber erst _____ 15. April.

---

*Note the exception **in der Nacht** ([*late*] *at night*).

C.5 Ordnungszahlen 1: Datum, Geburtstag

To answer questions about birthdays and events, use the construction **am** + **-(s)ten** (*on the*). For dates, use the construction **der** + **-(s)te** (*the __th of*).

Wann hast du Geburtstag? —**Am fünften** Januar.
"When is your birthday?" "On the fifth of January."

Der wievielte ist heute? —**Der fünfte** Oktober.
"What is today's date?" "The fifth of October."

With the exception of **erste/ersten** (*first*), **dritte/dritten** (*third*), **siebte/siebten** (*seventh*), and **achte/achten** (*eighth*), which change their stems, all ordinal numbers follow the same patterns.

1–19	**-te / -ten**

erste/ersten	*first*
zweite/zweiten	*second*
dritte/dritten	*third*
vierte/vierten	*fourth*
fünfte/fünften	*fifth*
sechste/sechsten	*sixth*
siebte/siebten	*seventh*
achte/achten	*eighth*
neunte/neunten	*ninth*
zehnte/zehnten	*tenth*
elfte/elften	*eleventh*
zwölfte/zwölften	*twelfth*
dreizehnte/dreizehnten	*thirteenth*
. . .	
neunzehnte/neunzehnten	*nineteenth*

20–∞	**-ste / -sten**

zwanzigste/zwanzigsten	*twentieth*
einundzwanzigste/n	*twenty-first*
zweiundzwanzigste/n	*twenty-second*
. . .	
dreißigste/dreißigsten	*thirtieth*
hundertste/hundertsten	*hundredth*
. . .	
tausendste/tausendsten	*thousandth*

Keep in mind that it is the preceding word that determines the ending on the ordinal number:

---

der/die/das + -(s)te
am + -(s)ten

Welcher Tag ist heute? —**Der achtzehnte** Oktober.
"What's today's date?" "The eighteenth of October."

Wann sind Sie geboren? —**Am dreiundzwanzigsten** Juni 1969.
"When were you born?" "On the twenty-third of June, 1969."

Übung 4

Wann haben die folgenden Personen Geburtstag?

MODELL: Jürgen / 26.2. →
Jürgen hat am sechsundzwanzigsten Februar Geburtstag.

1. Rolf / 15.10.
2. Oma Schmitz / 8.7.
3. Willi / 30.5.
4. Marta / 1.10.
5. Melanie / 4.4.

6. Andrea / 3.8.
7. Richard / 12.10.
8. Mehmet / 31.7.
9. Veronika / 27.4.
10. Hans / 7.1.

ZUSÄTZLICHE TEXTE

UNSERE STRASSE: Ernst stellt sich vor.[1]

© Ulrike Welsch

Eine Erdkundestunde an einem Gymnasium

Hallo. Ich heiße Ernst Wagner und gehe in die Maximilian-Grundschule[2] in der Schloßstraße in München. Meine Schule ist alt, aber schön. Die Klassenzimmer sind groß und hell,[3] mit vielen Fenstern. Unsere Lehrerin[4] hat ihren Tisch vorn[5] in der Klasse, er ist groß und aus Holz. Die Schüler sitzen[6] an vielen Tischen, immer zwei an einem Tisch. An der Wand hängen eine große Weltkarte[7] und ein Bild[8] von den Alpen.

[1]stellt . . . *introduces himself* [2]*elementary school* [3]*bright* [4]*teacher* [5]*up front* [6]*sit*
[7]*world map* [8]*picture*

Fragen

1. Wo ist Ernsts Schule?
2. Wie ist Ernsts Schule?
3. Wie sind die Klassenzimmer?
4. Was ist vorn in der Klasse?
5. Wie viele Schüler sitzen an einem Tisch?
6. Was hängt an der Wand?

EINE SCHWEIZERIN STELLT SICH VOR: Veronika Frisch

Uferpromenade in Zürich

Guten Tag, ich heiße Veronike Frisch. Ich bin verheiratet und habe drei Töchter. Sie heißen Natalie, Rosemarie und Lydia. Ich lebe[1] mit meinem Mann Bernd und unseren Töchtern in der Schweiz. Wir wohnen in Zürich. Ich komme aus Zürich, und mein Mann kommt aus Luzern. Ich bin dreiunddreißig Jahre alt, und Bernd ist fünfzig. Bernd ist Geschäftsmann[2] hier in Zürich, und ich bin Lehrerin. Wir wohnen gern hier.

[1]*live* [2]*businessman*

Fragen

1. Wie viele Kinder hat Frau Frisch?
2. Wie heißt ihr Mann?
3. Woher kommt Frau Frisch?
4. Woher kommt ihr Mann?
5. Wer ist dreiunddreißig Jahre alt?
6. Wer ist Geschäftsmann?

KULTURELLE BEGEGNUNGEN: Begrüßen und Verabschieden

© Ulrike Welsch

Darf ich vorstellen . . .

Tschüß und Gute Reise—Auf Wiedersehen!

Im Deutschen gibt es[1] viele informelle Begrüßungsformeln: „Hallo", „Servus", „Na", „Alles klar", „Grüezi" oder „Tag" und „Grüß dich" unter guten Freunden. „Servus" benutzt[2] man auch, um „Auf Wiedersehen" zu sagen, ebenso wie „Tschüß", „Bis bald" und „Mach's gut". Einige[3] dieser Formeln sind regional, so ist zum Beispiel „Grüezi" nur[4] in der Schweiz üblich,[5] und „Servus" sagt man in Süddeutschland und in Österreich.

Es gibt natürlich auch formelle Begrüßungen wie „Guten Tag", oder in Süddeutschland, Österreich und der Schweiz oft „Grüß Gott". Zum Abschied sagt man meist „Auf Wiedersehen". Wenn man fragt „Wie geht es Ihnen?" oder „Wie geht's?", dann erwartet[6] man auch eine Antwort,[7] als Begrüßung kann man diese Formel nicht benutzen.

[1]gibt . . . *there are*   [2]*uses*   [3]*some*   [4]*only*   [5]*common*   [6]*expects*   [7]*answer*

Fragen

1. Welche Begrüßungsformeln kennen (*know*) Sie?
2. Wo sagt man „Grüezi"?
3. Benutzt man „Servus" nur zum Begrüßen?
4. Wo benutzt man „Servus"?
5. Kann man auch „Wie geht es Ihnen?" als Begrüßung benutzen?

EINE KARTE AUS DER SCHWEIZ

Wintersport in Davos

An
Herrn und Frau Röder
Schillerstraße 70
D-1000 Berlin 12

Liebe Eltern,

jetzt bin ich schon eine Woche hier in Davos im Urlaub.[1] Das Wetter ist herrlich.[2] Die Sonne scheint, und der Himmel[3] ist tiefblau. Ich gehe jeden Tag mit Freunden zum Skifahren oder Wandern[4] und bin schon richtig braun im Gesicht. Auf der Postkarte seht Ihr Davos und die Schweizer Alpen im Schnee. Ist es nicht himmlisch?[5]

Viele liebe Grüße
Eure Renate

[1]im . . . *on vacation*   [2]*gorgeous*   [3]*sky*   [4]*hiking*   [5]*heavenly*

Fragen

1. Wo ist Renate?
2. Wie ist das Wetter?
3. Was macht sie in der Schweiz?
4. Was sieht man auf der Postkarte?

KULTURELLE BEGEGNUNGEN: Die deutsche Sprache

© Rick Smolan / Stock, Boston

Eine Schweizer Familie wie im Film

In Europa sprechen mehr[1] Menschen[2] Deutsch als Englisch. Man spricht Deutsch in der Bundesrepublik Deutschland, in der Deutschen Demokratischen Republik, in Österreich, im deutschsprachigen Teil[3] der Schweiz, in Liechtenstein, und zum Teil[4] auch in Frankreich, Luxemburg, Dänemark, Italien und anderen Ländern. Zusammen[5] sind das etwa 100 Millionen Menschen. Weitere[6] 20 Millionen kommen außerhalb[7] Europas hinzu, in Namibia zum Beispiel, in Kanada und den USA, in Brasilien und in anderen südamerikanischen Ländern.

In der deutschen Sprache gibt es viele Dialekte, zum Beispiel Schweizerdeutsch, Bairisch/Österreichisch, Sächsisch und Plattdeutsch. Schweizerdeutsch spricht man natürlich in der Schweiz, Bairisch/Österreichisch spricht man in Bayern—das liegt im östlichen Teil Süddeutschlands—und in Österreich. Sächsisch ist ein Dialekt der DDR, und in Norddeutschland hört man oft Plattdeutsch.

Erst seit[8] ungefähr 90 Jahren gibt es[9] eine normierte deutsche Standardsprache. Im Radio und im Fernsehen[10] hört man meistens die Standardsprache; doch viele Menschen sprechen noch Dialekt, und dann versteht[11] zum Beispiel der Österreicher den Rheinländer, der Norddeutsche den Bayern und der Sachse den Schweizer nicht mehr.

[1]*more* [2]*people* [3]*part* [4]*in some parts of* [5]*together* [6]*a further* [7]*outside of* [8]*for*
[9]*gibt . . . there has been* [10]*TV* [11]*understands*

Richtig oder falsch?

1. Deutsch spricht man nur (*only*) in der Bundesrepublik und der DDR.
2. In Europa sprechen mehr Menschen Deutsch als Englisch.

3. Man spricht Deutsch auch außerhalb Europas.
4. Bairisch ist ein deutscher Dialekt.
5. Sächsisch spricht man in der Schweiz.
6. Bayern liegt in Süddeutschland.
7. Dialekt benutzt man in den Medien.
8. Rheinländer und Österreicher verstehen sich immer (*always*).

KULTURELLE BEGEGNUNGEN: Allgemeines über die BR Deutschland, die DDR, Österreich und die Schweiz

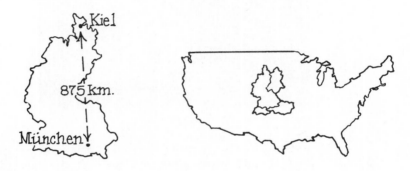

Die Bundesrepublik Deutschland ist 248 678 Quadratkilometer groß, etwa so groß wie Oregon, und hat ungefähr 60 Millionen Einwohner.[1] Die Hauptstadt[2] der Bundesrepublik ist Bonn. Von Kiel im Norden der Bundesrepublik bis nach München im Süden sind es nur 875 Kilometer.

Die Deutsche Demokratische Republik hat zirka 17 Millionen Einwohner und ist so groß wie Ohio. Die Hauptstadt der DDR ist Ost-Berlin.

Beide deutschen Staaten sind klein im Vergleich zu[3] den USA. Für Deutsche sind die USA riesig.[4] Die Deutschen wohnen sehr eng[5] zusammen: in der Bundesrepublik zum Beispiel sind es 247 Personen pro Quadratkilometer. In Oregon wohnen nur 9 Personen auf einem Quadratkilometer.

Österreich liegt südöstlich von Deutschland; die Hauptstadt ist Wien. In Österreich leben[6] 7,6 Millionen Menschen, allein 22 Prozent davon in Wien. Besonders berühmt[7] ist Österreich für Musik und Theater, die Kaffeehäuser und Weinlokale. Viele Touristen kommen in die österreichischen Städte Wien, Salzburg und Innsbruck. Und in die österreichischen Alpen kommen sie zum Skifahren und Wandern.

Die Schweiz im Südwesten der Bundesrepublik hat 6,6 Millionen Einwohner. Die Hauptstadt ist Bern, aber Zürich ist mit einer halben Million Einwohner die größte[8] Stadt in der Schweiz. Es gibt[9] dort neben der Universität viele Fachhochschulen,[10] Institute und Museen. Zwei Drittel[11] der Schweizer sprechen Deutsch, ein Fünftel Französisch, ein Zehntel Italienisch und der Rest Rätoromanisch. Berühmt ist die Schweiz für Uhren, Schokolade, Käse[12] und als Urlaubsland.[13]

[1]*inhabitants* [2]*capital* [3]*im . . . compared to* [4]*huge* [5]*close* [6]*live* [7]*famous* [8]*largest* [9]*Es . . . there are* [10]*technical universities* [11]*two-thirds* [12]*cheese* [13]*vacation land*

Fragen

1. Wie heißt die Hauptstadt der Bundesrepublik?
2. Wie viele Einwohner hat die DDR?
3. Wo liegt Österreich?
4. Wieviel Prozent der Österreicher leben in Wien?
5. Wie heißt die größte Stadt der Schweiz?
6. Was gibt es in Zürich?
7. Sprechen alle Schweizer Deutsch?
8. Wofür ist die Schweiz berühmt?

© Fay Torresyap / Stock, Boston

Historisches Stadtwächterhaus in Salzburg

KAPITEL 1

© Peter Menzel

Reiten, ein schöner Sport!

In Kapitel 1 you will learn to talk about recreational activities of all kinds: what you like to do and don't like to do, what you want to do, and what you are going to do. You will also learn to talk about daily activities of all kinds.

FREIZEIT UND VERGNÜGEN

THEMEN
Freizeit

Vergnügen
Tagesablauf

TEXTE
◄ Rolf Schmitz stellt sich vor:
   Rolfs Hobbies
◄ Eine Familie aus der Schweiz
   stellt sich vor: Die Frischs

ZUSÄTZLICHE TEXTE
Eine Studentin aus Dresden stellt sich vor: Sofie Pracht
Eine amerikanische Professorin stellt sich vor: Karin Schulz
Sport und Freizeit: Silvia und Jürgen
Kulturelle Begegnungen: Freizeit in der Bundesrepublik

STRUKTUREN
1.1 Präsens 3: regelmäßige Verben
1.2 Wortstellung 1: Fragesatz und Aussagesatz
1.3 gern
1.4 lieber
1.5 Präpositionen und Kasus
1.6 Präsens 4: Verben mit Vokalwechsel
1.7 Wortstellung 2: zweiteilige Verben

GOALS

This chapter provides opportunities to talk in German about hobbies, sports, leisure-time activities, and daily habits. Students learn to recognize and understand the various person-number forms of the present tense, including verbs with separable prefixes.

PRE-TEXT ACTIVITIES

1. Do an association activity that provides input containing a large number of verb forms that refer to recreational activities. (See the IM for suggestions on the use of association activities in Stage III.) Since most association activities are "open-ended," students will suggest the activities they

SPRECHSITUATIONEN

FREIZEIT

 Grammatik 1.1–4

want to talk about, generating more verb forms than those listed in the chapter vocabulary. The goal of this pre-text activity is to use a number of present-tense verb forms in the input (15–30) in about 20 minutes.

Recall the present-tense forms that were introduced in the preliminary chapters with *sein, haben, heißen,* and *kommen.* In Chapter 1 the students need to understand and use many more present-tense forms. Note that regular present-tense forms are introduced and exemplified in grammar Section 1.1, umlaut verbs in 1.6, and verbs with separable prefixes and associated nouns in 1.7. It is unlikely, however, that you will be able to maintain this neat separation of categories within an activity, since individual students will have varying interests and will be concerned only with the meaning of verbs. Most students have no trouble with present-tense endings in German and quickly become accustomed to the variation of verb forms within sentences, due to person-number agreement. However, for those students with no prior language experience, the concept of verb endings may take some time to grasp. In any case students will not be able to use various verb forms easily until they have had multiple opportunities to hear these forms used in communicative contexts. In the first association activity students should concentrate on recognizing the meanings of a relatively large number of new verbs in a single form: we have chosen the third-person singular form, but you may wish to start with a different one. In subsequent activities, give students the opportunity to

ich spiele	gern	Fußball
Sie spielen		Basketball
du spielst		Volleyball
er		Tennis
sie } spielt		Golf
es		Squash
wir spielen		Schach
Sie spielen		Eishockey
ihr spielt		Tischtennis
sie spielen		Karten

Peter und Stefan wandern gern.

Jutta und Gabi pokern gern.

Michael spielt gern Gitarre.

Melanie tanzt gern.

Ernst spielt gern Fußball.

Veronika reitet gern.

Robert segelt gern.

Herr und Frau Ruf gehen gern spazieren.

Situation 1. Interaktion: Freizeit

Richard Augenthaler, 18 Jahre	Innsbruck	fährt Ski in den Alpen
Renate Röder, 28 Jahre	West-Berlin	reist in die Karibik
Rolf Schmitz, 20 Jahre	Göttingen	spielt Tennis
Jürgen Baumann, 21 Jahre	Göttingen	geht mit seiner Freundin in die Disco
Sofie Pracht, 22 Jahre	Dresden	fährt mit ihrem Freund nach Ost-Berlin
Jutta Ruf, 16 Jahre	München	geht an die Isar und liegt in der Sonne
Jens Krüger, 16 Jahre	München	fährt mit seinem neuen Moped
Melanie Staiger, 21 Jahre	Regensburg	spielt Gitarre
Josef Bergmann, 22 Jahre	Regensburg	kocht

s1: Wer geht gern an die Isar?
s2: Jutta.
s1: Was macht sie da?
s2: Sie liegt in der Sonne.

Situation 2. Hobbies

Sagen Sie ja oder nein.

1. In den Ferien . . .

   a. reise ich gern.
   b. koche ich gern.
   c. spiele ich gern Volleyball.
   d. lese ich gern.

2. Im Winter . . .

   a. gehe ich gern ins Museum.
   b. spiele ich gern Karten.
   c. tanze ich gern.
   d. schwimme ich gern im Meer.

3. Meine Eltern . . .

  a. spielen gern Tennis.

  b. spielen gern Schach.

  c. gehen gern ins Kino.

  d. singen gern.

4. Mein Bruder/Meine Schwester . . .

  a. wandert gern.

  b. zeltet gern.

  c. boxt gern.

  d. spielt gern Gitarre.

5. Mein Deutschprofessor/Meine Deutschprofessorin . . .

  a. geht gern auf Parties.

  b. turnt gern.

  c. geht gern ins Konzert.

  d. spielt gern Fußball.

Situation 3.   Interview: Was machst du gern?

s1: Ich spiele gern Karten. Du auch?

s2: Ja, ich spiele auch gern Karten.

   Nein, ich spiele nicht gern Karten.

1. . . . spiele . . . Schach.
2. . . . wandere . . .
3. . . . gehe . . . spazieren.
4. . . . reite . . .
5. . . . turne . . .
6. . . . spiele . . . Volleyball.
7. . . . höre . . . Musik.
8. . . . koche . . .
9. . . . tanze . . .
10. _____

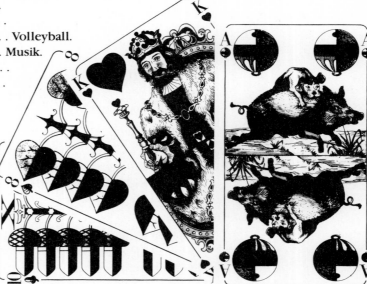

Situation 4.   Offener Dialog: abends

S1: **Was machst du abends gern?**
S2: **Ich _____ gern (_____). Und du?**
S1: **Ich _____ nicht gern (_____), aber ich _____ gern (_____).**

Situation 5.   Umfrage

MODELL: im Meer / schwimmen
S1: **Schwimmst du gern im Meer?**
S2: **Ja.**
S1: **Unterschreib bitte hier.**

	Unterschrift
1. im Schwimmbad / schwimmen	_____
2. Kaffee / trinken	_____
3. Gitarre / spielen	_____
4. Musik / hören	_____
5. in den Bergen / zelten	_____
6. arbeiten	_____
7. im Park / joggen	_____
8. tanzen	_____
9. Golf / spielen	_____
10. Fotos / machen	_____

ROLF SCHMITZ STELLT SICH VOR: Rolfs Hobbies

Rolf Schmitz ist aus Göttingen. Im Moment studiert er an der Universität von Kalifornien in Berkeley. Rolf ist sehr sportlich. Freitags spielt er mit seinen amerikanischen Freunden Fußball. Außerdem fährt er gern Rad und geht ins Schwimmbad der Uni. Am Wochenende wandert er in den Bergen oder geht Windsurfen. Im Winter fährt er zum Skilaufen nach Tahoe oder Squaw Valley. Samstags geht er oft mit seinen Freunden ins Kino oder spielt Karten.

Fragen

1. Woher kommt Rolf?
2. Was macht Rolf freitags?
3. Welchen Sport treibt er außerdem?
4. Wann geht er wandern?
5. Wann geht Rolf ins Kino?

VERGNÜGEN

Grammatik 1.5–6

ich fahre	du fährst
ich laufe	du läufst
ich lese	du liest
ich esse	du ißt

Herr Wagner schläft gern.

Jens fährt gern Motorrad.

Robert liest gern.

Melanie fährt gern Ski.

Mehmet joggt gern.

Ernst ißt gern Eis.

Sofie trägt gern Hosen.

Natalie ißt gern Pizza.

Sit. 6. Students can use the given items or suggest their own. Expand the conversation with questions such as: *Was machen Sie samstags nachmittags lieber, fernsehen oder arbeiten? (Fernsehen.) Was sehen Sie denn gern? (Sport.) Treiben Sie selber Sport? (Ja.) Was machen Sie? (Tennis/Skilaufen.) Was machen Sie denn lieber, Tennis oder Skilaufen? ...*

Situation 6. Interview: Präferenzen

S1: Schwimmst du lieber im Meer oder im Schwimmbad?
S2: Lieber im Meer.

1. Ißt du lieber zu Hause oder im Restaurant?
2. Spielst du lieber Volleyball oder Basketball?
3. Gehst du lieber windsurfen oder segeln?
4. Fährst du lieber Rad oder Motorrad?
5. Schreibst du lieber Postkarten oder Briefe?
6. Liest du lieber Zeitungen oder Bücher?
7. Gehst du lieber ins Kino oder ins Theater?
8. Läufst du lieber im Park oder in der Stadt?
9. Fährst du lieber ans Meer oder in die Berge?
10. Schläfst du lieber im Hotel oder im Zelt?

Sit. 7. (See the IM for suggestions on the use of model dialogues in Stage III.)

AA 5. Use photos from your PF to show people engaged in different activities. For each activity, ask: _____ *Sie gern?* Then ask: *Was machen Sie lieber, _____ oder _____ ?*

AA 6. Use your PF to review terms for sports. Divide the class into pairs. Each student should find out which sports his/her partner plays or watches. Write the following questions on the board for the interview: *Welche Sportart treiben Sie gern? Welche Sportart sehen Sie gern?* Explain that the pattern *A: _____ du gern (_____) ?* could be offered as *A: Gehst du gern spazieren?* or *A: Tanzt du gern?*

Situation 7. Dialog: Spielst du gern Tennis?

STEFAN: Spielst du gern Tennis?
NORA: Ja, sehr gern.
STEFAN: Spielen wir Sonntag im Park? Hast du Lust?
NORA: Im Park?
STEFAN: Ja, es gibt dort eine neue Tennisanlage.
NORA: Na gut! Also bis Sonntag.

Situation 8. Offener Dialog

S1: _____ du gern (_____)?
S2: Ja, aber ich _____ lieber (_____).
S1: _____ wir heute abend (_____)?
S2: _____! Bis nachher.

Sit. 9. (See the IM for suggestions on the use of commercial advertisements in Stage III.) Remind students that it is not necessary to read and understand the entire ad, but rather they should look for the information you request. Ask questions such as: *In welcher Straße ist die Alabama-Halle? Wann beginnen die Musikfilme?* Then pair the students and have them ask and answer the questions in the text.

AA 7. TPR with activities. Use the full class and selective TPR to introduce the command forms for some of the verbs that have already been used as "favorite" activities. Also include forms from previous chapters: *schwimmen Sie, tanzen Sie, schlafen Sie, gehen Sie, laufen Sie Ski, spielen Sie (Gitarre, Karten, Tennis, . . .), trinken Sie (Kaffee, Bier, . . .), essen Sie (Hamburger, Spaghetti, Suppe, . . .), telefonieren Sie, photographieren Sie, usw.*

Situation 9.   Gehen wir ins Konzert? Hast du Lust?

ALABAMA-HALLE
Schleißheimer Straße 418 – Haltestelle Sudetendeutsche Straße
Telefon 089/3513085

28.—30. Juni   FILMFEST MÜNCHEN

VIDEO   **LIVE-KONZERTE**
28. LÄNDERFEATURE   J.B. JUNIOR/EMBRYO
Afrika, Asien,
Frankreich, Italien,
Japan . . .

29. VIDEOREGISSEURE   KING KONG KONTRA
John Sanborn,   BEX & JOUVELET
Kit Fitzgerald,   Film + Live-Musikbegleitung
Dieter Meier . . .

30. MOTOWN &   BE BOP u.a.
SIXTIES

Kartenvorbestellung: Mo. bis Fr. 11–17 Uhr. Tel. 3513085.

JUNI
FESTIVAL DES MUSIKVIDEOS
MUSIKVIDEOS täglich von 16.30 bis 22.00 Uhr
MUSIKFILME OPEN AIR täglich 22.30 Uhr von Jazz bis Reggae
LIVE-KONZERTE um Mitternacht mit Open End

Fragen

1. Wo ist die Alabama-Halle?
2. Wann beginnen die Musikvideos?
3. Wann findet das Filmfest München statt?
4. Wer spielt live am 29. Juni?
5. Welche Telefonnummer hat die Kartenvorbestellung?

Situation 10.   Dialog: Die Party bei Rudi

Willi trifft Sofie vor der Bibliothek der Universität Dresden.

WILLI: Was machst du heute abend?
SOFIE: Ich weiß noch nicht. Was machst du denn?
WILLI: Ich habe Lust auszugehen.
SOFIE: Also . . . bei Rudi ist eine Party. Hast du Lust?
WILLI: Rudi? Ach nee, seine Parties sind immer langweilig.
SOFIE: Aber, Willi, wenn wir auf eine Party gehen, ist sie nie langweilig!

Situation 11.   Interaktion: Im Kino

OLYMPIA
„Mephisto" mit Klaus-Maria Brandauer.
Letzte Woche!
Vorstellungen: 17.30 & 20.15 Uhr
Eintritt: Erwachsene 7,- DM, Schüler und
            Studenten 5,- DM

CINEMA
„Vom Winde verweht" mit Clark Gable und
Vivien Leigh.
Anfangszeiten: 15.00 & 18.30 Uhr
Eintritt: Erwachsene, Schüler und Studenten
            5,50 DM

GLORIA
„Männer" von Doris Dörrie. Der Hit des Jahres!
16.30, 18.15 & 20.30 Uhr
Eintritt: 7,- DM

ODEON
„Die Ehe der Maria Braun" von Rainer-Werner
Faßbinder. Mit Hanna Schygulla und Kurt Löwitsch.
19.30 & 22.00 Uhr
8,- DM, Studenten mit Studentenausweis 5,50 DM

STUDIO I
„Die Blechtrommel" nach dem gleichnamigen
Roman von Günter Grass.
Verfilmt von Volker Schlöndorff mit Kurt
Bennett als Oskar Matzerath.
Nur noch heute! 17.00 & 20.30 Uhr

STUDIO II
„Der Schläfer" mit Woody Allen. Komödie.
16.30, 18.15 & 20.30 Uhr
Eintritt: 6,- DM

STUDIO III
„Das Dschungelbuch" von Walt Disney.
Nachmittagsvorstellungen: 14.00 & 16.00 Uhr
Eintritt: Erwachsene 6,- DM und Kinder 4,50 DM

STERNCHEN
„Fitzcarraldo" von Werner Herzog mit Klaus
Kinski in der Hauptrolle.
Anfangszeiten: 20.00 & 22.15 Uhr
Eintritt: 7,- DM

S1: Ihr geht ins Kino? Was läuft denn?
S2: „Männer" von Doris Dörrie.
S1: Ja? Wo denn?
S2: Im Gloria.
S1: Und wann?
S2: Um halb neun.
S1: Da komme ich mit.

Situation 12.   Offener Dialog: Pläne für heute abend

s1: Was machst du _____?
s2: Ich _____. Und du?
s1: Ich weiß noch nicht.
s2: Komm doch mit! Ich _____.
s1: Ja, gern.

© Ulrike Welsch

Kommst du mit ins Kino? —Was läuft denn?

TAGESABLAUF

   Grammatik 1.7

aufstehen → Josef **steht** um sieben Uhr **auf.**

der Morgen	→	morgens
der Vormittag	→	vormittags
der Mittag	→	mittags
der Nachmittag	→	nachmittags
der Abend	→	abends

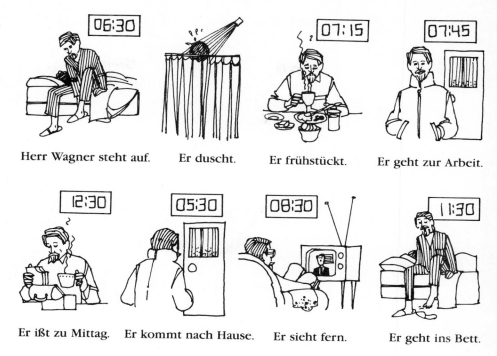

Herr Wagner steht auf.   Er duscht.   Er frühstückt.   Er geht zur Arbeit.

Er ißt zu Mittag.   Er kommt nach Hause.   Er sieht fern.   Er geht ins Bett.

Situation 13.   Ein Vormittag in Sofies Leben

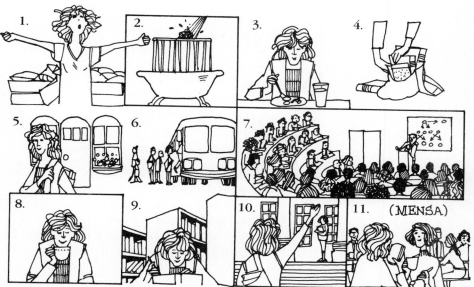

Sit. 14. Note the extensive use of verbs with separable prefixes in this activity.

Situation 14. Interaktion: Tagesablauf

	Silvia Mertens, Göttingen	Renate Röder, West-Berlin	Mehmet Sengün, West-Berlin
Montag, morgens	Sie steht um 7.30 Uhr auf.	Sie frühstückt um 8 Uhr.	Er geht um 7.30 Uhr zur Arbeit.
Dienstag, mittags	Sie ißt mit ihrer Familie Mittag.	Sie lädt einen Kunden zum Mittagessen ein.	Er füllt ein Formular aus.
Mittwoch, nachmittags	Sie hat ein Seminar an der Uni.	Sie geht um 17 Uhr heim.	Er kommt um 16 Uhr von einer Fahrt zurück.
Donnerstag, nachmittags	Sie spielt mit Jürgen Squash.	Sie ruft einen Kunden an.	Er kommt um 17 Uhr nach Hause.
Freitag, mittags	Sie hat eine Vorlesung an der Uni.	Sie lernt einen neuen Kollegen kennen.	Er hört um 14 Uhr mit der Arbeit auf.
Samstag, abends	Sie geht in die Disco.	Sie geht ins Kino.	Er geht um 23 Uhr ins Bett.
Sonntag, vormittags	Sie schläft bis 10 Uhr.	Sie spielt Tennis.	Er sieht fern.

S1: Wer geht in die Disco?
S2: Silvia.
S1: Wann sieht Mehmet fern?
S2: Sonntag vormittags.

Situation 15. Dialog: Wochenende

Stefan und Heidi sprechen übers Wochenende.

HEIDI: Was machst du so am Wochenende?
STEFAN: Kommt darauf an. Manchmal spiele ich mit meinen Eltern und meinem Bruder Michael Karten. Dann essen wir in einem Restaurant in der Nähe. Und was machst du?
HEIDI: Meistens bleibe ich zu Hause und arbeite. Aber manchmal lade ich Freunde zum Kaffee ein oder besuche meine Großmutter.

STEFAN: Und dein Bruder, was macht der?

HEIDI: Der schläft gern und steht am Wochenende meistens erst um zehn Uhr auf. Dann duscht er stundenlang und liest die Zeitung oder sieht fern. Abends geht er in die Disco oder auf Parties.

Situation 16.   Was macht dein Freund?

Suchen Sie die richtige Reihenfolge.

———— Studiert dein Freund?
———— Ja, am Wochenende fährt er Taxi.
———— Und arbeitet er auch?
———— Ja, er studiert Maschinenbau.

Situation 17.   Interview

SAMSTAGS

1. Was machst du samstags?

   a. Spielst du Fußball?
   b. Wäschst du die Wäsche?
   c. Gehst du zum Strand?
   d. Kochst du?
   e. Siehst du fern?
   f. Liest du ein Buch?
   g. Ißt du im Restaurant?
   h. Kaufst du Kaffee oder Tee im Supermarkt?
   i. Fährst du zur Uni?
   j. Triffst du Freunde?

MONTAGS

2. Was machst du montags?

   a. Schläfst du bis mittags?
   b. Stehst du früh auf?
   c. Duschst du vor dem Frühstück?
   d. Frühstückst du zu Hause?
   e. Trinkst du Kaffee?
   f. Gehst du spazieren?
   g. Lädst du einen Freund/eine Freundin ein?
   h. Kaufst du ein?
   i. Arbeitest du in der Bibliothek?
   j. Hast du Zeit für Sport? Was machst du?

FREITAGS

3. Was machst du freitags?

    a. Gehst du mit deinen Freunden tanzen?

    b. Bleibst du zu Hause?

    c. Duschst du?

    d. Hörst du Musik?

    e. Läufst du im Park?

    f. Fährst du Rad?

    g. Besuchst du deine Eltern?

    h. Rufst du Freunde an?

    i. Putzt du das Haus?

    j. Spielst du Tennis?

EINE FAMILIE AUS DER SCHWEIZ STELLT SICH VOR:
Die Frischs

Text: Ask students what they know about Switzerland: *Welche Städte kennen Sie in der Schweiz?* (*Zürich, Bern, Genf, Basel, . . .*) Show a map of Switzerland and point out the cities as they are named (or as you name them yourself). *Was ist typisch für die Schweiz?* (*Uhren, Banken, Schokolade, . . .*) Ask: *Welche Sprachen spricht man in der Schweiz?* (*Deutsch, Italienisch, Französisch, Rätoromanisch.*) Explain that *Feusisbergli* is the name of a street.

Bernd Frisch arbeitet in Zürich in einem Betrieb,[1] der Plastikerzeugnisse herstellt.[2] Seine Frau heißt Veronika, und sie haben drei Töchter: Lydia, neun Jahre, Rosemarie, sechs Jahre, und Natalie, fünf Jahre. Veronika ist Lehrerin an einer Schule in der Nähe. Sie wohnen in einem schönen Haus auf dem Feusisbergli.

Während der Woche steht Bernd jeden Morgen um sechs Uhr auf. Veronika und die Mädchen stehen etwas später auf. Ihre Haushaltshilfe[3] hat Frühstück gemacht, und sie frühstücken um Viertel nach sieben. Bernd fährt um acht Uhr ins Büro und arbeitet bis zwölf. Dann fährt er nach Hause und ißt mit seiner Familie zu Mittag. Um 13 Uhr fährt er wieder ins Büro[4] und arbeitet bis 17 Uhr. Manchmal arbeitet er auch länger, wenn es viel Arbeit gibt.

Die Frischs essen um 18.30 Uhr zu Abend. Bernd und Veronika spielen dann meistens noch mit ihren Töchtern. Manchmal haben sie auch Besuch,[5] und manchmal schauen sie sich ihre Lieblingsserie[6] im Fernsehen an. Es ist kein aufregendes[7] Leben, aber wir haben etwas vergessen,[8] die große Leidenschaft[9] von Veronika und Bernd: Reisen! In den Ferien machen Veronika und Bernd ihre Träume[10] wahr. Dieses Jahr fahren sie zum ersten Mal nach Amerika. Aber bis dahin stehen sie jeden Morgen um sechs Uhr auf . . .

[1]*business*   [2]*der . . . that manufactures plastic products*   [3]*household help*   [4]*office*   [5]*company*   [6]*favorite series*   [7]*exciting*   [8]*forgotten*   [9]Passion   [10]*dreams*

Fragen

1. Wo wohnen die Frischs?
2. Wie viele Kinder haben sie?
3. Was ist Frau Frisch von Beruf?
4. Wann steht Herr Frisch morgens auf?
5. Wer macht Frühstück?
6. Wer fährt um 8 Uhr ins Büro?

7. Wann kommt Herr Frisch mittags nach Hause?
8. Wann essen die Frischs zu Abend?
9. Sehen die Frischs auch fern?
10. Was ist ihre große Leidenschaft?
11. Wohin fahren sie dieses Jahr?

VOKABELN

Sport und Spiele — Sports and Games

gewinnen	to win
laufen (läuft)	to run, to go jogging
radfahren (fährt . . . Rad)	to cycle, to ride a bike
reiten	to go horseback riding
segeln	to go sailing
spazierengehen (geht . . . spazieren)	to go for a walk
spielen	to play
Fußball (Karten, Schach) spielen	to play soccer (cards, chess)
Sport treiben	to engage in sports
tanzen	to dance
turnen	to do gymnastics
verlieren	to lose
wandern	to hike
zelten	to camp, go camping
der Schläger, -	racket
das Schwimmbad, ̈-er	swimming pool
die Tennisanlage	tennis courts
der Tennisplatz, ̈-e	tennis court

Ähnliche Wörter: Basketball / boxen / Eishockey / Golf / der Jazztanz / joggen / schwimmen / Ski fahren (fährt . . . Ski) / Squash / Tennis / Tischtennis / Volleyball / windsurfen

Reisen — Traveling

ankommen (kommt . . . an)	to arrive
einpacken (packt . . . ein)	to take; to pack
einsteigen (steigt . . . ein)	to get in, climb in
in den Bus einsteigen	to get on the bus
fahren (fährt)	to ride; to drive; to go
planen	to plan
reisen	to travel
zurückkommen (kommt . . . zurück)	to return
das Fahrrad, ̈-er	bicycle
die Fahrt, -en	trip
die Ferien (*pl.*)	holidays
das Motorrad, ̈-er	motorcycle
der Urlaub	vacation

Ähnliche Wörter: der Bus, -se / fotografieren / das Moped, -s / die Postkarte, -n / das Taxi, -s

Essen und Trinken — Eating and Drinking

essen (ißt)	to eat
frühstücken	to eat breakfast
das Eis	ice cream

Ähnliche Wörter: der Kaffee / die Pizza, -s / die Schokolade / die Suppe, -n / der Tee / trinken / das Wasser / der Wein, -e

Erinnern Sie sich: der Apfel, ̈

Orte — Places

die **Alpen**	the Alps
der **Berg, -e**	mountain
die **Bibliothek, -en**	library
die **Bushaltestelle, -n**	bus stop
die **Haltestelle, -n**	bus stop
die **Karibik**	the Caribbean
das **Kino, -s**	movie theater
das **Meer, -e**	sea, ocean
die **Mensa,** *pl.* **die Mensen**	cafeteria
der **See, -n**	lake
die **Stadt,** ¨**e**	town, city
der **Strand,** ¨**e**	beach
die **Straße, -n**	street

Ähnliche Wörter: die **Bank, -en** / die **Disco, -s** / das **Haus,** ¨**er** / das **Hotel, -s** / das **Museum,** *pl.* die **Museen** / der **Park, -s** / das **Restaurant, -s** / der **Supermarkt,** ¨**e** / das **Theater, -**

Tagesablauf und Tageszeiten — Daily Routine and Times of Day

der **Abend, -e**	evening
abends	in the evening, evenings
der **Mittag, -e**	noon
mittags	at noon
die **Mitternacht**	midnight
um **Mitternacht**	at midnight
der **Morgen, -**	morning
morgens	early in the morning, mornings
der **Nachmittag, -e**	afternoon
nachmittags	in the afternoon, afternoons
der **Vormittag, -e**	late morning
vormittags	in the late morning
die **Woche, -n**	week
das **Wochenende, -n**	weekend
früh	early
heute abend	this evening
täglich	daily
montags	Mondays
dienstags	Tuesdays
mittwochs	Wednesdays
donnerstags	Thursdays
freitags	Fridays
samstags	Saturdays
sonntags	Sundays

Verben — Verbs

abholen (holt . . . ab)	to pick up
anrufen (ruft . . . an)	to call; to phone
anschauen (schaut . . . an)	to watch; to look at
arbeiten	to work
aufhören (hört . . . auf)	to stop
aufstehen (steht . . . auf)	to get up
ausfüllen (füllt . . . aus)	to fill out
ein **Formular ausfüllen**	to fill out a form
ausgehen (geht . . . aus)	to go out
besuchen	to visit
bleiben	to stay, remain
zu Hause bleiben	to stay home
duschen	to take a shower
einladen (lädt . . . ein)	to invite
fernsehen (sieht . . . fern)	to watch TV
fragen	to ask
gehen	to go
nach Hause gehen	to go home
heimgehen (geht . . . heim)	to go home
kaufen	to buy
kennenlernen (lernt . . . kennen)	to meet; to get to know
kochen	to cook
kommen	to come
lesen (liest)	to read
liegen	to lie
mitkommen (kommt . . . mit)	to come along, come with
pokern	to play poker
putzen	to clean
schlafen (schläft)	to sleep
stattfinden (findet . . . statt)	to take place
suchen	to look for; to search
treffen (trifft)	to meet
unterschreiben	to sign, autograph

verlassen (verläßt)	to leave
das Haus verlassen	to leave the house
wissen (weiß)	to know

Ähnliche Wörter: lernen / packen / singen / telefonieren / waschen (wäscht)

Substantive — Nouns

die **Anfangszeit, -en**	starting time
die **Arbeit**	work
das **Bett, -en**	bed
der **Brief, -e**	letter
die **Ehe**	marriage
der **Eintritt**	entrance fee
der/die **Erwachsene, -n**	adult (person)
das **Filmfest, -e**	film festival
die **Freizeit**	leisure time
die **Hauptrolle, -n**	main part in movie or play
die **Kartenvorbestellung**	advance sale of tickets
der **Kollege, -n**/die **Kollegin, -nen**	colleague
der **Kunde -n**/die **Kundin, -nen**	customer
der **Regen**	rain
der **Regisseur, -e**/die **Regisseurin, -nen**	director
die **Reihenfolge**	sequence
der **Roman, -e**	novel
die **Sache, -n**	thing
der **Schüler, -**/die **Schülerin, -nen**	pupil, student
die **Tasche, -n**	bag
die **Umfrage, -n**	opinion poll
das **Vergnügen**	pleasure
die **Vorlesung, -en**	lecture
die **Vorstellung, -en**	performance
die **Wäsche**	laundry
die **Zeitung, -en**	newspaper
das **Zelt, -e**	tent

Ähnliche Wörter: die **Gitarre, -n** / das **Hobby,** *pl.* die **Hobbies** / die **Komödie** / das **Konzert, -e** / die **Party,** *pl.* die **Parties** / die **Präferenz, -en** / das **Seminar, -e** / das **Video, -s**

wann und wo — When and Where

an	to, at
auf	at
bei	at, with
bis	until
dort	there
erst um zehn Uhr	not before ten o'clock
immer	always
letzte Woche	last week
meistens	most of the time
vor	in front of, before
wenn	if, when(ever)

Nützliche Wörter und Wendungen — Useful Words and Phrases

als	as
also	well
außerdem	besides
bis nachher	see you later
doch	(*word used to soften commands*)
Kommen Sie doch herein.	Do come in.
es gibt	there is, there are
für	for
gleichnamig	of the same name
ihr, ihre	her; its; their
in der Nähe	near, in the vicinity
langweilig	boring
nur	only
sein, seine	his; its
stundenlang	for hours
toll	great, fantastic
über	about
Es kommt darauf an.	It depends.
Hast du Lust?	Do you feel like it?
Hast du Zeit?	Do you have time?
Ich schwimme gern.	I like to swim.
Ich tanze lieber.	I prefer to dance.
Ich weiß noch nicht.	I don't know yet.
Was meinen Sie?	What do you think?

ZUSÄTZLICHE TEXTE

EINE STUDENTIN AUS DRESDEN STELLT SICH VOR:
Sofie Pracht

© Keystone/The Image Works

Die Ernst-Thälmann-Straße in Dresden

Text: Show students pictures or slides of Dresden and the GDR. Bring a map and point out other cities (*Leipzig, Halle, Magdeburg, . . .*) Ask them what they know about the GDR. Since the GDR is a sensitive issue, direct the students more toward the similarities of student life in the German-speaking countries instead of discussing the particular political situation of the GDR in relation to the FRG today. Draw parallels to the life of a student in the US: *In ihrer Freizeit geht Sofie gern ins Kino? Was macht sie noch gern? (Tanzen/Gitarre spielen.) Was machen Sie in Ihrer Freizeit? Sofie arbeitet auch in einer Gärtnerei. Arbeiten Sie auch? (Ja.) Was machen Sie? usw.*

Ich heiße Sofie Pracht, bin 22 und komme aus Dresden. Ich bin gern in Dresden. In meiner Freizeit gehe ich oft auf Parties und ins Kino, spiele Gitarre und tanze sehr gern. Außerdem schreibe ich regelmäßig an meine Brieffreunde[1] in der ganzen Welt.[2] Ich studiere Biologie an der Technischen Universität Dresden. Ein paar Stunden[3] in der Woche arbeite ich in einer großen Gärtnerei.[4]

Mein Freund heißt Willi Schuster. Er studiert auch hier in Dresden an der Technischen Universität. Er ist aus Radebeul. Das ist ein kleiner Ort[5] ganz in der Nähe von Dresden. Am Wochenende fahren wir manchmal mit dem Fahrrad[6] nach Radebeul und besuchen seine Familie. Seine Mutter bäckt sehr guten Kuchen.[7] Wir trinken dann in Radebeul Kaffee, essen Kuchen und fahren wieder nach Hause.

[1]*penpals* [2]*world* [3]*hours* [4]*nursery* [5]*place, village* [6]*bicycle* [7]*cakes*

Fragen

1. Wie alt ist Sofie?
2. Wohnt sie gern in Dresden?
3. Was macht Sofie in ihrer Freizeit?
4. Schreibt Sofie viele Briefe?
5. Was studiert sie?

6. Wo arbeitet sie?
7. Wie heißt Sofies Freund?
8. Wo studiert er?
9. Woher kommt er?
10. Wo ist Radebeul?
11. Was machen Sofie und Willi manchmal am Wochenende?
12. Wer bäckt sehr guten Kuchen?

EINE AMERIKANISCHE PROFESSORIN STELLT SICH VOR: Karin Schulz

© Keystone/The Image Works

Auf dem Marienplatz im Zentrum von München ist immer viel los.

Text: Discuss the German heritage in the US. Point out the large number of inhabitants of German origin. Relate to students: ask who is of German origin.

Ich heiße Karin Schulz. Meine Eltern sind Deutsche, aber ich bin hier in Kalifornien geboren und aufgewachsen.[1] Ich unterrichte[2] Deutsch an der Universität von Kalifornien hier in Berkeley, aber im Sommer fahre ich oft in die Bundesrepublik und besuche manchmal Fortbildungskurse[3] an deutschen Universitäten oder in der Zentrale des Goethe-Instituts[4] in München. Da bin ich gern, denn[5] meine Eltern kommen aus München, und ich habe noch Verwandte[6] dort. In den

Talk about the function and organization of the Goethe Institute abroad (especially in the US) and in the FRG. Discuss courses offered by the Goethe Institute for teachers and language courses for students of German.

Fortbildungskursen sind wir immer eine sehr internationale Gruppe. Die Leute kommen nicht nur aus den USA, sondern auch aus Kanada, Südamerika und verschiedenen europäischen Ländern. Das ist sehr schön. Wir machen dann auch sehr viel zusammen, gehen in die Museen oder machen Ausflüge[7] in die Berge und an die Seen in Bayern.

Ich unterrichte gern hier in Berkeley. In meiner Freizeit fahre ich oft nach San Franzisko und gehe ins Konzert oder ins Museum. Ich bin viel mit meinen Freunden zusammen. Wir gehen in Cafés, in den Park oder an den Strand und reden.[8]

[1]*raised* [2]*teach* [3]*workshops* [4](siehe KN) [5]*because* [6]*relatives* [7]*trips* [8]*talk*

Fragen

1. Woher kommt Karin Schulz?
2. Wo unterrichtet sie?
3. Was macht Karin Schulz im Sommer?
4. Wo ist sie gern?
5. Woher kommen Karins Eltern?
6. Woher kommen die Leute in den Fortbildungskursen? Was machen sie?
7. Ist Karin gern in Berkeley?
8. Was macht Karin in ihrer Freizeit?
9. Was macht sie mit ihren Freunden?

KULTURELLE NOTIZ: Das Goethe-Institut

Das Goethe-Institut repräsentiert deutsche Sprache und Kultur im Ausland.[1] Es gibt über 160 Institute in der ganzen Welt. Das amerikanische Äquivalent ist das Amerika-Haus in der Bundesrepublik.

[1]*abroad*

Text: Emphasize the popularity of soccer in German-speaking countries. Point out that Silvia and Jürgen are *begeisterte Freizeitsportler* and that they are, therefore, not necessarily representative of all Germans. Discuss the difference in the importance of sports between German-speaking countries and the US, especially at the universities. Show pictures of various ski resorts in Austria, the FRG, and Switzerland. After reading, ask personal questions: *Sind Sie sehr sportlich? Welchen Sport treiben Sie? Wie oft machen Sie das pro Woche? usw.*

SPORT UND FREIZEIT: Silvia und Jürgen

Silvia Mertens und ihr Freund Jürgen sind begeisterte Freizeitsportler.[1] Im Sommer fahren sie an die Ostsee zum Windsurfen und im Winter in die Alpen zum Skifahren.

Jürgen hat einen Campingbus; das ist sehr praktisch beim Windsurfen, vor allem wenn es windig und kalt ist. Leider[2] ist das Wetter meistens schlecht, wenn der Wind gut ist, und wenn das Wetter gut ist, ist der Wind nicht gut. Silvia surft auch, aber sie hat kein eigenes Surfbrett, und sie ist auch noch Anfängerin.[3] Dafür fährt sie besser Ski als Jürgen. Er fährt zwar schnell,[4] aber nicht sehr schön. Silvia fährt schon lange Ski. Sie ist als Kind mit ihren Eltern immer nach Seefeld in Österreich gefahren.

In den Semesterferien fahren Silvia und Jürgen mit einem Skikurs für Studenten nach Val Thorens in den französischen Alpen. Val Thorens liegt[5] auf über 2000 Metern, und das Skigebiet[6] ist sehr gut. Sie wohnen in einem Apartment und kochen selbst, dann ist es nicht so teuer.[7]

In der Nähe von Göttingen, wo sie beide wohnen und studieren, ist der Harz, ein Mittelgebirge,[8] in dem man auch Wintersport treiben und auf einigen Stauseen[9] windsurfen kann. Aber die Skipisten[10] sind sehr kurz, die Schlangen[11] an den Liften lang, und oft liegt zu wenig[12] Schnee. Die Stauseen sind natürlich viel kleiner als die Ostsee, und wegen[13] der Berge ist meistens kein Wind. Also machen Silvia und Jürgen lieber die weiten Fahrten[14] nach Dänemark und in die Alpen.

[1]*in ihrer Freizeit treiben sie aktiv Sport*   [2]*unfortunately*   [3]*beginner*   [4]*fast*   [5]*ist*   [6]*ski area*
[7]*expensive*   [8]*medium-altitude mountain range*   [9]*reservoirs*   [10]*ski runs*   [11]*lines*   [12]*little*
[13]*because of*   [14]*trips*

Fragen

1. Welchen Sport treiben Silvia und Jürgen im Sommer? Und im Winter?
2. Wohin fahren sie im Sommer? Wohin im Winter?
3. Fährt Silvia gut Ski? Warum (nicht)?
4. Wohin fahren Silvia und Jürgen in den Semesterferien?
5. Wo liegt Val Thorens?
6. Wie ist das Skigebiet dort?
7. Wo wohnen Silvia und Jürgen in Val Thorens?
8. Wo ist der Harz?
9. Wie sind die Skipisten im Harz?
10. Gibt es auf den Stauseen viel Wind?

© Ulrike Welsch

Ein schönes Hobby:
Tischtennis spielen

KULTURELLE BEGEGNUNGEN: Freizeit in der Bundesrepublik

Text: Compare the *Freizeitaktivitäten* in Göttingen to cities of comparable size (about 120,000) in the US. Ask students where they are from, how big their hometown is, and what is offered in terms of *Freizeitaktivitäten*. Discuss cultural differences.

Nicht alle Leute treiben gern Sport. Was macht man in Deutschland sonst noch[1] in der Freizeit? In Göttingen zum Beispiel gibt es viele Möglichkeiten,[2] und in anderen deutschen Städten natürlich auch. Es gibt sehr viele Kinos mit internationalen Filmangeboten.[3] Auch in der Universität kann man einmal in der Woche einen Film sehen. Dort sind fast nur Studenten, und wenn es ein lustiger Film ist, ist die Atmosphäre in dem riesigen Hörsaal[4] toll. Viele Studenten gehen nicht wegen[5] des Films, sondern wegen der Atmosphäre zu den „Campusfilmen".

Außerdem gibt es in Göttingen zwei Theater. Das Deutsche Theater ist ein schönes Gebäude[6] aus dem 19. Jahrhundert. Dort spielt man Stücke[7] von Gerhart Hauptmann, Bertolt Brecht, Friedrich Dürrenmatt, Goethe und Schiller. Es stehen aber auch moderne Autoren wie Franz Xaver Kroetz, Botho Strauß oder Peter Hacks auf dem Spielplan.

Das Junge Theater ist ein etwas experimentelles und avantgardistisches Theater. Dort kann man oft moderne zeitkritische und politische Stücke sehen.

Natürlich gehen die Leute in der Bundesrepublik nicht nur ins Theater oder ins Kino. In jeder Stadt gibt es auch viele Kneipen,[8] Cafés, Diskotheken und Restaurants; und vor allem in den größeren Städten besteht[9] ein reichhaltiges Angebot[10] an kulturellen Veranstaltungen[11] für jeden Geschmack:[12] Dichterlesungen,[13] Filmfeste, Opern, Konzerte und Kabarett stehen auf dem Programm.

In vielen Restaurants und Kneipen kann man im Sommer draußen[14] sitzen, und in den Stadtzentren ist dann abends oft mehr los[15] als am Tag.

[1]*what else*   [2]*possibilities*   [3]*film offerings*   [4]*lecture hall*   [5]*because of*   [6]*Haus*   [7]*plays*   [8]*pubs*
[9]*existiert*   [10]*ein . . . an abundant selection*   [11]*events*   [12]*taste*   [13]*poetry readings*
[14]*in the open*   [15]*going on*

Fragen

1. Wo kann man in Göttingen Filme sehen?
2. Warum gehen die Studenten zu den „Campusfilmen"?
3. Welche Theater gibt es in Göttingen?
4. Wo kann man zeitkritische moderne Stücke sehen?
5. Welche kulturellen Veranstaltungen gibt es in größeren Städten?
6. Wo sitzt man im Sommer oft?

STRUKTUREN UND ÜBUNGEN

1.1 Präsens 3: regelmäßige Verben

A. Funktion

Use the present tense to talk about
(1) habitual actions:

> **Trinkst du** viel Kaffee? —Ja, jeden Tag **trinke ich** Kaffee.
>
> *"Do you drink a lot of coffee?" "Yes, I drink coffee every day."*

(2) ongoing events:

> (Am Telefon) Hallo, Max? Was **machst du** gerade? —**Ich spiele** mit Freuden Karten.
>
> *"Hello, Max? What are you doing right now?" "I'm playing cards with some friends."*

(3) future events:

> Was **machst du** nächste Woche? —**Ich fliege** nach Österreich.
>
> *"What are you doing next week?" "I'm flying (going to fly) to Austria."*

One German form thus represents three English forms.

Ich spiele Gitarre.
{
I play guitar. (What do you do for a living?)
I'm playing guitar. (What are you doing now?)
I'm going to play guitar. (What instrument are you going to play?)
}

B. Form

As you have seen in **Einführung C**, the present-tense forms of a verb like **spielen** are:

ich	spiele	wir	spielen
Sie	spielen	Sie	spielen
du	spielst	ihr	spielt
er sie es	spielt	sie	spielen

Gabi und Jutta spielen gern Karten.
Gaby and Jutta like to play cards.

The **wir / Sie / sie** (*pl.*) forms are identical with the infinitive. Most infinitives in German end in **-en**; however, if a verb ends in **-n** rather than **-en** you will encounter the following pattern:

ich	tue	wir	tun
Sie	tun	Sie	tun
du	tust	ihr	tut
er sie es	tut	sie	tun

Ich tue Sofie einen Gefallen.
I'm doing Sofie a favor.

Verbs that end in an s-sound, such as **s**, **ß**, **z** (ts), **x** (ks), do not add an additional **s** in the **du**-form: **du tanzt**, **du heißt**, **du ißt**.

Wie **heißt du**? —Ich heiße Natalie.
"What's your name?" "My name's Natalie."

Verbs that end in **-d** or **-t** (plus a few other verbs such as **regnen** or **öffnen**) insert an **e** between the stem and the **-st** or **-t** endings. This happens in the **du**, **ihr**, and **er/sie/es** forms; **du arbeitest**, **ihr arbeitet**, **er/sie/es arbeitet**.

Arbeitet ihr jeden Tag? —Nein, nur montags bis freitags.
"Do you (all) work everyday?" "No, only Monday through Friday."

Übung 1. Students must use both form and meaning to make the correct combinations.

Übung 1

Kombination: Was machen sie?

MODELL: Ich trage gern Hosen.

Ich	liegen	gern Hosen.
Herr Thelen	trage	ins Kino.
Jutta und Jens	studiert	Spaghetti.
Du	hört	ein Buch.
Melanie	reist	gut Tennis.
Ich	kochen	in die Türkei.
Mehmet	lese	in Regensburg.
Richard	spielst	in der Sonne.
Jürgen und Silvia	geht	gern Musik.

Übung 2

Ergänzen Sie das Pronomen.

A: Tanzt Melanie gut?
B: _____ tanzt nicht schlecht.

A: Spielen _____ gern Karten?
B: Ja, _____ spiele oft mit meinen Freunden.

A: Wohin fährst _____ im Sommer?
B: _____ fahre nach Spanien.

A: Woher kommt _____.
B: _____ kommen aus Krefeld.

A: _____ studiere in Göttingen. Und _____?
B: _____ studieren in Berlin.

Übung 3

Ergänzen Sie die Endung.

A: Du tanz_ gern, nicht?
B: Ja, ich tanz_ sehr gern, aber mein Freund tanz_ leider nicht.

A: Richard wander_ im Sommer in Österreich.
B: Und was mach_ seine Eltern?
A: Seine Mutter reis_ nach Frankreich und sein Vater arbeit_.

A: Wir koch_ heute abend. Komm_ ihr zum Essen?
B: Ja, wir komm_ gern!

1.2. We firmly believe that the principles that govern German word order will be acquired by most students after they have had some exposure to comprehensible spoken and written German and without inordinate explanation and explicit grammar practice. However, we also feel that some explicit generalizations about word order may be helpful to some students, if only to alert them to the fact that there are major differences between English and German. Here we present three generalizations: an interrogative word goes in first position; subject-verb inversion is needed for yes/no questions; the verb usually goes in second position in statements.

1.2 Wortstellung 1: Fragesatz und Aussagesatz

A. Fragesatz

When you begin a question with a question word, put the verb right after it.

Wie **heißt** du?
What's your name?

Was **machst** du heute abend?
What are you doing tonight?

Woher **kommst** du?
Where do you come from?

Wann **beginnt** das Spiel?
When does the game start?

If you don't use a question word, begin the question with the verb.

Heißt du Jochen?
Is your name Jochen?

Tanzt du gern?
Do you like to dance?

Arbeitest du hier?
Do you work here?

Gehst du ins Kino?
Are you going to the movies?

Übung 4

Ein Interview mit Marta Szerwinski: Bilden Sie Sätze.

MODELL: du + heißen + wie + ? → Wie heißt du?

1. du + kommen + woher + ?
2. deine Freunde + heißen + wie + ?
3. deine Freunde + wohnen + wo + ?
4. du + wohnen + wo + ?
5. du + gehen + gern ins Kino + ?
6. du + haben + einen Freund + ?
7. er + gehen + auch gern ins Kino + ?
8. du + arbeiten + in Dresden + ?
9. du + sein + geboren + wann + ?

Übung 5

Noch ein Interview: Stellen Sie die Fragen.

1. _____ Ich heiße Sofie.
2. _____ Nein, ich komme nicht aus München.
3. _____ Ich komme aus Dresden.
4. _____ Ich studiere Biologie.
5. _____ Er heißt Willi.
6. _____ Er wohnt in Dresden.
7. _____ Nein, ich spiele nicht Tennis.
8. _____ Ja, ich tanze sehr gern.
9. _____ Nein, ich trinke kein Bier.
10. _____ Ja, Willi trinkt gern Bier.

B. Aussagesatz

In English, the verb usually follows the subject of a sentence.

SUBJEKT	VERB	
Peter	takes	a walk.

Even when another word or phrase begins the sentence, the word order does not change.

	SUBJEKT	VERB
Usually	Peter	takes a walk.

In German statements, the verb is always in second position. If the sentence begins with a word other than the subject, the subject has to come after the verb.

I	II	III	IV
SUBJEKT	VERB		
Wir	spielen	heute	Tennis.
	VERB	SUBJEKT	
Heute	spielen	wir	Tennis.

Übung 6

Was macht Rolf? Ergänzen Sie die Sätze. Verwenden Sie die folgenden Wörter.

wohnt, samstags, er, treibt, im Winter, kommt, im Moment, er

I	II	III	IV
1. Rolf	_____		aus Krefeld.
2. _____	studiert	er	in Berkeley.
3. Seine Oma	_____	noch	in Krefeld.
4. _____	geht	er	oft ins Kino.
5. Am Wochenende	wandert	_____	in den Bergen.
6. Außerdem	_____	er	gern Sport.
7. _____	fährt	er	Ski.
8. _____	geht	auch	ins Schwimmbad der Uni.

Übung 7

Sie und Ihre Hobbies: Bilden Sie Sätze. Verwenden Sie die Wörter in Klammern (*parentheses*). Beachten Sie die Satzstellung (*word order*).

1. (Ich / studieren / . . .) _____.
2. (Im Moment / ich / wohnen / in . . .) _____.
3. (Heute / ich / kochen / . . .) _____.
4. (Manchmal / ich / essen / . . .) _____.
5. (Ich / spielen / . . .) _____.
6. (Meine Freunde / heißen / . . .) _____.
7. (Sie / studieren / . . .) _____.
8. (Manchmal / wir / spielen / . . .) _____.

1.3. The fact that the syntax (and even to some extent the semantics) of *gern* is so different from the English equivalent "to like" usually causes students some difficulty at first.

To say that you like doing something, use the word **gern** with the verb. To express that you do not like to do something, use **nicht gern**.

> Ernst spielt **gern** Fußball.
> *Ernst likes to play soccer.*

> Josef spielt **nicht gern** Fußball.
> *Josef doesn't like to play soccer.*

The position of **auch/nicht/gern** (in that order) is between the verb and its complement.

I	II	III	IV
Sofie	spielt	gern	Schach.
Willi	spielt	auch gern	Schach.
Ich	spiele	nicht gern	Schach.
Monika	spielt	auch nicht gern	Schach.

Übung 8

Frau Schulz fragt die Studenten, was sie gern machen. Was antwortet Stefan?

MODELL: Peter und Maria / schwimmen →
    FRAU SCHULZ: Stefan, was machen Peter und Maria gern?
    STEFAN: Peter und Maria schwimmen gern.

1. Monika und Albert / Tennis spielen
2. Heidi / im Park joggen
3. Stefan / Auto fahren
4. Nora / ins Kino gehen
5. Hans / Musik hören
6. Richard / in den Bergen zelten
7. Monika / Fotos machen
8. Albert / Tee trinken

Übung 9

Sagen Sie, was die folgenden Personen gern machen.

MODELL: Jutta liegt gern in der Sonne. Frau Ruf liegt auch gern in der Sonne, aber Herr Ruf liegt nicht gern in der Sonne.

Frau Ruf   Jutta   Herr Ruf   Jens   Ernst   Jutta

Jens   Jutta   Andrea   Michael   Maria   die Rufs   die Wagners

1.4 lieber

Use **lieber** to express that you prefer one thing over another.

> Gehst du **lieber** ins Kino oder ins Theater? —Ich gehe **lieber** ins Kino.
> *"Do you prefer to go to the movies or the theater?" "I prefer to go to the movies."*

Lieber, like **gern**, goes between the verb and its complement in a statement.

> Was trinkst du lieber, Bier oder Wein? —Ich trinke **lieber** Bier.
> *"What do you prefer, beer or wine?" "I prefer beer."*

Übung 10

Was machen sie lieber?

MODELL: Was ißt du lieber, Pizza oder Spaghetti?
Ich esse lieber Pizza.

1. Welchen Sport treibt ihr lieber, reiten oder Tennis spielen?
2. Was fährt Jens lieber, Moped oder Fahrrad?
3. Was spielt Melanie lieber, Tennis oder Gitarre?
4. Was machst du lieber, arbeiten oder schlafen?
5. Wohin fährt Renate lieber, nach Frankreich oder in die Türkei?
6. Was machen die Rufs lieber, spazierengehen oder segeln?
7. Was liest du lieber, ein Buch oder eine Zeitung?
8. Was trinkt Silvia lieber, Bier oder Cola?

1.5 Präpositionen und Kasus

1.5. Our idea in this section is simply to alert students to the fact that endings on articles and adjectives vary in German, so that students will not be confused by forms they have not yet formally studied. Keep in mind that when these forms appear in a meaningful context, students usually have no problems interpreting meaning.

Prepositions like *in, at, to, from, near, by* are followed by nouns: *to the mountains, at the party, in the park*. In German, the case of these nouns is signaled by the endings on the articles and adjectives. You will learn the correct cases for each preposition in future lessons. For now, be aware that you will hear and read articles and adjectives with a variety of endings. These various forms will not prevent you from understanding German. Here are all the possibilities.

der, die, das, des, dem, den	*the*
ein, eine, eines, einer, einem, einen	*a, an*
gut, gute, gutes, guter, gutem, guten	*good*

In addition, definite articles may contract with some prepositions, just as *do* and *not* contract to *don't* in English. Here are some common contractions you will hear and read.

in	+	das	=	ins	*to the*
in	+	dem	=	im	*in the*
zu	+	der	=	zur	*to the*
zu	+	dem	=	zum	*to the*
an	+	das	=	ans	*to the*
an	+	dem	=	am	*on the*

1.6 Präsens 4: Verben mit Vokalwechsel

Some German verbs have a vowel in the **du** and the **er/sie/es** forms that differs from the vowel in the infinitive.

Schläfst du gern? —Ja, ich schlafe sehr gern.
"Do you like to sleep?" "Yes, I like to sleep very much."

Liest Ernst viel? —Nein, wir alle lesen nicht viel.
"Does Ernst read a lot?" "No, none of us reads much."

These are the types of vowel changes you will encounter.

a	→	ä	fahren (du fährst, er/sie/es fährt)
			schlafen (du schläfst, er/sie/es schläft)
			tragen (du trägst, er/sie/es trägt)
au	→	äu	laufen (du läufst, er/sie/es läuft)
e	→	i	essen (du ißt, er/sie/es ißt)
e	→	ie*	lesen (du liest, er/sie/es liest)
			sehen (du siehst, er/sie/es sieht)

Here are the forms of the verb **fahren**.

ich	fahre	wir	fahren
Sie	fahren	Sie	fahren
du	**fährst**	ihr	fahrt
er sie es	**fährt**	sie	fahren

Übung 11

Was machen sie gern?

MODELL: Hans schläft gern im Zelt.

Hans	lesen	gern	Auto.
Ich	schläft		Bücher.
Silvia	essen		Eis.
Jutta und Jens	trägt		Ski.
Jürgen	sehe		Hosen.
Wir	läuft		fern.
Peter	fahre		im Zelt.

Übung 12

Minidialoge: Ergänzen Sie das Pronomen.

A: Fahrt _____ gern Auto?
B: Nein, _____ fahren lieber Moped.

———————

*Recall that **ie** is pronounced long as in English *niece*.

A: Lesen _____ die Zeitung?
B: Im Moment nicht. _____ lese gerade ein Buch.

A: Ißt Ihre Tochter gern Eis?
B: Nein, _____ ißt lieber Pizza. Aber da kommt mein Sohn, _____ ißt sehr gern Eis.

A: Wohin fährst _____ im Sommer?
B: _____ fahre nach Spanien. Und _____?
A: _____ fahren nach England.

Übung 13

Jens und Jutta: Ergänzen Sie das Verb. Verwenden Sie die folgenden Wörter.

machen, fahren, essen, sehen, lesen, schlafen

A: Was _____ Jutta und Jens gern?
B: Jutta _____ sehr gern Motorrad. Jens _____ lieber fern.
A: Und _____ sie gern Chinesisch?
B: Jens _____ gern Italienisch, aber nicht Chinesisch. Und Jutta _____ gern bei McDonalds.

A: Und ihr, was _____ ihr gern?
B: Ich _____ gern Bücher und mein Freund (meine Freundin) _____ gern. Außerdem _____ wir gern Ski.

1.7 Wortstellung 2: zweiteilige Verben

1.7. In this chapter students will mostly need to use the structure with the prefix at the end of the sentence. They will need the infinitive forms in Chapter 2.

A. Verben mit trennbaren Präfixen

Many verbs in German are compounded with other words or prefixes. The prefixes change or modify the meaning of the verb. They combine with the infinitive to form a single verb.

aufstehen	*to stand up*
ausgehen	*to go out*
fernsehen	*to watch TV*
mitkommen	*to accompany*

When you use a present-tense form of these verbs, put the prefix at the end of the sentence to form a frame or bracket (**Satzklammer**) with the conjugated form, which remains in second position.

Peter und Maria gehen aus.

Peter und Maria gehen am Donnerstag aus.

Peter und Maria gehen am Donnerstag in Berlin aus.

Here are some common verbs with separable prefixes.

abholen	*to pick up*
ankommen	*to arrive*
anrufen	*to call up*
anschauen	*to look at; to watch*
aufhören	*to stop*
aufstehen	*to get up*
ausfüllen	*to fill out*
einkaufen	*to shop*
einladen	*to invite*
einpacken	*to wrap, pack, put away*
einsteigen	*to get in, to get on*
fernsehen	*to watch TV*
heimgehen	*to go home*
kennenlernen	*to meet, get to know*
mitnehmen	*to take along*
radfahren	*to bicycle*
spazierengehen	*to go for a walk*
zurückkommen	*to come back*

B. Verben mit Ergänzung

Some German verbs are commonly used in combination with a noun.

Auto fahren   Zeitung lesen   Fußball spielen

The noun is commonly used without an article and is usually at the end of the sentence. This verb-noun complex forms a frame or a bracket (**Satzklammer**).

Peter spielt Tennis.

Peter spielt am Sonntag Tennis.

Peter spielt am Sonntag mit Maria Tennis.

Peter spielt am Sonntag mit Maria im Park Tennis.

Some very common verb-noun compounds are:

Basketball (Fußball, Tennis, ...) spielen	to play basketball (soccer, tennis, ...)
Gitarre (Klavier, ...) spielen	to play the guitar (the piano, ...)
Karten (Schach, ...) spielen	to play cards (chess, ...)
Ski (Auto, Motorrad, ...) fahren	to go skiing (to drive a car, to ride a motorcycle, ...)
Schallplatten (Musik, Radio, ...) hören	to listen to records (to music, to the radio, ...)
Sport treiben	to engage in sports
Briefe (Postkarten, ...) schreiben	to write letters (postcards, ...)
Zeitung lesen	to read the newspaper
Kaffee (Tee, Bier, ...) trinken	to drink coffee (tea, beer, ...)

Übung 14

Mehmet fährt morgen in die Türkei. Was macht er heute? Verwenden Sie die folgenden Verben.

abholen, zurückkommen, einpacken, anschauen, anrufen, ausfüllen

1. Er packt seine Sachen _____.
2. Er ruft Renate _____.
3. Er füllt ein Formular _____.
4. Er holt seinen Reisepaß _____.
5. Er kommt um 17 Uhr _____.
6. Er schaut sich einen Film _____.

Übung 15

Ernsts Tagesablauf: Ergänzen Sie die Sätze mit den folgenden Wörtern.

an, auf, auf, ein, heim, mit

1. Ich stehe jeden Tag um 6.30 Uhr _____.
2. Ich nehme meine Bücher _____.
3. Ich steige in den Bus _____.
4. Ich komme um 8.15 Uhr in der Schule _____.
5. Die Schule hört um 13 Uhr _____.
6. Ich gehe dann sofort _____.

KAPITEL 2

© Dagmar Fabricius

Teestunde in einem
Studentenheim

In Kapitel 2 you will learn to talk about possessions and gifts.
You will learn how to express your opinion on matters of
taste or style, and you will learn to talk about locations and
where to get things.

BESITZ

GOALS

The focus of Chapter 2 is the students' immediate environment outside the class: things they have, things they would like to have/do, and places they go. The suggested additional activities provide further opportunities for talking about daily activities, as a review of the topics from Chapter 1.

Choose pictures from your PF of common items found in the students' environment. First identify **107**

SPRECHSITUATIONEN

BESITZ

 Grammatik 2.1–2

and talk briefly about the items and then pass each picture to a different student. Ask: *Wer hat den/das/die* _____ ? Then ask another student: *Was möchten Sie haben? Den* _____ *, das* _____ *oder die* _____ ? You may wish to point out that only *der* changes to *den* in these sentences.

ich	möchte	wir	möchten
Sie	möchten	Sie	möchten
du	möchtest	ihr	möchtet
er sie es	möchte	sie	möchten

	M	N	F	PL
NOM	(k)ein	(k)ein	(k)eine	keine
	der	das	die	die
	er	es	sie	sie
AKK	(k)einen	(k)ein	(k)eine	keine
	den	das	die	die
	ihn	es	sie	sie

Sit. 1. Make pairs of pictures from your PF and ask students which they would rather have: *Was möchten Sie?* _____ *oder* _____ ?

Situation 1.   Was möchten sie?

ein Auto   ein Kofferradio   ein Fahrrad   eine Katze   ein Haus

Herr Thelen   Jutta   Ernst   Josie   Herr Ruf

108

S1: **Was möchte Herr Thelen?**
S2: **Er möchte ein . . .**

S1: **Was möchte . . .**
S2: **. . .**

Situation 2.   Interaktion: Josefs Zimmer

Sit. 2. Have students do the interaction in pairs.

AA 1. Ask students to think about each routine activity they do from the time they get up in the morning until they go to bed at night. *Sprechen wir über die typischen Aktivitäten des Tages. Am Morgen, zum Beispiel, . . .* As students suggest activities (in English or German) write these in the third-person form on the board. After you have ten or so daily activities on the board ask questions, using specific hours as a guide. *Um wieviel Uhr _____ Sie? Um _____ . (Um wieviel Uhr trinken Sie einen Kaffee? Um 9 Uhr.)*

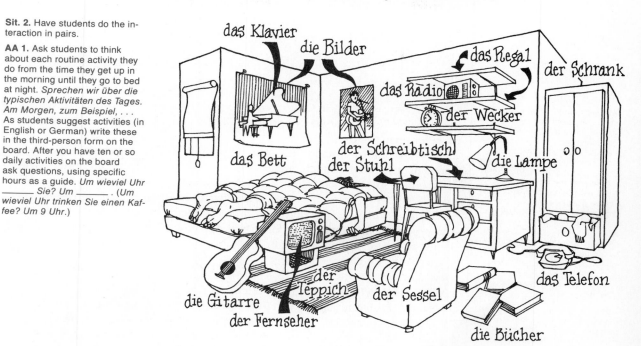

S1: **Was hat Josef in seinem Zimmer?**
S2: **Er hat einen Fernseher.**

S1: **Hat er eine Trompete?**
S2: **Nein, er hat keine Trompete.**

Sit. 3. Work with the students directly until you are sure that they understand the model; then have them do the interaction in pairs.

AA 2. Ask each student to think of one thing that a relative or friend does during the day.

Situation 3.   Interaktion: Hast du eine Gitarre?

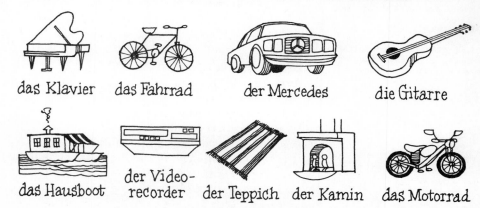

das Klavier   das Fahrrad   der Mercedes   die Gitarre

das Hausboot   der Videorecorder   der Teppich   der Kamin   das Motorrad

s1: Hast du eine Gitarre?

s2: Ja, ich habe eine Gitarre. / Nein, ich habe keine Gitarre.

s1: Verkaufst du sie?

s2: Ja, ich verkaufe sie für 100 Mark. Möchtest du sie kaufen? / Nein, ich verkaufe sie nicht.

s1: Ja, ich kaufe sie. / Nein, ich kaufe sie nicht.

EINE GÖTTINGER STUDENTIN STELLT SICH VOR: Silvia Mertens

Silvia Mertens studiert in Göttingen. Sie kommt aus Hildesheim, das ist eine Stadt in der Nähe von Hannover. Sie studiert Mathematik und Englisch und will Gymnasiallehrerin werden.[1]

Silvia wohnt in einem Studentenwohnheim.[2] Das ist billig, aber die Zimmer sind sehr klein und einfach eingerichtet.[3] Silvias Zimmer hat nur einen Schreibtisch, einen Stuhl, einen Schrank, ein Waschbecken[4] und ein Bett, das tagsüber[5] ein Sofa ist. Das Fenster ist ziemlich klein, aber sie hat Pflanzen auf der Fensterbank.[6]

Die Toiletten und Duschen sind immer für zehn Studentinnen und Studenten zusammen, ebenso die Küche.[7] Silvia kocht selten im Wohnheim. Meist frühstückt sie nur zu Hause; mittags ißt sie in der Mensa, und abends ißt sie meist bei Jürgen in der Wohngemeinschaft.

Silvias Wohnheim ist Teil[8] des Studentendorfs[9] in der Gutenbergstraße. Dort wohnen sehr viele Studenten, vor allem auch viele amerikanische Austauschstudenten.[10] Silvia kennt einige von ihnen aus dem „Dorfkrug"—das ist die Kneipe[11] des Studentendorfs. Im „Dorfkrug" arbeiten nur Studenten aus dem Studentendorf. Silvia arbeitet dort einmal in der Woche. Und im „Dorfkrug" hat sie auch Jürgen kennengelernt.[12]

[1](siehe KN)   [2]*student dorm*   [3]*furnished*   [4]*sink*   [5]*am Tag*   [6]*windowsill*   [7](siehe KN)   [8]*part*
[9]*student village*   [10]*exchange students*   [11](siehe KN)   [12]*met*

Text: Talk about life in a *Studentenheim* in Germany in contrast to life in the dorms at an American university. Point out that in the FRG most *Studentenheime* are for male and female students who live on the same floors; that students for the most part do their own cooking in the kitchen of their floor or eat lunch or dinner in the *Mensa*. Relate the topic to students in class: *Wohnen Sie in einem Studentenheim? (Ja.) Wie viele Studenten wohnen auf Ihrer Etage? (. . .) Haben Sie eine Küche? Kochen Sie dort? Wohnen Sie nur mit anderen Frauen/Männern zusammen? usw.*

Talk about *Wohngemeinschaften* in the FRG. Mention that mostly people who know each other move in together. Discuss differences in the US: *Wer wohnt in einer Wohngemeinschaft? Wie viele andere Studenten wohnen dort? Seit wann kennen Sie sie? usw.*

Show pictures of various items and ask students their opinion about possible gifts for various friends, relatives, and close family members. For example: *Hier habe ich einen _____ , Was glauben Sie, ist _____ ein gutes Geschenk für meine Mutter? Sie ist _____ Jahre alt und hat braunes Haar. Was meinen Sie, ist die Farbe gut für meine Mutter? Was schenken Sie Ihrer Mutter? usw.*

Fragen

1. Woher kommt Silvia?
2. Was studiert sie?
3. Wo wohnt Silvia?
4. Hat Silvia einen Schreibtisch?
5. Was ist das Bett tagsüber?
6. Was hat Silvia auf der Fensterbank?
7. Für wie viele Studenten sind die Duschen und die Küche?
8. Wo ißt Silvia oft zu Abend?
9. Wo ist Silvias Wohnheim?

10. Woher kennt Silvia amerikanische Austauschstudenten?
11. Wer arbeitet im „Dorfkrug"?
12. Wen hat Silvia im „Dorfkrug" kennengelernt?

KULTURELLE NOTIZEN

Wenn man in der Bundesrepublik Lehrer werden will, muß man[1] zwei Fächer studieren, wie Silvia zum Beispiel, die[2] Mathematik und Englisch studiert.

Studentenheime in der Bundesrepublik sind nicht nach Geschlechtern getrennt.[3] Frauen und Männer wohnen immer zusammen auf den Etagen.[4]

Eine Kneipe ist eine Art von Bar. Andere Namen sind Gasthaus oder Wirtshaus.

[1]werden . . . *wants to become, one must*   [2]*who*   [3]nach . . . *separated by sex*   [4]*floors*

GESCHENKE

Grammatik 2.3

durch
für
gegen } + Akkusativ
ohne
um

der Kassettenrecorder

die Armbanduhr

der Tennisschläger
das Paar Ski

der Koffer

die Tasche

die Schreibmaschine   der Plattenspieler

der Computer

die Lautsprecherboxen

Situation 4.   Was möchtest du zum Geburtstag?

S1: **Möchtest du eine Tasche?**
S2: **Ja, ich möchte eine Tasche. / Nein, ich möchte keine Tasche.**

1. eine Armbanduhr
2. ein Paar Ski
3. einen Koffer
4. einen Tennisschläger
5. Ohrringe

6. eine Schreibmaschine
7. einen Computer
8. Bilder
9. eine Katze
10. _____

Situation 5.   Geschenke

Sie suchen Geschenke. Was kaufen Sie für diese Personen?

1. Herr Mohr, 60 Jahre, liebt Musik.
2. Frau Müller, Hausfrau, kocht gern.
3. Dieter Bothe, ein junger Mann, gibt gern Gartenparties.
4. Markus Hoffmann, 25 Jahre, reist gern.
5. Joachim Arndt, Student, treibt gern Sport.
6. Birgit Häusler, Studentin, fährt gern Ski.
7. Marion und Thomas Schmidt, frisch verheiratet
8. Peter und Angelika Fischer, frischgebackene Hausbesitzer

Geschenke für Freunde und Verwandte? Kein Problem. Hier bekommen Sie fast alles.

Situation 6. Geburtstage

Sie brauchen Geburtstagsgeschenke für Ihre Familie. Machen Sie eine Liste für das nächste Jahr.

1. für Ihre Mutter — einen Wecker
2. für Ihren Bruder (10 J.) _____
3. für Ihren Vater _____
4. für Ihre Kusine (16 J.) _____
5. für Ihre Großmutter _____
6. für Ihre Tante _____
7. für Ihren Vetter (25 J.) _____
8. für Ihren Onkel _____

Situation 7. Umfrage

MODELL: ein Auto → S1: Brauchst du ein Auto?
S2: Ja.
S1: Unterschreib hier bitte.

UNTERSCHRIFT

1. einen Fußball _____
2. eine Gitarre _____
3. eine Zigarre _____
4. ein Paar Schuhe _____
5. einen Tennisschläger _____
6. eine Uhr _____
7. einen Stift _____
8. ein Wörterbuch _____
9. ein Telefon _____
10. eine Brille _____

Situation 8. Dialog: Ein Geschenk für Josef

MELANIE: Josef hat nächsten Donnerstag Geburtstag.
CLAIRE: Wirklich? Dann brauche ich ja noch ein Geschenk für ihn. Mensch, das ist schwierig. Hat er denn irgendwelche Hobbies?
MELANIE: Er spielt Gitarre und hört gern Musik.
CLAIRE: Hast du schon ein Geschenk?
MELANIE: Ich möchte ein Liederbuch kaufen. Aber es ist ziemlich teuer. Kaufen wir es zusammen?
CLAIRE: Ja, klar. Welche Art Musik hat er denn gern?
MELANIE: Ich glaube, Soft Rock und Oldies. Simon and Garfunkel, Cat Stevens und so.

Sit. 9. (See the IM for suggestions on the use of open dialogues in Stage III.)

Bring selected items from your home and wardrobe to class. Show each item and ask the question: *Wie finden Sie mein(e/en)* _____ ? Supply adjectives as needed. Students may answer with only an adjective, although you might want to encourage them to use: *Ihr(e)* _____ *ist* + adjective. (An alternative would involve accusative pronouns: *Ich finde ihn/sie/es* + adjective.)

© Renata Miller/Monkmeyer Press Photo Service

Hören Sie auch gern Musik? In diesem Geschäft finden Sie garantiert eine gute Schallplatte.

Situation 9.   Offener Dialog: Geschenke

S1: Kaufst du manchmal Geschenke für deine Freunde oder deine Familie?

S2: Ja, für meinen/meine _____ kaufe ich _____.

S1: Und für deinen/deine _____?

S2: Er/Sie bekommt _____. Und du?

S1: Ich kaufe für meinen/meine _____ _____, für meinen/meine _____ _____ und für meinen/meine _____ _____.

GESCHMACKSFRAGEN

 Grammatik 2.4–5

mein	unser
Ihr	Ihr
dein	euer
sein ⎫	
ihr ⎬	ihr
sein ⎭	

der Ring
die Kette
das Armband
das Motorrad
der Rassehund
der Gürtel
die Schlange
die Ohrringe
die Stiefel
der Pelz
der Porsche

Sit. 10. Introduce a list of qualifying adjectives: *toll, schön, furchtbar, grauenhaft, geschmackvoll/los, unglaublich, ekelhaft* . . . Then let students work in groups gossiping about others, either from group to group or from photos of celebrities from your PF. Encourage students to be very vehement in their statements.

Situation 10.   Geschmacksfragen

Fragen Sie Ihre Mitstudenten.

S1: **Wie findest du seine Kette?**
S2: **Furchtbar! / Toll, ich möchte auch eine!**
S1: **Wie findest du ihren Gürtel?**
S2: **Toll, ich möchte auch einen! / Sehr geschmacklos!**

Nützliche Wörter: furchtbar, häßlich, interessant, todschick, geschmackvoll, gräßlich

Sit. 11. (See the IM for suggestions on the use of *Interaktionen*.)

Situation 11.   Interaktion: Wie findest du . . . ?

Fragen Sie eine andere Studentin/einen anderen Studenten.

S1: **Wie findest du meinen Ring?**
S2: **Toll, woher hast du ihn? / Ich finde ihn häßlich.**

1. meine Kette
2. mein Armband
3. meinen Gürtel

4. meine Schuhe
5. meine Ohrringe
6. _____

Sit. 12. Write a list of objects on the board: *Auto, Pullover, Fahrrad, Motorrad, Stereoanlage, usw.* Let students act out dialogues using the different objects that they select from the list. Encourage students to use possessive pronouns and accusative pronouns.

Situation 12.   Dialog

FRAU WAGNER: **Tag, Herr Ruf.**
HERR RUF: **Guten Tag, Frau Wagner. Ist das Ihr neues Auto?**

We wish to be able to talk about going to and coming from places without going into too much detail on preposition + case. In this section we emphasize *in* + accusative for going to places. First use your PF to review and introduce words for community locations: *die Wohnung, das Haus, das Zimmer, die Stadtbücherei, das Krankenhaus, das Restaurant, die Kneipe, das Kino, das Café, die Disco, die Kirche, die Drogerie, die Apotheke, das Museum, die Bäckerei, die Metzgerei, das Geschäft.* Then use pictures of people going to places and ask: *Wohin geht er/sie? In einen/ein/eine _____.*

FRAU WAGNER: Ja, das ist unser Mercedes. Ein 280er. Er war sehr teuer, aber dafür ist er auch sehr komfortabel.

HERR RUF: Unser BMW ist schon ziemlich alt, aber wir mögen ihn. Er hat Stil. Unsere Kinder möchten einen Porsche, weil der schneller ist. Aber er ist natürlich zu klein für eine Familie.

FRAU WAGNER: Ja, das stimmt.

Situation 13.   Frau Körners neue Jacke

Bringen Sie die Sätze in die richtige Reihenfolge.

_____ Von Karstadt. Ziemlich billig.
_____ Ich finde sie einfach toll. Woher haben Sie Ihre Jacke?
_____ Tag, Frau Körner.
_____ Mein Mantel ist schon sehr alt. Ich brauche dringend etwas für den Winter.
_____ Guten Tag, Frau Gretter. Wie geht's denn so?
_____ Gehen Sie zu Karstadt!
_____ Ach, ganz gut. Wie finden Sie denn meine neue Jacke?

Situation 14.   Interview: Deine Meinung

S1: Wie findest du Robert Redford?
S2: Ich finde ihn _____.
S1: Wie findest du seine Filme?
S2: Ich finde sie _____.

1. Wie findest du Michael Jackson? Wie findest du seine Musik?
2. Wie findest du unseren Deutschkurs? Wie findest du unseren Professor/ unsere Professorin?
3. Wie findest du deine Wohnung?
4. Wie findest du dein Auto?
5. Wie findest du Jane Fonda? Wie findest du ihre Filme?

ORTE

 Grammatik 2.6

$$\text{wohin} \begin{cases} \text{nach} \\ \text{zu} \\ \text{in} \end{cases} \qquad \text{woher} \begin{cases} \text{aus} \\ \text{von} \end{cases}$$

Situation 15.   Definitionen: Was machen Sie in . . . ?

Was machen Sie im Kino? Im Kino sehe ich einen Film.

1. in der Bäckerei
2. in der Metzgerei
3. in der Drogerie
4 in der Apotheke
5. in der Pizzeria
6. im Fischgeschäft
7. in der Stadtbücherei

a. Pizza, Salat oder Spaghetti essen
b. Bücher ausleihen oder lesen
c. Brot und Brötchen kaufen
d. Fleisch oder Wurst kaufen
e. Shampoo, Deodorant oder Seife kaufen
f. Fisch kaufen
g. Antibiotika oder Aspirin kaufen

© Beryl Goldberg

In der Bäckerei sind Brot und Brötchen immer frisch.

Sit. 16. This activity can be expanded by making use of the other objects in each list: *Wohin gehen Sie, wenn Sie tanzen möchten? Ins Restaurant? Nein! In die Disco? Ja! Richtig, Jack geht in die Disco, wenn er tanzen möchte, usw.*

Situation 16.   Sagen Sie ja oder nein.

Wohin gehen Sie, . . . ?

1. wenn Sie ein Buch brauchen?
   a. in die Disco?
   b. ins Restaurant?
   c. in die Bibliothek?
   d. in den Supermarkt?

2. wenn Sie Italienisch essen möchten?
   a. ins Schwimmbad?
   b. in eine Pizzeria?
   c. in die Universität?
   d. an den Strand?

3. wenn Sie Shampoo brauchen?
   a. in die Apotheke?
   b. in ein Fischgeschäft?
   c. in die Bäckerei?
   d. in die Drogerie?

4. wenn Sie Deutsch haben?
   a. in den Supermarkt?
   b. in die Schule?
   c. an die Uni?
   d. ins Kino?

Sit. 17. (See the IM for suggestions regarding the use of dialogues in Stage III.)

Situation 17.   Dialog: Gehen wir ins Schwimmbad!

Willi trifft einen Freund in der Uni.

WILLI: Wohin gehst du nach dem Seminar, Gerald?
GERALD: Ins Schwimmbad. Kommst du mit?
WILLI: Ja, aber ich habe keine Badehose dabei.
GERALD: Na, dann hol sie, und wir treffen uns dort.
WILLI: Bis dann.

Sit. 18. (See the IM for suggestions for the use of open dialogues in Stage III.)

Situation 18.   Offener Dialog: Was machst du am Wochenende?

S1: _____ du am Wochenende?
S2: Ich _____. Und du?
S1: Ich _____.

Sit. 19. Do this activity in groups of two. The interviewer should write down the interviewee's answers for later presentation in class.

Situation 19.   Interview

1. Wohin gehst du nach dem Deutschkurs?
2. Verreist du in den Ferien? Wohin fährst du?
3. Verreist dein Bruder / deine Schwester / dein Vater? Wohin . . . ?
4. Gehst du Freitagabend ins Konzert / ins Kino / ins Theater?
5. Geht dein Freund / deine Freundin mit?
6. Was machst du am Wochenende? Fährst du weg? Wohin?

EINE STUDENTIN AUS REGENSBURG STELLT SICH VOR: Melanie Staiger

© Fritz Henle

Die Steinerne Brücke und der Dom in Regensburg sind sehr alt.

Text: Bring slides or pictures of Regensburg to show sites mentioned in the text. If you don't have any, discuss the photo of Regensburg in the text.

Hallo, ich heiße Melanie Staiger. Ich bin 20 und studiere Kunstgeschichte an der Universität Regensburg. Ich wohne zusammen mit meiner Schwester Gloria in einer kleinen Wohnung in der Stadtmitte, in der Nähe der Steinernen Brücke.[1] Regensburg ist sehr alt, über 2000 Jahre, und eine sehr schöne Stadt; daher ist sie im Sommer immer voller Touristen. Wenn ich nicht fürs Studium arbeite, gehe ich oft in die Fußgängerzone,[2] setze mich auf eine Bank[3] und betrachte[4] die Leute, oder ich gehe einfach in der Sonne spazieren und sehe mir die Schaufenster an.

In der Nähe unserer Wohnung ist eine Disco, das „Sudhaus", da gehe ich samstags oft tanzen; der Discjockey spielt immer ganz tolle Musik. Etwas weiter weg, in der Nähe der Römermauer,[5] ist das archäologische Museum der Stadt. Da gehe ich sonntags manchmal hin und schaue mir die Ausgrabungen[6] aus der Römerzeit an.

Meine Schwester Gloria findet, daß unsere Wohnung eine gute Lage[7] hat, weil alles in der Nähe ist und es immer was zu tun gibt. Für sie ist das richtig, sie studiert Psychologie und beobachtet[8] gern Leute. Aber für mich ist es schwierig zu arbeiten, wenn soviel los[9] ist.

[1]*Stone Bridge*   [2]*pedestrian mall*   [3]*bench*   [4]*schaue ... an*   [5]*Roman wall*   [6]*excavations*
[7]*location*   [8]*schaut ... an*   [9]*going on*

Fragen

1. Wie alt ist Melanie?
2. Was studiert sie?
3. Wie heißt ihre Schwester?
4. Wo ist ihre Wohnung?
5. Wie alt ist Regensburg?
6. Was macht Melanie, wenn sie nicht fürs Studium arbeitet?
7. Was macht Melanie oft samstags?
8. Wo ist das Museum?
9. Was schaut sich Melanie im Museum an?
10. Wohnt Melanies Schwester Gloria gern in der Stadtmitte?
11. Was studiert Gloria?

VOKABELN

Verben — Verbs

ausleihen (leiht . . . aus)	to borrow
bekommen	to get
brauchen	to need
bringen	to bring; to take
bürsten	to brush
dabeihaben (hat . . . dabei)	to have with oneself
finden	to find
Wie findest du das?	What do you think about that?
gernhaben (hat . . . gern)	to like
glauben	to believe, think
holen	to get, fetch
kämmen	to comb
lieben	to love
möchten	would like
mögen	to like
reiben	to rub
schminken	to put makeup on
verkaufen	to sell
verreisen	to go on a trip
wegfahren (fährt . . . weg)	to go away, take a trip

Kleidung und Schmuck — Clothing and Jewelry

das **Armband, ¨er**	bracelet
die **Badehose, -n**	pair of swimming trunks
der **Gürtel, -**	belt
die **Kette, -n**	necklace
das **Paar Schuhe**	pair of shoes
der **Pelz, -e**	fur
der **Spiegel, -**	mirror
die **Tasche, -n**	bag

Ähnliche Wörter: der **Bikini, -s** / der **Ohrring, -e** / der **Ring, -e**

Erinnern Sie sich: der **Anzug, ¨e** / die **Armbanduhr, -en** / die **Bluse, -n** / die **Brille, -n** / das **Hemd, -en** / die **Hose, -n** / der **Hut, ¨e** / die **Jacke, -n** / das **Kleid, -er** / die **Krawatte, -n** / der **Mantel, ¨** / der **Pullover, -** / der **Rock, ¨e** / das **Sakko, -s** / der **Schuh, -e** / der **Stiefel, -** / der **Tennisschuh, -e**

Haus und Besitz

House and Possessions

das **Bild**, -er	picture
das **Fahrrad**, ¨er	bicycle
der **Fernseher**, -	TV set
das **Geld**	money
das **Geschirr**	china
der **Hausbesitzer**, -	homeowner
die **Hausfrau**, -en	housewife
der **Hund**, -e	dog
der **Kamin**, -e	fireplace
die **Katze**, -n	cat
das **Klavier**, -e	piano
der **Koffer**, -	suitcase
die **Lautsprecherbox**, -en	loudspeaker
der **Plattenspieler**, -	record player
der **Rassehund**, -e	thoroughbred dog
das **Regal**, -e	shelf
der **Schrank**, ¨e	freestanding closet
die **Schreibmaschine**, -n	typewriter
der **Schreibtisch**, -e	desk
der **Sessel**, -	easy chair
die **Stereoanlage**, -n	stereo
der **Stil**, -e	style
der **Tennisschläger**, -	tennis racket
der **Teppich**, -e	rug
die **Trompete**, -n	trumpet
der **Wecker**, -	alarm clock
die **Wohnung**, -en	apartment
das **Wörterbuch**, ¨er	dictionary
das **Zimmer**, -	room

Ähnliche Wörter: der **Computer**, - / der **Garten**, ¨ / das **Hausboot**, -e / der **Kassettenrecorder**, - / das **Lexikon**, *pl.* die **Lexika** / der **Mercedes** / der **Porsche** / das **Radio**, -s / der **Videorecorder**, -

Einkaufen und Essen

Shopping and Food

die **Apotheke**, -n	pharmacy
die **Bäckerei**, -en	bakery
das **Brot**, -e	bread
das **Brötchen**, -	roll
das **Butterbrot**, -e	bread and butter
die **Drogerie**, -n	drugstore
das **Fischgeschäft**, -e	fishmarket
das **Fleisch**	meat
die **Fleischerei**, -en	butcher's shop
das **Geschäft**, -e	store
das **Kaufhaus**, ¨er	department store
die **Metzgerei**, -en	butcher's shop
die **Seife**	soap
die **Wurst**, ¨e	sausage

Ähnliche Wörter: die **Antibiotika** (*pl.*) / das **Aspirin** / das **Deo(dorant)**, -s / der **Fisch**, -e / das **Museum**, die **Museen** / die **Pizzeria**, -s / der **Salat**, -e / das **Shampoo** / die **Spaghetti** (*pl.*)

Erinnern Sie sich: der **Apfel**, ¨ / das **Eis** / der **Kaffee** / die **Pizza**, -s / der **Supermarkt**, ¨e / der **Tee** / der **Wein**, -e

Substantive

Nouns

die **Art**, -en	kind
das **Geschenk**, -e	present, gift
die **Geschmacksfrage**, -n	question of taste
die **Kirche**, -n	church
das **Krankenhaus**, ¨er	hospital
die **Leute** (*pl.*)	people
die **Liste**, -n	list
die **Meinung**, -en	opinion
die **Schlange**, -n	snake
die **Stadtbücherei**, -en	public library
der **Wunschzettel**, -	wish list

Ähnliche Wörter: die **Definition**, -en / der **Film**, -e / die **Zigarre**, -n

Adjektive

Adjectives

billig	cheap
furchtbar	terrible
geschmacklos	tasteless
geschmackvoll	tasteful
gräßlich	horrible
häßlich	ugly
schwierig	difficult
teuer	expensive
todschick	very stylish

Possessiv-pronomen

Possessive Pronouns

dein, deine	your (*infor. sg.*)
euer, eure	your (*infor. pl.*)
ihr, ihre	her; its; their
Ihr, Ihre	your (*for.*)
mein, meine	my
sein, seine	his; its
unser, unsere	our

Präpositionen mit dem Akkusativ	Prepositions with the Accusative	**frischgebackene Hausbesitzer**	recent homeowners
durch	through	**ihn**	him; it
für	for	**irgendwelche**	some, any
gegen	against	das **nächste Jahr**	next year
ohne	without	**nächsten (Donnerstag)**	next (Thursday)
um	around	**schneller**	faster
		weg	gone
		weil	because
Nützliche Wörter und Wendungen	Useful Words and Phrases	**wir treffen uns**	we meet
		wohin	where to
dafür	for it, for that	**ziemlich**	rather, pretty
dringend	urgent	**zum Geburtstag**	for (one's) birthday
		zusammen	together

ZUSÄTZLICHE TEXTE

UNSERE STRASSE: Die Personen

Text: Explain to the students that the characters introduced here will reappear throughout the text-book and that they will encounter them in many different situations—real and exaggerated. Ask students what they know about *München.* Tell them about *Schwabing* and bring slides or pictures from your PF.

Darf ich vorstellen: In unserer Familienserie treffen Sie zwei interessante Familien und einige andere Personen. Typische Deutsche? Nun ja, in vielen Dingen sind sie typisch, in anderen sind sie sehr international. Da ist zunächst Familie Wagner, Josie und Uli Wagner. Sie haben gerade[1] einen neuen Mercedes gekauft.[2] Sie haben drei Kinder: einen Jungen, Ernst, und zwei Mädchen, Andrea und Paula. Nette Kinder. Wir treffen auch Ernsts Vetter, Jens Krüger. Auch ein netter Junge.

Ihnen gegenüber[3] in der Isabellastraße wohnt Familie Ruf. Herr Ruf ist Schriftsteller.[4] Hält sich für[5] was Besseres. Spielt immer den Künstler.[6] Aber sein Hobby ist Fußball. Er sieht immer die Sportschau im Fernsehen, liegt auf dem Sofa und trinkt Bier. Na ja. Seine Frau Margret ist Geschäftsfrau,[7] arbeitet in einer Spielzeugfabrik.[8] Sie verdient[9] das Geld; der Herr Künstler paßt auf die Kinder auf[10] und kocht, spielt Hausmann. Sie haben einen Jungen, Hans, und ein Mädchen, Jutta. Auch nette Kinder.

Dann sind da noch Herr Thelen (er ist der Hausmeister[11] von Nummer 14, wo die Rufs wohnen) und Herr Siebert, ein pensionierter[12] Lehrer. Junggeselle.[13] Mein Nachbar.[14] Ja und dann sind da noch zwei Frauen, auch Nachbarinnen, Frau Gretter und Frau Körner. Sehr nett. Zum Schluß möchte ich Ihnen noch meine Freundin Maria vorstellen, Maria Schneider. Sie wohnt als einzige[15] nicht in der Straße. Ja, und mein Name ist Pusch, Michael Pusch. Ich bin fünfundzwanzig und arbeite bei einer Werbeagentur.[16] Das ist soweit alles über uns, die Personen, die Sie treffen. Ach ja, wir leben alle in München, in Schwabing, das ist ein sehr schöner Teil der Stadt. Also, Servus, bis später.

[1]*just* [2]*bought* [3]*across* [4]*Autor* [5]*Hält . . . Considers himself* [6]*artist* [7]*businesswoman* [8]*toy factory* [9]*earns* [10]*paßt . . . auf watches* [11]*janitor* [12]*retired* [13]*bachelor* [14]*neighbor* [15]*the only one who* [16]*advertising agency*

Fragen

1. Wie viele Kinder haben die Wagners, und wie heißen sie?
2. Wer wohnt gegenüber in der Isabellastraße?
3. Was ist Herr Ruf von Beruf?
4. Welche Hobbies hat er?
5. Wer verdient in der Familie Ruf das Geld?
6. Was macht Herr Ruf zu Hause?
7. Wer ist der Hausmeister von Nummer 14?
8. Ist Herr Siebert verheiratet?
9. Wer schreibt die Geschichte?
10. Wie heißt Michaels Freundin?
11. Wie alt ist Michael?
12. In welcher Stadt spielt die Familienserie?

EINE BERLINERIN STELLT SICH VOR: Renate Röder

Renate Röder arbeitet bei Siemens, einer deutschen Firma in West-Berlin. Sie macht oft Geschäftsreisen[1] in europäische Länder und in die USA, um dort ihre

Firma zu vertreten.[2] Neben Deutsch, ihrer Muttersprache, spricht Renate Röder auch Englisch, Französisch und Spanisch. Renate liebt ihre Arbeit, sie trägt Verantwortung[3] und trifft wichtige Entscheidungen.[4] Sie besucht Kongresse und internationale Ausstellungen,[5] wo die letzten technischen Neuerungen[6] auf dem Gebiet der Computertechnologie präsentiert werden. Sie muß immer sehr gut informiert sein.

Renate Röders Arbeit verlangt[7] viel Zeit und Energie. Renate ist nicht verheiratet. Deshalb hat sie oft Konflikte mit ihrer Familie. Ihre Eltern möchten, daß sie eine Familie und vor allem Kinder hat. Aber Renate möchte lieber arbeiten. Sie ist an einer traditionellen Ehe nicht interessiert.

[1]*business trips*   [2]repräsentieren   [3]*responsibility*   [4]*decisions*   [5]*exhibitions*   [6]*innovations*   [7]*demands*

Fragen

1. Wo arbeitet Renate Röder?
2. Welche Länder besucht sie oft?
3. Welche Sprachen spricht sie?
4. Liebt sie ihre Arbeit?
5. Ist ihre Arbeit wichtig (*important*)?
6. Ist Renate verheiratet?
7. Was möchten Renates Eltern?
8. Was möchte Renate?
9. Woran (*in what*) ist sie nicht interessiert?

EIN STUDENT AUS GÖTTINGEN STELLT SICH VOR:
Jürgen Baumann

Jürgen Baumann ist Student. Er studiert Sport und Soziologie an der Georg-August-Universität in Göttingen. Jürgen ist 22 Jahre alt und im dritten Semester. Mit 19 hat er sein Abitur am Gymnasium in Bad Harzburg gemacht, das ist eine Kleinstadt in Niedersachsen, ungefähr 100 km von Göttingen entfernt. Seine Eltern wohnen heute noch mit seinen zwei Geschwistern dort.

Jürgen lebt von 950 Mark monatlich; davon sind 380 Mark BAföG,[1] den Rest verdient[2] er mit seiner Arbeit in einer Studentenkneipe.

Im Moment wohnt er mit zwei anderen Studenten in einer Wohngemeinschaft. Sie haben eine schöne Altbauwohnung mit vier Zimmern in der Nähe der Universität. Ein Zimmer ist frei, weil Hans, ein Freund von Jürgen, einen Studienplatz in Berlin bekommen hat und ausgezogen[3] ist. Sie möchten das freie Zimmer wieder an einen Studenten vermieten.[4] Für sein Zimmer zahlt[5] Jürgen inklusive Nebenkosten[6] 250 Mark im Monat. Die Wohnung ist so billig, weil sie keine Zentralheizung,[7] sondern Ölöfen[8] hat. Im Winter holen Jürgen und die anderen täglich Öl aus einem Tank im Keller.[9]

In den Semesterferien arbeitet Jürgen manchmal als Surflehrer[10] für das Sport-institut. Er hat einen alten VW-Bus. Damit fährt er mit seiner Freundin Silvia im Sommer nach Dänemark.

[1](siehe KN) [2]*earns* [3]*moved out* [4]*rent out* [5]*pays* [6]*utilities* [7]*central heating* [8]*oil heaters*
[9]*basement* [10]*surfing instructor*

Fragen

1. Wo studiert Jürgen? Welche Fächer studiert er?
2. Wo wohnt er? Wo wohnen seine Eltern?
3. Wie weit ist es von Bad Harzburg nach Göttingen?
4. Wieviel Geld hat Jürgen im Monat?
5. Wo arbeitet er?
6. Wie viele Studenten wohnen in der Wohnung?
7. An wen möchten sie das freie Zimmer vermieten?
8. Warum ist die Wohnung so billig?
9. Als was arbeitet Jürgen in den Semesterferien?
10. Hat Jürgen ein Auto?
11. Was macht er im Sommer?

KULTURELLE NOTIZ: BAföG

BAföG—Bundesausbildungsförderungsgesetz: Schüler und Studenten, deren[1] Eltern nicht genug Geld haben, um ein Studium für ihre Kinder zu finanzieren, können bis zu DM 900.- im Monat vom Staat[2] bekommen. Einen Teil dieses Stipendiums, das zum Beispiel Studenten für zehn Semester bekommen, zahlt man nach dem Studium zinsfrei[3] zurück.

[1]*whose* [2]*state* [3]*interest free* [4]zahlt . . . zurück *pays back*

KULTURELLE BEGEGNUNGEN: Feiertage[1] und Bräuche[2]

Die wichtigsten Feiertage in den deutschsprachigen Ländern sind Ostern[3] und Weihnachten.[4] Ostern feiert man an drei Tagen, Karfreitag,[5] Ostersonntag und Ostermontag. An diesen Tagen sind die Geschäfte[6] geschlossen,[7] und man arbeitet nicht.

Für die Zeit vor Weihnachten gibt es in den deutschsprachigen Ländern beson-ders viele Bräuche. Man nennt zum Beispiel die vier Sonntage vor dem Heiligen Abend[8] den ersten, zweiten, dritten und vierten Advent. Fast jede Familie hat einen Adventskranz[9] mit vier Kerzen,[10] und jeden Sonntag zündet[11] man eine weitere Kerze an. Viele Leute backen Weihnachtsplätzchen[12] und Stollen; die Kinder haben einen Adventskalender und machen vom 1. bis 24. Dezember jeden Tag ein Türchen[13] auf.[14] Am 6. Dezember ist Nikolaustag. An diesem Tag bekom-

Der Weihnachtsmarkt in der Adventszeit hat in vielen Städten Tradition. In Süddeutschland heißt er auch Christkindlmarkt.

© Ulrike Welsch

men Kinder Süßigkeiten[15] in ihre Schuhe gelegt, die vor der Tür oder vor dem Fenster stehen.

Viele Weihnachtsbräuche sind unterschiedlich[16] von Region zu Region. Der wichtigste[17] Tag in der Weihnachtszeit ist der Heilige Abend, der 24. Dezember. Das ist der Tag, an dem die Familie zusammenkommt und man sich beschenkt.[18] Die beiden folgenden Tage, der erste und der zweite Weihnachtstag, sind ebenfalls freie Tage. Viele Geschäfte und Firmen sind in der folgenden Woche bis einschließlich Neujahr[19] geschlossen.

[1]*holidays* [2]*customs* [3]*Easter* [4]*Christmas* [5]*Good Friday* [6]*stores* [7]nicht offen
[8]24. Dezember [9]*wreath* [10]*candles* [11]*lights* [12]*Christmas cookies* [13]eine kleine Tür
[14]machen . . . auf *open* [15]Schokolade usw. [16]*different* [17]*most important*
[18]Geschenke geben [19]der 1. Januar

Fragen

1. Wie viele freie Tage gibt es an Ostern?
2. Kann man an diesen Tagen einkaufen?
3. Wie heißen die vier Sonntage vor dem Heiligen Abend?
4. Wie viele Kerzen sind auf einem Adventskranz?
5. Wann zündet man diese Kerzen an?
6. Wann ist Nikolaustag?
7. Was bekommen die Kinder am Nikolaustag?
8. Wo stehen die Schuhe der Kinder?
9. Was ist der wichtigste Tag der Weihnachtszeit?
10. Wann ist Neujahr?

STRUKTUREN UND ÜBUNGEN

2.1. We have chosen to introduce the accusative case formally, since it is the most common (after the nominative) and the least complex, and since only the masculine singular forms are different. Students should note the correspondence between *wen?*, *den*, *einen*, *guten*, and *ihn*. The accusative pronouns *mich* and *dich* normally do not cause problems since English also has accusative pronouns.

2.1 Akkusativ 2: Artikel und Personalpronomen

A. Artikel

The accusative is the case of the immediate recipient of an action, the direct object. The accusative case answers the question **wen?** (*whom?*) with regard to persons and **was?** (*what?*) with regard to things or concepts.

	SUBJEKT	VERB	OBJEKT (AKK)
Wen sieht Stefan?	Stefan	sieht	**einen Freund.**
Whom does Stefan see?	*Stefan*	*sees*	*a friend.*
Wen grüßt Melanie?	Melanie	grüßt	**eine Freundin.**
Whom does Melanie greet?	*Melanie*	*greets*	*a friend.*
Was kauft Richard?	Richard	kauft	**den Fernseher.**
What does Richard buy?	*Richard*	*buys*	*the TV.*
Was möchte Sofie?	Sofie	möchte	**die Nähmaschine.**
What does Sofie want?	*Sofie*	*wants*	*the sewing machine.*

Here are the nominative and accusative forms of the indefinite article (**ein/eine**), the negative article (**kein/keine**), and the definite article (**der/das/die**). Note that only the masculine has a different form in the accusative case; the feminine, neuter, and plural forms are the same in the nominative and accusative.

	M	N	F	PL
NOM	(k)ein	(k)ein	(k)eine	keine
	der	das	die	die
AKK	(k)einen	(k)ein	(k)eine	keine
	den	das	die	die

Ist das dein Koffer hier?*—Nein, aber ich habe **einen Koffer** zu Hause.
"Is this your suitcase here?" "No, but I have a suitcase at home."

Übung 1

Wer hat was?

MODELL: Albert hat keinen Computer. Er hat einen Fernseher und eine Gitarre, aber er hat kein Fahrrad. Er hat ein Telefon und Bilder, aber er hat keinen Teppich.

---

*Use the nominative, sometimes called predicate nominative, with the verbs **sein**, **heißen**, and a few others that express identity relationships between the subject and a predicate noun.

	ALBERT	HEIDI	STEFAN	MONIKA
der Computer	–	+	+	–
der Fernseher	+	–	–	–
die Gitarre	+	+	–	+
das Fahrrad	–	–	+	+
das Telefon	+	+	+	+
die Bilder	+	–	–	+
der Teppich	–	+	+	+

Übung 2

Im Kaufhaus: Was sagen diese Leute? Was kaufen sie?

MODELL: Jens: Ich kaufe den Wecker, das Regal und den Videorecorder.

	JENS	ERNST	MARGRET	JUTTA
der Pullover	–	–	–	+
der Wecker	+	–	–	–
die Tasche	–	+	+	–
das Regal	+	–	+	–
die Kette	–	–	–	+
die Trompete	–	+	–	–
der Videorecorder	+	–	–	+

B. Personalpronomen

Just as in English, some pronouns differ in the nominative and accusative forms.

Verstehst du **mich**? —Ja, ich verstehe **dich** gut.
"Do you understand me?" "Yes, I understand you well."

Magst du den Salat? —Nein, ich mag **ihn** nicht.
"Do you like the salad?" "No, I don't like it."

> Magst du die Eier? —Nein, ich mag **sie** nicht.
> *"Do you like the eggs?" "No, I don't like them."*

Here are the nominative and accusative forms of the personal pronouns.

NOM		AKK	
ich	*I*	mich	*me*
Sie	*you*	Sie	*you*
du	*you*	dich	*you*
er	*he/it*	ihn	*him/it*
sie	*she/it*	sie	*her/it*
es	*it*	es	*it*
wir	*we*	uns	*us*
Sie	*you*	Sie	*you*
ihr	*you*	(ihr)	*you* euch
sie	*they*	sie	*them*

Übung 3. The main point to emphasize is that *ihn/sie/es* are all equivalent to *it*.

Übung 3

Was möchtest du? Was machst du?

MODELL: Möchtest du den Wecker?
Ja, ich möchte ihn. / Nein, ich möchte ihn nicht.

1. Möchtest du den Mercedes?
2. Ißt du das Frühstück?
3. Verkaufst du die Zeitungen?
4. Trinkst du das Bier?
5. Kaufst du das Buch?
6. Möchtest du die Katze?
7. Ißt du das Eis?
8. Verkaufst du den Fernseher?
9. Trinkst du das Wasser?
10. Kaufst du den Porsche?

2.2. We have chosen to begin the formal introduction to the modals and modal structures with *möchten*. Other modals will be formally introduced in Chapter 3.

2.2 Modalverben 1: möchten

Use the "modal" verb **möchten** (*would like*) to ask for something politely or to express that you would like to have or do something.

> Es ist unser Geburtstag, und **ich möchte** eine Gitarre, aber **Hans möchte** einen Fernseher.
> *It is our birthday, and I'd like a guitar, but Hans wants a T.V. set.*

Möchten is used particularly in service encounters in shops, restaurants, and so forth.

KELLNER: Was **möchten Sie?**
GAST: **Ich möchte** ein Bier.
WAITER: *What would you like?*
CUSTOMER: *I'd like a beer.*

Here are the forms of **möchten**.

ich	möchte	wir	möchten
Sie	möchten	Sie	möchten
du	möchtest	ihr	möchtet
er sie es	möchte	sie	möchten

You will sometimes hear or see **möchten** used with the infinitive of another verb at the end of the sentence. For the time being, think of the **Satzklammer** that is used with separable prefix verbs, and pattern your **möchten** sentences after it. We will look at **möchten** and other verbs like it in more detail in future chapters.

Peter <u>möchte</u> einen Mantel <u>kaufen</u>.

Sophie <u>möchte</u> heute Pizza <u>essen</u>.

Übung 4

Der Wunschzettel

Was möchten sie zum Geburtstag? Verwenden Sie die folgenden Wörter.

das Auto, die Brille, der Computer, der Hund, die Kette, der Koffer, das Paar Ski, die Schlange

MODELL: Jutta möchte einen Schal.

1. Michael ____
2. Ich ____
3. Mein Freund ____
4. Meine Freundin ____
5. Maria ____
6. Ernst ____
7. Frau Wagner ____
8. Herr Thelen ____

2.3 Präpositionen 2: Akkusativ

2.3. The only accusative preposition the students will use frequently is *für*. However, the other prepositions will appear in the oral and written input, and the students should at least recognize and understand their meanings.

In German, the preposition **für** (*for*) is followed by the accusative case.

> Diese Gitarre ist **für dich** (**ihn, euch, sie**).
> *This guitar is for you (him, you, her).*

Other prepositions that are followed by the accusative case are: **durch** (*through*), **gegen** (*against*), **ohne** (*without*), **um** (*around*).

> Gehen wir **durch den Wald**?
> *Shall we go through the forest?*

> Kaufst du etwas **für deinen Bruder**?
> *Are you buying something for your brother?*

> Hast du etwas **gegen mich**?
> *Do you have something against me?*

> **Ohne dich** gehen wir nicht ins Kino.
> *Without you, we're not going to the movies.*

> Heidi und Monika laufen **um den Park**.
> *Heidi and Monika are running around the park.*

The neuter definite article (**das**) is usually contracted with the prepositions **durch**, **für**, and **um**.

durch das Feld	→	durchs Feld	*through the field*
für das Essen	→	fürs Essen	*for the meal*
um das Dorf	→	ums Dorf	*around the village*

> Ich möchte **fürs Essen** bezahlen.
> *I would like to pay for the meal.*

> Gehen wir **durchs Dorf**!
> *Let's go through the village!*

Übung 5

Minidialoge: Ergänzen Sie Pronomen oder Artikel.

A: Ich komme gleich.
B: Komm jetzt, oder wir essen ohne _____!

A: Meine Mutter hat Geburtstag.
B: Was kaufst du für _____?
A: Ein Buch.

A: Warum bist du so wütend? Hast du etwas gegen _____?
B: Ja, ich habe etwas gegen _____!

A: Komm, laufen wir um _____ Garten.
B: Ich möchte aber lieber durch _____ Park laufen.

A: Wir gehen nicht ohne _____, aber kommt jetzt!
B: Wir sind gleich fertig.

2.4. Possessive adjectives are essential in almost every conversation, and students will be expected to have an active command of them, even though they do not yet have any mastery over case and gender/number agreement.

2.4 Possessivpronomen

Use the possessive pronouns **mein, dein, Ihr,*** **sein, ihr, unser**, and **euer** to denote possession.

> Ist das Peters Fernseher? —Nein, das ist **mein Fernseher**.
> *"Is this Peter's TV?" "No, this is my TV."*
>
> Ist das Sofies Gitarre? —Ja, das ist **ihre Gitarre**.
> *"Is this Sofie's guitar?" "Yes, this is her guitar."*

The possessives have the same endings as the indefinite article **ein**. They agree in case (**Nom, Akk**), gender (**M, N, F**), and number (**Sg, Pl**) with the noun that they refer to.

> Ich esse **meine Pizza**.
> *I eat my pizza.*
>
> Du liest **deinen Essay**. / Sie lesen **Ihren Essay**.
> *You read your essay.*
>
> Er wäscht **seine Hände**.
> *He washes his hands.*
>
> Sie trinkt **ihren Kaffee**.
> *She drinks her coffee.*
>
> Es liegt an **seinem** Platz.
> *It is in its place.*
>
> Wir fahren **unseren Wagen**.
> *We drive our car.*
>
> Eßt doch **euren**[†] Salat! / Essen Sie doch **Ihren Salat**!
> *Do eat your salad!*
>
> Sie trinken **ihren Wein**.
> *They drink their wine.*

Here are the nominative and accusative forms of all possessives. As is the case with all articles and pronouns, only the masculine has a different accusative form.

---

*The formal possessive pronoun **Ihr** is capitalized just like the subject pronoun **Sie**.
[†]When **euer** has an ending, its stem changes to **eur-**.

M		N	F	PL	
NOM	AKK				
mein	meinen	mein	meine	meine	*my*
Ihr	Ihren	Ihr	Ihre	Ihre	*your*
dein	deinen	dein	deine	deine	
sein	seinen	sein	seine	seine	*his*
ihr	ihren	ihr	ihre	ihre	*her*
sein	seinen	sein	seine	seine	*its*
unser	unseren	unser	unsere	unsere	*our*
Ihr	Ihren	Ihr	Ihre	Ihre	*your*
euer	euren	euer	eure	eure	
ihr	ihren	ihr	ihre	ihre	*their*

Übung 6

Herr Ruf besucht Thomas, einen Freund von seiner Tochter.

THOMAS: Wie finden Sie mein Zimmer?
HERR RUF: Ich finde Ihr Zimmer sehr gemütlich.
THOMAS: Das ist _____ Bett. Es ist ein bißchen hart.
HERR RUF: Und das ist _____ Gitarre?
THOMAS: Ja, das ist _____ Gitarre. Gefällt sie Ihnen?
HERR RUF: Oh ja, ich spiele auch Gitarre, aber _____ Gitarre ist schon sehr alt.
THOMAS: Hier ist _____ Schreibtisch. Schön, nicht?
HERR RUF: Sehr schön. Wie alt ist denn _____ Schreibtisch?
THOMAS: So zirka 50 Jahre.

Übung 7

Zu Besuch

MODELL: Ist das Ihr Mann (Ihre Frau)?
         Nein, das ist nicht mein Mann (meine Frau).

Ist das Ihre Tochter?   Nein, . . .
Ist das Ihr Rolls Royce?
Sind das Ihre Diamanten?
Ist das Ihr Picasso?
Sind das Ihre Hunde?
Ist das Ihr Gold?

Übung 8

Beschreibungen

Seine Haare sind braun.

_____ Augen sind grün.

_____ Kette ist lang.

_____ Schuhe sind schmutzig.

_____ Gitarre ist alt.

_____ Zimmer ist groß.

_____ Fenster ist klein.

Ihre Haare sind blond.

_____ Augen sind blau.

_____ Kette ist . . .

. . .

2.5. Throughout this text we have given short descriptions of the meaning and use of certain high-frequency particles. In general the uses of these particles must be acquired from experience; we feel, however, that short explanations may help some students.

2.5 Modalpartikel 1: denn und ja

Modal particles are very prevalent in German. German speakers use them to convey attitudes or expectations, to emphasize or to make a point, and to establish a closer contact with their conversational partner. Sentences without modal particles may sound indifferent at times.

The modal particle **denn** is used in questions. Use it to express doubt or uncertainty.

John studiert in Bonn. —Spricht er denn Deutsch?

"John is studying in Bonn." "Oh really, does he speak German?"

Gehst du denn heute abend ins Kino?

_Are you going to the movies tonight? (I didn't think so, but now you
    seem to be saying you are.)_

Denn can also imply impatience or criticism.

Wie siehst du denn aus!
Oh my! Look at you! (A mother might say this to her child, who is dirty all over.)

The modal particle **ja** is used in statements. Its main function is to add emphasis to what is being said.

Josef hat nächsten Donnerstag Geburtstag. —Wirklich? Dann brauche ich ja noch ein Geschenk für ihn.
"Josef's birthday is next Thursday." "Really? Then I do still need a present for him."

Morgen ist frei. —Das ist ja toll.
"Tomorrow is a holiday." "Well that's (just) great."

Modal particles usually follow the main verb, the subject, and any object pronouns but precede almost everything else. Note particularly that these words are not stressed when they are used as particles.*

2.6. Do not try to explain in detail all of the possibilities concerning location and the use of *wohin* and *woher*. The purpose here is only that students understand *wohin* and *woher* and recognize the prepositions *nach, zu, in, aus,* and *von.* Students will learn how to use these prepositions, along with the cases they govern, in later chapters.

2.6 Präpositionen 3: Antwort auf woher/wohin

Use **woher** (*from where*) to ask for someone's or something's origin, or a movement toward you. Use **wohin** (*where to*) to ask for a destination, a place toward which someone or something is moving.

Woher kommst du?
Where do you come from?

Wohin gehst du?
Where are you going?

A. Wohin?

In response to a question with **wohin** use the prepositions **nach** (*to*), **in** (*in, to*) or **auf** (*on, to*), and **zu** (*to*).
Use **nach** with names of cities and countries that have no article.

Wohin fährst du? —Nach München (New York, Berlin, Tokio, Frankreich, Australien, usw.).
"Where are you going?" "To Munich (New York, Berlin, Tokyo, France, Australia, etc.)."

---

*When **denn** is used as a conjunction, meaning "because," it is stressed. Likewise, **ja** is stressed when it is used to mean "yes."

Use **zu** with names of shops or people.

> Wohin gehst du? —Zu Horten (Stefan, Maria, Sears, usw.)
> *"Where are you going?" "To Horten's (Stefan's house, Maria's house, Sears, etc.)."*

Use **in** with words for places that have an article, and use the article in the accusative case.

> Wohin gehst du? —In die Bar (ins* Kino, ins Restaurant, in den Super-markt, usw.).
> *"Where are you going?" "To the bar (movies, restaurant, supermarket, etc.)."*
>
> Wohin fliegst du? —In die Schweiz (in die Türkei, in die USA, usw.).[†]
> *"Where are you flying to?" "To Switzerland (Turkey, the US, etc.)."*

Use **auf** in some idiomatic constructions, such as the following.

> Wohin gehst du? —Auf den Markt (aufs* Land, auf die Post, auf die Uni-versität, usw.).[‡]
> *"Where are you going?" "To the market (countryside, post office, uni-versity, etc.)."*

B. **Woher?**

In response to a question with **woher**, use the prepositions **aus** and **von**.
Use **aus** when referring to places.

> Woher kommst du? —Ich komme aus Berlin (Berkeley, Italien, den USA,[§] usw.).
> *"Where do you come from?" "I come from Berlin (Berkeley, Italy, the USA, etc.)."*

Use **von** when referring to people.

> Woher hast du das Buch? —Von Peter (von meinem Freund,[§] von meiner Mutter,[§] usw.).
> *"Where did you get the book (from)?" "From Peter (my friend, my mother, etc.)."*

---

[*]The neuter article **das** is contracted with the prepositions **in** and **auf** to **ins** and **aufs**.
[†]Countries that have an article such as **die Schweiz, die Türkei,** or **die USA** take the preposition **in**.
[‡]**Auf**, like **in**, takes the accusative when answering the question **wohin** (*where to*).
[§]The prepositions **aus** and **von** govern the dative case when used with pronouns and articles. You will get to know the forms of this case in Chapter 5.

Übung 9

Wo, wohin, woher?

1. _____ wohnst du? —Merkelstraße 8.
2. _____ fährst du? —Nach Regensburg.
3. _____ arbeiten Sie? —Bei Beiersdorff in Hamburg.
4. _____ studierst du? —In Göttingen.
5. _____ kommt Bernd Frisch? —Aus Zürich.
6. _____ fliegt Rolf? —Nach Amerika.
7. _____ geht Melanie? —Auf die Uni.

KAPITEL 3

© Ulrike Welsch

Besucher einer Kunstaus-
stellung in München

In Kapitel 3 you will learn how to describe your talents and those of others. You will expand your ability to talk about the future and learn how to express obligation and necessity. You will also learn additional ways to describe how you or other people feel.

TALENTE, PLÄNE, PFLICHTEN

THEMEN

Talente und Fähigkeiten

Zukunftspläne

Pflichten
Körperliche und geistige
  Verfassung

TEXTE

◀ Ein Regensburger stellt sich
    vor: Josef Bergmann
◀ Kulturelle Begegnungen:
    Eine Klassenfahrt nach
    Berlin

ZUSÄTZLICHE TEXTE

Ein Türke in Deutschland stellt sich vor: Mehmet Sengün
Kulturelle Begegnungen: Das deutsche Schulsystem
Horoskop

STRUKTUREN

3.1 Modalverben 2: können
3.2 Modalpartikel 2: doch
3.3 Modalverben 3: wollen
3.4 Modalverben 4: müssen, sollen, dürfen
3.5 Wortstellung 3: Nebensätze (wenn, weil)

GOALS

The focus of Chapter 3 is on abilities, future plans, obligations,
states, and conditions.

We introduce the modal *können*
to express "can/be able to." Ask
students to think of one thing
they know how to do well. Follow
up with personal questions.

SPRECHSITUATIONEN

TALENTE UND FÄHIGKEITEN

Grammatik 3.1–2

ich	kann	wir	können
Sie	können	Sie	können
du	kannst	ihr	könnt
er sie } kann es		sie	können

Frau Ruf kann gut reiten.

Jutta und Jens können
Schlittschuh laufen.

Ich kann nicht weggehen.
Es ist zu spät.

Richard kann tolle
Aufnahmen machen.

Sit. 1. (See IM for suggestions with dialogues.)

Situation 1.   Dialog: Ernst badet seinen Hund

ERNST: Mama, Mama, kann ich den Hund baden?
FRAU WAGNER: Nein, heute ist es zu kalt. Der Hund friert.
ERNST: Aber Mama, ich trockne ihn gut ab.
FRAU WAGNER: Kannst du ihn nicht morgen baden?
ERNST: Aber er ist doch so schmutzig!
FRAU WAGNER: Na gut, meinetwegen.

Sit. 2. Give students a couple of minutes to write down the correct sequence. Then follow up with questions such as: *Was essen Sie besonders gern? Können Sie gut Spaghetti kochen? Können Sie auch Chinesisch kochen? Was kochen Sie, wenn Sie Chinesisch kochen? usw.*

AA 1. Ask students to speculate on what a person with a broken leg can and cannot do: *Was kann eine Person, die ein gebrochenes Bein hat, machen? Was kann sie nicht machen?* Possible questions: *Kann sie fernsehen? Kann sie laufen? Kann sie lesen? Kann sie gehen? Kann sie schreiben? Kann sie kochen? Kann sie schwimmen? Kann sie schlafen? Kann sie tanzen? Kann sie denken?* Encourage students to answer *ja* or *nein*.

Situation 2.   Kochen

Bringen Sie die Sätze in die richtige Reihenfolge.

——— Kochst du gern?
——— Die esse ich besonders gern.
——— Nicht so gut. Aber ich kann sehr gut Spaghetti kochen.
——— Ja, sehr!
——— Ja, gern!
——— Dann komm doch mal vorbei.
——— Kannst du auch Chinesisch kochen?

Situation 3.   Interview: Talente

S1: Kannst du Romane schreiben?
S2: Ja, ich kann Romane schreiben. / Nein, ich kann keine Romane schreiben.

1. Filme drehen
2. Gedichte vortragen
3. Opern komponieren
4. ein Orchester dirigieren
5. Werbetexte machen
6. ein Museum leiten
7. eine Melodie erfinden
8. Teppiche knüpfen
9. Märchen erzählen
10. ———

Sit. 4. This situation can be done in the form of an interview either in pairs or in larger groups. Let the interviewer report afterward: *Wer kann was wie?*

AA 2. Use pictures and/or the students' musical abilities to introduce common instruments such as *Klavier, Gitarre, Trompete, Geige,* and so on. The discussion may be extended to include types of music, popular groups, etc. to introduce related vocabulary. Find out who plays what instruments and who likes what kind of music.

Situation 4.   Können Sie das?

Sagen Sie

a. Ja, . . .
b. Ja, . . . ein bißchen . . .
c. Ja, . . . gut . . .
d. Ja, . . . sehr gut . . .
e. Nein, . . . nicht . . .
f. Nein, . . . kein (keine, keinen) . . .

MODELL: S1: Können Sie Walzer tanzen?
S2: Ja, ich kann sehr gut Walzer tanzen. / Nein, ich kann nicht Walzer tanzen.

s1: Können Sie ein Zelt aufschlagen?

s2: Ja, ich kann ein Zelt aufschlagen. / Nein, ich kann kein Zelt aufschlagen.

1. Schreibmaschine schreiben
2. ein Flugzeug fliegen
3. auf einen Baum klettern
4. ein Vogelhaus basteln
5. über einen Bach springen

6. einen Pullover stricken
7. einen Frisbee werfen
8. Rollschuh laufen
9. Geige spielen
10. _____

EIN REGENSBURGER STELLT SICH VOR:
Josef Bergmann

© Erwin Tschirner

Im Zentrum von Regensburg

Text: Bring pictures from your PF or slides to show Regensburg. Ask students: *Wer in der Klasse interessiert sich für Kunstgeschichte? Wer spielt in einer Band? Welches Instrument spielen Sie? usw.*

Optional: If you have one, bring a tape or record of German or Austrian singers—e.g., Ina Deter, Herbert Grönemeyer, Falco, André Heller, or others. Hand out the text of a song, typed with blanks so that students can listen and fill in the missing words.

Use an association activity and introduce the modal *wollen* to represent future plans: *Was wollen Sie nächsten Sommer machen?*

Josef Bergmann hat Realschulabschluß und arbeitet als Restaurator bei einer Firma in Regensburg, die hauptsächlich Kirchen[1] restauriert. Restaurieren ist zwar ein Handwerk, aber man braucht viel künstlerisches Talent dafür.

Josef kann sehr gut zeichnen und malen; er ist überhaupt sehr geschickt[2] mit seinen Händen, und sein Beruf[3] macht ihm viel Spaß.[4] Außerdem interessiert er sich für Kunstgeschichte. Er geht oft mit seiner Freundin Melanie ins Museum oder besichtigt[5] Kirchen und andere historische Gebäude. Regensburg hat da viel zu bieten.[6] Man sagt, daß es die Stadt mit den meisten Kirchen und Kneipen pro Einwohner in der Bundesrepublik ist.

Josefs Hobby ist die Musik. Mit acht Jahren hat er sein erstes Instrument bekommen, ein Akkordeon; und seit er fünfzehn Jahre alt ist, spielt er Gitarre. Im Augenblick[7] ist er Mitglied[8] der Band „Saitenwind“. Die Band besteht aus zwei Gitarristen, einem Schlagzeuger[9] und einem Keyboard-Spieler; manchmal spielt auch noch ein Saxophonist mit. Josef und die anderen spielen meist Jazz, Rock oder Oldies, aber auch moderne deutsche Stücke[10] mit kritischen Texten. Meistens proben[11] sie ein- bis zweimal die Woche und treten meist einmal im Monat irgendwo bei einer Veranstaltung[12] auf.[13] Sie verdienen damit zwar nicht viel Geld, aber schließlich ist es für alle ein Hobby.

[1]*churches* [2]*skillful* [3]*Arbeit* [4]*macht . . . is fun for him* [5]schaut . . . an [6]*offer* [7]im Moment
[8]*member* [9]*drummer* [10]Songs [11]*rehearse* [12]*show* [13]treten . . . auf *appear*

Fragen

1. Ist Josef Student?
2. Was ist er von Beruf?
3. Was kann er besonders gut?
4. Was macht er mit Melanie in seiner Freizeit?
5. Was hat Regensburg zu bieten?
6. Welches Hobby hat Josef?
7. Welche Instrumente spielt er?
8. Wie heißt seine Band?
9. Wie oft proben sie?
10. Verdienen sie viel Geld mit ihrer Band?

ZUKUNFTSPLÄNE

Grammatik 3.3

ich	will	wir	wollen
Sie	wollen	Sie	wollen
du	willst	ihr	wollt
er sie es	will	sie	wollen

Wir wollen im Dezember
Ski fahren.

Renate möchte Samstag
zu Hause bleiben.

Wir möchten gern
nach England fliegen.

Er will viel Geld verdienen.

Ich will eine Limo trinken.

Situation 5.

Sagen Sie ja oder nein.

1. Samstagabend möchte ich

   a. mit meinen Freunden ausgehen.

   b. ins Konzert gehen.

   c. zu Hause bleiben.

   d. _____

2. Dieses Wochenende will ich

   a. lange schlafen.

   b. das Haus putzen.

   c. spazierengehen.

   d. _____

3. Dieses Wochenende wollen meine Eltern

   a. im Garten arbeiten.

   b. ins Restaurant gehen.

   c. Tennis spielen.

   d. _____

4. In den Ferien wollen meine Freunde und ich

   a. **ein Theaterstück aufführen.**

   b. **segeln.**

   c. **ein Baumhaus bauen.**

   d. _____

5. Im nächsten Sommer möchte mein Freund/meine Freundin

   a. **in einem Restaurant als Kellner/Kellnerin arbeiten.**

   b. **nach Europa fliegen.**

   c. **einen Fotokurs machen.**

   d. _____

Situation 6. Wochenende

Bringen Sie die Sätze in die richtige Reihenfolge.

   _____ Nein, Herbert Grönemeyer ist langweilig. Ich gehe lieber ins Kino.

   _____ Ich gehe mit Jürgen ins Kino. Und du?

   _____ Hallo, Angelika. Was machst du am Wochenende?

   _____ Hallo, Silvia.

   _____ Ich will mit meiner Kusine Gabi in ein Konzert von Herbert Grönemeyer. Willst du nicht mitkommen?

Sit. 7. Let students work in groups: one acts as interviewer who jots down the plans of the others; then he/she reports on the others' plans. Note: Make sure the interviewer is a different person each time you do an interview in this form.

Situation 7. Interview

s1: **Was möchtest du Freitagabend machen?**

s2: **Ich will ins Kino gehen.**

1. Freitagabend?

2. Samstag?

3. Sonntag?

4. in den nächsten Ferien?

5. im Sommer?

6. an deinem Geburtstag?

KULTURELLE BEGEGNUNGEN: Eine Klassenfahrt[1] nach Berlin

© Ulrike Welsch

Die Berliner Mauer, 1961 gebaut, teilt Deutschlands ehemalige Hauptstadt in Ost und West. Ost-Berlin ist heute die Hauptstadt der DDR, Bonn die Hauptstadt der Bundesrepublik.

Jens Krüger ist 16 Jahre alt und geht in die 11. Klasse des Gymnasiums. Sein Klassenlehrer, Herr Stoiber, plant mit der Klasse eine Studienfahrt[1] nach Berlin.

Herr Stoiber möchte der Klasse noch ein schönes gemeinsames Erlebnis[2] ermöglichen,[3] bevor der Klassenverband sich auflöst,[4] weil alle ins Kurssystem gehen.[5] Er möchte die Unterbringung[6] in einer Jugendherberge[7] reservieren, wo die Schüler und Schülerinnen auch Frühstück und Abendessen bekommen. Das ist am einfachsten und auch nicht so teuer. Sie wollen mit dem Zug nach Berlin fahren und in Berlin selbst dann die U-Bahn benutzen.

Die Schüler und Schülerinnen haben Gruppen gebildet, die jeweils[8] einen Tag in Berlin planen, weil Herr Stoiber die Klasse an der Planung der Fahrt beteiligen[9] möchte.

Sie wollen an einem Montagmorgen losfahren und eine Woche bleiben, also am Sonntag wieder zurückkommen. Damit es nicht so hektisch wird, ist der Donnerstag frei, ebenso natürlich der Ankunfts-[10] und Abfahrtstag.[11]

Die einzelnen Gruppen stellen ihr Programm vor:

—Am Dienstag wollen sie auf den Kurfürstendamm und in die Gedächtniskirche; nachmittags in die Neue Nationalgalerie, wo es eine Ausstellung[12] über moderne Kunst gibt.

—Am Mittwoch besichtigen[13] sie die Mauer[14] und das Brandenburger Tor. Sie hören dann einen Vortrag über die Geschichte Berlins. Abends wollen sie ins Schiller-Theater und „Mutter Courage und ihre Kinder" von Bertolt Brecht ansehen.

—Am Freitag fahren sie nach Ost-Berlin. Sie wollen die Museumsinsel besuchen, auf der „Unter den Linden" spazierengehen und zum Alexanderplatz fahren, um auf den Fernsehturm[15] zu steigen.

—Am Samstag schließlich wollen sie sich die Umgebung[16] von Berlin anschauen, zum Wannsee und nach Charlottenburg fahren.

Jens findet den Plan nicht schlecht. Es kann wirklich eine gute Studienfahrt werden.

[1]*class trip* [2]*experience* [3]*to make possible* [4]*sich . . . disbands* [5](siehe KN)
[6]*accommodations* [7]*youth hostel* [8]*each* [9]*to participate* [10]ankommen [11]abfahren
[12]*exhibition* [13]sehen [14]*wall* [15]*TV tower* [16]*surroundings*

Fragen

1. In welche Klasse geht Jens?
2. Wie heißt sein Klassenlehrer?
3. Warum löst der Klassenverband sich auf?
4. Wo wollen die Schüler und Schülerinnen in Berlin schlafen?
5. Wie fahren sie nach Berlin?
6. Was planen sie in Gruppen?
7. Wie lange wollen sie in Berlin bleiben?
8. Welche Tage sind frei?
9. Was gibt es in der Neuen Nationalgalerie?
10. Wann wollen die Schüler und Schülerinnen die Mauer besichtigen?
11. Welches Stück von Bertolt Brecht wollen sie sehen?
12. Was wollen sie in Ost-Berlin machen?
13. Wie findet Jens den Plan?

KULTURELLE NOTIZ: Der Klassenverband

Text: Have students scan the text and ask questions about the set-up of German schools, with reference to classes and their formation.

In der Bundesrepublik haben die Schüler und Schülerinnen einen festen Raum,[1] in dem sie jeden Tag sind, und der Lehrer oder die Lehrerin kommt zu ihnen. Kontakte zwischen den Schülern und Schülerinnen sind sehr eng,[2] denn sie sind für viele Jahre zusammen. Nach der 11. Klasse löst sich an den Gymnasien der Klassenverband auf, und die Schüler und Schülerinnen besuchen verschiedene Kurse.

[1]Zimmer [2]*close*

PFLICHTEN

Grammatik 3.4

Use an association activity to introduce the modal *müssen*. Ask students to think of one thing they must do after class.

ich muß	wir müssen
ich soll	wir sollen
ich darf	wir dürfen

Man soll einmal im Jahr
zum Zahnarzt.

Die Rufs müssen die Wohnung putzen.

Man soll jeden Tag
Vitamintabletten nehmen.

Ich muß für die Prüfung
arbeiten.

Jens muß mehr tun.

Sit. 8. Students should say what
they most likely have to do. Have
them add one other original or
personal response for *d*.

AA 5. Use an association activity
to introduce the modal *sollen*.
Ask students to think of activities
that they should do this weekend. Then ask them to think of
things that they should do and
also want to do. Then think of
things they should do but don't
want to do.

Situation 8.   Pflichten

Sagen Sie ja oder nein.

1. Am Samstag müssen meine Geschwister

   a. das Auto waschen.
   b. einkaufen gehen.
   c. das Haus putzen.
   d. _____

2. In den Ferien muß ich

   a. zu Hause bleiben.
   b. arbeiten und Geld verdienen.
   c. Taxi fahren.
   d. _____

3. Am nächsten Wochenende soll mein Freund

   a. Verwandte besuchen.
   b. im Garten arbeiten.
   c. für die Schule lernen.
   d. _____

4. Am Montag muß ich

   a. zum Zahnarzt.
   b. meine Schulden bezahlen.
   c. in die Universität gehen.
   d. _____

Situation 9.   Offener Dialog: Wochenende

S1: **Was machst du am Wochenende?**
S2: **Ich möchte _____.**
S1: **Toll! Ich möchte auch _____, aber leider muß ich _____.**
S2: **Ich muß auch _____, aber trotzdem _____ ich _____.**

Sit. 10. Tell students about the German grading system of 1–6: *1 = sehr gut; 2 = gut; 3 = befriedigend; 4 = ausreichend; 5 = mangelhaft; 6 = ungenügend.* Explain that students flunk a class if they finish two subjects with a worse grade than 4, in which case they have to repeat the entire year in all subjects.

Encourage students to make up as many additional responses as possible for 7.

AA 6. Introduce the modal *dürfen* by asking the students to think of things they are not permitted to do in class.

Situation 10.   Ein schlechtes Gewissen

Jens hat drei Fünfen im Zeugnis. Was muß er tun?

Er muß . . .

1. **nachmittags in die Disco gehen.**
2. **für die Schule lernen.**
3. **den ganzen Tag in der Sonne liegen.**
4. **seine Hausaufgaben machen.**
5. **dreimal in der Woche Fußball spielen.**
6. **am Wochenende ins Schwimmbad gehen.**
7. **_____**

Zeugnis

Name: Jens Krüger
Schule: Albertus-Magnus-Gymnasium
Klasse: 11 B

Religionslehre	2	Geschichte	1
Deutsch	2	Erdkunde	3
Englisch	4	Sozialkunde	2
Latein	5	Musik	3
Französisch	5	Sport	1
Mathematik	3	Chemie	4
Physik	5	Biologie	2

Notenstufen: 1 = sehr gut, 2 = gut, 3 = befriedigend, 4 = ausreichend, 5 = mangelhaft, 6 = ungenügend.

Situation 11. Dialog: Herr Ruf ist beim Arzt.

ARZT: Herr Ruf, Sie dürfen kein Bier mehr trinken. Und Sie müssen Sport treiben!

HERR RUF: Muß ich jeden Tag Sport treiben? Ich habe so wenig Zeit.

ARZT: Nein, das müssen Sie nicht. Aber mindestens zweimal pro Woche.

HERR RUF: Und wann soll ich mit dem Biertrinken aufhören?

ARZT: Sofort!

© Beryl Goldberg

Viele Leute, die auf ihre Gesundheit achten, kaufen in einem Reformhaus ein. Man bekommt dort zum Beispiel biologisch angebautes Gemüse und Obst, spezielle Arten von Seife, Shampoo und Deodorant, Vitamintabletten, verschiedene Teesorten und Kräuter. Leider ist der Einkauf im Reformhaus ziemlich teuer.

Sit. 12. This situation is a continuation of *Sit. 11.* Have students work in pairs. Encourage them to make up as many answers as possible for *Sit. 11.*

AA 7. The following are open-ended sentences that make use of various time adverbs. Write one on the chalkboard and then ask for responses. Comment on each response and expand it as much as possible. Do one of these per class period for several days. 1. *Heute muß ich . . .* 2. *Morgen muß ich vor der Schule . . .* 3. *Heute abend, bevor ich ins Bett gehe, muß ich . . .* 4. *Morgen abend muß ich . . .* 5. *In dieser Woche muß ich noch . . .* 6. *Im nächsten Monat muß ich . . .*

Use your PF to teach adjectives that describe physical and mental states. Ask questions such as: *Wie geht es der Frau (dem Hund, dem Mann, usw.).* Use: *Er/Sie ist* + *Adjektiv: betrunken, zufrieden, schlecht/gut gelaunt, deprimiert, krank, interessiert, gelangweilt, traurig, lustig, usw.*

Situation 12. Interaktion: Fragen Sie Ihren Arzt.

S1: Herr Doktor, darf ich rauchen?

S2: Nein, Sie dürfen nicht rauchen.

S1: Herr Doktor, soll ich Vitamintabletten nehmen?

S2: Ja, nehmen Sie Vitamintabletten!

1. Sport treiben
2. Alkohol trinken
3. ausspannen
4. Treppen steigen
5. mein Herz schonen
6. Diät essen
7. jeden Tag meinen Puls messen
8. Flugzeug fliegen
9. früh ins Bett gehen
10. weniger arbeiten
11. _____

KÖRPERLICHE UND GEISTIGE VERFASSUNG

 Grammatik 3.5

Er ist froh.　　Sie sind traurig.　　Er ist wütend.　　Sie sind betrunken.

Sie ist krank.　　Er hat Langeweile.　　Sie ist beschäftigt.　　Er ist besorgt.

Sie haben Hunger.　Sie sind in Eile.　Sie ist müde.　Er hat Durst.　Er hat Angst.

Sit. 13. Let students work in groups. Encourage them to expand *d* with many different possibilities. Let them make up nonsensical answers as well.

AA 8. TPR with states. *Ihnen ist kalt: Sie ziehen einen Mantel an, jetzt ist Ihnen warm, ziehen Sie den Mantel wieder aus; Sie haben es eilig: trinken Sie Kaffee; Sie haben Durst: trinken Sie eine Cola; Sie haben Hunger; Sie essen ein Butterbrot; Sie sind traurig: weinen Sie; Sie sind böse: schreien Sie; Sie sind froh: singen Sie; Sie sind zufrieden: lächeln Sie; Sie sind betrunken: sprechen Sie so.*

Situation 13.　Ihre Meinung

Was machen Sie, wenn . . . ?

1. Wenn ich krank bin,
   a. schlafe ich.
   b. sehe ich fern.
   c. gehe ich in den Park.
   d. _____

2. Wenn ich traurig bin,
   a. höre ich Musik.
   b. gehe ich in die Disco.
   c. kaufe ich ein.
   d. _____

3. Wenn ich froh bin,

    a. gehe ich aus.

    b. gehe ich in die Stadt.

    c. treffe ich Freunde.

    d. _____

4. Wenn ich müde bin,

    a. schlafe ich.

    b. lese ich.

    c. bade ich.

    d. _____

5. Wenn ich Langeweile habe,

    a. esse ich.

    b. koche ich.

    c. bleibe ich zu Hause.

    d. _____

6. Wenn ich Hunger habe,

    a. esse ich eine Pizza.

    b. trinke ich ein Glas Milch.

    c. wasche ich ab.

    d. _____

7. Wenn ich Durst habe,

    a. trinke ich ein Bier.

    b. esse ich Schokolade.

    c. telefoniere ich mit Freunden.

    d. _____

8. Wenn ich in Eile bin,

    a. gehe ich schnell.

    b. nehme ich den Bus.

    c. gehe ich spazieren.

    d. _____

9. Wenn ich wütend bin,

    a. esse ich sehr viel.

    b. schlage ich Porzellan kaputt.

    c. schreie ich ganz laut.

    d. _____

10. Wenn ich betrunken bin,

    a. gehe ich ins Bett.

    b. nehme ich Aspirin.

    c. singe ich.

    d. _____

11. Wenn ich beschäftigt bin,

    a. habe ich keine Zeit.

    b. höre ich Musik.

    c. bleibe ich zu Hause.

    d. _____

12. Wenn ich besorgt bin,

    a. rufe ich meinen Freund an.

    b. kann ich nicht arbeiten.

    c. denke ich nach.

    d. _____

13. Wenn ich Angst habe,

    a. tut mir der Bauch weh.

    b. mache ich das Licht an.

    c. höre ich alles.

    d. _____

Sit. 14. Students work in pairs. Follow up with personal questions: *Was machen Sie, wenn Sie zufrieden sind? (Ich spreche mit meinen Freunden.) Rufen Sie Ihre Freunde an oder gehen Sie zu ihnen? usw.*

Situation 14.   Wohin gehen Sie?

MODELL: Wenn ich Hunger habe, → gehe ich ins Restaurant.

1. Wenn ich Hunger habe,   gehe ich   a. zum Strand.

2. Wenn ich ein Seminar habe,   b. ins Kino.

3. Wenn ich Langeweile habe,   c. zu Freunden.

4. Wenn ich müde bin,   d. in eine Bar.

5. Wenn ich krank bin,   e. ins Krankenhaus.

6. Wenn ich traurig bin,   f. ins Bett.

7. Wenn ich Durst habe,   g. in die Badewanne.

8. Wenn ich Heimweh habe, . . .   h. in die Uni.

9. Wenn ich frustriert bin, . . .   i. ins Restaurant

10. Wenn ich eifersüchtig bin, . . .   j. _____

Situation 15.   Interview: Was machst du, wenn . . . ?

MODELL: Was machst du, wenn du betrunken bist?
Ich gehe ins Bett.

1. wenn du deprimiert bist?
2. wenn du Angst hast?
3. wenn du verliebt bist?
4. wenn du Trost brauchst?
5. wenn du Liebeskummer hast?
6. wenn du fröhlich bist?
7. wenn du unzufrieden bist?
8. wenn du Heimweh hast?
9. wenn du Langeweile hast?
10. wenn du Schmerzen hast?

VOKABELN

Talente und Fähigkeiten — Talents and Abilities

auf einen Baum klettern	to climb a tree
Aufnahmen machen	to take photographs; to shoot a film
ein Baumhaus bauen	to build a treehouse
die Fähigkeit, -en	ability
einen Film drehen	to make a film
einen Frisbee werfen	to throw a frisbee
Gedichte vortragen	to recite poetry
Geige spielen	to play the violin
malen	to paint
Märchen erzählen	to tell fairytales
eine Melodie erfinden	to make up a tune
ein Museum leiten	to be in charge of a museum
Opern komponieren	to compose operas
ein Orchester leiten	to conduct an orchestra
Rollschuh laufen	to rollerskate
Romane schreiben	to write novels
Schlittschuh laufen, läuft . . . Schlittschuh	to ice-skate
stricken	to knit
tauchen	to dive
Teppiche knüpfen	to make rugs
ein Theaterstück aufführen	to put on a play
über einen Bach springen	to jump over a stream
Walzer tanzen	to waltz
Werbetexte machen	to write advertising copy
zeichnen	to draw
ein Zelt aufschlagen	to set up a tent

Ähnliche Wörter: das Talent, -e

Erinnern Sie sich: boxen / Fußball spielen / radfahren (fährt Rad) / reiten / schwimmen / segeln / Ski fahren (fährt Ski) / turnen / windsurfen

Gesundheit — Health

ausspannen (spannt . . . aus)	to relax
rauchen	to smoke
weh tun	to hurt
der Arzt, ⸚e/die Ärztin, -nen	physician
das Krankenhaus, ⸚er	hospital
der Zahnarzt, ⸚e/die Zahnärztin, -nen	dentist

Diät essen	to be on a diet
ein **gebrochenes Bein** haben	to have a broken leg
das **Herz schonen**	to take care of one's heart
den **Puls messen**	to take one's pulse

Ähnliche Wörter: der **Alkohol** / die **Vitamintablette, -n**

Erinnern Sie sich: müde / traurig

Geistige und körperliche Verfassung — Mental and Physical States

Angst haben	to be afraid
beschäftigt	busy
besorgt	worried
betrunken	drunk
böse	angry
deprimiert	depressed
Durst haben	to be thirsty
eifersüchtig	jealous
froh	glad
frustriert	frustrated
gelangweilt	bored
Heimweh haben	to be homesick
Hunger haben	to be hungry
in Eile sein	to be in a hurry
krank	ill
Langeweile haben	to be bored
Liebeskummer haben	to have a broken heart
schlecht/gut gelaunt	to be in a bad/good mood
Schmerzen haben	to be in pain
Trost brauchen	to need comfort, consolation
verliebt	in love
unzufrieden	dissatisfied

Modalverben — Modal Verbs

dürfen	may, to be allowed to
können	can, to be able to
müssen	must, to have to
sollen	ought to, should
wollen	to want to

Verben — Verbs

abtrocknen (trocknet . . . ab)	to dry
anmachen (macht . . . an)	to switch on
baden	to bathe
bezahlen	to pay
denken	to think
dirigieren	to conduct (*an orchestra*)
einkaufen (kauft . . . ein)	to shop
fliegen	to fly
frieren	to be cold
kaputtschlagen (schlägt . . . kaputt)	to break
kegeln	to bowl
lächeln	to smile
nachdenken (denkt . . . nach)	to ponder, think about
nehmen (nimmt)	to take
rufen	to call, shout
schreien	to scream, shout
steigen	to climb
telefonieren	to call, phone
verdienen	to earn
vorbeikommen (kommt . . . vorbei)	to come by
weggehen (geht . . . weg)	to go away

Substantive — Nouns

die **Badewanne, -n**	bathtub
das **Flugzeug, -e**	airplane
das **Gewissen**	conscience
die **Hausaufgaben** (*pl.*)	homework
der **Kellner, -**/die **Kellnerin, -nen**	waiter/waitress
der **Kriminalroman, -e**	crime novel, detective story
das **Licht, -er**	light
das **Liederbuch, ⁻er**	song book
die **Milch**	milk
die **Pflicht, -en**	duty
das **Porzellan**	china, dishes
die **Prüfung, -en**	test
die **Ratschläge** (*pl.*)	advice
die **Schulden** (*pl.*)	debts
die **Stunde, -n**	hour
die **Treppe, -n**	stairway
der/die **Verwandte, -n**	relative
das **Zeugnis, -se**	report (card), grade
die **Zukunft**	future

Ähnliche Wörter: Europa / das **Glas, ⁻er** / die **Limonade** / die **Schokolade**

Nützliche Wörter und Wendungen

Useful Words and Phrases

alles	everything
als (**Kellner**)	as (a waiter)
besonders	particularly, especially
ganz laut	very loud
jeden Tag	every day
lange	for a long time
leider	unfortunately
meinetwegen	I don't mind
mindestens	at least
nicht mehr, kein . . . mehr	no more

pro (**Tag**)	per (day)
schnell	fast
sofort	at once, right away
so wenig	so little, so few
trotzdem	nevertheless
die **Wahrheit** sagen	to tell the truth
weniger	less
x-mal	x number of times
einmal	once
zweimal	twice
dreimal	three times
viermal	four times

ZUSÄTZLICHE TEXTE

EIN TÜRKE IN DEUTSCHLAND STELLT SICH VOR: Mehmet Sengün

Text: Tell students that the fictitious biography of Mehmet is typical for most second-generation Turks in the FRG. Explain that the Turks are the *Gastarbeiter* in the FRG who are most discriminated against. According to research, the main reasons for this are religion, different food habits, and different clothing.

Mein Name ist Mehmet Sengün. Ich bin 29 und lebe jetzt seit 19 Jahren hier in West-Berlin. Ich bin in Izmir, in der Türkei, geboren. Dort habe ich mit meinen Eltern und Geschwistern fünf Jahre gewohnt, bevor wir nach Istanbul gezogen[1] sind. Jetzt wohne ich in Kreuzberg, das ist ein Stadtteil von West-Berlin. Die Berliner nennen es Klein-Istanbul, denn hier wohnen viele Türken.

Meine Eltern und meine drei Geschwister sind seit sechs Jahren wieder in Izmir. Sie haben da ein kleines Haus. Ich war auch ein halbes Jahr in Izmir, aber alle meine Freunde leben hier in Berlin, Türken und Deutsche, und ich spreche inzwischen auch fast[2] besser Deutsch als Türkisch. In Izmir bin ich ein Fremder.[3]

Im Moment arbeite ich für eine Speditionsfirma[4] hier in der Stadt. Ich fahre einen Lastwagen[5] und bin meist nur am Wochenende zu Hause.

Ich weiß nicht, aber richtig zu Hause fühle ich mich[6] in Berlin auch nicht, und für die Deutschen bin ich immer der Türke.

[1]*moved* [2]*almost* [3]*stranger* [4]*moving company* [5]*truck* [6]fühle . . . mich *feel*

© Beryl Goldberg

Überall in der Bundesrepublik gibt es ausländische Arbeitnehmer wie diese Türken in Stuttgart. Sie leben und arbeiten mit ihren Familien vor allem in den größeren Städten. In einigen Großstädten sind über 20% der Bevölkerung Ausländer.

Fragen

1. Wie alt ist Mehmet?
2. Wo ist er geboren?
3. Wo wohnt er jetzt?
4. Wie nennen die Berliner Kreuzberg?
5. Wo wohnen Mehmets Eltern und Geschwister?
6. Wo wohnen Mehmets Freunde?
7. Welche Sprache spricht Mehmet besser: Türkisch oder Deutsch?
8. Wo arbeitet Mehmet?
9. Fühlt sich Mehmet in Berlin zu Hause?

KULTURELLE BEGEGNUNGEN: **Das deutsche Schulsystem**

Text: The reading is fairly self-explanatory. Let students scan the text and then put a diagram on the board that explains the system in a graphic way. Encourage students to ask questions about the subject.

Das Schulsystem ist in den deutschsprachigen Ländern nicht überall gleich,[1] in der Bundesrepublik ist es sogar von Land zu Land verschieden.[2] Als Beispiel möge das bis dato progressivste System dienen, das unter anderem in Hessen der Normalfall ist.

In Hessen entscheiden[3] Eltern gemeinsam[4] mit Lehrern nach vier Jahren Grundschule und zwei Jahren Orientierungs- oder Förderstufe, welcher Schultyp für ihre Kinder geeignet[5] ist. Hauptschule, Realschule oder Gymnasium stehen zur Wahl.[6]

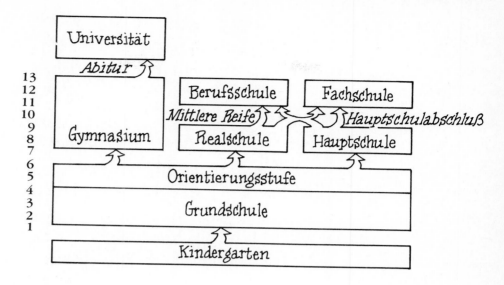

13
12
11
10
9
8
7
6
5
4
3
2
1

Nach der vierjährigen Hauptschule oder Realschule machen die Schulabgänger meist eine etwa dreijährige Lehre.[7] Während dieser Zeit besuchen sie einmal in der Woche eine Berufsschule.[8] Manche Schulabgänger besuchen allerdings auch eine andere Fachschule,[9] bevor sie die eigentliche Berufsausbildung[10] beginnen.

Das Gymnasium beendet man entweder[11] nach der 10. Klasse mit der mittleren Reife oder nach der 13. Klasse mit dem Abitur. Viele Abiturienten beginnen nach dem Abitur ein Studium. Nur das Abitur ermöglicht[12] normalerweise das Studium an einer Universität; aber mittlerweile erlernen[13] auch mehr und mehr Abiturienten einen nicht-akademischen Beruf,[14] weil ein Studium in Deutschland nicht mehr automatisch gute Berufsmöglichkeiten[15] eröffnet. Die Arbeitslosigkeit[16] unter Akademikern, vor allem[17] auch Lehrern, nimmt mehr und mehr zu.[18]

[1]*the same* [2]*different* [3]*decide* [4]*zusammen* [5]*suitable* [6]*stehen . . . are the choices*
[7]*apprenticeship* [8]*trade school* [9]*trade or technical school* [10]*career training* [11]*either*
[12]*makes possible* [13]*lernen* [14]*occupation* [15]*job possibilities* [16]*unemployment*
[17]*vor . . . above all* [18]*nimmt . . . is increasing*

Fragen

1. Welche drei Schultypen gibt es in Deutschland?
2. Wie lange gehen Jugendliche zur Haupt- oder Realschule?
3. Was machen Haupt- oder Realschüler nach dem Schulabschluß?
4. Welchen Abschluß (*diploma*) hat man nach der 13. Klasse des Gymnasiums?
5. Was machen viele Abiturienten nach dem Abitur?
6. Was nimmt in Deutschland mehr und mehr zu?

HOROSKOP

Fische (20. Februar–20. März): Sie arbeiten sehr viel, vielleicht zu viel. Sie sind unabhängig.[1] Ihre Beziehungen[2] sind nicht stabil. Sie sind nicht eifersüchtig.[3] Glücksfarbe:[4] gelb.

Widder (21. März–20. April): Sie sind sehr energisch und aktiv. Widdermänner sind leidenschaftliche[5] Liebhaber,[6] manchmal ein bißchen zu ungeduldig.[7] Glücksfarbe: signalrot.

Stier (21. April–20. Mai): Sie haben sehr viel Temperament. Sie sind treu[8] und haben Humor. Glücksfarben: braun und schwarz.

Zwillinge (21. Mai–21. Juni): Sie sind intelligent, lieben die Abwechslung[9] und sind nicht sentimental. Sie sprechen gern mit anderen. Freunde und Familie sind sehr wichtig[10] in Ihrem Leben. Glücksfarbe: dunkelblau.

Krebs (22. Juni–22. Juli): Sie sind sehr sensibel.[11] Sie suchen Geld und Sicherheit[12] im Leben. Geld ist zu wichtig für Sie. Sie sind sehr aktiv und manchmal allzu[13] romantisch. Glücksfarben: beige, gelb und weiß.

Löwe (23. Juli–23. August): Sie sind aggressiv, ausdauernd[14] und arbeiten viel. Sie haben nicht viele, aber gute Freunde. Sie sind sehr enthusiastisch. Glücksfarbe: orange.

Jungfrau (24. August–23. September): Sie sind ruhig[15] und bescheiden,[16] ernst[17] und praktisch. Sie haben viel Energie und arbeiten gern. Mit Menschen sind Sie sehr vorsichtig.[18] Glücksfarben: dunkelbraun und grün.

Waage (24. September–23. Oktober): Sie sind künstlerisch,[19] sensibel und ein bißchen schüchtern. Sie haben viele Freunde und sind großzügig[20] und freundlich. Glücksfarbe: blau.

Skorpion (24. Oktober–22. November): Sie sind reserviert, intuitiv und ein bißchen schüchtern, aber auch romantisch und sensibel. Sie arbeiten planvoll und ausdauernd. Glücksfarben: rot und schwarz.

Schütze (23. November–21. Dezember): Sie sind enthusiastisch und optimistisch und manchmal ein Träumer.[21] Manchmal sind Sie sehr impulsiv. Glücksfarben: dunkelblau und violett.

Steinbock (22. Dezember–20. Januar): Sie sind ein sehr tiefer Mensch. Sie sind arbeitsam und wissen, was Sie wollen. Sie haben viel Humor, sind offen und haben viele Freunde. Glücksfarbe: hellgrün.

Wassermann (21. Januar–19. Februar): Sie sind ein kultivierter, eleganter und kreativer Mensch. Manchmal ein bißchen idealistisch, aber sehr unabhängig. Für Vertreter des anderen Geschlechts[22] sind Sie unwiderstehlich.[23] Glücksfarben: rosa und weiß.

[1]*independent* [2]*relationships* [3]*jealous* [4]*lucky color* [5]*passionate* [6]*lovers* [7]*impatient* [8]*faithful* [9]*change* [10]*important* [11]*sensitive* [12]*security* [13]*too* [14]*persistent* [15]*calm* [16]*modest* [17]*serious* [18]*cautious* [19]*artistic* [20]*generous* [21]*dreamer* [22]Vertreter . . . *members of the opposite sex* [23]*irresistible*

Fragen

1. Melanie ist am 4. April geboren. Was ist ihr Sternzeichen (*sign*)?
2. Rolf ist am 15. Oktober geboren. Was ist sein Sternzeichen?
3. Welches Sternzeichen hat die Glücksfarbe hellgrün?
4. Welche Sternzeichen haben die Glücksfarbe weiß?
5. Für welches Sternzeichen ist Geld zu wichtig?
6. Welches Sternzeichen hat viele Freunde?
7. Welches Sternzeichen ist nicht sentimental?
8. Für welches Sternzeichen sind Freunde und Familie sehr wichtig?
9. Welches Sternzeichen arbeitet sehr viel, vielleicht zu viel?
10. Was ist Ihr Sternzeichen?

STRUKTUREN UND ÜBUNGEN

3.1. Although we list these functions separately, they are so close to the English functions of "can/be able to" that students rarely have problems.

3.1 Modalverben 2: können

Modal verbs such as *can, will, should,* and *may* indicate an attitude about an action. The main verb that expresses the action appears at the end of the clause in the infinitive form.

> **Kannst du** mich heute abend **anrufen**? —Natürlich! Wann **soll ich** dich denn **anrufen**?
> *"Can you call me tonight?" "Of course! When should I call you?"*

Here are the forms of the modal verb **können** (*can, be able to*). Note that modals do not have endings in the **ich** and **er/sie/es** forms.

ich	kann	wir	können
Sie	können	Sie	können
du	kannst	ihr	könnt
er sie }	kann	sie	können
es			

The modal verb **können** indicates

(1) ability:

> **Ich kann** gut Ski **laufen**, du auch? —Nein, aber **ich kann** gut Tennis **spielen**.
> *"I ski very well, how about you?" "I don't ski, but I play tennis very well."*

(2) possibility:

> Wenn wir schnell machen, **können wir** heute noch ins Kino **gehen**.
> *If we hurry, we'll still be able to go to the movies.*

(3) request for permission:

> **Kann man** hier **rauchen**?
> *Can I (one) smoke here?*

(4) ability to speak a language:

> **Melanie kann** gut **Englisch**.
> *Melanie can speak English well.*

All modal verbs are used with the **Satzklammer**.

Stefan <u>kann</u> gut Auto <u>fahren</u>.

Übung 1

Wer kann das?

MODELL: den Brief schreiben → Meine Mutter kann den Brief schreiben.

1. Auto fahren
2. Deutsch
3. den Hund baden
4. Klavier spielen
5. malen
6. tauchen
7. Trompete spielen
8. stricken

a. mein Freund/meine Freundin
b. mein Vater
c. du
d. wir
e. ihr
f. Sie
g. mein Bruder/meine Schwester
h. _____

Übung 2

Fragen in der Klasse

MODELL: man / hier rauchen → Kann man hier rauchen?

1. ich / hier anrufen
2. man / hier Kaffee bekommen
3. man / hier Bier trinken
4. ich / meinen Hund mitbringen
5. ihr / das Fenster öffnen
6. du / die Tür schließen

3.2 Modalpartikel 2: doch

Use the modal particle **doch** to make requests more personal.

> Komm **doch** heute zu mir.
> *Why don't you come by today.*
>
> Nehmen Sie **doch** Platz.
> *Do sit down.*

Like ja, **doch** can also be used to emphasize reasons and explanations.

> Man kann hier nicht Ski laufen. Es ist **doch** nicht genug Schnee da.
> *You can't ski here. Don't you see, there isn't enough snow.*
>
> Peter fährt nach Spanien, ich glaube nach Bordeaux. —Aber das ist
> unmöglich, Bordeaux ist **doch** in Frankreich!
> *"Peter is going to Spain, I think to Bordeaux." "But that's impossible,
> Bordeaux is in France!"*

When used with question intonation in statements, **doch** calls for confirmation of what is being said.

> Ihr kommt **doch** heute abend zu uns?
> *You'll come to our place tonight, won't you?* (expected answer: Of course we'll come.)

> Rolf fliegt **doch** nicht nach Amerika?
> *Rolf isn't flying to America, is he?* (expected answer: No, of course not.)

Recall from Chapter 2 that modal particles are unstressed. When stressed, **doch** means *yes*. Use it instead of **ja** to contradict a negative statement.

> Es ist heute **nicht** warm. —**Doch**, es ist sehr warm.
> *"It isn't warm today." "On the contrary, it's very warm."*

Übung 3

Warum denn?

Ernst und seine Mutter sind im Kaufhaus.

MODELL: Ich will ein Auto kaufen. (brauchst . . . kein Auto) →
   Warum denn? Du brauchst doch kein Auto.

1. Ich möchte einen Fußball haben. (hast . . . schon einen)
2. Kann ich eine Trompete haben? (kannst . . . nicht Trompete spielen)
3. Ich möchte Eis essen. (essen . . . bald zu Mittag)
4. Ich möchte noch einen Hund haben. (haben . . . schon einen Hund)
5. Kann ich heute abend kochen? (kannst . . . nicht kochen)
6. Ich möchte ins Kino gehen. (gehen . . . jetzt nach Hause)

Übung 4

Sprechen Sie über Ihre Mitstudenten und Freunde.

MODELL: Stefan kann nicht kochen, oder?
   Doch, er kann gut kochen.

1. Heidi kommt nicht aus Kalifornien, oder?
2. Stefan und Peter möchten nicht nach Europa fliegen, oder?
3. _____ kommt heute nicht zum Deutschkurs, oder?
4. _____ hat kein schwarzes Haar, oder?
5. _____ ist Amerikaner, oder?
6. _____ sieht sehr gern fern, oder?
7. _____ ist nicht sehr hübsch, oder?
8. _____ kann kein Deutsch, oder?

3.3 Modalverben 3: wollen

The modal verb **wollen** (*to want*) indicates a desire, an intention, or a plan.

> **Jürgen will** ein neues Wörterbuch **kaufen**, aber er hat kein Geld mit.
> *Jürgen wants to buy a new dictionary, but he doesn't have any money with him.*

> **Ich will** diesen Sommer nach Europa **fahren**.
> *I want to travel to Europe this summer.*

Here are the forms of the modal verb **wollen**.

ich	will		wir	wollen
Sie	wollen		Sie	wollen
du	willst		ihr	wollt
er sie es	will		sie	wollen

When you want to express a wish or desire more politely, use **möchten** instead of **wollen**.

> **Ich möchte** das Buch, bitte.
> *I'd like the book, please.*

Übung 5

Juttas Pläne für die Zukunft

MODELL: Jutta kauft gern ein. (viel Geld verdienen) →
   Sie will viel Geld verdienen.

1. Jutta spricht gut Englisch. (nach England fahren)
2. Sie findet Tiere interessant. (Biologie studieren)
3. Sie hört gern Musik. (einen Plattenspieler kaufen)
4. Sie treibt gern Sport. (in einen Sportklub gehen)
5. Sie tanzt gern. (einen Tanzkurs machen)
6. Sie kann gut stricken. (einen Pullover für Hans stricken)

3.4 Modalverben 4: müssen, sollen, dürfen

The modal verb **müssen** (*must, have to*) indicates necessity or obligation.

> **Jens muß** wirklich mehr **lernen**.
> *Jens really has to study more.*

Es ist schon spät. **Wir müssen** jetzt **gehen**.
It's late. We have to go home.

Note the different meanings of the negatives in English and German.

Du mußt das nicht **tun**.
You don't have to do that.

Du darfst das nicht **tun**!
You mustn't do that.

The modal verb **sollen** (*should, be supposed to*) indicates an obligation or an order or request from a third person.

Jens soll zum Direktor **kommen**.
Jens is supposed to go to the principal.

Sag ihm, **er soll** zu mir **kommen**.
Tell him he should come to see me.

Zu alten Leuten **soll man** höflich **sein**.
One should be polite to old people.

The modal verb **dürfen** (*may, be allowed to*) indicates

(1) permission (given by an authority):

MUTTER: **Ihr dürft** heute ins Kino **gehen**.
MOTHER: *You may go to the cinema (movies) today.*

(2) a specific or general prohibition in a negative sentence:

Hier **darf man** nicht **parken**.
You aren't allowed to park here.

Das darfst du nicht **tun**!
You mustn't do that!

Here are the present-tense forms of **müssen**, **sollen**, and **dürfen**.

ich	muß	ich	soll	ich	darf
Sie	müssen	Sie	sollen	Sie	dürfen
du	mußt	du	sollst	du	darfst
er sie es	muß	er sie es	soll	er sie es	darf
wir	müssen	wir	sollen	wir	dürfen
Sie	müssen	Sie	sollen	Sie	dürfen
ihr	müßt	ihr	sollt	ihr	dürft
sie	müssen	sie	sollen	sie	dürfen

Übung 6

Der arme Kranke

MODELL: Möchten Sie ein Glas Bier? →
　　　　Nein, leider darf ich kein Bier mehr trinken.

1. Möchten Sie eine Zigarette?
2. Möchten Sie eine Pizza?
3. Möchten Sie eine Tasse Kaffee?
4. Möchten Sie ein Eis?
5. Möchten Sie eine Zigarre?
6. Möchten Sie einen Schnaps?

Übung 7

Hans ist noch nicht 18. Was muß er tun, was darf er nicht?

Ich bin erst 13.

1. Ich _____ noch nicht in eine Bar.
2. Ich _____ um 21 Uhr ins Bett.
3. Ich _____ sonntags in die Kirche.
4. Ich _____ noch nicht rauchen.
5. Ich _____ noch nicht in ein Spielkasino.
6. Ich _____ noch kein Bier trinken.

Übung 8

Gute Ratschläge eines Arztes: Was soll man und was soll man nicht?

MODELL: täglich Sport treiben → Man soll täglich Sport treiben.

1. mehr als acht Stunden schlafen
2. viel Kaffee trinken
3. viel arbeiten
4. früh ins Bett gehen und früh aufstehen
5. viel Eis und Schokolade essen
6. nur zwei Bier am Wochenende trinken

3.5. This is the first time we formally introduce word order in independent clauses. Our experience is that students have fewer problems with dependent clause word order if they have multiple opportunities to hear it in the input, before they are required to use it.

3.5 Wortstellung 3: Nebensätze (wenn, weil)

A. Einteilige Verbalphrasen

In an independent clause (**Hauptsatz**), the conjugated verb is either in the first position (as in questions or requests) or in the second position (as in statements).

Arbeitet Nora heute abend?
Is Nora working tonight?

Ich **bleibe** im Bett.
I'm staying in bed.

Heute **spielt** Peter Fußball.
Peter is playing soccer today.

In a dependent clause (**Nebensatz**), the conjugated verb is at the end.

HAUPTSATZ	NEBENSATZ
Ich bleibe im Bett,	wenn ich krank **bin**.
I stay in bed	*when(ever) I'm sick.*
Peter spielt Fußball,	wenn das Wetter schön **ist**.
Peter plays soccer	*when(ever) the weather is nice.*

Note that the dependent clause depends on the main clause and is usually connected with it by a conjunction such as **wenn** (*when, whenever*). The conjunction at the beginning and the conjugated verb at the end of the dependent clause form a **Satzklammer**.

Ich spiele Tennis, <u>wenn</u> das Wetter schön <u>ist</u>.

Sentence constructions do not have to start with the main clause; they can start with the dependent clause as well.

Wenn ich krank bin, bleibe ich im Bett.
When(ever) I'm sick, I stay in bed.

As you know from Chapter 1, anything that stands in front of the verb, such as an expression of time or place, causes the subject to be placed in third position, after the conjugated verb. When a sentence begins with a dependent clause, this clause is treated as a whole, and, therefore, the conjugated verb of the main clause follows in second position with the subject after it.

I	II	III	IV
NEBENSATZ	VERB	SUBJEKT	
Wenn ich krank bin,	bleibe	ich	im Bett.

B. Mehrteilige Verbalphrasen

In an independent clause, a separable prefix is at the end of the clause when the separable prefix verb is conjugated.

Rolf **steht** immer früh **auf**.
Rolf always gets up early.

In dependent clauses, the prefix is attached to the verb form, which is placed at the end of the clause.

Er ist immer müde, wenn er früh **aufsteht**.
He is always tired when he gets up early.

Helga, bitte **mach** das Fenster nicht **auf**. Es wird kalt, **wenn** du es **aufmachst**.

Helga, please don't open the window. It gets cold when you open it.

When there are two verbs, such as a modal or auxiliary and another verb, in a dependent clause, the conjugated verb comes last, following the infinitive.

Rolf **muß** früh **aufstehen**.
He has to get up early.

Rolf ist müde, **wenn** er früh **aufstehen muß**.
He is tired when he has to get up early.

Helga hat kein Geld und **kann** nichts **tun**.
Helga doesn't have any money and can't do anything.

Sie hat Langeweile, **wenn** sie nichts **tun kann**.
She's bored when she can't do anything.

C. Konjunktionen

As noted previously, dependent clauses are usually introduced by conjunctions such as **wenn** (*when, whenever*). Another common conjunction that introduces dependent word order is **weil** (*because*).

Warum bist du so traurig, Ernst? —**Weil** ich heute abend nicht **fernsehen darf**.

"Why are you so sad, Ernst?" "Because I'm not allowed to watch TV tonight."

Weil ich krank **bin**, kann ich heute nicht in die Schule gehen.
Because I'm sick, I can't go to school today.

Not all conjunctions, however, require dependent word order. Some simply combine two independent clauses.

Melanie geht am Samstag mit Claire ins Kino, **und Josef spielt** mit seinen Freunden Karten.

Melanie is going to the movies with Claire on Saturday, and Josef is playing cards with his friends.

Three very common conjunctions that do not influence word order are **und** (*and*), **oder** (*or*), and **aber** (*but*).

Monika geht gern ins Gebirge, **und Albert geht** gern an den Strand.
Monika likes to go to the mountains and Albert likes to go to the beach.

Du kannst noch deine Hausaufgaben machen, **oder du gehst** sofort ins Bett.
You can do your homewrk or you go to bed at once.

Jutta geht heute ins Kino, **aber Hans muß** zu Hause bleiben.
Jutta is going to the movies today, but Hans has to stay home.

Übung 9

Was machen die folgenden Personen, wenn . . .

1. Wenn Heidi Hunger hat,
2. Wenn Mehmet müde ist,
3. Wenn Frau Schulz Ferien hat,
4. Wenn Ernst Durst hat,
5. Wenn Nora traurig ist,
6. Wenn Rolf wütend ist,
7. Wenn Hans Angst hat,
8. Wenn Michael betrunken ist,
9. Wenn Stefan krank ist,
10. Wenn Jutta viel Geld hat,

a. geht er nach Hause.
b. kauft sie einen Hamburger.
c. ruft er seine Mutter.
d. fährt sie nach Deutschland.
e. geht er zum Arzt.
f. geht sie in einen lustigen Film.
g. trinkt er eine Limo.
h. geht er zwei Stunden joggen.
i. geht sie einkaufen.
j. fährt er mit dem Taxi nach Hause.

Übung 10

Ist das immer so?

MODELL: Albert ist müde. Er geht nach Hause. →
Wenn Albert müde ist, geht er nach Hause.

1. Peter hat Hunger. Er geht in die Mensa.
2. Sie trifft Michael. Maria ist froh.
3. Hans hat Langeweile. Er sieht fern.
4. Herr Ruf hat Durst. Er trinkt Cola.
5. Frau Wagner ist in Eile. Sie fährt mit dem Bus.
6. Sie ist müde. Nora trinkt Kaffee.

Übung 11

Warum denn?

MODELL: Warum gehst du heute nicht in die Schule?
—heute krank sein → Weil ich heute krank bin.

1. Warum kommt Nora nicht mit ins Kino? —keine Zeit haben
2. Warum liegt denn dein Bruder im Bett? —betrunken sein
3. Warum eßt ihr denn schon wieder? —Hunger haben
4. Warum bist du so in Eile? —meinen Deutschkurs haben
5. Warum sieht Jutta schon wieder fern? —Langeweile haben

6. Warum sitzt du denn in deinem Zimmer? —deprimiert sein
7. Warum trinken sie denn Bier? —Durst haben
8. Warum machst du denn das Licht an? —Angst haben
9. Warum singt Jens denn den ganzen Tag? —froh sein
10. Warum bleibst du zu Hause? —beschäftigt sein

KAPITEL 4

Das Rheintal mit seinen Weinbergen und Burgruinen zieht viele Touristen an.

In Kapitel 4 you will begin to talk about things that happened in the past: your own experiences and those of others. You will talk a lot about different kinds of memories.

EREIGNISSE UND ERINNERUNGEN

THEMEN

Tagesablauf
Erlebnisse anderer Personen
Ihre eigenen Erlebnisse

Erinnerungen
Erfahrungen

TEXTE

◀ Unsere Straße: Ernst muß
   schuften
◀ Carstens Wochenende

ZUSÄTZLICHE TEXTE

Eine Fahrt nach Wien: Claire
Veranstaltungen in Dresden: Sofie und Willi
Unsere Straße: Michael hat einen Kater
Kulturelle Begegnungen: Norddeutsch / Süddeutsch

STRUKTUREN

4.1 Perfekt 1: haben und sein
4.2 Perfekt 2: regelmäßige und unregelmäßige
    Partizipien
4.3 Modalpartikel 3: eben und eigentlich
4.4 Perfekt 3: Partizipien mit und ohne ge-
4.5 Präpositionen 4: vor und seit

GOALS

The purpose of Chapter 4 is to give students opportunities to interact in situations that deal with past events. We formally introduce the present perfect for this purpose. The simple past forms will be formally introduced in Chapter 8.

171

SPRECHSITUATIONEN

TAGESABLAUF

 Grammatik 4.1

PRE-TEXT ACTIVITIES

1. Use association techniques to introduce the structure of the present perfect. In these activities, remember to adhere to the natural sequence of having students listen before they produce speech.

2. Before each class period, spend five minutes or so telling the students what you did the previous evening. Extend the conversation in any interesting way possible.

In this section we concentrate on the past participles of verbs that do not have separable prefixes. Ask the students to spend three to four minutes looking over the verb forms introduced in the pre-text activities. Each student should describe five activities he/she participated in during the previous day. Have students work in pairs and exchange sentences. Work through any problems students may have as you move from pair to pair.

Ich trinke Apfelsaft.   Ich habe Apfelsaft getrunken.
Ich gehe nach Hause.   Ich bin nach Hause gegangen.

Ich habe geduscht.

Ich habe gefrühstückt.

Ich bin in die Uni gegangen.

Ich bin in einem Kurs gewesen.

Ich habe mit meinen Freunden Tee getrunken.

Ich bin nach Hause gekommen.

Ich habe zu Mittag gegessen.

Ich bin nachmittags zu Hause geblieben.

Ich habe für meine Prüfungen gearbeitet.

Sit. 1. Have students order the events chronologically, using *zuerst, dann,* and *später* to connect the events. For example: *Zuerst habe ich geduscht und dann habe ich gefrühstückt. Später habe ich meine Bücher genommen und bin in die Uni gegangen.* Note that we use only first-person singular forms during this activity so that the students can become accustomed to the *haben/sein* alternation.

Situation 1.

Bringen Sie diese Aktivitäten in eine chronologische Reihenfolge.

1. Heute morgen . . .
   a. habe ich meine Bücher genommen.
   b. habe ich gefrühstückt.
   c. habe ich geduscht.
   d. bin ich in die Universität gegangen.

2. Gestern nachmittag . . .
   a. bin ich nach Hause gekommen.
   b. habe ich Basketball gespielt.
   c. habe ich das Essen gemacht.
   d. bin ich einkaufen gegangen.

3. Gestern abend . . .
   a. habe ich einen Film gesehen.
   b. habe ich zu Abend gegessen.
   c. bin ich ins Bett gegangen.
   d. habe ich das Geschirr gespült.

4. Letzten Samstag . . .
   a. bin ich spät ins Bett gegangen.
   b. habe ich viel getanzt.
   c. habe ich mit einer Freundin gesprochen.
   d. bin ich auf eine Party gegangen.

5. Letzten Mittwoch . . .
   a. bin ich ins Kino gegangen.
   b. habe ich in der Bibliothek gearbeitet.
   c. bin ich in die Uni gefahren.
   d. habe ich gearbeitet.

Situation 2.   Dialog: Die Party

SILVIA: Ich bin furchtbar müde.

JÜRGEN: Vielleicht hast du zu lange geschlafen.

SILVIA: Nein, ich bin heute früh erst um vier Uhr von einer Party nach Hause gekommen.

JÜRGEN: Was hast du da so lange gemacht?

SILVIA: Ich habe ein paar alte Freunde getroffen. Wir haben Wein getrunken, und leider habe ich auch wieder ein paar Zigaretten geraucht.

JÜRGEN: Aber du rauchst doch seit zwei Jahren nicht mehr!

SILVIA: Stimmt. Jetzt muß ich eben wieder von vorn anfangen.

Situation 3. Das letzte Mal

Wann haben Sie das zuletzt gemacht?

Weitere Möglichkeiten: gestern, gestern abend, letzte Woche, gestern morgen (vormittag, mittag, nachmittag), letzten Montag (Dienstag . . .), letztes Jahr

MODELL: Wann haben Sie mit ihrer Mutter gesprochen?
Ich habe diese Woche mit meiner Mutter gesprochen.

1. Wann haben Sie Ihr Auto gewaschen?
2. Wann haben Sie gebadet?
3. Wann sind Sie ins Theater gegangen?
4. Wann haben Sie Ihre Freundin/Ihren Freund in der Stadt getroffen?
5. Wann haben Sie einen Film gesehen?
6. Wann sind Sie in die Disco gegangen?
7. Wann haben Sie fürs Studium gearbeitet?
8. Wann sind Sie einkaufen gegangen?
9. Wann haben Sie eine Zeitung gelesen?
10. Wann haben Sie das Geschirr gespült?
11. Wann sind Sie spät ins Bett gegangen?
12. Wann sind Sie den ganzen Abend zu Hause geblieben?

ERLEBNISSE ANDERER PERSONEN

Grammatik 4.2 – 3

Maria frühstückt.   Sie hat gefrühstückt.
Gustav spielt Tennis.   Er hat Tennis gespielt.

Maria ißt schnell.   Sie hat schnell gegessen.
Gustav fährt nach Hause.   Er ist nach Hause gefahren.

In den Ferien

Jutta ist ins Schwimmbad gefahren.

Sie hat in der Sonne gelegen.

Sie ist geschwommen.

Sie hat Musik gehört.

Jens und Robert
haben Postkarten
geschrieben.

Sie sind in den
Bergen gewandert.

Sie haben
Tennis gespielt.

Sie haben viel
gelesen.

Sit. 4. The purpose of this activity is to concentrate on the narration of activities that others have done. Ask questions such as: *Wer hat am Samstag sein Zimmer aufgeräumt? Was hat Herr Thelen am Sonntag gemacht? Ist Josie am Samstag spazierengegangen oder ist sie tanzen gegangen? usw.*

Situation 4.   Interaktion: Wochenende

Was haben Jens, Josie und Herr Thelen am letzten Wochenende gemacht?

	FREITAG	SAMSTAG	SONNTAG
JENS	ist tanzen gegangen. ist spät ins Bett gegangen.	hat sein Zimmer aufgeräumt. hat bis 13 Uhr geschlafen.	hat seine Wäsche gewaschen. hat Tennis gespielt.
JOSIE	hat eine Karte geschrieben. hat den Hund gebadet.	hat mit einer Freundin gefrühstückt. ist ins Kino gegangen.	ist spazieren gegangen. hat gestrickt.
HERR THELEN	hat sein Auto gewaschen. hat einen Film gesehen.	hat mit seinen Nichten gespielt. ist früh ins Bett gegangen.	hat Fotos gemacht. hat einen Freund besucht.

S1: **Wer hat den Hund gebadet?**
S2: **Josie.**
S1: **Wann hat Herr Thelen Fotos gemacht?**
S2: **Am Sonntag.**

Situation 5. Richards Wochenende

Situation 6. Josef Bergmanns Freunde aus Regensburg

Diese sind die Aktivitäten von Josefs Freunden. Sagen Sie, was jede dieser Personen vor und nach den beschriebenen Aktivitäten gemacht hat.

1. Anton hat mit seinen Eltern in einem Restaurant gegessen.
   Vorher hat er . . .
   Nachher hat er . . .
2. Gerda hat bis morgens um 3 Uhr in einer Disco getanzt.
   Vorher . . .
   Nachher . . .
3. Jürgen hat den ganzen Tag in der Bibliothek gearbeitet.
4. Anna hat ihr neues Auto gewaschen.
5. Bernd hat bei einer Familienfeier einen Anzug getragen.
6. Katrin ist zu Hause geblieben und hat einen Film im Fernsehen gesehen.
7. Andreas ist mit Freunden ins Kino gegangen.
8. Herbert ist den ganzen Vormittag mit Kopfschmerzen im Bett geblieben.

Situation 7.   Dialog: Letzten Sommer

Sie haben einen Freund/eine Freundin getroffen und er/sie will wissen, was Sie letzten Sommer gemacht haben. Sie haben eigentlich nichts Interessantes gemacht, aber Sie möchten ihn/sie beeindrucken. Also müssen Sie etwas erfinden.

s1: Na, lange nicht gesehen! Was hast du diesen Sommer gemacht?
s2: Ich habe _____. Dann bin ich _____. Ich . . .

IHRE EIGENEN ERLEBNISSE

Grammatik 4.4

In this section we concentrate on activities that require use of verbs with separable prefixes.

Rolf telefoniert.   Er hat auch gestern telefoniert.
Nora sieht fern.   Sie hat auch gestern ferngesehen.

1. Wann sind Sie aufgewacht?
2. Wann sind Sie aufgestanden?
3. Wann sind Sie von zu Hause weggegangen?
4. Wann hat das Seminar angefangen?
5. Wann hat das Seminar aufgehört?
6. Wann sind Sie nach Hause zurückgekehrt?
7. Wann haben Sie unsere Klausuren korrigiert?

1. Hast du gestern im Supermarkt eingekauft?
2. Hast du auch abgewaschen?
3. Wann hast du mit deiner Freundin telefoniert?
4. Hast du ferngesehen?
5. Hast du dein Fahrrad repariert?
6. Bist du abends mit Freunden weggegangen?

Situation 8.   Interview

Was hast du heute morgen gemacht?

1. Wann bist du aufgestanden?
2. Hast du gebadet?
3. Hast du dein Haar gewaschen?
4. Hast du gefrühstückt? Was hast du gegessen?
5. Wann bist du von zu Hause weggegangen?
6. Bist du mit dem Auto oder mit dem Bus gefahren?
7. Wann bist du in der Uni angekommen?
8. Wann hat das Seminar angefangen?
9. Hast du danach etwas Interessantes gemacht?
10. Hast du Freunde getroffen?

Was hast du gestern abend gemacht?

1. Hast du gestern eingekauft?
2. Hast du abgewaschen?
3. Hast du gestern abend fürs Studium gearbeitet?
4. Bist du ins Kino gegangen? Hat dir der Film gefallen?
5. Hast du ferngesehen?
6. Hast du mit Freunden telefoniert?
7. Hast du Sport getrieben?
8. Hast du jemanden besucht?

Sit. 8. The first three parts require *du*, but in the fourth one students pretend they are interviewing their instructor, and so they must use *Sie*.

AA 2. Act out a common activity, for example, reading a newspaper. Ask the students to tell you what you did (using the *Sie*-form). Do several; then ask for a volunteer. Students should use the *du*-forms when describing to each other and the *er/sie*-forms when describing to the class.

Sit. 9. Practice formulating questions with both *du*- and *Sie*-forms. Follow up: 1. Ask for volunteers to ask you questions. 2. Pair students and have them ask each other the questions they have formulated.

AA 3. Game. A student volunteer goes out of the classroom. The class as a whole decides on a crime that the student committed. The student reenters the room and must ask the class questions to determine what crime he/she committed. The class is permitted to answer only *ja* or *nein*. Note that this activity will force the student to use many first-person singular present perfect forms.

9. Hast du Zeitung gelesen?
10. Wann bist du ins Bett gegangen?

Was hast du gestern gemacht?

1. Bist du gestern im Seminar gewesen?
2. Wann hat das Seminar angefangen?
3. Hast du einen Brief geschrieben?
4. Bist du nachmittags geschwommen oder gejoggt?
5. Hast du Tennis gespielt?
6. Hast du danach geduscht?
7. Hast du Musik gehört?
8. Hast du abends Freunde eingeladen?
9. Was hast du gekocht?
10. Was habt ihr getrunken?

Gestern: Interview mit dem Professor/der Professorin

1. Wann sind Sie aufgestanden?
2. Haben Sie ein Seminar gehalten?
3. Wann hat es angefangen? Wann hat es aufgehört?
4. Haben Sie einen Freund/eine Freundin angerufen?
5. Haben Sie eine Klausur korrigiert?
6. Haben Sie mit Studenten gesprochen?
7. Haben Sie Formulare ausgefüllt?
8. Wann haben Sie den Test zurückgegeben?

Situation 9. Neugier

1. Sie sind sehr neugierig. Sie wollen ganz genau wissen, was Ihr Professor/ Ihre Professorin am Wochenende gemacht hat. Aber er/sie darf nur mit **ja** oder **nein** antworten. Sie dürfen nur 10 Fragen stellen.

   MODELL: Haben Sie einen Freund besucht?

2. Sie möchten auch wissen, was ein Mitstudent/eine Mitstudentin am Wochenende gemacht hat. Sie haben wieder nur 10 Fragen.

   MODELL: Hast du einen Film gesehen?

UNSERE STRASSE: Ernst muß schuften[1]

Gestern hatte Ernst einen schlechten Tag, er mußte seiner Mutter im Haus helfen. Freiwillig[2] tut er das nie.

Zuerst hat er sein Zimmer aufgeräumt und sein Bett gemacht. Dann hat er mit seinem Vater den Wagen gewaschen und gewachst. Nach dem Mittagessen[3] hat er seiner Mutter in der Wohnung geholfen, hat das Geschirr abgetrocknet,

© Ulrike Welsch

Vater und Tochter beim Einkaufen. Da sehr viele Frauen einen Beruf ausüben, sollte es selbstverständlich sein, daß beide Ehepartner sich an Haushalt und Kinderbetreuung beteiligen.

im Wohnzimmer staubgesaugt[4] und in der ganzen Wohnung staubgewischt.[5] Danach ist er einkaufen gegangen, war beim Metzger, beim Bäcker und im Supermarkt. Kurz vor sechs ist er dann noch mit dem Rad zur Wäscherei gefahren und hat die Wäsche geholt. Abends hat er noch eine Stunde[6] ferngesehen und ist dann ins Bett gegangen. Todmüde![7]

[1]*hart arbeiten* [2]*voluntarily* [3]*lunch* [4]*vacuumed* [5]*dusted* [6]*hour* [7]*dead tired*

Fragen

1. Hilft Ernst seinen Eltern freiwillig?
2. Was hat er zuerst gemacht?
3. Hat er allein den Wagen gewaschen?
4. Was hat er nach dem Mittagessen gemacht?
5. Wo war er danach?
6. Wohin ist er kurz vor sechs gefahren?
7. Was hat er abends gemacht?

ERINNERUNGEN

1. Wir sind nach Berlin geflogen.
2. Wir haben uns die Berliner Mauer angeschaut.
3. Wir haben Ost-Berlin besucht.
4. Habt ihr auf dem Kurfürstendamm gutes Essen bekommen?
5. Seid ihr auf dem Wannsee gesegelt?
6. Habt ihr die Gedächtniskirche besichtigt?

Situation 10. Letzten Monat

Was haben Sie letzten Monat mit Ihren Freunden und Verwandten gemacht?
Was haben Sie mit wem gemacht?

MODELL: ins Kino gegangen → Letzte Woche bin ich mit meiner Schwester ins Kino gegangen.

1. Sport getrieben
2. Ski gefahren
3. in einem Restaurant gegessen
4. ein Bier getrunken
5. einen Film gesehen
6. getanzt
7. Schlittschuh gelaufen
8. geritten
9. gejoggt
10. verreist

Text: Let some students talk about what they did last weekend. First put the verbs that are used in the text on the board and then let students use them in their narratives. Expand on individual statements: *S: Ich habe einen Film gesehen. I: Welchen Film haben Sie gesehen? S: . . . I: Wie hat Ihnen der Film gefallen? S: Gut. I: Ja, ich habe ihn auch gesehen und er hat mir auch gefallen. Und was haben Sie nach dem Film gemacht? S: . . .*

CARSTENS WOCHENENDE

Carsten ist Student in Göttingen. Er erzählt seinem Freund Rolf in einem Brief, was er mit seiner neuen Freundin Petra am Wochenende gemacht hat.

© Erwin Tschirner

Die Johanneskirche in Göttingen mit ihren zwei verschiedenen Türmen

AA 4. Use the following open-ended sentences to stimulate conversation about past experiences. You will probably want to use only one or two per activity. *1. In der Schule habe ich einmal . . . 2. Weihnachten vor einem Jahr habe ich zum ersten Mal . . .3. In der Schule habe ich einen Frosch auf den Stuhl der Lehrerin gesetzt. Sie ist sofort . . . 4. Als ich meine(n) Freund(in) zum ersten Mal geküßt habe, hat sie/er . . . 5. Einmal habe ich eine verrückte Sache gemacht, ich bin . . . 6. Einmal habe ich mich mit meinem Vater gestritten, weil er . . .*

Both constructions, *vor/seit* + time, are somewhat difficult for English-speaking students.

AA 5. Tell students to pretend they missed class yesterday. Each one must make up an excuse for not coming to class. The class will then vote on the most original, the most unbelievable, and the funniest excuses.

Freitag bin ich mit Petra, einer Studentin, bei „Potis" Griechisch essen gegangen. Danach haben wir im Kino einen Film gesehen. Der Film hat mir nicht so besonders gefallen, aber danach sind wir in der Fußgängerzone spazierengegangen und haben viele nette Leute von der Uni getroffen. Wir sind zum „Pegasus" gegangen und haben draußen auf der Terrasse ein Bier getrunken.

Samstag haben wir eine Radtour zur Burg Plesse gemacht. Das ist ein Ausflugslokal in der Nähe von Göttingen. Wir haben die Aussicht genossen und dort einen Kaffee getrunken und Apfelkuchen gegessen. Danach sind wir durch den Wald zurückgefahren und haben in Elliehausen in einem Landgasthaus zu Abend gegessen.

Sonntag sind wir mit Freunden an einen Baggersee in Northeim gefahren und haben den ganzen Tag in der Sonne gelegen und gebadet. Wir haben etwas zu essen und zu trinken mitgenommen und ein Picknick gemacht. Petra und ich haben einen Sonnenbrand bekommen.

Fragen

1. Ist Carstens Wochenende anders als Ihr Wochenende verlaufen?
2. Was hat er gemacht, was Sie nicht gemacht haben?
3. Was haben Sie gemacht, was er nicht gemacht hat?

Situation 11. Interaktion: Das Wochenende der Nachbarn

Was haben die Nachbarn der Wagners am Wochenende gemacht?

	FREITAG	SAMSTAG	SONNTAG
Herr Siebert	hat auf der Terrasse gesessen.	hat im Restaurant gegessen.	ist in die Kirche gegangen.
Frau Körner	ist ins Kino gegangen.	hat neue Nachbarn kennengelernt.	ist im Wald gewandert.
die Rufs	haben eingekauft.	haben Tennis gespielt.	haben Verwandte besucht.

S1: Was hat Herr Siebert am Freitag gemacht?
S2: Er hat auf der Terrasse gesessen.

S1: Wer ist am Sonntag im Wald gewandert?
S2: Frau Körner.

ERFAHRUNGEN

Grammatik 4.5

November 1987

November 1986

August 1987

Rolf sitzt in der Bibliothek der Universität Berkeley.

Vor einem Jahr hat Rolf an der Universität Göttingen studiert.

Seit drei Monaten studiert er in Berkeley.

Sit. 12. Tell students details about yourself; stress the *seit* + time construction. *Seit zwei Jahren arbeite ich hier und seit drei Jahren studiere ich an dieser Universität.* Ask students questions about their past: *Seit wann lernen Sie Deutsch? Seit wann studieren Sie? Seit wann . . . ?* Then expand the situation.

Situation 12. Interaktion: Seit wann?

	ROLF	JUTTA
Tennis spielen	seit drei Jahren	seit vier Wochen
Ski fahren	seit fünf Jahren	seit einem Jahr
Englisch lernen	seit elf Jahren	seit vier Jahren
jeden Tag joggen	seit fünf Tagen	

in die Disco gehen   seit vier Jahren   seit drei Monaten
zur Schule gehen   seit zehn Jahren
Psychologie studieren   seit zwei Jahren
Musik hören   seit sechs Jahren   seit zwei Jahren

S1: Seit wann spielt Rolf Tennis?
S2: Seit drei Jahren.

Sit. 13. Have students work in pairs to ask and answer questions: *S.1: Wann ist Renate von Berlin nach Paris gefahren? S.2: Vor einem Jahr. Und womit ist sie gefahren? S.1: Mit dem Auto. usw.* Go from pair to pair and pay attention to endings to make sure students use the dative correctly.

Situation 13.   Interaktion: Geschäftsreisen

Renate Röder arbeitet für eine Computerfirma in West-Berlin. Sie arbeitet im Verkauf und ist daher viel auf Reisen. Hier ist eine Liste der Reisen, die sie im letzten Jahr gemacht hat.

VON	NACH	WANN	VERKEHRSMITTEL
Berlin	Paris	vor einem Jahr	mit dem Flugzeug
Paris	Madrid	vor sechs Monaten	mit dem Zug
Madrid	Rom	vor vier Wochen	mit dem Flugzeug
Rom	München	vor neun Tagen	mit dem Zug
München	Berlin	vor vierzig Stunden	mit dem Auto

S1: Wann ist Renate nach Rom gefahren?
S2: Vor vier Wochen.

S1: Wie ist sie nach Madrid gekommen?
S2: Mit dem Zug.

Sit. 14. Have students work in groups.

Situation 14.   Lebenslauf

Lebenslauf

Name: Rolf Schmitz
geboren: am 15.10.1965 in Krefeld
     deutsche Staatsangehörigkeit
Adresse: Sprangerweg 6, 3400 Göttingen
Schulbildung: 1971–1975 Grundschule in Göttingen
     1975–1984 Max-Planck-Gymnasium in Gött.
Studium: 1984–1987 Psychologiestudium an der
     Universität Göttingen
     seit Herbst 1987 Austauschstudent an
     der Universität von Kalifornien in Berkeley

1. Wann ist Rolf geboren?
2. Wo studiert er?
3. Wo hat er studiert?
4. Wann hat er da studiert?
5. Wie lange ist er aufs Gymnasium gegangen?

Situation 15.   Erinnerungen: ein indiskretes Interview

1. Seit wann gehst du an die Uni?
2. Seit wann lernst du Deutsch?
3. Wann bist du zum ersten Mal ausgegangen?
4. Wann hast du deinen ersten Kuß bekommen?
5. Wann hast du deinen Führerschein gemacht?
6. Trinkst du Alkohol? Seit wann?
7. Seit wann kennst du deinen Freund/deine Freundin?
8. Rauchst du? Wann hast du die erste Zigarette geraucht?

VOKABELN

Zu Hause

	At Home
abwaschen (wäscht . . . ab), abgewaschen	to wash the dishes
anfangen (fängt . . . an), angefangen	to start
antworten	to answer
aufräumen, aufgeräumt	to tidy up
aufwachen, aufgewacht	to wake up
beeindrucken, beeindruckt	to impress
erfinden, erfunden	to invent
erzählen, erzählt	to tell
gefallen (gefällt), gefallen	to like
Es hat mir gefallen	I liked it.
genießen, genossen	to enjoy
halten (hält), gehalten	to hold
halten . . . für	to consider, regard as
spülen	to wash, rinse
das Geschirr spülen	to wash dishes

stellen	to put
streiten, gestritten	to fight, quarrel
zurückgeben (gibt . . . zurück), zurückgegeben	to give back

Ähnliche Wörter: reparieren / telefonieren

Erinnern Sie sich: abtrocknen, abgetrocknet / anrufen, angerufen / arbeiten / aufstehen, ist aufgestanden / ausgehen, ist ausgegangen / baden / beginnen, begonnen / bekommen, bekommen / beschreiben, beschrieben / besuchen, besucht / bleiben, ist geblieben / brauchen / bringen, gebracht / duschen / essen (ißt), gegessen / fernsehen, ferngesehen / finden, gefunden / fragen / frühstücken / gehen, ist gegangen / kaputtschlagen (schlägt . . . kaputt), kaputtgeschlagen / kochen / kommen, ist gekommen / küssen / laufen (läuft), ist gelaufen / liegen, gelegen / nehmen (nimmt), genommen / putzen / schlafen (schläft), geschla-

fen / sehen (sieht), gesehen / singen, gesungen /
sitzen, gesessen / spielen / suchen / tragen (trägt),
getragen / trinken, getrunken / tun, getan / vorbeikommen, ist vorbeigekommen / waschen
(wäscht), gewaschen

Reisen — Traveling

besichtigen, besichtigt	to visit; to have a look at
mitnehmen (nimmt . . . mit), mitgenommen	to take along
reiten, ist geritten	to ride a horse
sich verlaufen (verläuft), verlaufen	to get lost
zurückfahren (fährt . . . zurück), ist zurückgefahren	to drive back
zurückkehren, ist zurückgekehrt	to come/go back, return

Ähnliche Wörter: parken

Erinnern Sie sich: ankommen, ist angekommen /
einpacken, eingepackt / einsteigen, ist eingestiegen / fahren (fährt), ist gefahren / fliegen, ist
geflogen / kennenlernen, kennengelernt / mitkommen, ist mitgekommen / radfahren (fährt . . .
Rad), ist radgefahren / reisen, ist gereist / schwimmen, ist geschwommen / treffen (trifft), getroffen
/ verreisen, ist verreist / wandern, ist gewandert /
wegfahren (fährt . . . weg), ist weggefahren

die Aussicht, -en	view
das Ereignis, -se	event
die Erfahrung, -en	experience
die Erinnerung, -en	memory
das Erlebnis, -se	experience, event, occurrence
die Feier, -n	party, celebration
die Geschäftsreise, -n	business trip
die Radtour, -en	bicycle tour
das Verkehrsmittel	means of transportation
der Zug, ⸚e	train

Erinnern Sie sich: das Auto, -s / der Bus, -se / die
Fahrt, -en / die Ferien (*pl.*) / das Moped, -s / das
Motorrad, ⸚er / die Postkarte, -n / der Urlaub, -e / das
Taxi, -s

Das Studium — Studies

halten (hält), gehalten	to hold
ein Seminar halten	to give a seminar
korrigieren, korrigiert	to correct

Erinnern Sie sich: ausfüllen, ausgefüllt / denken,
gedacht / hören / lernen / lesen (liest), gelesen /
nachdenken, nachgedacht / schreiben, geschrieben / sprechen (spricht), gesprochen / studieren,
studiert / wissen (weiß), gewußt

der Austausch	exchange
der Austausch-student, -en	exchange student
die Austausch-studentin, -nen	
die Grundschule, -n	primary school
das Gymnasium, *pl.* die Gymnasien	high school
die Klausur, -en	written examination
die Schulbildung	education, schooling
das Studium (*sg.*)	studies

Erinnern Sie sich: die Klasse, -n / der Kurs, -e / die
Matrikelnummer, -n / die Prüfung, -en / das Semester, - / der Studentenausweis, -e / das Studienfach,
⸚er / der Stundenplan, ⸚e / die Universität, -en

Orte — Places

das Ausflugslokal, -e	(*restaurant in the country for Sunday hikers*)
der Baggersee, -n	man-made lake
die Burg, -en	castle
die Fußgängerzone, -n	pedestrian mall
die Kirche, -n	church
das Landgasthaus, ⸚er	country inn
die Mauer, -n	wall
die Berliner Mauer	the Berlin Wall
die Terrasse, -n	terrace, patio
der Wald, ⸚er	forest, woods

Erinnern Sie sich: die Apotheke, -n / die Bäckerei,
-en / der Berg, -e / die Bibliothek, -en / die Disco, -s
/ die Drogerie, -n / das Haus, ⸚er / das Hotel, -s / das
Kino, -s / das Krankenhaus, ⸚er / das Meer, -e / die
Mensa, *pl.* die Mensen / das Museum, *pl.* die Museen
/ der Park, -s / die Pizzeria, -s / das Restaurant, -s /
der See, -n / die Stadt, ⸚e / der Strand, ⸚e / die Straße,
-n / der Supermarkt, ⸚e / das Theater, - / die Universität, -en (die Uni)

Substantive / Nouns

Substantive	Nouns
der **Apfelkuchen**, -	apple cake
der **Apfelsaft**	apple juice
das **Beispiel**, -e	example
die **Firma**, *pl.* die **Firmen**	firm, company
das **Formular**, -e	form
der **Frosch**, ⸚e	frog
die **Karte**, -n	card
die **Kopfschmerzen** (*pl.*)	headache
der **Kuß**, *pl.* die **Küsse**	kiss
der **Lebenslauf**, ⸚e	résumé
die **Möglichkeit**, -en	possibility
der **Nachbar**, -n die **Nachbarin**, -nen	neighbor
die **Neugier**	curiosity
die **Nichte**, -n	niece
der **Sonnenbrand**	sunburn
der **Verkauf**	sale
Weihnachten	Christmas

Ähnliche Wörter: die **Aktivität, -en** / die **Zigarette, -n**

Nützliche Wörter und Wendungen / Useful Words and Phrases

ander-	other
anders	otherwise, different(ly)
auf	on, upon, on to
daher	therefore
danach	afterward
den **ganzen Abend**	the entire evening
draußen	outside
eigen-	own
eigentlich	actually
ein **paar**	a few
etwas **Interessantes**	something interesting
gestern	yesterday
heute früh	early this morning
im **Verkauf arbeiten**	to work as a salesperson
jeder, jedes, jede	every, each
jemand	somebody
letzt-	last
nach Berlin	to Berlin
nachher	after(ward)
neugierig	curious
nicht mehr	not any more
nichts	nothing
nur	only
seit	since
seit (drei Monaten)	for (three months)
verrückt	crazy
von vorn	all over again
vor einem Jahr	a year ago
vorher	before, previously
vorn	in front, in the foreground
weiter-	further
weitere Möglichkeiten	other possibilities
wem	whom, to whom
wieder	again
wieder von vorn anfangen	to start all over again
zuletzt	last, for the last time
zum ersten/letzten Mal	for the first/last time

Ähnliche Wörter: chronologisch / griechisch / indiskret

ZUSÄTZLICHE TEXTE

EINE FAHRT NACH WIEN: Claire

Claire ist von Regensburg aus nach Österreich gefahren. Sie ist schon seit zwei Wochen dort und macht eine Rundreise, um das Land kennenzulernen. Sie schreibt einen ersten Bericht[1] an ihre Freunde Melanie und Josef in Regensburg.

© Judy Poe

Studenten musizieren in der
Kärntnerstraße in Wien. In
der Fußgängerzone von Wien
hört man nur klassische
Musik.

Wien, den 17. September

Hallo, Ihr beiden,

jetzt bin ich schon seit zwei Wochen in Österreich, und die Zeit ist vergangen wie im Fluge.[2] Zuerst war ich in Innsbruck, das war ganz nett, nicht sehr aufregend,[3] aber es ist ja auch eine relativ kleine Stadt. Ich habe mir die olympischen Sportanlagen in Igls angesehen, das ist ein Dorf[4] ganz in der Nähe. Danach war ich in Salzburg. Natürlich ist das eine sehr schöne Stadt. Wie sagt man das nochmal auf Deutsch? „Schmuckkästchen“?[5] Das ist es. Ich war natürlich im Mozarthaus und so weiter, aber ich hatte das Gefühl, da waren nur alte Leute. Jetzt bin ich seit einer Woche in Wien. Das ist toll. Ich lese nochmal mein Lieblingsbuch:[6] John Irvings „Garp und wie er die Welt sah“ (ich lese es tatsächlich auf Deutsch). Es ist besonders schön, es hier in Wien zu lesen. Ich gehe an alle die Orte, die er im Buch beschreibt. Ich war im Stephansdom, im Schloß Schönbrunn und im Prater. Die Wiener Philharmoniker habe ich auch gehört. Sehr gut!

Aber was mir wirklich am besten gefällt, ist einfach durch die Straßen zu laufen, in einem Café zu sitzen und mir die Leute anzusehen. Hier gibt es eine Straße, die heißt Blutgasse.[7] Das ist doch mal eine gute Adresse.

Interessant ist auch die Kulturszene, es gibt sehr viele Künstler und Sänger. Ich habe Andre Heller gehört und Falco.[8]

Ich bleibe noch ein paar Tage, gehe weiter an der schönen blauen Donau spazieren und fahre dann nach Graz. In zwei Wochen bin ich wahrscheinlich[9] wieder in Regensburg.

Bis dahin
Eure Claire

[1]*report* [2]*ist . . . has flown* [3]*exciting* [4]*village* [5]*jewel box* [6]*favorite book* [7]*"blood alley"*
[8](siehe KN) [9]*probably*

1. Wie lange ist Claire schon in Österreich?
2. Was hat Claire in Innsbruck besucht? Wie war es dort?
3. Wo war sie dann?
4. Was schreibt sie über Salzburg?
5. Welche Stadt gefällt ihr in Österreich am besten?
6. Was ist ihr Lieblingsbuch?
7. In welcher Sprache liest sie es?
8. Wo war sie in Wien?
9. Was tut sie am liebsten?
10. Welche Sänger hat sie gehört?
11. An welchem Fluß liegt Wien?
12. Wann will Claire wieder in Regensburg sein?

KULTURELLE NOTIZ: Andre Heller und Falco

Andre Heller ist ein Schriftsteller,[1] Sänger und Komponist aus Österreich.

Falco ist Popsänger. Seine Lieder: „Alles klar, Herr Kommissar" und „Amadeus" kennt man auch in den USA.

[1]Autor

VERANSTALTUNGEN[1] IN DRESDEN: Sofie und Willi

Sofie Pracht und ihr Freund Willi Schuster haben das neue Programm für den Monat März vom Klubhaus „Freundschaft" in Dresden bekommen. Sie machen einen Plan, zu welchen Veranstaltungen sie gehen wollen.

SOFIE: Am 12. März, das ist ein Freitag, gibt es einen „Treffpunkt der Frau" zum Thema: Frauen und Mädchen in technischen Berufen. Es spricht Ingenieur Helga Petermann. Das ist sicher interessant. Es beginnt um 19.30 Uhr, danach können wir ins Kino gehen.

WILLI: Meinetwegen.[2] Gibt es in diesem Monat auch einen Vortrag?[3]

SOFIE: Ja, am 19., da spricht ein Herr Klaus Wichel über „Afrika—gestern und heute . . ."

WILLI: So ein blöder[4] Titel. Die sollen sich doch mal was Neues ausdenken, da heißen immer alle Vorträge: X—gestern und heute.

Die Hofkirche und das Operhaus in Dresden

SOFIE: Ja, sie haben wirklich wenig Ideen. Aber das ist der einzige Vortrag in diesem Monat, und er kostet 1.05 M.

WILLI: Auch das noch, und wie ist es mit Schach?

SOFIE: Am 28. März, das ist ein Sonntag, sind Schachwettkämpfe,[5] von 9 bis 16 Uhr, aber du mußt dich bis zum 25. im Sekretariat des Klubhauses anmelden.[6]

WILLI: Das mache ich, ich habe gute Chancen, wieder zu gewinnen. Die Typen da können doch kein Schach.

SOFIE: Jeden Samstag sind Tanzveranstaltungen mit dem Werner-Neubert-Quartett. Kennst du die?

WILLI: Nein, aber wenn die so sind, wie sie heißen, dann brauchen wir da auch nicht hinzugehen.

SOFIE: Ja, und Eintritt[7] kostet es auch. Aber hier ist noch eine interessante Sache: am 17. März eröffnen sie das Lesecafé um 16 Uhr, dahin kommen dann Autoren und lesen aus ihren Werken. Das ist sicher gut.

WILLI: Ja, das klingt gut. Gibt es sonst noch etwas?

SOFIE: Nein, das ist alles.

WILLI: Besonders aufregend ist das nicht.

[1]*events* [2]*Why not.* [3]*lecture* [4]*dumm* [5]*chess competitions* [6]*registrieren* [7]*admission*

Fragen

1. Was für ein Programm haben Sofie und Willi?
2. Wer spricht beim „Treffpunkt der Frau"?
3. Worüber spricht Klaus Wichel?
4. Was hält Willi von dem Titel?
5. Wann sind die Schachwettkämpfe?
6. Was hält Willi von den anderen Schachspielern?
7. Was hält Willi von der Band?
8. Was eröffnet das Klubhaus am 17. März? Was passiert?

Diskussion

1. Gehen Sie in einen Klub?
2. Was machen Sie in Ihrer Freizeit?

UNSERE STRASSE: Michael hat einen Kater[1]

Maria Schneider, Michael Puschs Freundin, telefoniert mit Frau Gretter. Michael ist krank, das heißt, wirklich krank ist er nicht, er hat einen Kater und liegt zu Hause im Bett.

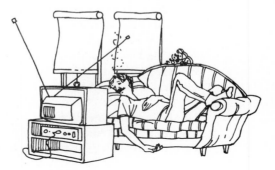

FRAU GRETTER: Was habt ihr gestern gemacht?

MARIA: Zuerst sind wir in die „Alte Galerie" essen gegangen. Das Essen hat sehr gut geschmeckt.[2]

FRAU GRETTER: Was habt ihr denn gegessen?

MARIA: Ich habe Seezungenfilet[3] in Tomaten-Buttersauce und einen Salat gegessen, und Michael hat eine französische Zwiebelsuppe[4] und dann Hirschragout[5] gegessen. Zum Essen haben wir zwei Flaschen Wein getrunken. Das war noch nicht so schlimm, wir waren drei Stunden da, aber dann hat Michael angefangen, Kognak zu trinken. Ich habe nicht gezählt.[6] Er ist nicht mehr gefahren, er war zu betrunken. Dann sind wir zum „Filou" gefahren,

da hat er dann Wodka getrunken. Wir sind bis zwei Uhr
geblieben.

FRAU GRETTER: Und du hast nichts getrunken?

MARIA: Doch, ich habe weiter Wein getrunken. Wir haben dann das
Auto dort gelassen[7]und sind mit dem Taxi nach Hause gefahren.
Michael ist sofort ins Bett gefallen. Ich wollte ihm noch Vitamin
C geben, aber er hat schon halb geschlafen.

FRAU GRETTER: Und du hast keinen Kater?

MARIA: Nein, ich fühle mich wohl.

FRAU GRETTER: Der arme Michael.

MARIA: Ach, so arm ist er nicht, er hat ja selbst schuld,[8] daß es ihm
schlecht geht. Heute mußte er in der Agentur anrufen und sagen,
daß er nicht kommen kann. Er liegt im Bett, leidet und schaut
Videos an. Ich habe gerade mein Auto geholt und ihm noch zwei
Filme besorgt. Heute abend hat er sicher viereckige Augen vom
vielen Fernsehen.

[1]*hangover* [2]*tasted* [3]*filet of sole* [4]*onion soup* [5]*venison stew* [6]*counted* [7]*left*
[8]er . . . *it's his own fault*

Fragen

1. Was haben Maria und Michael gestern gemacht?
2. Wo waren sie essen?
3. Was hat Michael getrunken?
4. Wohin sind sie nach dem Essen gegangen?
5. Was hat Michael im „Filou" getrunken?
6. Wie sind Maria und Michael nach Hause gefahren?
7. Wie geht es Michael heute?
8. Hat Maria auch einen Kater?
9. Arbeitet Michael heute?
10. Warum hat er heute abend „viereckige Augen"?

KULTURELLE BEGEGNUNGEN: Norddeutsch / Süddeutsch

Ist jemand, der Fleisch- und Wurstwaren herstellt,[1] ein Schlachter oder ein Metzger? Ist Maria „klug"[2] oder „gescheit"? Die Norddeutschen gehen „nach Hause", die Süddeutschen „heim". Welche Wörter sind typisch süddeutsch, welche typisch norddeutsch? Hier ist eine Liste mit Wörtern in verschiedenen Dialekten.

NORDDEUTSCH	SÜDDEUTSCH / ÖSTERREICHISCH
Schlachter	Metzger
klug	gescheit
nach Hause	heim

Hamburg ist eine Hafenstadt an der Elbe im Norden der Bundesrepublik. Im Zentrum von Hamburg kann man an der Alster, einem Nebenfluß der Elbe, spazierengehen.

© Peter Menzel

...ipfelkreuz auf dem Ober-...alzberg im Berchtesgadener Land ganz im Süden der Bundesrepublik.

© Erwin Tschirner

NORDDEUTSCH	SÜDDEUTSCH / ÖSTERREICHISCH
der Junge	der Bub
der Schnupfen[3]	der Katarrh
langweilig	fad
schick[4]	fesch
sich beeilen[5]	sich schicken
es ist eilig[6]	es pressiert
dieses Jahr	heuer
morgens	in der Früh
nicht wahr?	gell?
zu Hause	daheim
das Abendbrot	das Abendessen
der Rotkohl[7]	das Blaukraut
natürlich	freilich
Karneval[8]	Fasching
doof[9]	deppert
die Sahne[10]	der Rahm

[1]prepares [2]clever [3]head cold [4]chic [5]to hurry up [6]urgent [7]red cabbage [8](siehe KN) [9]dumm [10]cream

KULTURELLE NOTIZ: Karneval

Karneval in Mainz. Alt und jung feiert und zieht verkleidet durch die Straßen. Vor allem im Rheinland und im Süden der Bundesrepublik— und natürlich in Österreich und der Schweiz—hat der Karneval oder Fasching Tradition.

Text: Bring slides or pictures from your PF to give an impression of *Karneval*. Ask students if they have ever been to a *Karneval*—e.g., the Mardi Gras (Fat Tuesday) in New Orleans; if so, let them talk about their experiences.

Den Karneval oder Fasching feiert man vierzig Tage vor Ostern. Es ist die Zeit vor der Fastenzeit,[1] die am Aschermittwoch beginnt und bis Ostersonntag dauert. Man feiert Karneval hauptsächlich[2] in den katholischen Gegenden[3] der Bundesrepublik, zum Beispiel im Westen und Süden. An vier oder fünf Tagen verkleiden[4] sich die Leute, und es gibt Umzüge[5] in den Straßen. In den USA gibt es auch einen Karneval, er heißt „Mardi Gras" und findet in New Orleans statt.

[1]*lent* [2]*mainly* [3]Regionen [4]*disguise* [5]*parades*

STRUKTUREN UND ÜBUNGEN

4.1. In this section we formally introduce the perfect construction, emphasizing the use of *haben* and *sein* as auxiliaries. The formation of the participles is explained in Section 4.2, and verbs with separable prefixes are dealt with in Section 4.4.

4.1 Perfekt 1: haben und sein

Both German and English have a past tense (**ich trank**, *I drank*) and a perfect tense (**ich habe getrunken**, *I have drunk*). But whereas English speakers use both the past and the perfect in conversation, German speakers generally prefer to describe past events in conversation with the perfect tense. The past tense, which we will study in **Chapter 7**, is used mostly in writing.

> **Hast du** Tee **getrunken**? —Nein, **ich habe** Kaffee **getrunken**.
> *"Did you drink tea?" "No, I drank coffee."*

> **Hast du** schon **gefrühstückt**? —Nein, **ich habe** nur eine Tasse Kaffee **getrunken**.
> *"Have you had breakfast yet?" "No, I only had a cup of coffee."*

Like the English present perfect *have washed*, German also uses an auxiliary and a past participle.

	HILFSVERB		PARTIZIP
Ich	habe	mein Auto	gewaschen.

These two parts of the verb phrase, the auxiliary and the participle, form a **Satzklammer**, and enclose the rest of the sentence between them.

> Hast du denn wieder zuviel Kaffee getrunken?

> Nein, ich habe gestern abend gar keinen Kaffee getrunken.

> *"Did you drink too much coffee again?" "No, last night I didn't drink any coffee at all."*

English uses only the auxiliary verb *have* to form the perfect tense: *I have worked*. German uses two auxiliaries for the perfect tense, **haben** and **sein**. **Haben** is used with most verbs; **sein** is used with verbs that do not take an accusative object and that denote a change of location (such as walking) or a change of condition (such as waking up).

SEIN

Ich **bin** früh **aufgestanden**.
I got out of bed early.

Stefan **ist** ins Kino **gegangen**.

Stefan went to the movies.

HABEN

Dann **habe** ich **gefrühstückt**.
Then I ate breakfast.

Er **hat** einen neuen Film **gesehen**.
He saw a new film.

> **Ist** Heidi mit dem Auto **gefahren**?
>
> *Did Heidi go by car?*

> Nein, sie **hat** den Zug
> **genommen**.
>
> *No, she took the train.*

In addition to verbs of change, **sein** itself and the verb **bleiben** (*to stay*) take **sein** as an auxiliary.

> **Bist** du schon mal in China **gewesen**?
> *Have you ever been to China?*

> Gestern **bin** ich zu Hause **geblieben**.
> *Yesterday I stayed home.*

Übung 1,2. Students only have to select the auxiliary—the participle is given.

Übung 1

Rosemaries erster Schultag

Rosemarie _____ bis 7 Uhr geschlafen. Dann _____ sie aufgestanden und _____ mit ihren Eltern und ihren Schwestern gefrühstückt. Sie _____ ihre Tasche genommen und _____ mit ihrer Mutter zur Schule gegangen. Ihre Mutter und sie _____ ins Klassenzimmer gegangen, und ihre Mutter _____ noch etwas dageblieben. Die Lehrerin, Frau Dehne, _____ alle begrüßt. Dann _____ Frau Dehne „Herzlich Willkommen" an die Tafel geschrieben.

Übung 2

Eine Reise nach Istanbul

1. Wir _____ ein Taxi genommen.
2. Wir _____ zum Bahnhof gefahren.
3. Wir _____ uns Fahrkarten gekauft.
4. Wir _____ in den Orientexpress eingestiegen.
5. Um 5.30 Uhr _____ wir abgefahren.
6. Im Speisewagen _____ wir gefrühstückt.
7. Wir _____ miserabel geschlafen.
8. Aber wir _____ gut in Istanbul angekommen.

Übung 3. Students choose the participle from a list according to the meaning of the sentence.

Übung 3

Ein ganz normaler Tag. Ergänzen Sie das Partizip. Verwenden Sie die Liste.

gegangen, aufgestanden, gehört, gefrühstückt, geduscht, gearbeitet, getroffen, gegessen, getrunken

1. Heute bin ich um 7 Uhr _____.
2. Ich habe _____, _____ und bin in die Uni _____.

3. Ich habe eine Vorlesung _____.
4. Um 10 Uhr habe ich ein paar Mitstudenten _____ und Kaffee _____.
5. Dann habe ich bis 12.30 Uhr in der Bibliothek _____ und habe in der Mensa zu Mittag _____.

4.2. We do not attempt to group and to explain the various sub-patterns for past participle formation. It is our experience that English-speaking students develop a relatively good feel for participle formation, if they are given opportunities to hear the participles in the input before they are required to produce them.

4.2 Perfekt 2: regelmäßige und unregelmäßige Partizipien

Like English, German has two major patterns of forming the past participle, a regular and an irregular one. In English, the regular participle ends in *-ed*, whereas in German, it ends in **-(e)t**. Verbs that form their past participles regularly with **-(e)t** have traditionally been called weak verbs.

arbeiten	gearbeitet	*work*	*worked*
spielen	gespielt	*play*	*played*

To form the regular past participle, take the present-tense **er/sie/es** form and precede it with **ge-**.

er spielt	er hat gespielt
sie arbeitet	sie hat gearbeitet
es regnet	es hat geregnet

Verbs that do not form their past participles regularly with **-(e)t** have traditionally been called strong verbs. There are many patterns for forming irregular past participles of strong verbs in English and in German. Often they are similar in both languages (**hat gesprochen**, *has spoken*); sometimes they are not (**hat gestanden**, *has stood*). But you need not try to memorize a long list of irregular past participles. You'll learn most of them as you participate in the activities and practice the exercises.

Here is a list of very useful irregular past participles you may use for reference.

anfangen, angefangen	*to start*
anrufen, angerufen	*to call, phone*
bleiben, ist geblieben	*to stay*
einladen, eingeladen	*to invite*
erfinden, erfunden	*to invent*
essen, gegessen	*to eat*
fahren, ist gefahren	*to ride; to go; to drive*
fliegen, ist geflogen	*to fly*
geben, gegeben	*to give*
gefallen, gefallen	*to like*
gehen, ist gegangen	*to go, walk*
genießen, genossen	*to enjoy*
halten, gehalten	*to stop*
kommen, ist gekommen	*to come*

laufen, ist gelaufen	to run, jog
lesen, gelesen	to read
liegen, gelegen	to lie; to be situated
nehmen, genommen	to take
reiten, ist geritten	to ride (a horse)
schlafen, geschlafen	to sleep
schreiben, geschrieben	to write
schwimmen, ist geschwommen	to swim
sehen, gesehen	to see
sein, ist gewesen	to be
sitzen, gesessen	to sit
sprechen, gesprochen	to speak
stehen, gestanden	to stand
tragen, getragen	to wear; to carry
treffen, getroffen	to meet
trinken, getrunken	to drink
waschen, gewaschen	to wash

Übung 4

Das ungezogene Kind

1. Hast du schon gegessen? —Heute will ich nicht essen.
2. _____ du schon _____? —Heute will ich nicht duschen.
3. _____ du schon _____? —Heute will ich nicht frühstücken.
4. _____ du schon _____? —Heute will ich nicht schlafen.
5. _____ du schon _____? —Heute will ich nicht Klavier spielen.
6. _____ du schon _____? —Heute will ich nicht ins Bett gehen.
7. _____ du schon _____? —Heute will ich nicht einkaufen.
8. _____ du schon _____? —Heute will ich nicht Geschirr spülen.
9. _____ du schon _____? —Heute will ich den Brief nicht schreiben.
10. _____ du schon _____? —Heute will ich nicht aufstehen.

Übung 5

Mehmet ist im Urlaub. Was hat er gestern gemacht? Verwenden Sie die Verben der Liste. Manche Verben muß man mehr als einmal benutzen.

auspacken, trinken, schlafen, begrüßen, gehen, fragen, sprechen, ankommen

Mehmet ist in der Türkei bei seinen Eltern. Gestern _____ er um 17 Uhr _____. Er _____ seine Eltern und Geschwister _____ und Tee mit ihnen _____. Dann _____ er in sein Zimmer _____ und _____ seinen Koffer _____. Er _____ eine Stunde _____ und _____ dann zum Abendessen in die Küche _____. Seine Eltern _____ ihn viel _____, und Mehmet _____ über seine Arbeit und seine Freunde _____. Sie _____ noch einen Tee _____ und _____ um 23 Uhr ins Bett _____.

4.3 Modalpartikel 3: eben und eigentlich

Use the modal particle **eben** (*just*) to express or to imply that you are referring to something your partner already knows or should know.

> Nora hat schon wieder ein A bekommen. —Sie ist **eben** die beste in unserer Klasse.
> *"Nora has gotten another A." "Well, she **is** the best in the class."*

> Wie kannst du frühmorgens nur so frisch sein? —Ich gehe **eben** früh ins Bett.
> *"How can you be so fresh so early in the morning?" "I just go to bed early."*

Use **eigentlich** (*actually, really, anyway*) when you want to express unease about a situation, or to say that you had had different plans or had thought otherwise or that something is not quite correct.

> **Eigentlich** wollte ich ins Kino gehen.
> *Actually, I wanted to go to the movies.*

> Wir haben **eigentlich** nichts Interessantes gemacht.
> *We didn't really do anything interesting.*

> Warum bist du **eigentlich** nicht mitgekommen?
> *Why didn't you come along, anyway?**

4.4. We have dealt with verbs with separable prefixes in this section as a case of participles without *ge-*.

4.4 Perfekt 3: Partizipien mit und ohne ge-

A. Partizipien mit ge-

German past participles usually have a **ge-** prefix. In the case of the separable verbs (**trennbare Verben**), the **ge-** goes in beween the two parts of the verb.

auf + stehen   auf + ge + standen

> Bist du heute um 7 Uhr **aufgestanden**? —Ja, ich **stehe** jeden Tag um 7 Uhr **auf**.
> *"Did you get up at 7 this morning?" "Yes, I get up every day at 7."*

B. Partizipien ohne ge-

Verbs that are not stressed on the first syllable do not add **ge-**. These verbs fall into two groups.

(1) Verbs that end in **-ieren** (mostly cognates of English verbs that end in *-y*) do not add **ge-**.

---

*To express *anyway* in the sense of *in any case*, use the German phrase **auf jeden Fall**.

> Auf jeden Fall bleibe ich heute zu Hause.
> *Anyway, today I'm staying home.*

studieren → studiert

> Studiert Paula noch Deutsch? —Nein, sie **hat** zwei Semester Deutsch **studiert**, und jetzt arbeitet sie bei einer Bank.
> *"Is Paula still studying German?" "No, she studied German for two semesters, and now she's working in a bank."*

Note that verbs ending in **-ieren** all use **haben** as the auxiliary and form their past participle with **-t**.

(2) Verbs that are formed with inseparable prefixes also do not add **ge-**. Inseparable prefixes are not words by themselves. For example, unlike **auf** (*up*) in **aufstehen**, which has a meaning separate from the verb, the prefixes **be-** in **bekommen** and **ver-** in **verstehen** do not mean anything by themselves; similarly, verbs that start with **er-** are inseparable.

verstehen → verstanden

> Hast du das **verstanden**? —Nein, er spricht zu schnell. Ich verstehe nie etwas von dem, was er sagt.
> *"Did you understand that?" "No, he talks too fast. I never understand anything he says."*

Übung 6

Ein schlechter Tag

Herr Thelen ist gestern mit dem linken Bein aufgestanden. Zuerst hat er seinen Wecker nicht gehört. Dann ist er in die Küche gegangen und hat Kaffee gekocht. Er hat das Haus verlassen und ist mit seinem Auto in die Stadt zum Einkaufen gefahren. Er hat geparkt und ist erst nach zwei Stunden zurückgekommen. Bei seinem Auto hat ihn ein Polizist freundlich begrüßt, aber Herr Thelen hat dann doch einen Strafzettel (*ticket*) bekommen und DM 15,- für falsches Parken bezahlt. Er hat sich verabschiedet und ist nach Hause gefahren. Den Rest des Tages ist er zu Hause geblieben.

Finden Sie die Partizipien, bilden Sie die Infinitive und schreiben Sie sie in die Tabelle.

VERBEN MIT ge	INFINITIV	VERBEN OHNE ge	INFINITIV
_____	_____	_____	_____
_____	_____	_____	_____
_____	_____	_____	_____
_____	_____	_____	_____

Übung 7

Haben Sie das gestern gemacht?

MODELL: mit Freunden telefonieren →
    Haben Sie mit Freunden telefoniert?
    Ja, ich habe mit Freunden telefoniert.
    Nein, ich habe gestern nicht telefoniert.

1. die Zeitung studieren
2. eine Kirche besichtigen
3. eine Tante besuchen
4. eine Klausur korrigieren
5. Ihre Schulden bezahlen
6. Ihr Fahrrad (Auto) reparieren

4.5 Präpositionen 4: vor und seit

Use the preposition **vor** to express the idea of *ago*. Note particularly that **vor einem Jahr** does not mean *for a year*, but rather *a year ago*.

> **Vor einem Jahr** hat Rolf in Göttingen studiert.
> *A year ago Rolf was studying at Göttingen.*

Seit is the equivalent of English *for/since* (*plus time*). But the two languages focus on the event in different ways. English uses the present perfect tense with *for/since* (*plus time*) to indicate the fact that the action began in the past; German uses the present tense with **seit** (*plus time*) and focuses on the fact that the action is still continuing in the present.

> **Seit 1966 wohnt** Mehmet in West-Berlin.
> *Mehmet has been living in West Berlin since 1966.*
> **Seit 22 Jahren wohnt** Mehmet in West-Berlin.
> *Mehmet has been living in West Berlin for 22 years.*

Note that both **seit** and **vor**, when used with time, take the dative, a case you will encounter in Chapter 5. The following are very common expressions with the number one (1): **vor/seit einem Jahr/Monat/Tag** and **vor/seit einer Stunde**. In the plural, nouns add an **-n** when used with **vor/seit** unless they already end in **-n** or in **-s** (**vor/seit zwei Jahren/Monaten/Tagen/Stunden**).

Übung 8

Seit wann machen die Leute das?

MODELL: Rolf / jeden Tag joggen / seit 2 Monaten →
    Seit wann joggt Rolf jeden Tag? Seit zwei Monaten.

1. Herr Thelen / Auto fahren / seit 30 Jahren
2. Rolf / Englisch lernen / seit 11 Jahren
3. Herr Wagner / arbeiten / seit 22 Jahren
4. Hans / Fußball spielen / seit 6 Wochen
5. Jutta / zur Schule gehen / seit 10 Jahren
6. Frau Ruf / verheiratet sein / seit 17 Jahren
7. Frau Gretter / in der Isabellastraße wohnen / seit 3 Jahren
8. Michael / mit Maria ausgehen / seit 3 Monaten

KAPITEL 5

KASSE

Disco - Haargel

5.95

Modernes Kaufhaus
in der Schweiz

In Kapitel 5 you will talk about buying clothes and expand your ability to express what you like and what you don't like. You will talk about favors and what people do for each other, and also about professions, your own career plans, and other job-related topics.

GELD UND ARBEIT

THEMEN
Einkaufsbummel

Gefälligkeiten
In der Klasse
Beruf und Arbeit

TEXTE
◀ Kulturelle Begegnungen:
Arbeits- und
Geschäftszeiten

ZUSÄTZLICHE TEXTE
Unsere Straße: Berufe
Kulturelle Begegnungen: Ausländer in der
Bundesrepublik
Die Situation der Türken in der Bundesrepublik: Renate
und Mehmet

STRUKTUREN
5.1 Demonstrativa 1: Bestimmter Artikel
5.2 Dativ 1: Personalpronomen
5.3 Dativ 2: Artikel und Possessiva
5.4 Dativ 3: Valenz und Wortstellung
5.5 Dativ 4: Präpositionen
5.6 Hilfsverben 3: werden
5.7 Schwache maskuline Substantive auf -(e)n

GOALS

The grammar in this chapter focuses almost exclusively on the dative case, and the situations offer a wide variety of opportunities in which to become familiar with its use. Students talk about shopping, likes and dislikes, classroom activities, and professions and occupations.

Use pictures from your PF of common items students buy or own. Ask them to describe the item(s) and then tell you if they like it/them, using the verb *gefallen* + dative.

SPRECHSITUATIONEN

☞ **Grammatik 5.1–2**

Das Kleid gefällt	mir	(nicht).
Die Schuhe gefallen	dir	
	Ihnen	
	ihr	
	ihm	
	uns	
	euch	
	Ihnen	
	ihnen	

Das Kleid gefällt mir.
Mir gefällt die Hose.

Sit. 1. Have students make up their own dialogue similar to this one.

Situation 1. Dialog: Das Kleid

CLAIRE: Sieh mal, das Kleid!

MELANIE: Mensch, das gefällt mir!

CLAIRE: Und die Hose? Gefällt sie dir auch?

MELANIE: Nein, die gefällt mir nicht. Aber das Kleid, das hätte ich gern.

CLAIRE: Ich auch, aber es ist leider zu teuer.

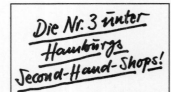
204

Situation 2.   Offener Dialog: Leider zu teuer

S1: Siehst du _____ da?
S2: Ja, klar. Gefällt _____ dir?
S1: Oh ja, _____ möchte ich gern.
S2: _____ ist leider _____.

Situation 3.   Interaktion: Schaufensterbummel

S1: Siehst du den Mantel? Gefällt er dir?
S2: Ja, er gefällt mir. / Nein, er gefällt mir nicht.

KULTURELLE BEGEGNUNGEN: Arbeits- und Geschäftszeiten

© Keystone / The Image Works

Ein Schaufensterbummel nach Ladenschluß. Für viele Berufstätige in der Bundesrepublik ist das Einkaufen schwierig. Da alle Geschäfte um 18 oder 18.30 Uhr schließen—samstags sogar schon um 13 oder 14 Uhr—haben sie meist nur wenig Zeit, einkaufen zu gehen.

Text: Ask students how long different types of shops stay open in the US. After the reading discuss in class: *Was gefällt Ihnen besser, das bundesdeutsche System oder das in den USA? Warum? Was sind die Vorteile, wenn Geschäfte länger offen sind? Was sind die Nachteile? Wer hat Vorteile, wenn Geschäfte länger offen sind? Wer Nachteile? usw.*

In der Bundesrepublik gibt es ein „Ladenschlußgesetz", das heißt ein Gesetz,[1] das verhindert,[2] daß Geschäfte rund um die Uhr geöffnet sind, wie zum Beispiel in den USA. Geschäfte sind täglich außer samstags und sonntags von 9 bis 18 Uhr geöffnet. Viele kleine Geschäfte machen auch eine Mittagspause von 13 Uhr bis 15 Uhr. Samstags sind die Geschäfte nur bis 13 oder 14 Uhr geöffnet, nur an jedem ersten Samstag im Monat und an den vier Samstagen vor Weihnachten bleiben die Geschäfte bis 18 Uhr auf.

Viele Leute möchten, daß die Geschäfte vor allem auch abends länger geöffnet sind, denn es ist schwierig[3] einzukaufen, wenn man berufstätig ist.[4] Vor ein paar Jahren gab es in West-Berlin einen Modellversuch[5] mit abendlichen Öffnungszeiten, der sehr erfolgreich war.[6] Aber die Gewerkschaften[7] und die Besitzer kleiner Geschäfte haben eine Änderung[8] des Ladenschlußgesetzes bisher erfolgreich verhindert.

[1]*law* [2]*prevents* [3]schwer [4]arbeitet [5]Experiment [6]viel Erfolg hatte [7]*unions* [8]*change*

Fragen

1. Was verhindert das Ladenschlußgesetz?
2. Wie lange sind die Geschäfte in der Bundesrepublik geöffnet?
3. Sind die Leute in der Bundesrepublik zufrieden (*satisfied*) mit dem Gesetz?
4. Welche Leute haben Probleme mit dem Einkaufen?
5. Gibt es heute in West-Berlin andere Öffnungszeiten als in der Bundesrepublik?
6. Wenn die Geschäfte abends länger geöffnet sind, haben Besitzer kleiner Läden Angst, nicht mehr konkurrenzfähig (*competitive*) zu sein. Warum?

GEFÄLLIGKEITEN

 Grammatik 5.3

Pass out various items or pictures of items to the students, and then ask one student to take, bring, or give it to another: *Mark, geben Sie bitte den Apfel der Studentin, die eine blaue Bluse trägt.*

	M	N	F	PL
NOM	mein	mein	meine	meine
	der	das	die	die
	er	es	sie	sie
AKK	meinen	mein	meine	meine
	den	das	die	die
	ihn	es	sie	sie
DAT	meinem	meinem	meiner	meinen
	dem	dem	der	den
	ihm	ihm	ihr	ihnen

Situation 4.   Ist das normal?

—— Jens gießt seiner Tante die Blumen.
—— Jens gießt seine Tante.

—— Jutta repariert ihrem Bruder das Radio.
—— Jutta repariert ihren Bruder.

_____ Silvia kauft dem Kind die Schokolade.
_____ Silvia kauft das Kind.

_____ Herr Ruf kocht der Familie das Essen.
_____ Herr Ruf kocht die Familie.

Situation 5.   Ein bißchen seltsam?

Sagen Sie ja oder nein.

1. Silvia kauft ihrem Freund die Schokolade.
2. Silvia gießt ihre Mutter.
3. Frau Ruf kocht Jutta.
4. Frau Ruf repariert Hans das Fahrrad.
5. Herr Thelen kauft das Kind.
6. Oma Schmitz kocht Rolf das Essen.
7. Hans repariert seine Schwester.
8. Der Vater gibt seiner Tochter einen Kuß.
9. Die Frau verkauft die Leute.
10. Die Frau verkauft den Leuten Blumen.
11. Die Studentin schreibt ihrer Freundin einen Brief.

Situation 6.   Interview

1. Wem geben die Studenten die Klausuren?

   a. dem Professor
   b. ihren Eltern
   c. dem Hausmeister
   d. dem Taxifahrer

Sit. 5. Bring pictures from your PF that show someone doing something for someone else: repairing a bicycle, selling flowers, etc. Describe the pictures: _A repariert B das Fahrrad. Und hier verkauft X Y Blumen._ Now ask students: _Was verkauft X? (Blumen.) Wem verkauft X die Blumen? (Y.) Richtig, X verkauft Y die Blumen. Und was repariert A? (Fahrrad.) Richtig, und wem repariert A das Fahrrad? (B.) Genau, A repariert B das Fahrrad._ Stress the question words _was_ and _wer/wem_ to make it clear that the former refers to things and the latter to people.
  Go through sentences 1–11 and let students answer _ja/nein_. Then write a list of verbs on the board and have students make up examples of their own with verbs from the list. Encourage them to make up "crazy" examples. Verbs: _(ein)gießen, kaufen, kochen, renovieren, reparieren, geben, usw._

Sit. 6. Carry the last situation over into this one. Have students work in pairs.

2. Wem kocht Rolf die Spaghetti?

    a. seinem Goldfisch
    b. dem Präsidenten von Amerika
    c. seinen Freunden
    d. seiner Oma in Deutschland

3. Wem kauft Jutta das Hundefutter?

    a. ihrem Vater
    b. ihrem Freund Jens
    c. ihrem Hund
    d. der Katze von nebenan

4. Wem repariert Herr Ruf das Fahrrad?

    a. seinem Hund
    b. seiner Mutter
    c. den Nachbarn
    d. seinem Sohn

Sit. 7. Have students think of other possible gifts for the people mentioned.

Situation 7. Interaktion: Wem schenkst du das?

S1: **Wem schenkst du die Blumen?**
S2: **Meiner Mutter.**

1. die Schokolade
2. die Krawatte
3. die Schallplatte
4. den Rucksack
5. die Blumen

a. meiner Oma
b. meiner Mutter
c. meinem Freund
d. meiner Freundin
e. meinem Bruder

IN DER KLASSE

 Grammatik 5.4

Heidi hört der Professorin zu.   Nora liest ihrem Freund vor.

First do TPR with classroom activities. Sample sequence: *Öffnen Sie die Bücher, schließen Sie sie, sprechen Sie mit Ihrem Nachbarn/Ihrer Nachbarin, hören Sie dem/der Lehrer(in) zu, machen Sie sich Notizen, lesen Sie die Notizen, üben Sie für den Deutschtest, denken Sie nach, heben Sie die Hand, antworten Sie auf die Frage des Lehrers/der Lehrerin, gehen Sie an die Tafel, wischen Sie die Tafel, gehen Sie aus der Klasse.* Then ask students to think of all the activities they do in German class.

Albert spricht mit den anderen Studenten.

Monika schreibt ihrem Freund einen Brief.

Die Professorin erklärt der Studentin die Lektion.

Die Professorin stellt den Studenten Fragen.

Die Studenten antworten der Professorin.

Die Professorin sagt den Studenten guten Tag.

Die Studenten stellen der Professorin Fragen.

Die Studenten verstehen alles!

Sit. 8. (See the IM for suggestions on dialogues.)

Situation 8.   Dialog: Monikas Deutschkurs

Rolf spricht mit Monika über den Deutschkurs.

ROLF: Monika, was machst du im Deutschkurs?
MONIKA: Alles mögliche. Ich spreche Deutsch mit den anderen Studenten, ich stelle ihnen Fragen, ich höre ihnen zu, wir spielen Situationen durch.
ROLF: Hört ihr auch Musik und singt ihr?
MONIKA: Ja, freitags bringt die Professorin ihre Gitarre oder einen Kassettenrecorder mit.

Sit. 9. Have students select those activities that are done in a German class. Then ask for other statements that describe class activities. Expand on this activity by using the following verbs to describe activities in a class (incorporate dative pronouns and noun phrases in your speech as much as possible): *notieren, sprechen, diskutieren, lachen, Rollenspiele machen, Gruppenarbeit machen, lesen, fragen, antworten, usw.*

Situation 9.   Mein Deutschkurs

Was machen Sie im Deutschkurs? Sagen Sie:

a. Wir machen das zu Hause, aber nicht im Deutschkurs.
b. Nein, das machen wir nie!
c. Natürlich, das machen wir im Deutschkurs.

1. Wir backen unseren Eltern Kuchen.
2. Wir stellen dem Professor/der Professorin Fragen.
3. Wir erklären dem Professor/der Professorin die Grammatik.
4. Wir schreiben unseren Freunden Briefe.
5. Wir sagen dem Professor/der Professorin guten Tag.
6. Wir kochen dem Professor/der Professorin eine Suppe.
7. Wir hören dem Professor/der Professorin zu.
8. Wir kaufen dem Professor/der Professorin einen Mercedes.
9. Wir schenken dem Professor/der Professorin Blumen.
10. Wir schenken unseren Freunden Schallplatten.

Sit. 10. Have students work in pairs. Go from group to group to correct answers and pronunciation.

Situation 10.   Interview: Der Deutschkurs

1. Was lernst du im Deutschkurs?
2. Schreibst du viel?
3. Sprichst du immer Deutsch mit den anderen Studenten?
4. Sprichst du immer Deutsch mit dem Professor?
5. Liest du alle Lesestücke?
6. Lernst du die Grammatik?
7. Hörst du den anderen Studenten zu?
8. Stellst du den anderen Studenten Fragen?
9. Gefällt dir der Deutschkurs?
10. Was gefällt dir nicht am Deutschkurs?

BERUF UND ARBEIT

 Grammatik 5.5–6

Use photos from your PF to intro-
duce the most common careers.
Use the photo first to reenter vo-
cabulary from previous chapters,
especially words to describe peo-
ple. For example, a picture of a
doctor might suggest the follow-
ing questions and interchanges:
*Was sehen Sie auf dem Foto?
(Einen Mann.) Ja, das ist ein
Mann. Wie alt ist der Mann? (45.)
Glauben alle, daß der Mann 45
Jahre alt ist? Beschreiben
Sie ihn. Wie ist er? Ist er dick?
(Nein.) Wie ist er? (. . .) Was für
Kleidung trägt er? Beschreiben
Sie sie. Was ist er von Beruf?*

  Then introduce the words *Arzt/
Ärztin* along with *Kranken-
schwester/Krankenpfleger,
Kassierer/in, Kellner/in, Friseur/
Friseuse, Zahnarzt/Zahnärztin,
Koch/Köchin, Mechaniker/in,
Richter/in.*

der Kellner   der Arzt   der Verkäufer   die Zahnärztin

der Pilot   die Anwältin   der Richter   der Friseur

die Bibliothekarin   die Arbeiterin   der Koch   die Mechanikerin

der Kassierer   die Architektin   die Ingenieurin   der Lehrer

Sit. 11. Assign this activity as
homework and then check the
following day, or let the students
work in pairs first and then check
the answers. Follow up by writing
the names of the students on the
chalkboard and then ask each
one where they work. They will
probably answer with the specific
names of companies, such as
Safeway, but you can convert
these to the appropriate gener-
ics, i.e., *in einem Supermarkt.*

Situation 11.   Am Arbeitsplatz

Wo arbeitet . . . ?

1. ein Pilot
2. ein Lehrer

a. in einem Restaurant
b. in einem Flugzeug

AA 1. Talk about the classes each student is taking. Then introduce names of professions as follows: *Ja, jemand studiert _____ . Was will er/sie werden? Er/Sie will _____ werden.* Use photos from your PF to teach the names of classes (or careers) and professions that have not been introduced before. You might consider the following words: *Architekt/in (Architektur), Koch/Köchin (Kochen), Zahnarzt/Zahnärztin (Zahnmedizin), Psychologe/Psychologin (Psychologie), Arzt/Ärztin (Medizin), Lehrer/in (Pädagogik), Soziologe/Soziologin (Soziologie), Journalist/in (Germanistik, Journalismus).*

Sit. 12. Ask the students to read the statements silently and then write the names of as many class members as possible who fit the descriptions. Follow up to see how many they guessed correctly. This can also be used as an "autograph" activity.

AA 2. Show pictures of various people doing different jobs. Ask the question: *Was macht er/sie?* Try to introduce verbs that describe what people do on the job.

3. eine Friseuse
4. eine Ärztin
5. eine Kassiererin
6. ein Verkäufer
7. ein Richter
8. ein Koch
9. eine Fabrikarbeiterin
10. eine Mechanikerin

c. in einem Krankenhaus
d. in einem Friseursalon
e. in einer Fabrik
f. in einem Supermarkt
g. in einer Boutique
h. in einer Schule
i. in einem Gericht
j. in einer Autowerkstatt

Situation 12.   Wer im Deutschkurs . . . ?

Suchen Sie Studenten im Kurs, die . . .

MODELL: Steward/Stewardeß werden möchten. →
S1: Möchtest du Steward/Stewardeß werden?
S2: Ja.
S1: Unterschreib hier bitte.

UNTERSCHRIFT

1. Arzt/Ärztin werden möchten.
2. Ingenieur/Ingenieurin werden möchten.
3. am Wochenende arbeiten möchten.
4. Kellner/Kellnerin in einem Restaurant werden möchten.
5. Pilot/Pilotin werden möchten.
6. 40 Stunden in der Woche arbeiten möchten.
7. einen Anwalt/eine Anwältin in der Familie haben möchten.
8. der Sohn/die Tochter eines Zahnarztes/einer Zahnärztin sind.
9. Architekt/Architektin werden möchten.
10. Lehrer/Lehrerin werden möchten.

Sit. 13. Have students work in pairs. Then let some students report on the answers of the interviewees.

AA 3. Ask students to pretend that they write for a local newspaper and that they must write a want ad: *Sie sind Journalist bei einer Zeitung/Illustrierten. Sie sollen eine Anzeige für eine Arbeitsstelle schreiben. Hier ist ein Beispiel: Erfahrener Mechaniker gesucht. Arbeitszeit täglich von 8 bis 17 Uhr. Erfahrung im Karosseriebau erwünscht.*

Situation 13.   Interview

1. Welches ist dein Lieblingskurs an der Universität?
2. Was möchtest du werden?
3. Wie lange dauert das Studium?
4. Verdienst du viel Geld?
5. Ist es ein Beruf mit viel Prestige?
6. Was ist dein Vater von Beruf?
7. Was ist deine Mutter von Beruf?

Situation 14.   Was machen diese Personen?

S1: **Was macht eine Sekretärin?**
S2: **Sie spricht mit der Chefin, sie schreibt Schreibmaschine . . .**
S1: **Was macht ein . . . ?**

Eine Sekretärin
spricht mit der Chefin.

Eine Sekretärin schreibt
Schreibmaschine.

Ein Sekretär schreibt
Rechnungen.

Pilot / Flugzeuge lenken

Busfahrerin / Bus fahren

Koch / Essen kochen

Krankenschwester / Kranke
pflegen

Mechanikerin / Autos
reparieren

Kellner / Essen servieren

Sit. 15. For each definition ask students to add other work activities: *Was muß ein/e Lehrer/in noch machen?* Personalize with questions about their own career plans: *Ist jemand in der Klasse, der/die Lehrer/in werden möchte?*

Situation 15.   Definitionen

Finden Sie den richtigen Beruf.

1. **Dieser Mann unterrichtet in einer Schule. Er ist . . .**
2. **Diese Frau untersucht Patienten im Krankenhaus. Sie ist . . .**
3. **Dieser Mann lenkt ein Flugzeug. Er ist . . .**
4. **Diese Person arbeitet im Restaurant. Sie ist . . .**
5. **Diese Person zeichnet Pläne für Häuser und Gebäude. Sie ist . . .**

6. Diese Frau arbeitet am Gericht. Sie ist ...
7. Diese Frau pflegt kranke Menschen. Sie ist ...
8. Dieser Mann schreibt Romane. Er ist ...
9. Dieser Mann heilt Tiere. Er ist ...
10. Diese Frau arbeitet in einem Supermarkt. Sie ist ...

Sit. 16. Have students work in pairs.

Situation 16.   Interview

1. Wo arbeitest du?
2. Was machst du?
3. Wann beginnst du?
4. Wann hörst du auf?
5. Gefällt dir deine Arbeit?
6. Arbeitest du jeden Tag? Wann arbeitest du?

Situation 17.   Offener Dialog: Mein Job

S1: Arbeitest du?
S2: Ja, ich _____ bei/in _____. / Nein, ich _____ _____.
S1: Was machst du dort?
S2: Ich _____.
S1: Mußt du morgen (heute abend, heute nachmittag, __?__) arbeiten?
S2: Ja. / Nein, aber _____.

Sit. 18. The object of this game is to use the clues to find out the professions of each of the six people. Ask students to explain in German how they arrived at their answers. The answers are: *Franz Meyers ist Arzt. Anna Meyers ist Sekretärin. Hugo Schneider ist Ingenieur. Irma Schneider ist Anwältin. Horst Müller ist Lehrer. Walli Müller ist Zahnärztin.*

Situation 18.   Ratespiel

Raten Sie den Beruf der Personen.

Sie haben drei Paare: die Meyers, Franz und Anna
die Schneiders, Hugo und Irma
die Müllers, Horst und Walli

Sie haben sechs Berufe: Arzt/Ärztin, Lehrer/Lehrerin, Zahnarzt/Zahnärztin, Sekretär/Sekretärin, Ingenieur/Ingenieurin, Anwalt/Anwältin

Information

1. Anna arbeitet in einem Krankenhaus. Aber sie ist keine Ärztin.
2. Der Ehemann der Anwältin ist Ingenieur.
3. Die Sekretärin ist mit einem Arzt verheiratet.
4. Der Ehemann der Zahnärztin arbeitet in einer Schule.
5. Franz arbeitet mit kranken Menschen.
6. Horst unterrichtet Mathematik.

Situation 19. Stellenangebote

Suchen Sie die Information in der Anzeige.

Koch gesucht! Möglichst mit Erfahrung in französischer Küche. Vorstellung und Gespräch im Hotel „Zum Schwarzen Bären", Sperlingsgasse 135.

Studentenkneipe UNIKUM sucht Kellner/in. Stundenlohn und Beteiligung. Interessenten bitte Tel. 956296 anrufen.

Büro im Zentrum. Sekretär/in mit drei Jahren Berufserfahrung gesucht. Englisch- und Schreibmaschinenkenntnisse erwünscht. Tel. 31447 (17 bis 19 Uhr).

Taxifahrer mit Erfahrung gesucht. Muß Englisch sprechen. Nichtraucher. Tel. 782139

Putzjob im Stadtzentrum. Jeden Mittwoch für 6 Stunden. Gute Bezahlung. Tel. 853762

Pfiffiger Student mit eigenem Auto für Privatdetektivtätigkeit bei guter Bezahlung gesucht. Tel. 100879

Suche junge/n begabte/n Architekten/in für freie Mitarbeit auf Erfolgsbasis. Tel. 291444

Krankengymnastin ab sofort. 40 Stundenwoche, Berufserfahrung, Sanatorium am Burgberg. Burgstraße 4, Tel. 35978

1. Als was kann man in der Studentenkneipe „Unikum" arbeiten?
2. Welche Fremdsprache muß der Taxifahrer sprechen? Was darf er nicht tun?
3. Was muß der Sekretär/die Sekretärin können?
4. Wie viele Stunden in der Woche muß die Krankengymnastin arbeiten?
5. Was muß der pfiffige Student haben?
6. An welchem Tag ist der Putzjob im Stadtzentrum?
7. Welche Erfahrung braucht der Koch? Wie heißt das Hotel?
8. Welche Telefonnummer muß ein interessierter junger Architekt anrufen?

VOKABELN

Beruf und Arbeit	Jobs and Professions
der Anwalt, ⁼e/ die Anwältin, -nen	lawyer
die Anzeige, -n	advertisement, (*job*) ad
der Arbeiter, -/ die Arbeiterin, -nen	worker
der Arbeitsplatz, ⁼e	workplace, job
die Arbeitsstelle, -n	workplace, job
die Autowerkstatt, -en	garage, car repair shop
der Beruf, -e	job, profession
die Beteiligung, -en	share, partnership
die Bezahlung	pay(ment), compensation
der Bibliothekar, -e/ die Bibliothekarin, -nen	librarian
das Büro, -s	office
der Busfahrer, -/ die Busfahrerin, -nen	bus driver
der Chef, -s/ die Chefin, -nen	boss
der Erfolg, -e	success
die Fabrik, -en	factory
der Friseur, -e/ die Friseuse, -n	hairdresser
der Friseursalon, -s	hair salon
das Gericht, -e	hall of justice
der Hausmeister, -	janitor
der Karosseriebau	bodywork (*car*) trade
der Kassierer, -/ die Kassiererin, -nen	cashier
die Kenntnisse (*pl.*)	knowledge
der Krankengymnast, -en (*wk.*)/ die Krankengymnastin, -nen	physical therapist
der Krankenpfleger, -/ die Krankenschwester, -n	nurse
die Küche	kitchen; cuisine
der Lehrer, -/ die Lehrerin, -nen	teacher
die Mitarbeit	cooperation
die Pädagogik	education (*as a subject of study*)
der Putzjob, -s	cleaning job
die Rechnung, -en	bill, check
der Richter, -/ die Richterin, -nen	judge

der Schriftsteller, -/ die Schriftstellerin, -nen	author, writer
die Stelle, -n	job, occupation
das Stellenangebot, -e	job ad, vacancy
der Stundenlohn, ⁼e	hourly wage
die Tätigkeit, -en	occupation
der Taxifahrer/ die Taxifahrerin, -nen	taxi driver
der Tierarzt, ⁼e/ die Tierärztin, -nen	veterinarian
der Verdienst	earnings, wages
der Verkäufer, -/ die Verkäuferin, -nen	salesperson
die Vorstellung, -en	job interview

Ähnliche Wörter: der **Architekt**, -en (*wk.*) / die **Architektin**, -nen / der **Ingenieur**, -e / die **Ingenieurin**, -nen / der **Job**, -s / der **Journalist**, -en / die **Journalistin**, -nen / der **Koch**, ⁼e / die **Köchin**, -nen / der **Mechaniker**, - / die **Mechanikerin**, -nen / der **Pilot**, -en (*wk.*) / die **Pilotin**, -nen / der **Präsident**, -en (*wk.*) / die **Präsidentin**, -nen / das **Prestige** / der **Privatdetektiv**, -e / die **Privatdetektivin**, -nen / der **Psychologe**, -n (*wk.*) / die **Psychologin**, -nen / der **Soziologe**, -n (*wk.*) / die **Soziologin**, -nen / der **Steward**, -s / die **Stewardeß**, *pl.* die **Stewardessen**

Erinnern Sie sich: der **Arzt**, ⁼e / die **Ärztin**, -nen / die **Erfahrung**, -en / die **Fähigkeit**, -en / der **Kellner**, - / die **Kellnerin**, -nen / der **Zahnarzt**, ⁼e / die **Zahnärztin**, -nen

Dinge, Orte und Einkaufen	Things, Places, and Shopping
der Badeanzug, ⁼e	bathing suit
die Blume, -n	flower
der Einkaufsbummel, -	shopping trip
das Gebäude, -	building
das Hundefutter	dog food
die Kneipe, -n	pub, bar
die Mütze, -n	hat, cap
der Regenschirm, -e	umbrella
der Rucksack, ⁼e	backpack
der Schaufensterbummel	window-shopping

die **Sonnenbrille, -n** — sunglasses
das **Stadtzentrum** — downtown

Ähnliche Wörter: die **Boutique, -n** / der **Goldfisch, -e** / die **Jeans** (*pl.*) / das **T-Shirt, -s**

Verben / Verbs

backen (bäckt), gebacken	to bake
dauern	to last
Wie lange dauert das?	How long does it take?
einstellen, eingestellt	to hire
erklären, erklärt	to explain
geben (gibt), gegeben	to give
gießen, gegossen	to water
heben, gehoben	to lift
heilen	to cure, remedy
lenken	to guide; to steer; to direct
pflegen	to attend to; to nurse
raten (rät), geraten	to guess
schenken	to give (as a present)
servieren, serviert	to serve
unterrichten, unterrichtet	to teach
untersuchen, untersucht	to examine
verstehen, verstanden	to understand
vorlesen (liest . . . vor), vorgelesen	to read out loud
werden (wird), ist geworden	to become
Was willst du werden?	What do you want to do?
wischen	to clean
zuhören, zugehört	to listen

Ähnliche Wörter: renovieren, reparieren

Substantive / Nouns

die **Fremdsprache, -n**	foreign language
die **Gefälligkeit, -en**	favor
der **Interessent, -en** (*wk.*)	(*person interested in an offer*)
der **Kranke, -n** (ein **Kranker**)	sick person
die **Küche, -n**	kitchen, cooking, cuisine
der **Kuchen, -**	cake
die **Lektion, -en**	lesson, lecture
das **Lesestück, -e**	reading passage

der **Lieblingskurs, -e**	favorite class
der **Mensch, -en** (*wk.*)	human being
der **Nichtraucher, -**	nonsmoker
das **Paar, -e**	couple
das **Ratespiel, -e**	quiz
das **Tier, -e**	animal
der **Tip, -s**	hint
das **Zentrum,** *pl.* die **Zentren**	center

Ähnliche Wörter: die **Suppe, -n**

Adjektive und Adverbien / Adjectives and Adverbs

alle	all
begabt	gifted, talented
erfahren	experienced
erwünscht	desired; desirable
frei	free
gesucht	wanted, needed
gut	good
interessiert an	interested in
möglich	possible
möglichst	if at all possible
seltsam	strange
teilweise	partly

Präpositionen mit dem Dativ / Prepositions with the Dative

aus	out of, from
außer	except
bei	with, at the place of
mit	with, together with
nach	after
seit	since, for
von	of, from
zu	to

Nützliche Wörter und Wendungen / Useful Words and Phrases

guten Tag sagen	to say hello
Das hätte ich gern.	I would like to have that.
Fragen stellen	to ask questions
alles mögliche	all kinds of things
Klar!	Sure!
möglichst viel	as much as possible
Nichtraucher	nonsmoking (section)
Sieh mal!	Look!
über	above, on top of

ZUSÄTZLICHE TEXTE

UNSERE STRASSE: Berufe

Michael Pusch und Frau Körner sprechen über die Arbeit und ihre Berufe.

Text: Ask students whether they are working while they are studying at the university. Let them talk about different jobs they have had. Then ask: *Was war der verrückteste Job, den Sie hatten?* Let students talk, then go to reading.

FRAU KÖRNER: Stimmt es eigentlich, daß Sie bei einer Werbeagentur[1] arbeiten?

MICHAEL PUSCH: Ja, seit fast einem Jahr. Ich bin Werbetexter.[2]

FRAU KÖRNER: Haben Sie studiert? Wie wird man Texter?

MICHAEL PUSCH: Nein, ich habe nicht studiert, das heißt, ich habe einmal drei Semester Soziologie studiert, aber das war nicht das Richtige für mich. Ich war zuerst Assistent bei einer Werbeagentur, und dann bin ich Texter geworden. Eine besondere Ausbildung[3] dafür gibt es nicht.

FRAU KÖRNER: Und was haben Sie vorher gemacht?

MICHAEL PUSCH: Ich war schon Taxifahrer, ich war Kellner, einmal in einer Kneipe und einmal in einem sehr teuren Restaurant, ich habe als Krankenpfleger in einem Altenheim gearbeitet, ich habe in einem Geschäft als Verkäufer gearbeitet, ich war Vertreter[4] und habe Enzyklopädien von Tür zu Tür verkauft, war Chauffeur und . . .

FRAU KÖRNER: Hören Sie auf, Sie haben ja tatsächlich schon alles mögliche gemacht. Aber haben Sie auch schon in einer Bank gearbeitet?

MICHAEL PUSCH: Nein, das noch nicht.—Arbeiten Sie nicht bei der Deutschen Bank? Was machen Sie denn?

FRAU KÖRNER: Ich bin Kassiererin.

MICHAEL PUSCH: Und was ist das für ein Gefühl, jeden Tag so viel Geld in der Hand zu haben?

FRAU KÖRNER: Nichts Besonderes. Abends sind meine Hände immer ganz schmutzig, wenn ich den ganzen Tag Geld angefaßt habe.

MICHAEL PUSCH: Ach übrigens,[5] Frau Körner, ich war noch nie Bankräuber; wir müssen einmal in Ruhe[6] darüber sprechen.

[1]*advertising agency* [2]*copywriter* [3]*training* [4]*traveling salesman* [5]*by the way* [6]*private* **219**

Fragen

1. Was ist Michael Pusch im Moment von Beruf?
2. Hat Michael studiert? Was und wie lange?
3. Wie ist Michael Werbetexter geworden?
4. Welche anderen Berufe hatte Michael schon?
5. Hat Michael auch schon in einer Bank gearbeitet?
6. Wo arbeitet Frau Körner? Was macht sie dort?
7. Warum sind abends ihre Hände immer ganz schmutzig?
8. Hat Michael schon einmal eine Bank ausgeraubt (*robbed*)?

KULTURELLE BEGEGNUNGEN: Ausländer[1] in der Bundesrepublik

In der Bundesrepublik ist heute jeder 13. ein Ausländer; insgesamt gibt es etwa 4,5 Millionen. Die meisten Ausländer kommen aus der Türkei. Andere kommen aus Griechenland, Jugoslawien, Spanien, Portugal und Italien. Es kommen keine neuen ausländischen Arbeitnehmer[2] mehr ins Land, aber viele, die hier leben, holen ihre Familien nach. So werden es auch wieder mehr.

Mit zunehmender Arbeitslosigkeit[3] gibt es mehr Probleme. In Frankfurt zum Beispiel sind 23% der Bevölkerung[4] Ausländer, in Stuttgart sind es 18%. Die Arbeitslosenquote[5] unter den ausländischen Arbeitnehmern liegt bei über 15%. Bei den Deutschen liegt sie bei 9%.

[1]*foreigners*   [2]Arbeiter   [3]Mit . . . Wenn mehr Leute keine Arbeit haben   [4]Leute
[5]Prozent der Leute ohne Arbeit

Text: The following two readings deal with the situation of *Gastarbeiter* in the FRG. The first is statistical, whereas the second is on a personal level, detailing the particular situation of one of the book's characters: Mehmet Sengün. Have students read the passages and then discuss topics such as: *Gibt es Gastarbeiter in den USA? Gibt es Immigranten? Welche Arbeiten machen diese Leute? usw.*

Discuss Mehmet's remark that Renate's relatives would feel reluctant about her relationship with a Turk. How would that situation be in the US? Would the feelings be the same? Tell students about the situation in the other German-speaking countries: GDR—workers from other East-Bloc countries only; Austria—like FRG; Switzerland—only allows seasonal workers who have to leave again after a fixed period of time. Contrast the Swiss system with that of the FRG. Let students discuss both systems and compare them with the situation in the US.

Fragen

1. Gibt es in der Bundesrepublik viele Ausländer?
2. Woher kommen sie?
3. Es kommen keine neuen Ausländer mehr in die Bundesrepublik, aber trotzdem (*in spite of that*) werden es mehr. Warum?
4. Sind in der Bundesrepublik viele Leute arbeitslos?
5. Gibt es mehr arbeitslose Deutsche oder Ausländer?

Tab. 1: Ausländer i. ausgewählten Großstädten (Stand: 30.9.1982)

	Ausländer = % in Tsd./d.Bev.	darunter in %				
		Türk.	Jug.	Ital.	Grie.	Span.
Berlin (W)	234,7/12,5	43,5	28,3	6,9	3,2	1,8
München	222,6/17,3	18,9	24,0	10,4	9,4	1,5
Hamburg	172,6/10,6	33,5	12,4	4,4	4,6	2,3
Köln	147,5/15,2	43,9	6,2	15,4	5,5	2,7
Frankfurt	146,4/23,5	19,0	19,1	13,0	6,1	6,7
Stuttgart	105,5/18,3	17,2	26,9	17,3	13,8	3,0
Hannover	54,2/10,3	37,9	12,1	5,7	9,5	10,5
Gelsenk.	31,6/10,5	66,6	7,9	6,3	1,4	4,8
Hagen	23,2 10,8	29,9	11,3	18,0	15,5	2,3
Remscheid	18,9/14,8	29,4	12,2	23,2	1,2	18,4
Wolfsburg	12,0/ 9,6	3,0	3,2	70,6	1,1	0,5
BRD	4666,9/ 7,6	33,9	13,5	12,9	6,4	3,8

Diskussion

1. Leben in den Großstädten viele Ausländer? Warum (nicht)?
2. Wenn es mehr Arbeitslose in der Bundesrepublik gibt, gibt es auch mehr Probleme für die Ausländer. Warum?

DIE SITUATION DER TÜRKEN IN DER BUNDESREPUBLIK: Renate und Mehmet

Renate Röder und Mehmet Sengün haben sich gerade auf einer Party kennengelernt. Renate möchte wissen, wie ein Türke sich in der Bundesrepublik fühlt. Sie sprechen über die Situation der Ausländer in der Bundesrepublik und speziell über Mehmets Lage.[1]

MEHMET: Ich bin jetzt ganz allein hier, meine Eltern sind zurückgegangen, meine kleinen Geschwister sind bei ihnen, und vor einem Monat ist auch meine Schwester mit ihrem Mann nach Istanbul gezogen.

RENATE: Aber du hast doch sicher Freunde, türkische und deutsche.

MEHMET: Ach, weißt du, viele deutsche Freunde habe ich nicht.

RENATE: Aber türkische?

MEHMET: Ja. Aber das ist hier eben nicht meine Heimat,[2] und dann ist es wieder mehr Heimat als die Türkei. Türkisch spreche ich nicht sehr gut, und Deutsch spreche ich auch nicht perfekt. Ich bin fast ein Analphabet[3] in zwei Sprachen. Und für die Deutschen bin ich immer ein Türke—im Prinzip unerwünscht.[4]

RENATE: Das stimmt doch nicht mehr, das hat sich doch inzwischen auch verändert.

MEHMET: Ja, aus deiner Perspektive vielleicht, aber für mich ist es anders. Viele Leute sagen zwar nichts, aber man merkt,[5] was sie denken. Wie ist es denn mit deinen Freunden und Verwandten?

RENATE: Meine Eltern sind ziemlich altmodisch.[6]

Eine junge türkische Frau bei der Arbeit in einer Fabrik. Die Situation der Gastarbeiterkinder, die in der Bundesrepublik aufgewachsen sind, ist oft problematisch. Sie haben meistens schlechtere Chancen in Schule und Beruf gegenüber gleichaltrigen Deutschen.

MEHMET: Aber sie sind keine Ausnahme.[7] Viele Leute denken so. Als ich gestern in die Kantine kam, schrie ein Kollege: Türken raus![8] Ein anderer sagte: Diese Kanaken[9] nehmen uns unsere Arbeitsplätze[10] weg.

RENATE: Die sagen doch nicht Kanaken?

MEHMET: Aber sicher. Über mich sagen sie allerdings: Unser Mehmet ist anders. Nicht so ein Kanake. Ich bin für die der Vorzeigtürke,[11] mit dem sie einen trinken gehen. Damit zeigen sie, was sie für liberale Typen sind; und wenn ich nicht da bin, reden[12] sie ganz anders.

RENATE: Das ist ja furchtbar.

MEHMET: Es ist nicht schön, an den Wänden die Parole[13] „Ausländer raus" zu lesen. Ich weiß nicht, aber ich glaube, es ist besser, wenn ich zurückgehe.

RENATE: Das ist schlimm.[14] Ich habe nicht gewußt, daß es immer noch so ist.

[1]Situation   [2]Land, wo man zu Hause ist   [3]kann nicht lesen und schreiben   [4]man will ihn nicht haben   [5]*senses*   [6]konservativ   [7]*exception*   [8]weg   [9](*a term of abuse*)   [10]Jobs   [11]*token Turk*   [12]sprechen   [13]*slogan*   [14]schlecht

Fragen

1. Wie fühlt sich Mehmet in der Bundesrepublik?
2. Wo sind seine Eltern und Geschwister?
3. Was heißt es, wenn er sagt: Ich bin fast ein Analphabet in zwei Sprachen?
4. Wie denken die Westdeutschen über die Türken in ihrem Land?
5. Wie behandeln (*treat*) ihn seine Kollegen?
6. Wie findet Mehmet seine Kollegen?
7. Welche Parolen liest man oft an den Wänden in der Bundesrepublik und West-Berlin?
8. Möchte er in der Bundesrepublik bleiben?

STRUKTUREN UND ÜBUNGEN

5.1. This is a very common use of the definite article, and is especially common when the pronoun represents a thing, rather than a person: *Den habe ich nicht gesehen* (I haven't seen it) as opposed to: *Ihn habe ich nicht gesehen* (I haven't seen him). In colloquial German, however, the demonstrative is used for people as well as for things.

5.1 Demonstrativa 1: bestimmter Artikel

The definite article (**der/das/die**) can be used as a demonstrative pronoun (*this one, that one*) to point to specific items.

Welche Hose gefällt dir besser? **Die** oder **die**?
Which pair of pants do you like the best? This one or that one?

So ein schöner Pulli! **Den** möchte ich.
Such a nice sweater! I want that one.

Im Schaufenster dort habe ich einen tollen Mantel gesehen. Kaufst du mir **den**?
In the window over there I saw a wonderful coat. Will you buy it for me?

	M	N	F	PL
NOM	der			
		das	die	die
AKK	den			

Übung 1

Der kleine Ernst möchte eine Katze. Sein Vater will keine Katze, denn sie haben schon einen Hund, und er möchte Ernst etwas zum Anziehen (*to wear*) kaufen. Sie gehen in ein Kaufhaus. Aber Ernst ist trotzig (*stubborn*), und nichts gefällt ihm. Spielen Sie Ernsts Rolle.

MODELL: Siehst du den Pullover? Der ist doch toll! → Nein, den mag ich nicht.

1. Siehst du die Jeans? So wunderschön blau!
2. Siehst du den Mantel? Der gefällt dir doch!
3. Siehst du die Badehose? Die ist doch schick!
4. Siehst du das T-Shirt? Das gefällt dir doch!
5. Siehst du die Mütze? Sicher sehr warm!
6. Siehst du die Schuhe? Die gefallen dir doch!
7. Siehst du den Trainingsanzug? Ist der nicht schön!
8. Siehst du den Schal? So schön rot und weiß!

5.2. By first practicing the dative pronouns with *gefallen*, we hope that students will have fewer problems later on when they extend dative use to modifiers and other structural contexts. Here we mention other verbs that take the dative, and we will return to them later in Chapter 9, Section 9.6.

5.2 Dativ 1: Personalpronomen

The verbs **gefallen** (*to be pleasing to*) and **gehören** (*to belong to*), as well as the expression **es geht (gut)**, *it's going (well)*, are all followed by the dative case.

Wie **gefällt Ihnen** die Stadt? —Sie **gefällt uns** sehr gut.
"How do you like the town?" "We like it very much."

Wem gehört das Buch hier? —Es **gehört ihr.**
"To whom does this book belong?" "It belongs to her."

Wie **geht** es **Ihnen**? —Danke, es **geht mir** recht gut.
"How are you?" "Thanks, I'm quite well."

Here are the forms of the personal pronouns.

NOM	AKK	DAT	
ich	mich	mir	*to me*
Sie	Sie	Ihnen	*to you*
du	dich	dir	*to you*
er	ihn	ihm	*to him, it*
sie	sie	ihr	*to her, it*
es	es	ihm	*to it*
wir	uns	uns	*to us*
Sie	Sie	Ihnen	*to you*
ihr	euch	euch	*to you*
sie	sie	ihnen	*to them*

Other verbs that require the dative case are **schmecken** (*to be pleasing to the taste*), **passen** (*to fit*), **stehen** (*to suit*), and **helfen** (*to help*).

Übung 2

Alles paletti!
Alle fühlen sich heute wohl.

MODELL: Wie geht es deinem Vater? →
        Danke, es geht ihm gut.

1. Wie geht es Monika?
2. Wie geht es deinem Professor?
3. Wie geht es dir?
4. Wie geht es Mehmet?
5. Wie geht es euch?
6. Wie geht es deiner Freundin?
7. Wie geht es Josef und Melanie?
8. Wie geht es Herrn Thelen?
9. Wie geht es deinen Freunden?

Übung 3

Und alles ist prima.

MODELL: Schmeckt dir das Schnitzel? →
        Schmeckt mir prima.

1. Schmeckt euch der Wein?
2. Paßt Ihnen der Mantel?
3. Steht mir die Sonnenbrille?
4. Gefällt dir das Zelt?
5. Gefallen euch die Schuhe?
6. Paßt ihm das T-Shirt?
7. Schmeckt dir der Apfel?
8. Stehen ihr die Jeans?
9. Gefällt Ihnen der Film?

5.3 Dativ 2: Artikel und Possessiva

The dative case is used to indicate to or for whom something is done.

Morgen schenkt Sofie **ihrem Freund** einen Kassettenrecorder.
Tomorrow Sofie is giving her friend a cassette recorder.

Claire hat **ihren Eltern** einen Brief geschrieben.
Claire wrote her parents a letter.

Here are the dative forms of the indefinite article (**ein/eine**), the negative article (**kein/keine**), the possessives (**mein/meine/. . .**), the definite article (**der/das/die**), and the personal pronouns.

	M	N	F	PL
DAT	einem	einem	einer	—
	keinem	keinem	keiner	keinen
	meinem	meinem	meiner	meinen
	dem	dem	der	den*
	ihm	ihm	ihr	ihnen

Was hast du deinen Geschwistern erzählt? —Nichts! Denen habe ich gar nichts gesagt.
"What did you tell your brothers and sisters?" "I haven't said anything to them at all."

---

*The demonstrative pronoun (see 5.1) is slightly different from the definite article in the dative plural: **denen** rather than **den**.

All nouns take an **-n** in the dative plural unless they end in **-s** or already end in **-n**.

> Wem gehört der Hund? —Er gehört meinen **Kindern**.
> *"To whom does the dog belong?" "It belongs to my children."*

Use the question word **wem** to ask *to* or *for whom* something is being done.

> **Wem** gibt Peter das Buch? —Dem Professor.
> *"To whom does Peter give the book?" "To the professor."*

> Wem kocht Maria eine Suppe? —Ihrer Schwester.
> Wem macht sie die Betten? —Ihren Gästen.
> Wem schreibst du einen Brief? —Meiner Tante.
> Wem kauft Herr Meier ein Kleid? —Seiner Frau.

Übung 4

Und Ihnen gehört nichts?

MODELL: Gehört die Sonnenbrille Ihnen? (Freund) →
    Nein, meinem Freund.

1. Gehört der Bikini Ihnen? (Schwester)
2. Gehört der Porsche Ihnen? (Nachbarin)
3. Gehört der Rucksack Ihnen? (Kusine)
4. Gehören die Schuhe Ihnen? (Freundin)
5. Gehört die Schreibmaschine Ihnen? (Sekretär)
6. Gehört der Regenschirm Ihnen? (Vater)
7. Gehört das Zelt Ihnen? (Vetter)
8. Gehören die Blumen Ihnen? (Oma)

Übung 5

So viele Sachen! Wem können wir die nur geben?

MODELL: Wem geben wir den Mantel? (dein Papa) →
    Vielleicht deinem Papa.

1. Wem geben wir die Schallplatten? (die Präsidentin des Deutschklubs)
2. Wem geben wir das Radio? (dein Onkel)
3. Wem geben wir den Computer? (ein Mathematiker)
4. Wem geben wir die Schokolade? (deine Eltern)
5. Wem geben wir den Brief? (deine Tante)
6. Wem geben wir die Krawatte? (der Taxifahrer)
7. Wem geben wir das Hundefutter? (dein Hund)
8. Wem geben wir den Plattenspieler? (deine Geschwister)

Übung 6

So viele Fragen! Was sind die richtigen Antworten?

MODELL: Wem paßt die Mütze? (meine Schwester) → Meiner Schwester.

1. Wem gehört die Sonnenbrille? (ich)
2. Was schreibst du? (ein Brief)
3. Wem schreibst du? (meine Freundin in Japan)
4. Was schenken wir der Großmutter? (eine Schallplatte)
5. Wem schenken wir das Zelt? (dein Bruder)
6. Wem passen die Skistiefel? (unsere Mutter)
7. Was liest du? (die Zeitung)
8. Wen können wir besuchen? (unsere Freunde)
9. Wen sollen wir anrufen? (der Professor)
10. Mit wem können wir sprechen? (unsere Eltern)

5.4. This is an optional overview of verb + object constructions in German. Most of these verbs will be reentered in subsequent chapters.

5.4 Dativ 3: Valenz und Wortstellung

A. Valenz

Verbs vary as to how many objects they can take.

NOM		
Ich	stehe	um 7 Uhr auf.

NOM		AKK
Er	liebt	seine Frau.

DAT		NOM
Ihr	gehören	viele Bücher.

NOM		DAT	AKK
Wir	kaufen	ihm	ein Radio.

(1) Some verbs cannot take any objects. Verbs in this category allow only a subject; they include the following:

Jutta **geht spazieren.***
Mein Vater **arbeitet** heute nicht.
Warum **lachst** du so laut?
Das Flugzeug **landet** um 10 Uhr.
Der Zug **kommt** bald **an.**

Das Haus **brennt.**
Kleine Kinder **schreien** oft.
Es **regnet** schon seit Tagen.
Claire **schläft** gern.

---

*Ideas are not always expressed in the same way in German and in English. Compare the following expressions:

Er geht mit seinem Hund spazieren.
He's walking his dog.

Ich glaube dir deine Geschichte nicht.
I don't believe your story.

(2) Many verbs, such as the following, can take only an accusative object in addition to the subject:

> Monika **liest** ein Buch.
> Josie **hat** ein Auto.
> Den Kassettenrekorder habe ich zu Weihnachten **bekommen**.
> Wir **brauchen** Zeit.
> Wo hast du das Buch **gefunden**?
> Ich kann dich nicht **verstehen**.
> Alle **kennen** Meyer.
> **Meinst** du mich?
> Ich **trinke** morgens ein Glas Milch.
> Das Kind **wirft** (*throws*) den Ball.

(3) A few verbs allow only a dative object. Here are the most common of these verbs:

helfen	*to help*
gefallen	*to be pleasing to, to like*
danken	*to thank*
schmecken	*to taste*
gratulieren	*to congratulate*
verzeihen	*to forgive*
weh tun	*to hurt*
zuhören	*to listen to*

> Ich kann **dir helfen**.
> Berkeley **gefällt ihm** gut.
>
> Ich **danke dir**.
> **Wem schmeckt** der Wein?
>
> Natalie **gratuliert ihrer Mutter** zum Geburtstag.
> Können Sie **mir** noch einmal **verzeihen**?
>
> **Tu mir** nicht **weh**!
> **Hört mir** doch **zu**!

(4) Some verbs can take two objects in addition to the subject: an accusative object, usually a thing, and a dative object, a person or an animal. The following are some common verbs that can take two objects:

kaufen	*to buy someone something*
schenken	*to give someone something as a gift*
erzählen	*to tell a story to someone*
machen	*to make someone something*
schreiben	*to write something to someone*
leihen	*to loan someone something*
erklären	*to explain something to someone*
empfehlen	*to recommend something to someone*
erlauben	*to allow someone to do something*
geben	*to give someone something*

Jochen **kauft** seiner Mutter einen Porsche.
Lydia **schenkt** ihrem Vater eine Flasche Kognak.
Alexander **erzählt** seinen Kindern eine Geschichte.
Soll ich dir eine Tasse Kaffee **machen**?
Schreib mir doch einen Brief!
Kannst du mir 20 Mark **leihen**?
Das mußt du mir genauer **erklären**.
Was können Sie mir denn **empfehlen**?
Meine Mutter hat es mir nicht **erlaubt**.
Ich habe ihm den Brief **gegeben**.

Übung 7

Was machen unsere Freunde gerade?

MODELL: Rolf / Eltern / Brief schreiben
         Rolf schreibt seinen Eltern gerade einen Brief.

1. Heidi / Freund / Blumen schenken
2. Claire / Freundin / Kaffee machen
3. Josie / Kinder / Geschichte erzählen
4. Peter / Freund / Hausaufgaben erklären
5. Nora / Schwester / Zelt leihen
6. Frau Gretter / Herr Thelen / Arzt empfehlen
7. Michael / Maria / Sonnenbrille kaufen
8. Herr Ruf / Familie / Suppe kochen

B. Wortstellung

If a sentence contains two objects, their sequence is as follows.

(1) When both the dative and the accusative object are nouns, the dative is in front of the accusative.

		DAT	AKK
	macht	seinem Vater	eine Pizza.
Stefan	schreibt	unseren Freunden	einen Brief.
	gibt	dem Kind	Schokolade.

(2) When one of these objects is a pronoun and the other one a noun, the pronoun comes first, regardless of case.

		DAT	AKK
	macht	ihm	eine Pizza.
Stefan	schreibt	ihnen	einen Brief.
		AKK	DAT
	gibt	sie	dem Kind.

(3) When both the dative and the accusative object are pronouns, the accusative is in front of the dative.

		AKK	DAT
Stefan	macht	sie	ihm.
	schreibt	ihn	ihnen.
	gibt	sie	ihm.

It will help you understand these sentences if you keep in mind that when a sentence contains both a dative and an accusative object, the dative is usually a person and the accusative a thing.

Übung 8

Sei so nett!

MODELL: Brauchst du den Mantel? →
Ja, kannst du ihn mir holen?

1. Brauchst du das Buch?
2. Brauchst du die Zeitung?
3. Brauchst du die Schallplatten?
4. Brauchst du das Fahrrad?
5. Brauchst du die Ski?
6. Brauchst du das Radio?
7. Brauchst du den Teppich?

Übung 9

Kein Problem!

MODELL: Unser Bett ist kaputt. → Kein Problem! Ich repariere es euch.
Meine Hose ist schmutzig. → Kein Problem! Ich wasche sie dir.
Melanies Fenster sind schmutzig. → Kein Problem! Ich putze sie ihr.

1. Mein Hemd ist schmutzig.
2. Mein Stuhl ist kaputt.
3. Unsere Fenster sind so schmutzig.
4. Mein Auto ist kaputt.
5. Rolfs Kassettenrecorder ist kaputt.
6. Lydias Blusen sind schmutzig.
7. Unser Fernseher ist kaputt.
8. Ernsts Schuhe sind schmutzig.

5.5. Note that in Section A we concentrate only on "location"; "motion toward" was presented in Chapter 2, Section 2.6. In Section B we formally present the prepositions that require the dative.

5.5 Dativ 4: Präpositionen

A. in, auf, an

To answer the question **wo**, use the following prepositions with the dative.

in	*in, at*
auf	*in, at*
an	*on, at*

Wo wohnst du? —In der Stadt.
"Where do you live?" "In the city."

Wo hast du diese Tomaten gekauft? —Auf dem Markt.
"Where do you buy tomatoes?" "At the market."

Wo angelst du gern? —Am* See.
"Where do you like to fish?" "In the lake."

(1) Use **in** when referring to enclosed spaces.

im* Haus	*in the house*
in der Bibliothek	*in the library*
im Wald	*in the forest*
im Supermarkt	*in the supermarket*

(2) Use **auf** when referring to horizontal surfaces or open spaces; use it also in some idiomatic expressions.

auf dem Tisch	*on the table*
auf der Wiese	*in the meadow*
auf der Bank	*at the bank*

(3) Use **an** when referring to vertical surfaces or borderlines (such as the shoreline or beach, as in **am See** or **am Strand**).

an der Wand	*on the wall*
an der Tafel	*on the blackboard*
am Meer	*at the ocean*
am See	*by the lake*
am Strand	*at the beach*
an der Grenze	*at the border*

---

*In and **an** + **dem** contract to **im** and **am**.

Übung 10

Wo sind sie?

MODELL: Stefan / Strand → Stefan ist am Strand.

1. Richard / Stadt
2. Heidi / Mensa
3. Frau Schulz / Büro
4. Frau Gretter / Kaufhaus
5. Kaffee / Tisch
6. Studenten / Klasse
7. Die Frischs / Markt
8. Geld / Bank

Übung 11

Wo denn?

MODELL: etwas zu essen kaufen → Wo kaufst du etwas zu essen?
Ich kaufe auf dem Markt etwas zu essen.

1. schwimmen
2. fürs Studium arbeiten
3. essen
4. Kleidung kaufen
5. tanzen
6. einen Film sehen
7. Volleyball spielen
8. joggen

a. im Kino
b. in einer Boutique
c. am Strand
d. im Meer
e. in der Bibliothek
f. im Restaurant
g. in der Disco
h. im Park

B. Präpositionen mit dem Dativ

The following prepositions require the dative case.

aus	out of, from	nach	after
außer	except	seit	since, for
bei	with, at the place of	von	of, from
mit	with, together with	zu	to

Ich habe das **aus dem Buch** von Marx.
I got that from the book by Marx.

Außer dir hat das niemand gemerkt.
Nobody noticed that except you.

Gestern waren wir **bei meinen Eltern**.
Yesterday, we were at my parents' place.

Mit dir kann man gut sprechen.
With you one can have a good conversation.

Nach einem Tag ist er zurückgekommen.
He returned after one day.

Seit einem Jahr studiere ich in Berkeley.
I've been studying at Berkeley for one year.

Ich weiß das **von meiner Schwester**.
I know that from my sister.

Du bist krank? Geh doch **zum* Arzt**!
You are sick? Why don't you go to see a doctor?

Übung 12

Mit wem?

MODELL: Mit meinen Geschwistern gehe ich ins Kino.

1. _____ wasche ich das Auto. (Vater)
2. _____ spiele ich Tennis. (Onkel)
3. _____ sehe ich fern. (Geschwister)
4. _____ jogge ich im Park. (Freundin)
5. _____ gehe ich in die Disco. (Freunde)

Übung 13

Ergänzen Sie **außer, bei, mit, nach, seit, von** oder **zu**.

1. Fahren Sie zur Uni? Kann ich _____ Ihnen fahren?
2. Ach Nora, warum tanzt du nie _____ mir?
3. Kommt doch zu mir! Morgen ist _____ mir eine kleine Party.
4. _____ wann hast du denn einen Bart?
5. _____ dir weiß das niemand. Bitte erzähl es nicht weiter.
6. _____ dem Film gehen wir aber sofort ins Bett.
7. Ich gehe jetzt _____ Bäcker.
8. Die Blumen habe ich _____ meinem Freund.

5.6 Hilfsverben 3: werden

Use a form of **werden** to talk about becoming, getting, or growing.

Ich werde alt.
I am growing old.

---

*Bei, von, zu + dem contract to beim, vom, zum; and zu + der contract to zur.

Es wird dunkel.
It is getting dark.

Was willst du werden?
What do you want to be?

Here are the forms of the verb **werden**.

ich	werde	wir	werden
Sie	werden	Sie	werden
du	wirst	ihr	werdet
er sie es	wird	sie	werden

Note that **werden** (+ infinitive) may express present or future probability.

Sie wird zu Hause sein.
She's probably home.

Nächstes Jahr werden wir wohl nach Ägypten fahren.
Next year, we are probably going to Egypt.

Übung 14

Was wollen sie werden?

MODELL: Jens mag Autos und Motorräder. →
        Jens will Automechaniker werden.

1. Lydia kocht gern.
2. Sigrids Tante hat eine Apotheke.
3. Ernst fliegt gern.
4. Jürgen hat Interesse an Pädagogik.
5. Jutta möchte gern Pläne für Häuser zeichnen.
6. Helga geht gern in die Bibliothek.
7. Hans möchte gern kranken Menschen helfen.

5.7 Schwache maskuline Substantive auf -(e)n

Some masculine nouns add **-(e)n** in the dative and accusative singular.*

> Ein Pilot arbeitet in einem Flugzeug.
> *A pilot works in an airplane.*

> Das Flugzeug der Zukunft fliegt wohl ohne **Piloten**.
> *The airplane of the future will most likely fly without a pilot.*

> Mit keinem **Menschen** spreche ich so gern wie mit dir.
> *There's no one with whom I'd rather talk than with you.*

Here are the forms of **der Musikant** (*musician*) as an example.

	SG	PL
NOM	der Musikant	die Musikanten
AKK	den Musikanten	die Musikanten
DAT	dem Musikanten	den Musikanten

Most of these nouns denote male beings. Some of the most common ones include the following categories.

(1) foreign nouns ending in **-t** and denoting members of certain professions:

der Architekt der Poet
der Krankengymnast der Präsident
der Musikant der Soldat
der Patient der Student
der Pilot

(2) masculine nouns ending in **-e**:

der Kollege der Name
der Kunde der Neffe

(3) a few more such as:

der Herr†
der Mensch
der Nachbar

---

*These nouns form their plural with **-(e)n** as well.
†**Herr** adds an **-n** in the accusative and dative singular: **den/dem Herrn**; but it has **-en** in all cases of the plural: **die/die/den Herren**.

KAPITEL 6

Arbeiten und
Entspannen zu Hause

In Kapitel 6 you will learn vocabulary and expressions for talking about where you live and the activities that take place there. You will also learn about the way people in the German-speaking world live.

WOHNEN

THEMEN
Wohnen

Hausarbeit
Wohnmöglichkeiten
Nachbarn

TEXTE
◀ Die Wohnung der Familie
Ruf

ZUSÄTZLICHE TEXTE
Kulturelle Begegnungen: Wohnen—eine Umfrage
Kulturelle Begegnungen: Wohnen in Deutschland
Unsere Straße: Arbeitslos
Kulturelle Begegnungen: Komplett zubetoniert

STRUKTUREN
6.1 Komparation 1: Positiv und Komparativ
6.2 Präpositionen 5: Wechselpräpositionen
6.3 Präteritum 1: war, hatte
6.4 schon / noch nicht; noch / nicht mehr
6.5 kennen / können / wissen
6.6 Nebensätze 1: daß, ob

GOALS

The input and interaction in Chapter 6 focus on where students live and what they do.

Use your PF to teach rooms in a house. Introduce common articles and furniture. Ask: *Haben Sie ein/e/en _____ in Ihrer Wohnung?* The following words are included in the chapter vocabulary: *das Wohnzimmer (das Sofa, der Sessel, das Tischchen, der Teppich, die Lampe, der Vorhang, der Kamin); das Badezimmer (die Badewanne, das Waschbecken, die Toilette, die Dusche, der Spiegel); das Schlafzimmer (die Kommode, der Schrank, das Bett); das Eßzimmer (der Eßtisch, die Anrichte, das Geschirr, der Stuhl); die Küche (der Kühlschrank, der Herd, der Backofen, die Spülmaschine, das Spülbecken).*

SPRECHSITUATIONEN

WOHNEN

☞ **Grammatik 6.1**

so   groß   wie
          größer   als

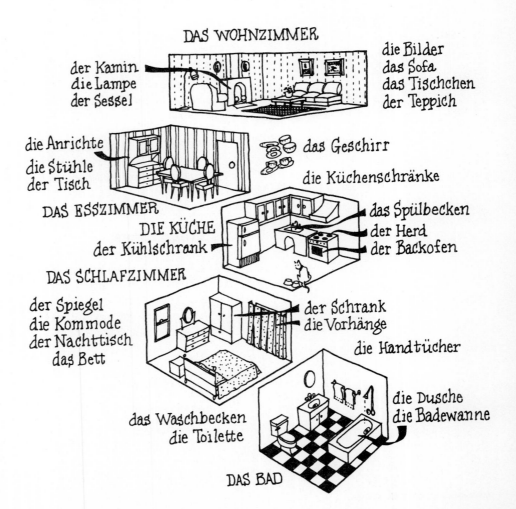

DAS WOHNZIMMER

der Kamin
die Lampe
der Sessel

die Bilder
das Sofa
das Tischchen
der Teppich

die Anrichte
die Stühle
der Tisch

das Geschirr

die Küchenschränke

DAS ESSZIMMER

DIE KÜCHE
der Kühlschrank

das Spülbecken
der Herd
der Backofen

DAS SCHLAFZIMMER

der Spiegel
die Kommode
der Nachttisch
das Bett

der Schrank
die Vorhänge

die Handtücher

das Waschbecken
die Toilette

die Dusche
die Badewanne

DAS BAD

Sit. 1. When the answer is *nein*, ask where the item is found.

AA 1. Make use of compounding in German to show students how to make new words (compounds) and thereby expand their vocabulary. Say: *Ein Tisch zum Essen ist ein Eßtisch.* (Stress the compound.) *Ein Tisch zum Arbeiten ist ein _____.* (*Arbeitstisch.*) *Richtig, ein Tisch zum Arbeiten ist ein Arbeitstisch. Ein Tisch zum Schreiben ist ein _____.* (*Schreibtisch.*)

Then go to *Schrank: Ein Schrank für Kleider ist ein Kleiderschrank. Ein Schrank in der Küche ist ein _____.* (*Küchenschrank.*) *usw.* Then: *Lampe, Stuhl, usw.*

Compound three words: *Eine Lampe für den Schreibtisch ist eine Schreibtischlampe, usw.* Point out that it is always the last part of the compound that determines the gender.

AA 2. Use your PF to teach the names of common animals, especially those considered pets: *die Katze, der Hund, der Fisch, der Vogel, die Kuh, das Pferd, der Käfig; das Goldfischglas, das Aquarium, der Stall, usw.*

Situation 1.   Was ist im Haus?

Denken Sie an das Haus oder die Wohnung Ihrer Eltern, Verwandten oder Freunde.

Sagen Sie ja oder nein. Wenn die Antwort nein ist, erklären Sie warum!

1. Im Haus / In der Wohnung ist . . .

   a. ein Tennisplatz.
   b. ein Schlafzimmer.
   c. eine kleine Küche.
   d. ein Badezimmer.
   e. ein Garten mit vielen Blumen.
   f. eine Garage.
   g. ein Balkon.

2. Im Wohnzimmer ist . . .

   a. ein Sofa.
   b. mein Bett.
   c. ein Waschbecken.
   d. eine Lampe.
   e. eine Stereoanlage.
   f. eine Pflanze.
   g. ein Teppich.

3. In der Küche ist . . .

   a. ein Herd
   b. ein Familienfoto.
   c. eine Geschirrspülmaschine.
   d. ein Kühlschrank.
   e. ein Bücherregal.
   f. ein Spiegel.
   g. ein Mikrowellenherd.

4. Im Schlafzimmer ist . . .

   a. ein Bett.
   b. eine Badewanne.
   c. ein Plattenspieler.
   d. ein Schrank.
   e. ein Kopfkissen.
   f. eine Toilette.
   g. ein Klavier.

Sit. 2. Because of the similarity of the comparative suffix *-er*, which is the same in both English and German, this situation can be done in pairs immediately.

Situation 2.   Interview: Dinge im Haus

1. Was ist größer, ein Kühlschrank oder ein Bett?
2. Was ist teurer, ein Staubsauger oder ein Handtuch?

3. Was ist billiger, eine Teekanne oder eine Zahnbürste?
4. Was ist schöner, dein Wohnzimmer oder dein Schlafzimmer?
5. Was ist teurer, eine Kaffeekanne oder ein Teppich?
6. Was ist älter, deine Stereoanlage oder dein Fernseher?
7. Was ist kleiner, ein Sessel oder ein Sofa?
8. Was ist schwerer, ein Stuhl oder ein Tisch?
9. Was ist leichter, eine Lampe oder eine Anrichte?
10. Was ist neuer, dein Kühlschrank oder dein Geschirr?

Situation 3.   Interview: Meine Wohnung

1. Wo wohnst du? Wohnst du in einem Haus, in einem Apartment, in einem Zimmer im Studentenheim oder in einer Wohnung?
2. Ist dein Haus (dein Zimmer, deine Wohnung, dein Apartment) groß?
3. Hast du ein oder zwei Zimmer in deiner Wohnung (in deinem Apartment)?
4. Hast du ein Eßzimmer in deinem Haus?
5. Hast du einen Balkon oder eine Terrasse in deinem Haus (deiner Wohnung)?
6. Wie viele Badezimmer hast du in deinem Haus (deiner Wohnung)?
7. Mit wem wohnst du zusammen?
8. Hast du ein Zimmer für dich allein?
9. Was hast du in deinem Zimmer?
10. Was hast du in deinem Badezimmer?

DIE WOHNUNG DER FAMILIE RUF

Die Wohnung der Rufs ist ziemlich groß. Sie wohnen in München in der Isabellastraße, gegenüber[1] von den Wagners. Sie haben ein Wohnzimmer, ein Schlafzimmer, ein Arbeitszimmer für Herrn Ruf, zwei Kinderzimmer und natürlich eine Küche und zwei Badezimmer.

Im Arbeitszimmer stehen ein Schreibtisch und ein Stuhl. An den Wänden sind überall Regale mit Büchern, und in der Ecke neben dem Fenster steht ein Gummibaum.[2] Das Schlafzimmer der Eltern und die Kinderzimmer sind im ersten Stock.[3] Die Fenster sind kleiner als im Erdgeschoß,[4] und die Zimmer sind ein bißchen dunkler.

Das Schlafzimmer ist sehr groß, fast größer als das Wohnzimmer und viel größer als Herrn Rufs Arbeitszimmer. Außer dem Bett stehen eine Kommode, ein kleines Sofa und ein großer Schrank im Schlafzimmer. An der Wand hängt ein Spiegel, und auf einem kleinen Tisch steht ein Radio. Über dem Bett hängt ein Bild.

[1]*opposite*   [2]*rubber tree*   [3]ersten . . . *second floor*   [4]*ground floor*

Fragen

1. Wo wohnen die Rufs?
2. Wo steht der Gummibaum?

3. Sind die Fenster im Wohnzimmer größer als im Schlafzimmer?
4. Was ist größer als Jochen Rufs Arbeitszimmer?
5. Was hängt im Schlafzimmer an der Wand?
6. Wo steht das Radio?

HAUSARBEIT

☞ **Grammatik 6.2**

DAS HAUS DER FAMILIE WAGNER

Andrea/ das Licht anmachen

Paula/ das Licht ausmachen

Frau Tischner (die Putzfrau)/ das Haus saubermachen

Jens/den Rasen mähen

Ernst/die Blumen gießen

Josie/ Kochen

Uli/den Hof fegen

Margret/abwaschen
Hans/abtrocknen

Jutta/bügeln und staubsaugen
Jochen/Wäsche waschen

Hans/ Bett machen

DIE WOHNUNG DER FAMILIE RUF

Situation 4.   Wer macht was?

Wenn man mit anderen Personen zusammenwohnt, hat jeder bestimmte Aufgaben. Sagen Sie, wer bei Ihnen was macht.

MODELL: abtrocknen → Mein Bruder (mein Freund, mein Zimmerkollege) trocknet ab.

1. abwaschen
2. das Bad putzen
3. die Wäsche waschen
4. einkaufen gehen
5. die Blumen gießen
6. staubsaugen
7. Betten machen
8. das Essen kochen
9. staubwischen
10. den Rasen mähen

Situation 5.   Hausarbeit

Sagen Sie, wo man das tut.

MODELL: das Auto reparieren → Das Auto repariert man in der Garage.

1. sich mit Gästen unterhalten
2. essen
3. kochen
4. Radio hören
5. baden
6. fernsehen
7. abwaschen
8. Mittagsschlaf machen
9. Wäsche waschen
10. telefonieren

Situation 6.   Definitionen

A. Was macht man . . .

MODELL: auf einem Herd → Auf einem Herd kocht man.

1. in einem Backofen
2. mit einem Staubsauger
3. mit einem Toaster
4. mit einer Geschirrspülmaschine
5. in einer Waschmaschine

a. die Teppiche saugen
b. Kuchen backen
c. das Geschirr spülen
d. das Brot toasten
e. die Wäsche waschen

B. Was benutzt man beim . . .

MODELL: Kochen → Beim Kochen benutzt man einen Herd.

1. Rasenmähen
2. Bügeln
3. Fegen
4. Blumengießen

a. ein Bügeleisen
b. einen Besen
c. einen Rasenmäher
d. einen Gartenschlauch

Sit. 7. (See the IM for suggestions on open dialogues.)

AA 8. Use the 20-question game format to guess at pieces of furniture and other household items. For example, the student who is "it" thinks of a toaster. The other students ask: 1. *Ist es für das Bad?* (*Nein.*) 2. *Ist es für das Schlafzimmer?* (*Nein.*) 3. *Braucht man es in der Küche?* (*Ja.*) 4. *Braucht man es zum Waschen?* (*Nein.*) 5. *Braucht man es zum Kochen?* (*Ja.*) 6. *Für Gemüse?* (*Nein.*) 7. *Braucht man es am Morgen?* (*Ja.*) 8. *Ist es für Brot?* (*Ja.*) 9. *Ist es ein Toaster?* (*Ja.*)

Sit. 8. Have students work in pairs.

Situation 7.   Offener Dialog: Wochenende

S1: Mußt du am Wochenende etwas im Haus (in der Wohnung) machen?
S2: Ich muß _____? Und du?
S1: Ich möchte _____, aber ich muß _____.
S2: Vielleicht können wir uns abends treffen.

Situation 8.   Interview

1. Mit wem wohnst du zusammen?
2. Was machst du normalerweise am Samstagvormittag zu Hause?
3. Mußt du deinem Vater/deiner Mutter helfen?
4. Bleibst du viel zu Hause, oder gehst du oft spazieren?
5. Wer putzt bei euch das Haus?
6. Wer arbeitet bei euch im Garten?
7. Welche Hausarbeit machst du gern?
8. Hast du viel Besuch von deinen Freunden?
9. Wer hat das größte Schlafzimmer/Zimmer bei euch?
10. Gefällt dir dein Haus/deine Wohnung? Warum (nicht)?

WOHNMÖGLICHKEITEN

Grammatik 6.3–4

ich	war	wir	waren
Sie	waren	Sie	waren
du	warst	ihr	wart
er sie es	war	sie	waren

Use photos from your picture file to introduce general terms that apply to buildings—*das Gebäude, die Tür, das Fenster, das Dach, die Etage, das Zimmer*—and types of buildings—*das Theater, das Einkaufszentrum, die Wohnung, das Einfamilienhaus.* Review rooms of a house—*das Schlafzimmer, das Wohnzimmer, die Küche, das Badezimmer, das Kinderzimmer, das Eßzimmer*—and include words for the outside areas—*der Zaun, die Blume, die Pflanze, der Baum, der Balkon, die Ecke.*

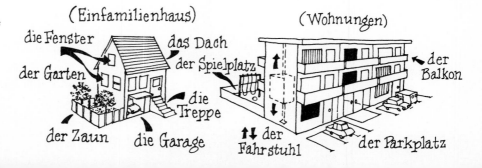

Situation 9. Meine Wohngegend

s1: **Was war hier früher?**
s2: **Ein Zeitungsladen.**

s1: **Was ist da jetzt?**
s2: **Ein Restaurant.**

das Schreibwarengeschäft
das Lebensmittelgeschäft
der Marktplatz und der Brunnen
die Schule
das Schulhgeschäft
das Reisebüro
die Tankstelle
der Friseur
die Kirche
die Straßenecke
der Zeitungsladen
die Schlachterei
das Hotel

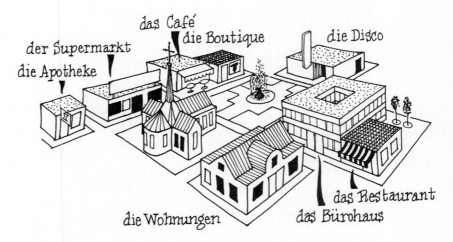

der Supermarkt
das Café
die Boutique
die Disco
die Apotheke
die Wohnungen
das Restaurant
das Bürohaus

Sit. 10. Ask questions for scanning: *Welche Nummer müssen Sie anrufen, wenn Sie eine große Wohnung in einem modernisierten Altbau möchten? Welche Nummer müssen Sie anrufen, wenn Sie ein Zimmer am Kudamm suchen?* Assign the questions as homework.

Situation 10.   Wohnungsanzeigen aus Berlin

Suchen Sie die Information in der Anzeige.

Wohnungsgesuche:

Katharina (26), Jürgen (29), Waschmaschine und 1125 Bücher suchen Platz in fröhlicher WG.* Tel. 9054218

Student (23) sucht Zimmer in WG, natürlich billig, hell und ruhig, ab April oder früher. Tel. 0241/508579 Gerd.

Suche Zimmer bei Frau oder kleiner WG bis 300 DM; warm, möglichst Nähe Krankenhaus. Bin 27 Jahre, Krankengymnastin. Renate. Tel. 4693519 abends.

Ruhige Studentin, Nichtraucherin, sucht dringend 1–2 Zimmerwohnung bis 270 DM. Tel. 8031509

1. Was bringen Katharina und Jürgen mit?
2. Wieviel darf die 1–2 Zimmerwohnung der Studentin kosten? Was macht sie nicht?
3. Wo sucht die Krankengymnastin ein Zimmer? Wie alt ist sie?
4. Für wann sucht der Student (23) ein Zimmer? Wie soll das Zimmer sein?

Suchen Sie die Information in der Anzeige.

Wohnungsangebote:

1 Zimmer, 27 qm in Schöneberg, Zentralheizung, Miete 390 DM, Kaution 380 DM. Adresse erfragen unter Tel. 3961541

5-Zimmer-Bad-Wohnung, modernisierter Altbau, 650 DM kalt, zum 1.6 für Familie mit kleinen Kindern. Tel. 9865432

Vermiete möbliertes Zimmer mit Küchen- und Badbenutzung, Schreibtisch, Waschmaschine, ca. 360 DM. Tel. 9875402

1-Zimmer-Apartment, beste Lage (Ku-Damm), ca. 30 qm, hell, Bad, Kochnische, Balkon, Zentralheizung (Fahrstuhl und Waschraum im Haus) für 650 DM inkl. Garage zu vermieten. Tel. 6791488

1. Was kostet die 5-Zimmer-Wohnung?
2. Was ist in dem möblierten Zimmer?
3. Wie groß ist das 1-Zimmer-Apartment, und was kostet es?
4. Hat das möblierte Zimmer ein Bad?
5. Wo ist das Zimmer mit Zentralheizung, und wie groß ist es?

---

*WG = Wohngemeinschaft

Sit. 11. (See the IM for suggestions on the use of dialogues.)

Situation 11.   Dialoge: Zimmersuche

STUDENT: Was kostet das Zimmer?

WIRTIN: 230 DM.

STUDENT: Wie groß ist es?

WIRTIN: 12 qm.

STUDENT: Das ist aber klein.

WIRTIN: Sie brauchen wohl einen Tanzsaal?

STUDENT: Kann ich hier auch duschen?

WIRTIN: Einmal in der Woche. Das kostet 1.50 DM extra.

STUDENT: Darf ich rauchen?

WIRTIN: Natürlich nicht!

STUDENT: Und außerdem habe ich einen Hund.

WIRTIN: Das Zimmer ist schon vermietet.

CLAIRE: Hallo, Josef. Hast du schon ein neues Zimmer?

JOSEF: Nein. Ich habe mir schon viele angesehen, aber noch nichts gefunden.

CLAIRE: Warum nicht?

JOSEF: Ach, die Zimmer waren teurer als mein altes Zimmer, oder dunkler oder kleiner oder die Zimmerwirtin war ein Drachen.

CLAIRE: Was heißt das, ein Drachen?

JOSEF: Das heißt, die Frau war extrem unfreundlich.

CLAIRE: Und was machst du nun?

JOSEF: Ich suche nicht mehr weiter. Ich bleibe noch ein bißchen länger in meinem alten Zimmer.

Situation 12.   Offener Dialog

STUDENT: Das Zimmer ist sehr _____ und kühl.

WIRT: Göttingen ist natürlich nicht in Afrika.

STUDENT: Was _____ das Zimmer?

WIRT: _____ DM kalt.

STUDENT: Wie _____ ist es?

WIRT: 14 qm.

Sit. 13. Let students work in pairs. Then, after having gone from group to group, let 2 or 3 pairs act out the role plays in front of the class.

Situation 13.   Rollenspiel: Zimmersuche

Sie sind ein Student/eine Studentin auf Zimmersuche. Sie haben eine Anzeige in der Zeitung gelesen und möchten mehr über das Zimmer erfahren. Sie stellen dem Wirt/der Wirtin Fragen:

1. Was kostet das Zimmer?
2. Ist das Zimmer warm?
3. Kann ich auch kochen?

4. Kann ich baden oder duschen?
5. Darf ich rauchen?
6. Darf ich singen und Gitarre spielen?
7. Kann meine Freundin/mein Freund mich besuchen?
8. Wie groß ist das Zimmer?
9. Darf ich einen Hund (eine Katze, einen Wellensittich, einen Goldfisch) halten?
10. Kann ich Musik hören?

NACHBARN

 Grammatik 6.5–6

Have students practice introducing each other using the patterns in the display.

Kennen Sie die neuen Nachbarn von nebenan?
Ja, sie heißen Schäfer.

Wissen Sie, daß Frau Körner krank ist!
Was Sie nicht sagen! Was hat sie denn?

Wissen Sie, ob Herr Wagner arbeitslos ist?
Keine Ahnung. Aber er hat schon wieder ein neues Auto.
Wo er nur das Geld her hat?
Vielleicht hat er im Lotto gewonnen.

Sit. 14. Initiate *Klatsch* about a well-known person/celebrity. Use expressions such as: *Wissen Sie, daß . . . ; Haben Sie gehört, daß . . . .* Encourage students to gossip about people whom everybody in class knows.
   Then have students work in groups to match sentences 1–10 with the three opening constructions containing *wissen* and *kennen*. Go from group to group to explain, when necessary, which construction fits which of the two verbs.

Situation 14.   Klatsch

Herr Thelen trifft Frau Körner. Ihre Nachbarn, die Schäfers, wohnen erst seit einer Woche nebenan. Ergänzen Sie Herrn Thelens Fragen.

Wissen Sie, daß . . .
Kennen Sie . . .
Wissen Sie, ob . . .

1. die Putzfrau von Frau Schäfer?
2. die Tochter einen Freund mit Motorrad hat!
3. Frau Schäfer älter ist als ihr Mann!
4. die Schäfers ein Krokodil in der Badewanne haben?
5. den Mann, der jeden Mittwochabend kommt?
6. Herr Schäfer eine Freundin hat!
7. der Mercedes ganz neu ist!
8. Frau Schäfer zehn Pelze im Schrank hat!
9. die Schäfers jedes Jahr dreimal verreisen!
10. die Freunde der Schäfers aus Amerika?

Sit. 15. Let students work in pairs.

Situation 15.   Klatschinterview

1. Kennst du den Freund/die Freundin deiner Nachbarin/deines Nachbarn?
2. Ist er/sie nett?
3. Weißt du, ob er/sie raucht?
4. Weißt du, ob er/sie Alkohol trinkt?
5. Kennst du den Mann/die Frau deiner Deutschprofessorin/deines Deutschprofessors?
6. Weißt du, ob er/sie Kinder hat?

Sit. 16. (See the IM on suggestions with dialogues.)

Situation 16.   Dialog

JÜRGEN: Weißt du, daß Rolf in Amerika ist?
SILVIA: Wirklich? Seit wann denn?
JÜRGEN: Schon seit drei Monaten.
SILVIA: Und seine Freundin Sabine?
JÜRGEN: Ich weiß, daß sie einen neuen Freund hat. Aber ich kenne ihn nicht.

Sit. 17. (See the IM for suggestions for handling open dialogues.) Pay particular attention to the use of *wissen* and *kennen*.

Situation 17.   Offener Dialog

S1: _____, daß Peter eine neue Freundin hat?
S2: Wirklich! Wie sieht sie aus?
S1: Ich _____ sie nicht. Aber sie arbeitet als Fotomodell.
S2: _____, ob sie viel Geld hat?
S1: Keine Ahnung. Aber ich habe gehört, daß sie einen Porsche fährt.

VOKABELN

Wohnen — Living

der **Altbau**	old apartment house
das **Bad**, ¨er	bathroom (*sg. only*);
die **Badbenutzung**	public swimming pool
	pool
das **Badezimmer**, -	bathroom/bath
das **Dach**, ¨er	roof
die **Dusche**, -n	shower
die **Ecke**, -n	corner
das **Einfamilienhaus**, ¨er	single-family home
das **Eßzimmer**, -	dining room
die **Etage**, -n	floor, story
der **Fahrstuhl**, ¨e	elevator
der **Gast**, ¨e	guest
das **Gebäude**	building
die **Hausarbeit**	housework
der **Hof**, ¨e	courtyard
die **Kochnische**, -n	kitchenette
die **Miete**, -n	rent
die **Putzfrau**, -en	housekeeper
das **Schlafzimmer**, -	bedroom
der **Waschraum**, ¨e	laundry room
der **Wirt**, -e/ die **Wirtin**, -nen	landlord / landlady
das **Wohnzimmer**, -	living room
der **Zaun**, ¨e	fence
die **Zimmersuche**	(*search for lodgings*)

Ähnliche Wörter: das **Apartment**, -s / der **Balkon**, -e / die **Garage**, -n / die **Toilette**, -n

Erinnern Sie sich: der **Boden**, ¨ / die **Decke**, -n / das **Fenster**, - / der **Garten**, ¨ / das **Haus**, ¨er / der **Hausbesitzer**, - / die **Hausfrau**, -en / die **Küche**, -n / die **Terrasse**, -n / die **Treppe**, -n / die **Tür**, -en / die **Wand**, ¨e / die **Wohnung**, -en

Möbel und Haushaltsartikel — Furniture and Household Items

die **Anrichte**, -n	sideboard
der **Backofen**, ¨	oven
der **Besen**, -	broom
das **Bügeleisen**, -	iron
die **Gardine**, -n	drapes
der **Gartenschlauch**, ¨e	hose

die **Geschirrspül-maschine**, -n	dishwasher
das **Handtuch**, ¨er	towel
der **Herd**, -e	stove
die **Kaffeekanne**, -n	coffee pot
die **Kommode**, -n	chest of drawers
das **Kopfkissen**, -	pillow
der **Küchenschrank**, ¨e	cabinets
der **Kühlschrank**, ¨e	refrigerator
der **Mikrowellenherd**, -e	microwave oven
der **Nachttisch**, -e	bedside table
der **Rasen**, -	lawn
der **Rasenmäher**, -	lawn mower
der **Spiegel**, -	mirror
das **Spülbecken**, -	kitchen sink
der **Staubsauger**, -	vacuum cleaner
die **Stereoanlage**, -n	stereo set
die **Teekanne**, -n	teapot
das **Tischchen**, -	small table
der **Vorhang**, ¨e	drapes
das **Waschbecken**, -	sink
die **Zahnbürste**, -n	toothbrush
die **Zentralheizung**, -en	central heating
der **Zaun**, ¨e	fence

Ähnliche Wörter: die **Pflanze**, -n / das **Sofa**, -s / der **Toaster**, - / die **Waschmaschine**, -n

Erinnern Sie sich: die **Badewanne**, -n / das **Bild**, -er / der **Computer**, - / der **Fernseher**, - / der **Kamin**, -e / der **Kassettenrecorder**, - / das **Klavier**, -e / der **Koffer**, - / die **Lampe**, -n / der **Plattenspieler**, - / das **Radio**, -s / das **Regal**, -e / der **Schrank**, ¨e / die **Schreibmaschine**, -n / der **Schreibtisch**, -e / der **Sessel**, - / der **Stuhl**, ¨e / das **Telefon**, -e / der **Teppich**, -e / der **Tisch**, -e / der **Videorecorder**, - / die **Uhr**, -en / der **Wecker**, -

Die Wohngegend — Neighborhood

der **Baum**, ¨e	tree
die **Blume**, -n	flower
der **Brunnen**, -	fountain
das **Bürohaus**, ¨er	office building
die **Lage**, -n	site, location
das **Lebensmittel-geschäft**, -e	grocery store

der **Marktplatz**, ⁼e	market square
der **Parkplatz**, ⁼e	parking lot
der **Platz**, ⁼e	location, square
das **Reisebüro**, -s	travel agency
die **Schlachterei**, -en	butcher shop
das **Schreibwaren-**	stationery store
geschäft, -e	
das **Schuhgeschäft**, -e	shoe store
der **Spielplatz**, ⁼e	playground
die **Straßenecke**, -n	street corner
das **Studentenheim**, -e	dormitory
die **Tankstelle**, -n	gas station
der **Tanzsaal**, *pl.*	ballroom
Tanzsäle	
der **Waschsalon**	laundromat
die **Wohngegend**, -en	residential neighborhood
der **Zeitungsladen**, ⁼	newspaper store

Ähnliche Wörter: das **Café**, -s

Erinnern Sie sich: die **Adresse**, -n / die **Apotheke**, -n / die **Bäckerei**, -en / die **Bibliothek**, -en / die **Boutique**, -n / die **Disco**, -s / die **Drogerie**, -n / die **Fabrik**, -en / das **Fischgeschäft**, -e / die **Fleischerei**, -en / der **Friseursalon**, -s / das **Hotel**, -s / das **Kino**, -s / das **Krankenhaus**, ⁼er / die **Metzgerei**, -en / das **Museum**, *pl.* die **Museen** / der **Park**, -s / die **Pizzeria**, -s / das **Restaurant**, -s / das **Schwimmbad**, ⁼er / die **Stadt**, ⁼e / die **Stadtbücherei**, -en / die **Straße**, -n / der **Supermarkt**, ⁼e / der **Tennisplatz**, ⁼e / das **Theater**, -

Tiere Animals

der **Drachen**, -	dragon
der **Käfig**, -e	cage
die **Kuh**, ⁼e	cow
das **Pferd**, -e	horse
der **Stall**	stables
der **Vogel**, ⁼	bird
der **Wellensittich**, -e	canary

Ähnliche Wörter: das **Aquarium**, *pl.* die **Aquarien** / der **Goldfisch**, -e / das **Krokodil**, -e

Erinnern Sie sich: der **Fisch**, -e / der **Hund**, -e / die **Katze**, -n

Verben Verbs

ansehen (sieht . . . an),	to look at
angesehen	
ausmachen,	to switch off
ausgemacht	
benutzen, **benutzt**	to use
bügeln	to iron
erfahren (**erfährt**),	to learn, hear
erfahren	
erfragen, **erfragt**	to ask
ergänzen, **ergänzt**	to supply, fill in
fegen	to sweep
gewinnen, **gewonnen**	to win
kennen, **gekannt**	to know
mähen	to mow
mitbringen,	to bring along
mitgebracht	
saubermachen,	to clean
saubergemacht	
(staub)saugen,	to vacuum
(staub)gesaugt	
staubwischen,	to dust
staubgewischt	
trocknen, **getrocknet**	to dry
sich unterhalten	to converse
(**unterhält**),	
unterhalten	
vermieten, **vermietet**	to rent (out)

Ähnliche Wörter: **helfen** (**hilft**), **geholfen** / **kosten** / **toasten**

Substantive Nouns

das **Angebot**, -e	offer
die **Antwort**, -en	answer
die **Aufgabe**, -n	task
das **Gesuch**, -e	request
der **Klatsch**	gossip
das **Lotto**, -s	(*type of lottery*)
im **Lotto**	in the lottery
der **Mittagsschlaf**	nap
die **Möglichkeit**, -en	possibility
das **Rollenspiel**, -e	role play, situation

Ähnliche Wörter: das **Fotomodell**, -e

Adjektive und Adverbien

Adjectives and Adverbs

allein	alone
arbeitslos	unemployed
bestimmt-	certain
extra	in addition
hell	bright (sunny)
inklusive	included
lang, länger	long
leicht	easy, light
möbliert	furnished
modernisiert	modernized
normalerweise	normally
ruhig	quiet

Ähnliche Wörter: extrem / unfreundlich

hinter	behind
in	in, at
neben	beside, next to
über	above, on top of, across
unter	under, below
vor	in front of
zwischen	between

Nützliche Wörter und Wendungen

Useful Words and Phrases

Besuch haben	to have visitors
früher war hier . . .	there used to be . . .
keine Ahnung	no idea
ob	if, whether
warum	why
Was Sie nicht sagen!	Is that so!
Weißt du, daß . . .	Do you know that . . .
wieviel	how much (many)

Wechsel- präpositionen

Changing Prepositions (Accusative or Dative)

an	on, at
auf	on, at

ZUSÄTZLICHE TEXTE

KULTURELLE BEGEGNUNGEN: Wohnen—eine Umfrage[1]

Wir haben Jugendliche in der Bundesrepublik und West-Berlin gefragt, wie und wo sie gerne wohnen möchten. Hier sind vier Antworten:

SUSANNE, 15 JAHRE:
Ich wünsche mir ein altes Schloß,[2] in das ich mit meiner Freundin einziehe.[3] Das Schloß soll groß sein und viele Zimmer mit vielen alten Möbeln haben. Dazu gehört auch ein riesiger[4] Park mit Reitpferden,[5] Hunden und vielen anderen Tieren.

© Andre Gelpke / Photo Researchers, Inc.

Überall in der Bundesrepublik findet man viele gut erhaltene oder restaurierte historische Bauten, wie diesen alten Bauernhof in der Lüneburger Heide in Niedersachsen.

Text: Ask students how they would like to live; encourage them to be very outgoing in their fantasies. Ask questions to keep up the discussion: *In was für einem Haus möchten Sie wohnen? Wo soll das Haus liegen? Am Meer, in den Bergen, in der Stadt, auf dem Land, . . . ? Soll es groß sein oder klein? Wie viele Zimmer möchten Sie haben? usw.*

Point out that *Hallig* is the name for very small islands in the marshlands off the coast of Schleswig-Holstein that are usually inhabited by only one family.

CLAUDIA, 16 JAHRE:

Ein total rundes Haus, wie eine Kugel,[6] ganz modern, mit vielen Etagen[7]—das wäre toll. Viele Fenster müssen auch drin sein; am besten gleich ganz aus Glas, das ganze Haus. Die Möbel sollen ultramodern sein. Stehen soll der Glaspalast an der Côte d'Azur in Frankreich, mit Blick[8] hinaus aufs Meer. Da möchte ich mit meinem Freund und mit meiner besten Freundin und ihrem Freund wohnen.

PETER, 20 JAHRE:

Ich möchte mit meiner Freundin auf einer kleinen Insel[9] in der Nordsee wohnen, einer Hallig.[10] In einem renovierten alten Bauernhof[11] mit kleinen Zimmern, vielen Fenstern und alten Bauernmöbeln. Außer uns wohnt niemand auf der Insel.

HELMUT, 16 JAHRE:

Meine Traumwohnung ist mitten in der Stadt, in einem großen Altbau. Es ist eine riesige Wohnung, mit großen Zimmern, die alle miteinander verbunden[12] sind. Im Bad möchte ich eine riesige Badewanne.[13] Es sind nicht viele Möbel in meiner Traumwohnung, in einem Raum steht nur ein riesiggroßes Bett. Die Wände sollen gut isoliert[14] sein, damit ich den ganzen Tag sehr laut Musik hören kann.

[1]*opinion poll* [2]*castle* [3]*move in* [4]sehr großer [5]*saddle horses* [6]Ball [7]*floors* [8]*view* [9]*island* [10]einer kleinen Insel [11]*farmhouse* [12]*connected* [13]*bathtub* [14]*insulated*

Fragen

1. Wovon träumt Susanne?
2. Wie soll das Schloß aussehen?
3. Was für Möbel möchte Claudia in ihrem Kugelhaus haben?
4. Wo soll der Glaspalast stehen?
5. Wo soll Peters Bauernhof stehen?

6. Mit wem möchte er dort wohnen?
7. Ist Helmuts Traumwohnung ein Neubau?
8. Warum müssen die Wände gut isoliert sein?

KULTURELLE BEGEGNUNGEN: Wohnen in Deutschland

© Judy Poe / Photo Researchers, Inc.

Der Stil der neuen Zeit: Beton, Glas und Stahl. In der dichtbesiedelten Bundesrepublik ist es für Architekten und Bauherren oft nicht eine Frage des Geschmacks, wie man baut, sondern eine Frage der Notwendigkeit.

Zwei Drittel aller Wohnhäuser in der Bundesrepublik sind weniger als 40 Jahre alt. Die Bomben des 2. Weltkriegs haben fast alle Großstädte stark zerstört,[1] deshalb waren die 50er und 60er Jahre eine Phase des Aufbaus.[2] Alle Häuser, die nach 1949 entstanden sind, nennt man Neubauten; die alten, die noch von vor dem Krieg sind, heißen Altbauten.

Viele Neubauten sind mit allem modernen Komfort ausgestattet,[3] vor allem seit den 60er Jahren. Sie haben Badezimmer und fast alle Zentralheizung. Die Altbauten aber haben meistens weder das eine noch[4] das andere. In West-Berlin gibt es auch heute noch sehr viele Leute, die kein Bad haben oder sich die Toilette mit anderen auf einer Etage teilen[5] müssen. Darum gibt es in Berlin viele öffentliche[6] Badeanstalten,[7] wo man für wenig Geld eine Badewanne mieten kann.

In den letzten zehn Jahren geht der Trend wieder zurück in die Innenstädte, während er vorher in die Vororte[8] ging. Satellitenstädte wuchsen[9] um die Großstädte herum, die Innenstädte waren nach Geschäftsschluß[10] verlassen. Modernisierte Altbauwohnungen sind heute wieder sehr beliebt[11] und auch sehr teuer. Leute kaufen und mieten wieder Altbauwohnungen und modernisieren sie, das heißt, sie bauen Bäder, neue Toiletten und Heizungen ein. In München zum Beispiel liegen die Mietpreise für Altbauwohnungen weit höher[12] als die für Neubauwohnungen. Sie sind schöner als die auf dem Reißbrett[13] des Architekten geplanten Neubauwohnungen. Die Zimmer sind größer und höher, oft haben sie Parkettböden und große Balkone oder Wintergärten.

[1]kaputt gemacht [2]*construction* [3]*equipped* [4]*weder . . .* das eine nicht und das andere auch nicht [5]*share* [6]*public* [7]Bäder [8]*suburbs* [9]*grew* [10]*closing time* [11]populär [12]*higher* [13]*drawing board*

Fragen

1. Warum sind zwei Drittel aller Wohnhäuser noch nicht sehr alt?
2. Wie nennt man Häuser, die nach 1949 entstanden sind?
3. Wie nennt man die Häuser, die älter sind?
4. Sind Altbauten komfortabel eingerichtet?
5. Warum gibt es in West-Berlin viele öffentliche Badeanstalten?
6. Wohin geht der Trend in den letzten zehn Jahren?
7. Wohin ging der Trend vorher?
8. Was machen Leute mit Altbauwohnungen?
9. Sind modernisierte Altbauwohnungen billiger als Neubauten? Warum?

UNSERE STRASSE: **Arbeitslos[1]**

Herr Wagner ist Schlossermeister[2] in einer Metallfabrik. Die Situation der Fabrik hat sich in den letzten Monaten extrem verschlechtert, die Umsätze[3] sind zurückgegangen. Zuerst hat die Direktion Kurzarbeit[4] eingeführt, doch jetzt hat es erste Entlassungen[5] gegeben. Der Teil des Betriebs,[6] in dem Herr Wagner arbeitet, wird geschlossen. Herr Wagner ist in zwei Monaten arbeitslos.

HERR WAGNER: Und wie sollen wir den neuen Wagen[7] bezahlen?

FRAU WAGNER: Mach dir keine Sorgen,[8] du wirst schon neue Arbeit finden; und wir haben ja auch genug gespart.[9]

HERR WAGNER: Ich bin schon vierundvierzig, da ist es nicht mehr so einfach, eine neue Stelle[10] zu finden, besonders in diesen Zeiten, wo es so viele Arbeitslose gibt. Und unsere Ersparnisse[11] reichen auch nicht ewig.[12]

FRAU WAGNER: Erstens sind es noch zwei Monate bis zu deiner Entlassung, da hast du genug Zeit, etwas Neues zu finden, und zweitens bekommst du ja erstmal 75% deines alten Lohns[13] als Arbeitslosengeld. Das reicht[14] uns doch.

HERR WAGNER: Ich weiß ja. Es ist aber nicht nur das Finanzielle, es ist einfach auch das Gefühl, nach zwanzig Jahren plötzlich arbeitslos zu sein. Arbeitslos! Verstehst du?

FRAU WAGNER: Nun sag nur, du denkst an die Nachbarn.

HERR WAGNER: Ach! Die Nachbarn können mir den Buckel runterrutschen.[15] Ich denke auch an die Kinder.

FRAU WAGNER: Ach Gott, darüber mach dir keine Sorgen, die freuen sich bestimmt, ihren Vater öfter zu sehen. Dann kannst du mit Ernst mal während der Woche etwas machen. Und jetzt reg dich nicht mehr auf.[16] Ich finde es nicht schlimm.

HERR WAGNER: Es ist schön, daß du so optimistisch bist.

[1]ohne Arbeit [2]Mechaniker [3]*sales* [4](siehe KN) [5]*layoffs* [6]Firma [7]Auto [8]Mach . . . *don't worry* [9]*saved* [10]Arbeit [11]Geld auf der Bank [12]für immer [13]*salary* [14]ist genug [15]Die . . . *I couldn't care less about the neighbors.* [16]reg . . . auf *get excited*

Fragen

1. Was ist Herr Wagner von Beruf?
2. In welcher Lage (Situation) ist Herr Wagner in zwei Monaten?
3. Was müssen die Wagners noch bezahlen?
4. Wie alt ist Herr Wagner? Was bedeutet das für seine Lage?
5. Wieviel Arbeitslosengeld bekommen die Wagners, wenn Herr Wagner nicht arbeitet?
6. Hat Herr Wagner Angst, daß die Familie Geldprobleme bekommt?
7. Was deprimiert ihn außerdem?
8. Sind die Wagners besorgt wegen der Nachbarn?
9. Ist Frau Wagner auch deprimiert?
10. Welche Vorteile (*advantages*) sieht sie für die Familie?

KULTURELLE NOTIZ: Kurzarbeit

Wenn eine Firma oder ein Betrieb in einer ökonomischen Krise ist, kann die Betriebsleitung[1] Kurzarbeit einführen.[2] Alle Angestellten arbeiten dann weniger, aber sie bekommen auch weniger Geld. So muß aber wenigstens niemand entlassen werden.

[1]*management* [2]*initiate*

KULTURELLE BEGEGNUNGEN: Komplett zubetoniert[1]

Städte bestehen zum größten Teil aus Beton, Stein, Asphalt, Stahl[2] und Glas. Beton ist solide, wetterfest und beständig.[3] Meistens jedenfalls. Er rostet nicht, schmilzt[4] nicht, splittert nicht. Die Straßen, die Gehwege, die Schulhöfe, die Parkplätze, die Spielplätze, alles ist gut gepflastert oder betoniert. Es gibt keine Schlammpfützen[5] mehr, alles sauber.

Das Zentrum einer Großstadt ist trostlos im Regen.

Text: Bring slides or pictures from your PF and show images of West German cities. For the topic of this text, we recommend pictures of the *Ruhrgebiet, Berlin: Märkisches Viertel* or *Gropiusstadt*, etc. Talk about the densely populated areas in West Germany. Point out the size of the FRG in relation to its population in comparison with the US.

US: 9,371,829 km² / 240,000,000 inhabitants
FRG: 248,667 km² / 60,000,000 inhabitants
US: 37× bigger with only 4× more inhabitants than FRG

Die Bäume wachsen auf genau abgesteckten[6] Flächen,[7] begrenzt durch Beton. Blumenkübel aus Stein oder Beton sollen den Anschein von Natur und Leben erwecken,[8] wo längst die Leblosigkeit regiert.[9]

Wohnen im Beton. Man braucht nur aus dem Fenster zu schauen und blickt auf Mauern, andere Betonzellen mit quadratischen Öffnungen, die mit Glas versehen sind, damit Licht und Luft[10] nur zu bestimmten Zeiten eindringen[11] können.

Ein Blick aus dem Flugzeug auf die Stadt bei Nacht: faszinierend und unheimlich[12] zugleich—ein gut beleuchteter[13] Käfig[14] aus Beton. Künstliches Licht, gut durchorganisiertes Leben—alles auf dem Reißbrett[15] geplant.

Die graue Lava, aus der die Erde eine neue Kruste bekommen hat, siegt[16] über das Lebendige. Natur ist nur noch Dekoration.

[1]*covered with concrete* (Beton) [2]*steel* [3]*lasting* [4]*melt* [5]*mud puddles* [6]*delineated* [7]*spaces* [8]Anschein ... erwecken *give the appearance of* [9]*reigns* [10]*air* [11]*intrude* [12]*eerie* [13]*illuminated* [14]*cage* [15]*drawing board* [16]*triumphs*

Fragen

1. Woraus bestehen moderne Städte?
2. Welche Vorteile (*advantages*) hat Beton?
3. Warum gibt es in den Städten keine Schlammpfützen mehr?
4. Wo wachsen die Bäume und die Blumen in der Stadt?
5. Wie sehen die Häuser aus?
6. Wie sieht die Stadt aus dem Flugzeug aus?
7. Was siegt über das Lebendige?

Diskussion:

1. Warum ist die Natur nur noch Dekoration?
2. Ist es gut, so viel Beton zu benutzen? Was sind die Nachteile (*disadvantages*)?
3. Welche Konsequenzen hat das „Wohnen im Beton" für unsere Nachfahren (Kinder)?

STRUKTUREN UND ÜBUNGEN

6.1 Komparation 1: Positiv und Komparativ

Use **so . . . wie** with an adjective to say that something is *as* (*big*) *as* something else.

>Der Hund ist **so groß wie** ein Kalb.
>*The dog is as big as a calf.*

>Niemand fährt **so schnell** Ski **wie** Peter.
>*No one skies as fast as Peter.*

To say that someone or something is (*cheap*)*er* or *more* (*intelligent*) than someone or something else, add **-er** to the adjective. Note that German always uses **-er**, whereas English sometimes uses the basic form of the adjective with the word *more*.

>Eine Kaffeekanne ist **billiger als** ein Teppich.
>*A coffeepot is cheaper than a rug.*

>Lydia ist **intelligenter als** ihre Schwester.
>*Lydia is more intelligent than her sister.*

Adjectives that end in **-el** and **-er** drop the e when used in the comparative.

>Ein Fahrrad ist teuer, aber ein Auto ist noch **teurer**.
>*A bicycle is expensive, but a car is even more expensive.*

>Gestern war es dunkel, aber heute ist es noch viel **dunkler**.
>*Yesterday it was dark, but today it is much darker.*

Some monosyllabic adjectives that have an **a**, **o**, or **u** add an *umlaut* in the comparative. Here are the most common of these adjectives.

alt	älter	gesund	gesünder
lang	länger	jung	jünger
stark	stärker	kurz	kürzer
groß	größer		

>Richard ist jung, aber Ernst ist **jünger**.
>*Richard is young, but Ernst is younger.*

>Ich bin **älter** als mein Bruder.
>*I am older than my brother.*

>Der Pazifik ist **größer** als der Atlantik.
>*The Pacific is larger than the Atlantic.*

As in English, there are some adjectives that have an irregular comparative form. Here are the most important ones.

gut	besser	viel	mehr
gern	lieber	hoch	höher

Ich spreche Deutsch **besser** als Französisch.
I speak German better than French.

Monika trinkt Wasser **lieber** als Wein.
Monika prefers water over wine.

Ernst ißt **mehr** als seine Schwestern.
Ernst eats more than his sisters.

Das Matterhorn ist **höher** als die Zugspitze.
The Matterhorn is higher than the Zugspitze.

Übung 1

Ein Auto kostet mehr als ein Fahrrad.

MODELL: Ein Auto kostet viel. (Fahrrad). → Ein Auto kostet mehr als ein Fahrrad.

1. New York ist groß. (Boston)
2. Regensburg ist alt. (München)
3. Der Mount Everest ist hoch.
   (das Matterhorn)
4. Herr Wagner ist jung. (Herr Ruf)

5. Monika ist nett. (Petra)
6. Maria ist schön. (Frau Körner)
7. Michael ist arrogant. (Herr Ruf)
8. Andrea ist intelligent. (Lydia)

Übung 2

Vergleichen Sie.

MODELL: Göttingen / Wien / klein → Göttingen ist kleiner als Wien.

1. Der Mississippi / der Rhein / lang
2. Herr Thelen / Michael Pusch / freundlich
3. Ein Fahrrad / ein Motorrad / billig
4. Ein Mercedes / ein Volkswagen / teuer

5. Ein Sofa / ein Stuhl / schwer
6. Ein Stift / ein Tisch / leicht
7. Hans / Jutta / klein
8. Natalie / Lydia / jung

6.2 Präpositionen 5: Wechselpräpositionen

The following prepositions denote relationships in space:

an	*on, at*	über	*above, on top of, across*
auf	*on, at*	unter	*under, below*
hinter	*behind*	vor	*in front of*
in	*in, at*	zwischen	*between*
neben	*beside, next to*		

A. Akkusativ

The noun or pronoun that follows these prepositions can be in either the dative or accusative case, depending on what you want to say. If you want to indicate a movement toward a place (a destination), use the accusative.

Sofie ist **an die Kasse** gegangen.
Sofie went to the cashier.

Stefan ist **auf den Berg** geklettert.
Stefan climbed the mountain.

Frau Körner setzt sich immer **hinter den Tisch**.
Mrs. Körner always sits down behind the table.

Ich gehe **in die Garage**.
I'm going into the garage.

Monika, stell du dich **neben deine Nachbarin**.
Monika, go stand next to your neighbor.

Ich gehe **über die Straße**.
I'm crossing the street.

Die Katze ist **unter den Tisch** gelaufen.
The cat ran under the table.

Herr Ruf läuft **vor das Haus**.
Mr. Ruf is running to the front of the house.

Paula hat sich **zwischen ihre Mutter und ihren Vater** gesetzt.
Paula sat down between her mother and her father.

B. Dativ

Use the dative to indicate that someone or something is already at or within a place or location—as opposed to moving toward or into that place.

Clara steht **an der Kasse**.
Clara is standing at the cash register.

Rolf sitzt **auf dem Sofa**.
Rolf is sitting on the sofa.

Frau Körner sitzt schon **hinter dem Tisch**.
Mrs. Körner is already sitting behind the table.

Das Auto steht **in der Garage**.
The car is in the garage.

Monika steht **neben ihrer Nachbarin**.
Monika is standing next to her neighbor.

Ein Bild hängt **über dem Bett**.
A picture is hanging over the bed.

Der Hund liegt **unter dem Sofa**.
The dog is lying under the sofa.

Ernst spielt **vor dem Haus**.
Ernst is playing in front of the house.

Jetzt sitzt Paula **zwischen ihrer Mutter und ihrem Vater**.
Now Paula is sitting between her mother and her father.

Übung 3

Was gehört zusammen?

1. Wo wohnt Stefan?
2. Wohin geht Nora?
3. Wo spielt Albert Volleyball?
4. Wo schläft Monika?
5. Wohin gehen Lydia und Rosemarie?
6. Wo ißt Jürgen zu Mittag?
7. Wohin gehen Claire und Melanie zum Essen?
8. Wo lernt Jutta Englisch?
9. Wohin geht Nora abends um 23 Uhr?
10. Wohin geht Herr Ruf zum Einkaufen?

a. In die Stadt.
b. Am Strand.
c. In der Stadt.
d. In den Supermarkt.
e. In der Mensa.
f. Ins Bett.
g. In der Schule.
h. In die Mensa.
i. In die Schule.
j. Im Bett.

Übung 4

Ergänzen Sie Artikel und Pronomen.

Neben _____ Haus steht ein Apfelbaum. Auf _____ Baum sitzt eine Katze und miaut. Sie kann nicht mehr herunter. Jens klettert auf _____ Baum und setzt sich neben _____. Auf _____ Staße bleiben die Leute stehen. Unter _____ Baum sitzt Ernsts Hund und bellt. Frau Wagner kommt in _____ Garten und nimmt den Hund mit in _____ Haus. In dem Moment fliegt ein Flugzeug über _____ Stadt. Die Katze bekommt Angst, springt auf _____ Boden und läuft weg.

6.3. We introduce the past of *sein* and *haben* because in conversation they are more common than the *Perfekt* form of *sein* + *gewesen* and *haben* + *gehabt*.

6.3 Präteritum 1: war, hatte

As you remember from **Chapter 4**, when Germans refer to past events in conversations, they use the perfect tense (**ich habe gesagt**) rather than the past tense (**ich sagte**). However, even in conversations, the simple past tense is often preferred with **haben**, **sein**, and the modal verbs.

Früher **war** hier ein Lebensmittelgeschäft, heute ist hier eine Tankstelle.
There was a grocery store here before; now there's a gas station.

Früher **hatte** Herr Thelen schwarze Haare, heute hat er graue Haare.
Mr. Thelen used to have black hair, now it's gray.

Here are the simple past forms of **haben** and **sein**.

ich	war	wir	waren
Sie	waren	Sie	waren
du	warst	ihr	wart
er sie } war es		sie	waren

ich	hatte	wir	hatten
Sie	hatten	Sie	hatten
du	hattest	ihr	hattet
er sie } hatte es		sie	hatten

Warst du letztes Jahr in den USA? —Nein, **ich war** doch in Afrika.
"Were you in the USA last year?" "No, I was in Africa."

Du warst krank? Was **hattest du** denn? —**Ich hatte** eine schwere
Grippe.
"You were sick? What did you have?" "I had a bad flu."

Übung 5

Einst und jetzt

1. Früher hatte Regensburg nur 50 000 Einwohner. Heute _____ es 150 000.
2. Früher _____ Regensburg keine Universität. Heute hat es eine Universität mit rund 12 000 Studenten.
3. Früher _____ die Donau ein schöner blauer Fluß. Heute ist sie grün und schmutzig.
4. Früher waren die Winter immer kalt. Heute _____ sie nur kühl und regnerisch.
5. Früher _____ nur die reichen Leute ein Auto. Heute haben viel zu viele Menschen eins.
6. Früher _____ hier ein schönes altes Haus. Heute ist hier eine Tankstelle.
7. Früher _____ die Menschen nett und freundlich. Heute sind viele hektisch und unfreundlich.
8. Früher _____ die Menschen viel mehr Zeit. Heute haben sie zu viel Streß.

6.4 schon / noch nicht; noch / nicht mehr

Adverbial expressions of time are very important in colloquial German. The most important ones are as follows:

schon	*already*	noch nicht	*not yet*
noch	*still*	nicht mehr	*not any more*

> Hast du **schon** ein neues Zimmer? —Nein, ich habe **noch nichts** gefunden.
> *"Have you found a new room yet?" "No, I haven't found anything yet."*

> Suchst du **noch** weiter? —Nein, ich suche **nicht mehr** weiter, ich bleibe lieber in meinem alten Zimmer.
> *"Are you still looking?" "No, I'm not looking anymore; I prefer staying in my old room."*

Schon and **noch** correspond roughly to the English words *yet/already* and *still*. **Schon** implies that something is taking place or has taken place earlier than expected; **noch** implies that something is going on or will go on longer than expected.

> Gehst du **schon** zur Schule? —Ja, ich bin **schon** in der 1. Klasse.
> *"Do you go to school yet?" "Yes, I'm already in the first grade."'*

> Gehst du **noch** zur Schule? —Ja, ich gehe **noch** zur Schule.
> *"Are you still attending high school?" "Yes, I am still in school."*

In negative replies to questions with **schon**, use **noch nicht**. Use **nicht mehr** in negative replies to questions with **noch**.

> Gehst du **schon** zur Schule? —Nein, **noch nicht**, ich gehe noch in den Kindergarten.
> *"Are you going to school yet?" "No, not yet, I'm still going to kindergarten."*

> Gehst du **noch** in die Schule. —Nein, **nicht mehr**, ich studiere schon.
> *"Are you still attending high school?" "No, not anymore, I'm already at the university."*

FRAGE	ANTWORT	
schon	ja	schon
	nein	noch nicht*
noch	ja	noch
	nein	nicht mehr*

---

*Use a form of **kein** instead of **nicht** when directly negating a noun.

> Habt ihr **schon** ein Kind? —Nein, wir haben **noch kein** Kind.
> *"Do you have children yet?" "No, we still don't have any children."*

Note that the words **kein . . . mehr** enclose the noun.

> Haben Sie **noch** ein Bier? —Nein, wir haben **kein** Bier **mehr**.
> *"Do you have any beer left?" "No, we don't have any more beer."*

Übung 6

Antworten Sie.

MODELL: Sind Sie schon verheiratet? →
Ja, ich bin schon verheiratet? / Nein, ich bin noch nicht verheiratet.

1. Waren Sie schon in Paris?
2. Haben Sie noch einen Teddybären?
3. Haben Sie den Film schon gesehen?
4. Haben Sie Ihr altes Auto noch?
5. Gehst du noch zur Schule?
6. Hast du schon zu Mittag gegessen?
7. Haben Sie schon Kinder?
8. Sprechen Sie schon gut Deutsch?
9. Sind Sie schon einmal geflogen?
10. Treiben Sie noch Sport?

6.5 kennen/können/wissen

Compare the following three German sentences with their English equivalents.

Ich kenne ihn nicht.
I don't know him.

Ich weiß nicht, wo er wohnt.
I don't know where he lives.

Ich kann kein Russisch.
I don't know any Russian.

As you can see from the preceding examples, there are three German words—**kennen**, **können**, **wissen**—for the English word *know*.

Kennen refers to being acquainted.
Wissen refers to knowledge.
Können refers to skill or ability.

Kennst du meine neue Freundin? —Nein, ich habe sie noch nicht kennengelernt.
"Do you know my new girlfriend?" "No, I haven't met her yet."'

Weißt du, wer meine neue Freundin ist? —Keine Ahnung.
"Do you know who my new girlfriend is?" "I have no idea."

Kannst du Ski fahren? —Nein, ich habe es nie gelernt.
"Do you know how to ski?" "No, I've never learned how."*

The forms of **kennen** are regular, and the forms of **wissen** follow the same pattern as the forms of **können** and the other modal verbs. Here are the present tense forms and the past participle of each of these verbs.

---

*Depending on the context, the question **Kannst du Ski fahren?** may also mean *Can you ski* (*today, after having hurt yourself the day before*)?.

kennen (*to be acquainted*)		könnnen (*to be able to*)		wissen (*to be informed*)	
ich	kenne	ich	kann	ich	weiß
Sie	kennen	Sie	können	Sie	wissen
du	kennst	du	kannst	du	weißt
er sie } es	kennt	er sie } es	kann	er sie } es	weiß
wir	kennen	wir	können	wir	wissen
Sie	kennen	Sie	können	Sie	wissen
ihr	kennt	ihr	könnt	ihr	wißt
sie	kennen	sie	können	sie	wissen
Er hat ihn gekannt.		Du hast es gekonnt.		Sie hat es gewußt.	

Übung 7

Dialoge: kennen, wissen oder können?

A: _____ du Nora?
B: Ja, ich _____ sie gut. Warum?
A: _____ sie etwas Spanisch?
B: Ja, sie _____ sogar sehr gut Spanisch.
A: Ich habe eine Karte aus Spanien bekommen und _____ sie nicht lesen.

A: _____ du den neuen Film von Spielberg?
B: Nein, aber er läuft in der Filmbühne. Ich möchte ihn gern sehen.
A: Ich auch. _____ du, wann er anfängt?
B: Nein, aber wir _____ ja anrufen und fragen.
A: _____ du schon, wann du hingehst?
B: Vielleicht am Mittwoch.
A: _____ ich mitkommen?
B: Gern.

6.6 Nebensätze 1: daß, ob

Use **daß** (*that*) and **ob** (*if, whether*) for indirect statements or questions.

Herr Schäfer hat eine neue Stelle. —Wirklich? Ich habe nicht gewußt,
daß er schon wieder einen neuen Beruf hat.
"Mr. Schäfer has a new job." "Really? I didn't know that he already has
another new job."

Hat Herr Schäfer schon einen neuen Beruf? —Ich weiß nicht, **ob** er schon einen neuen Beruf hat.

"Does Mr. Schäfer have a new job yet?" "I don't know if he has a new job yet."

Like **und** and **oder**, **daß** and **ob** are words that combine clauses, and for this reason they are called conjunctions (Latin *coniungere* = *to combine*). Unlike **und** and **oder**, which combine two independent sentences (*She is eating, and I am writing.*), **daß** and **ob** introduce dependent (non-independent) sentences and thus require dependent word order. That means in German that the conjugated verb moves into last position.*

Weißt du, daß	Frau Schäfer hat zehn Pelze im Schrank.
	Frau Schäfer | zehn Pelze im Schrank hat?
Weißt du, ob	Ist der Mercedes ganz neu?
	| der Mercedes ganz neu ist?

Übung 8

Das ist aber schade!

MODELL: Ich muß nach Hause. →
Schade, daß du schon nach Hause mußt. (Zu dumm, daß ... Komisch, daß ... Tut mir leid, daß ...)

1. Die Flasche ist leer.
2. Claire fährt morgen weg.
3. Ich habe den Kuchen gegessen.
4. Peter hat sein Auto verkauft.
5. Das Essen ist kalt.
6. Die Milch ist sauer.
7. Mein Bruder will ins Bett.
8. Das Geschäft ist zu

Übung 9

Das weiß man nicht.

MODELL: Gibt es Leben auf einem anderen Stern? →
Man weiß nicht, ob es Leben auf einem anderen Stern gibt. (Man fragt sich, ob ... Man ist sich nicht sicher, ob ...)

1. Können Affen sprechen lernen?
2. Haben die ersten Menschen in Asien gelebt?
3. Wird es im Jahr 2000 noch Bäume geben?
4. Können Tiere wie Menschen denken?
5. Wird das Wetter immer schlechter?
6. Arbeiten die Deutschen mehr als die Schweizer?

---

*Dependent clauses and word order were treated in more detail in Chapter 3. You may want to go back to that chapter to refresh your memory.

KAPITEL

© Katrina Thomas / Photo Researchers, Inc.

Eins der wichtigsten
Transportmittel in der
Bundesrepublik ist
immer noch die Bahn.

In Kapitel 7 you will talk about traveling and transportation.
You will have opportunities to tell about your own travel
experiences and the places you have visited; you will also
learn about some aspects of traveling in German-speaking
countries.

UNTERWEGS

SPRECHSITUATIONEN

GEOGRAPHIE

 Grammatik 7.1–2

268

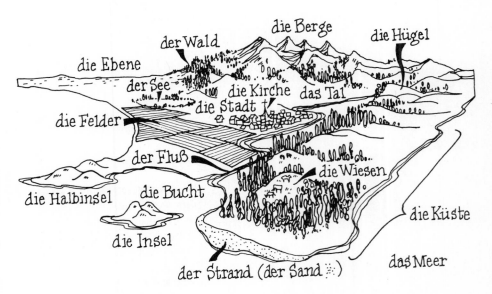

Situation 1.   Definitionen: Geographie

1. der Wald
2. der Fluß
3. der Berg
4. der See
5. der Strand
6. die Halbinsel
7. das Meer
8. die Insel
9. das Tal
10. die Wüste
11. die Ebene
12. das Gebirge

a. Land, das von Wasser umgeben ist
b. Niederung zwischen zwei Bergen
c. Ufer des Meeres oder eines Sees
d. Land, das trocken und sandig ist
e. Land, das nicht ganz von Wasser umgeben ist
f. Süßwasser, das an allen Seiten von Land umgeben ist
g. Land, das dicht mit Bäumen bewachsen ist
h. Land, das sehr flach ist
i. hohe Erhebung in einem Gebiet
j. Gruppe von Bergen
k. große Menge von Salzwasser
l. Wasser, das meistens in Richtung Meer fließt

Sit. 2. Ask other questions about places that all the students are familiar with.

Situation 2.   Ratespiel: Stadt, Land, Fluß

1. Wie heißt der höchste Berg Europas?
2. Wie heißt der längste Fluß der USA?
3. Wie heißt der größte Kontinent der Welt?
4. Wie heißt das tiefste Tal Nordamerikas?
5. Wie heißt der höchste Berg Nordamerikas?
6. Wie heißt der kleinste Kontinent der Welt?
7. Wie heißt der längste Fluß Deutschlands?
8. Wie heißt die „schönste" Stadt Deutschlands?
9. Wie heißt der längste Fluß der Welt?
10. Wie heißt der höchste Berg Deutschlands?
11. Wie heißt _____?

a. die Zugspitze
b. der Mississippi
c. der Nil
d. die Antarktis
e. Rothenburg ob der Tauber
f. der Mount McKinley
g. der Mont Blanc
h. der Rhein
i. Asien
j. das Tal des Todes
k. _____

Sit. 3. Have students work in groups. Then let the interviewer report on the answers of the other(s). As a general review of the *Perfekt*, students now have the chance to use it in the first-, second-, and third-person singular.

Situation 3.   Interview: Urlaub

1. Bist du in die Berge gefahren? Wohin? Was hast du in den Bergen gemacht? Hat es dir gefallen? Wie heißt der höchste Berg, den du gesehen hast?
2. Lebst du am Meer? Wie oft warst du in den letzten sechs Monaten am Meer? Wie war es im Wasser? Kalt oder warm?
3. Gibt es einen See in deiner Nähe? Wie heißt er? Was kann man an einem See machen? Gehst du oft dahin? Warum? Wann ist es am schönsten?
4. Bist du schon einmal in die Wüste gefahren? Wann? Was hast du in der Wüste gemacht? Wie war das Wetter?
5. Warst du schon einmal im Dschungel? Wo? Was für Tiere gibt es da? Wie heißt das größte Tier im Dschungel?
6. Hast du auf deiner letzten Reise Flüsse gesehen? Wie heißt der größte Fluß, den du gesehen hast? Was machst du an einem Fluß?
7. Wohin fährst du lieber, ans Meer oder ins Gebirge? Warum?

TRANSPORTMITTEL (TEIL 1)

   Grammatik 7.3–4

Use your PF to review terms related to travel and transportation: *das Auto, der Autobus, der Wagen, das Flugzeug, das Schiff, das Fahrrad, das Boot, die U-Bahn, das Motorrad, der Motorroller, das Taxi, der Zug, die Straßenbahn.*

Womit fährt Herr Wagner zur Arbeit?
—Mit seinem Mercedes natürlich!

Wovon träumt Jens?
—Von einem neuen Motorrad.

Woran denkt Jutta? —An eine
Kreuzfahrt in der Karibik.

Wofür gibt es Strafzettel?
—Für falsches Parken.

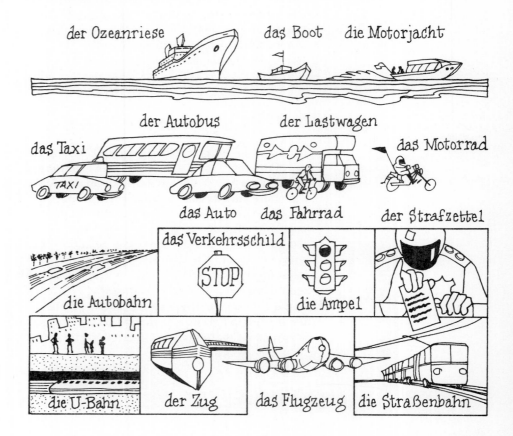

der Ozeanriese   das Boot   die Motorjacht

das Taxi   der Autobus   der Lastwagen   das Motorrad

das Auto   das Fahrrad   der Strafzettel

das Verkehrsschild

die Autobahn   die Ampel

die U-Bahn   der Zug   das Flugzeug   die Straßenbahn

Sit. 4. Note the position of the verb in the subordinate/relative clauses.

Situation 4.   Definitionen: Transportmittel

1. das Flugzeug
2. der Bus
3. die Jacht
4. das Fahrrad
5. das Auto
6. der Zug

a. Transportmittel, das fliegt
b. Transportmittel, das Waggons und eine Lokomotive hat
c. Fahrzeug mit zwei Rädern, das ohne Benzin fährt
d. meistens ein privates Transportmittel mit vier Rädern
e. Fahrzeug mit drei Achsen, das dreißig bis achzig Personen transportieren kann
f. Fahrzeug, das im Wasser schwimmt

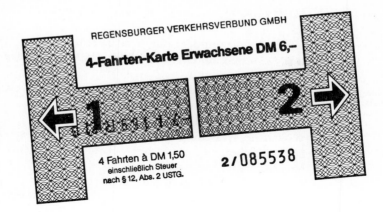

Situation 5. Anzeige: Sommer in Europa

Bahnfahrten für alle unter 26

z. B. Berlin–Frankfurt DM 74,– (e. F.)[1]
Berlin–Brüssel DM 106,– (e. F.)
Berlin–Paris DM 106,– (e. F.)

Interreisen Bahntickets gibt es in allen Reisebüros mit dem grünen „I“ und
bei

Interreisen
Budapester Str. 16
1000 Berlin 30
Tel. 261 49 26

[1] e. F. = einfache Fahrt

1. Welche Personen können Interreisen-Bahntickets kaufen, und wo gibt es sie?
2. Bezahlt man 160,- DM von Berlin nach Paris für einfache Fahrt oder für hin
und zurück?
3. Womit reisen Sie lieber, mit dem Zug, dem Flugzeug oder dem Bus?
4. Was sind die Vor- und Nachteile einer Reise mit dem Flugzeug (mit dem Bus,
mit dem Zug)?
5. Kennen Sie Europa? Sind Sie schon mal mit dem Zug gefahren? Sind Sie
schon mal in der Schweiz (in der Bundesrepublik, in der DDR, in Österreich) gewesen? Sind Sie schon mal mit einem deutschen Zug gefahren?
Wenn ja, wie war das?

Sit. 6. This is the first example of a "discussion" activity. (See the IM for suggestions on the use of discussion activities.) Note that discussion activities always address students with *Sie.*

AA 3. Use photos from your PF regarding air travel: *einsteigen, den Sicherheitsgurt anlegen, Flughafen, landen, abfliegen/ starten, das Gepäck aufgeben, Raucher oder Nichtraucher (Abteil* is used on trains), *Flugschein, Gepäckschein, Fluggesellschaften.* Recount some of your own experiences traveling by plane. Mention some of the well-known European airlines: Lufthansa (Germany), Swissair (Switzerland), KLM (Holland).

Sit. 7. As a pre-text activity ask students: *Fliegen Sie gern?* (If: *Nein! Warum nicht? Haben Sie Angst? Warum?) Was war Ihr weitester Flug? Mit welcher PF Fluggesellschaft fliegen Sie am liebsten? Warum? usw.* Then proceed to the text.

Situation 6.   Diskussion: Transportmittel

1. **Fahren Sie oft mit dem Bus? Warum (nicht)?**
2. **Sind Sie schon mit einem Zug gefahren? Wo war das? Gefallen Ihnen Zugreisen? Warum (nicht)?**
3. **Sind Sie schon mit dem Flugzeug geflogen? Auf welcher Strecke? Fliegen Sie gern? Warum (nicht)?**
4. **Glauben Sie, daß Fliegen gefährlich ist?**
5. **Wissen Sie, was eine Straßenbahn ist? Haben Sie schon eine gesehen? Wo?**
6. **Sind Sie schon einmal mit der U-Bahn gefahren? Wo?**
7. **Sind Sie schon mit einem Schiff gefahren? Wo war das? Hat Ihnen das gefallen? War das Schiff groß oder klein?**
8. **Womit fahren Sie lieber, mit dem Auto oder mit dem Bus? Womit fahren Sie am liebsten?**

Situation 7.   Anzeige: Hansaflug

Hansaflug präsentiert einen neuen Service: Pünktlichkeit.
Täglich nach San Franzisko. Nonstop.

Willkommen an Bord der neuen 747 von Hansaflug. Das technisch modernste Flugzeug unserer Flotte bietet Ihnen jetzt einen Extraservice: Pünktlichkeit. Die 747 fliegt ruhig und sicher und kommt zudem noch pünktlich an. Außerdem bieten wir Ihnen mehr Bequemlichkeit und größeren Luxus. Natürlich genießen Sie Gastfreundlichkeit und Bordservice, wie Sie ihn von Ihrer Hansaflug gewöhnt sind—in unserer Touristenklasse genau wie in der ersten Klasse.

Wir fliegen täglich um zehn Uhr morgens nonstop von Frankfurt nach San Franzisko. Wenn Sie unseren neuen Bordservice erleben wollen, ob nach San Franzisko oder in andere Großstädte der USA, rufen Sie Ihr nächstes Hansaflugbüro an und reservieren Sie sich ein Stück Pünktlichkeit für Ihren nächsten Flug.

Steht das im Text? Ja oder Nein.

1. Der Passagierraum im Flugzeug 747 ist bequem.
2. Die 747 ist laut, aber sehr schnell.
3. Das Flugzeug macht eine Zwischenlandung in New York.
4. An Bord genießen Sie Gastfreundlichkeit und Service.
5. Die Touristenklasse ist luxuriös.
6. Die Flüge nach San Franzisko gehen fünfmal pro Woche um zehn Uhr morgens ab.

„Lufthansa spricht für Deutschland"

Lufthansa

TRANSPORTMITTEL (Teil 2)

☞ **Grammatik 7.5**

Use your PF to introduce parts of a car. Ask the purpose or function of each part. (Note that this activity feeds into *Sit. 8*, which could be done following this pre-text activity.)

1. die Hupe
2. das Nummernschild — Gö-L 509
   der Sicherheitsgurt
   die Bremsen
3. der Kofferraum   die Haube
   der Reifen / die Reifen
   das Rad / die Räder
4. die Scheibenwischer
   die Reifenpanne / eine Reifenpanne haben

1. Damit kann man hupen.
2. Daran erkennt man, woher das Auto kommt.
3. Darin kann man seine Koffer verstauen.
4. Damit wischt man die Scheiben.

Situation 8.   Definitionen: Die Teile des Autos

1. die Bremsen
2. der Scheibenwischer
3. das Autoradio
4. das Lenkrad
5. die Hupe
6. das Nummernschild
7. die Sitze
8. die Türen
9. das Benzin
10. der Tank

a. Man setzt sich darauf.
b. Man braucht sie, wenn man bei Regen fährt.
c. Damit lenkt man das Auto.
d. Damit warnt man andere Leute.
e. Man öffnet sie, wenn man ins Auto einsteigen will.
f. Daran erkennt man, wem das Auto gehört.
g. Damit hört man Musik und Nachrichten.
h. Damit fährt das Auto.
i. Darin ist das Benzin.
j. Damit hält man den Wagen an.

Sit. 9. Students answer *ja* or *nein* and then explain answers.

Situation 9.   Wie pflegt man sein Auto?

Sagen Sie, ob Sie mit den folgenden Vorschlägen übereinstimmen, und erklären Sie Ihre Antwort.

1. Man prüft den Reifendruck sehr selten.
2. Man wäscht sein Auto jedesmal, wenn man es benutzt.
3. Man prüft das Motoröl, wenn man tankt.
4. Man prüft die Batterie einmal im Monat bei kaltem Wetter und einmal in der Woche im Sommer.
5. Man wechselt den Ölfilter jeden Monat.
6. Bevor man sein Auto benutzt, überprüft man immer die Scheinwerfer und die Warnblinkanlage.

Sit. 10. Ask questions that require scanning skills: *Wie viele Türen hat der Honda Akkord? Wo kann man den VW Golf Diesel sehen?* Then have students work in pairs to answer the questions in the text.

Situation 10.   Kleinanzeigen

GEBRAUCHTWAGEN:

HONDA AKKORD. Automatik, Baujahr 83. TÜV[1] neu. Viertürig. Bestzustand. Verhandlungsbasis 2300,- Tel.: 396 49 11 tagsüber

BMW 520, TÜV neu, Baujahr 82, 115.000 km, 115 PS, Stereo-Kassettenradio, Verhandlungsbasis 2500,- Tel.: 540 23 56, abends

VW GOLF Diesel, Bj. 84, neuer Motor, 1 Jahr Garantie, Garagenwagen, Schiebedach, VB 8000,- Autoservice Lück, 1000 Berlin Spandau, Schönwalderstraße 71, Tel.: 375 35 74

77er POLO, kein TÜV, 950,- DM, Tel.: 219 64 11 nach 15 Uhr

MERCEDES 200 Diesel, Bj. 75, 1/2 Jahr TÜV, technisch ok, etwas Rost, für 1200,- DM zu verkaufen, Tel. 786 10 08

PORSCHE 924, Bj. 83, 57.000 km, viele Extras, VB 10.800 DM, Tel. 262 56 45 nur am Wochenende

[1]Plakette des Technischen Überwachungsvereins (siehe KN).

Fragen

1. Welcher Wagen ist in diesen Anzeigen der teuerste?
2. Welches ist das älteste Auto? Welches das neueste?
3. Welches Auto hat ein Schiebedach? Einen Kassettenrecorder?
4. Wenn Sie der Polo interessiert, welche Telefonnummer müssen Sie dann anrufen? Wann?
5. Wie viele Kilometer ist der Porsche gefahren?
6. Wieviel TÜV hat der BMW noch?
7. Wo kann man den Golf Diesel sehen?
8. Welches Auto möchten Sie sich ansehen? Warum?

KULTURELLE NOTIZ: TÜV

Der Technische Überwachungsverein, kurz: TÜV, prüft Kraftfahrzeuge auf ihre technische Sicherheit. Personenwagen müssen alle zwei Jahre, Omnibusse, Lastwagen und Taxis jedes Jahr zur technischen Überprüfung. Der TÜV prüft Bremsen, Reifen, Auspuff,[1] Lichtanlagen und Karosserie.[2] Wenn etwas nicht in Ordnung ist, muß der Wagen innerhalb einer bestimmten Zeit repariert werden.

Auf dem hinteren Nummernschild klebt eine Plakette, die zeigt, wie lange ein Wagen noch TÜV hat, das heißt, wann der nächste Besuch beim TÜV fällig[3] ist.

[1]*exhaust* [2]*body* [3]*due*

Sit. 11. Have students work in groups.

Situation 11.   Interview: Das Auto

1. Hast du einen eigenen Wagen? Wenn ja: Wie ist dein Auto, groß oder klein? Warum hast du das Auto gekauft?
2. Was sind die praktischsten Autos?
3. Was sind die besten Autos?
4. Fährst du gern? Warum (nicht)?
5. Welchen Wagen möchtest du gern haben? Warum?

Sit. 12. Bring pictures from your PF and show pictures/photos of traffic signs. Ask: *Was muß man hier machen? Was bedeutet das Schild? usw.* Then let students work through the situation in groups.

Situation 12.   Verkehrszeichen

1. Halteverbot
2. STOP
3.  Einbahnstraße
4. Kreuzung Vorfahrt von rechts
5. Verbot für Motorräder

6. Parken auf dem Fußweg
7. Radweg
8. Kreuzung Radfahrer
9. Fußgängerweg
10. Verbot für Autos

Kennen Sie diese Verkehrsschilder? Was bedeuten sie?

a. Dieses Schild bedeutet „Halt".
b. Hier darf man nicht parken.
c. Wer von rechts kommt, hat Vorfahrt.
d. Hier darf man nur in eine Richtung fahren.
e. Hier darf man nur mit dem Rad fahren.
f. Hier darf man auf dem Fußweg parken.
g. Hier dürfen keine Autos fahren.
h. Achtung Radfahrer!
i. Dieser Weg ist nur für Fußgänger.
j. Hier dürfen keine Motorräder fahren.

Sit. 13. Read the text aloud while the students follow along. Discuss the practice of "hitchhiking" in the US and contrast it with *Autostop* in Europe. Talk about your own experiences if you have hitchhiked.

Situation 13. Diskussion: Per Anhalter fahren

Wenn man kein eigenes Auto hat, fährt man in Europa mit öffentlichen Verkehrsmitteln, mit dem Bus, der U-Bahn oder dem Zug. Die öffentlichen Verkehrsmittel in Deutschland sind sehr gut organisiert. Busse, Züge und Straßenbahnen sind modern und meistens sehr pünktlich; man kommt praktisch überall mühelos hin. Wenn man nicht in einer Gruppe fährt, ist das normale Transportmittel für längere Fahrten außer dem Auto die Bahn. Man kann mit der Bundesbahn sehr gut und komfortabel reisen. Ein Nachteil ist allerdings, daß es ziemlich teuer ist, wenn man keinen billigen Sondertarif bekommt. Deshalb reisen viele junge Leute in Europa auf andere Art: per Anhalter. Oder sie „trampen", wie man auch sagt. Das ist nicht ganz ungefährlich, vor allem für Frauen. Aber manchmal lernt man dabei auch interessante und nette Leute kennen. Und es ist eben am billigsten.

Diskussionspunkte

Sind Sie schon mal getrampt? Wie reisen Sie meistens? Welches Verkehrsmittel benutzen Sie in der Stadt? Warum? Finden Sie trampen gefährlich? Worauf sollte man achten, wenn man trampt?

KULTURELLE BEGEGNUNGEN: ADAC[1] Pannenhilfe

Text: Ask: *Gibt es Automobilclubs in den USA? Wie heißen Sie? Welcher Club ist der größte? Wieviel kostet er pro Jahr? Wer von Ihnen ist Mitglied in einem Automobilclub? Haben Sie schon einmal eine Panne gehabt? Was ist passiert? Hat Ihnen der Automobilclub geholfen? usw.*

Wenn Sie reisen, ob im Inland oder im Ausland, machen Sie sich keine Sorgen um Ihr Auto. Ob auf der Autobahn oder auf der Landstraße, ein Mechaniker des ADAC ist mit seiner rollenden Werkstatt immer in Ihrer Nähe. Wir sind für Sie da, 24 Stunden am Tag, an Sonn- und Feiertagen. Unsere Mechaniker sind auf jeden Autotyp spezialisiert.

Werden Sie noch heute Mitglied, für nur 62,- DM Jahresbeitrag garantieren wir Ihnen eine ruhige und sorgenfreie Fahrt.

[1]ADAC ist die Abkürzung für Allgemeiner Deutscher Automobilclub.

Fragen

1. Wer hilft deutschen Autofahrern in der Bundesrepublik und in Europa?
2. Muß man sein kaputtes Auto in eine ADAC-Werkstatt bringen? Wo helfen die Mechaniker des ADAC den Autofahrern?
3. Hilft der ADAC auch an Wochenenden?
4. Wieviel kostet der Jahresbeitrag?
5. Gibt es etwas Ähnliches in den USA? Wie heißt es?

REISEERLEBNISSE

 Grammatik 7.6

Pass out photos of things one would see or do on vacation trips. Pair students and let them describe the pictures to each other.

AA 4. Show slides of one of your trips to a German-speaking country, or if you are a native speaker of German, show slides of your hometown. Tell what is going on in each slide. Then ask students to narrate what you did and what you saw on the trip.

Ich fahre im Winter
oft in die Berge.

Das Museum ist zwar interessant,
aber können wir nicht
bald nach Hause gehen?

Letztes Jahr sind wir mit dem Schlauchboot die Donau hinunter-gefahren.

Treffen wir uns heute abend um acht Uhr im Restaurant „Mykonos"?

Nächstes Jahr sollten wir mit dem Zug in den Süden fahren

Situation 14. Reisen ist ein Kinderspiel.

Ordnen Sie die folgenden Aktivitäten in eine logische Folge.

_____ ins Reisebüro gehen und die Fahrkarten kaufen
_____ ins Flugzeug einsteigen
_____ Kleidung und andere Sachen kaufen
_____ die Reise planen
_____ zum Flughafen fahren
_____ Paß und Visa besorgen
_____ die Koffer packen
_____ auf der Bank Reiseschecks kaufen
_____ Geld für die Reise sparen
_____ den Flug buchen

Sit. 15. Ask questions and have students raise their hands. Pick individual students to tell about their experiences. Expand: *Wann war das? Mit wem waren Sie zusammen? usw.*

Expand as well on *schon—noch nicht: Waren Sie schon in Hamburg?* (Nein.) *Schade, er/sie war noch nicht in Hamburg. Und Sie, waren Sie schon dort? Ja! Ah, interessant, er/sie war schon in Hamburg. Wann war das? usw.*

Situation 15. Wer in der Klasse . . . ?

1. war noch nie in Österreich?
2. war schon in Hamburg?
3. war schon auf dem Oktoberfest in München?
4. hat schon Sauerkraut in einem deutschen Restaurant gegessen?
5. ist noch nie mit dem Zug gefahren?
6. war schon in einem deutschen Kino?
7. hat noch nie einen Liechtensteiner kennengelernt?
8. ist schon auf den Fernsehturm in Ost-Berlin gestiegen?
9. hat noch nie Schweizer Fondue probiert?
10. ist noch nie ins Ausland gereist?

Situation 16. Interview: Reisen

1. Hast du schon einmal eine lange Reise gemacht? Wohin? Wann war das?
2. Wie bist du gereist? Mit dem Flugzeug, mit dem Zug oder mit dem Auto?
3. Bist du allein, mit Freunden oder deinen Eltern gereist?
4. Wo warst du überall?
5. Was hast du gemacht? Bist du ins Museum gegangen? In einen Vergnügungspark? Hast du alte Kirchen besucht?
6. Kennst du viele Staaten in den USA? Welche kennst du? Was hast du da gemacht? Wie bist du dorthin gefahren?

Sit. 17. (See the IM for suggestions for handling dialogues.) Have some students act out the dialogue as a role play.

Situation 17. Im Reisebüro in Regensburg

CLAIRE:	Guten Tag.
ANGESTELLTE:	Was kann ich für Sie tun?
CLAIRE:	Ich möchte nach West-Berlin fahren.
ANGESTELLTE:	Wie möchten Sie denn fahren? Mit dem Zug oder Bus, oder möchten Sie fliegen?
CLAIRE:	Was ist denn am billigsten?
ANGESTELLTE:	Am billigsten ist eine Pauschalreise mit dem Bus. Mit der Bahn gibt es Sondertarife, und Fliegen ist wohl am teuersten, aber dafür geht es auch am schnellsten.
CLAIRE:	Ist das Hotel bei der Pauschalreise inbegriffen?
ANGESTELLTE:	Ja, Fahrt und eine Woche Hotel mit Frühstück kosten 298 Mark.
CLAIRE:	Ist das Hotel auch gut?
ANGESTELLTE:	Ich glaube schon. Wie haben jedenfalls noch keine Beschwerden bekommen.

VOKABELN

Geographie	Geography
fließen, geflossen	to flow
das **Ausland**	foreign country, abroad
die **Bucht, -en**	bay
die **Donau**	Danube River
die **Ebene, -n**	plain
die **Erhebung, -en**	elevation
das **Feld, -er**	field
der **Fluß,** *pl.* die **Flüsse**	river
das **Gebiet, -e**	area
das **Gebirge, -**	mountains, mountain range
die **Gegend, -en**	region, area
die **Großstadt, ̈-e**	large city
die **Halbinsel, -n**	peninsula
der **Hügel, -**	hill
das **Inland**	home (*country*), inland
die **Insel, -n**	island
die **Küste, -n**	coast
die **Niederung, -en**	lowlands
der **Staat, -en**	state, government
das **Süßwasser**	fresh water
das **Tal, ̈-er**	valley
das **Ufer, -**	bank, shore
die **Welt, -en**	world
die **Wiese, -n**	meadow
die **Wüste, -n**	desert
die **Zugspitze**	(*highest mountain in the German Alps*)
bewachsen mit	overgrown with
dicht	dense(ly)
flach	flat
tief	deep
trocken	dry
umgeben von	surrounded by

Ähnliche Wörter: die **Antarktis** / der **Dschungel** / der **Nil** / der **Rhein** / das **Salzwasser** / der **Sand** / **sandig**

Erinnern Sie sich: die **Alpen** / der **Berg, -e** / das **Land, ̈-er** / das **Meer, -e** / der **See, -n** / die **Stadt, ̈-e** / der **Strand, ̈-e**

Auto	Car
hupen	to honk
prüfen	to check
tanken	to get gas
überprüfen	to check
wechseln	to change
wischen	to wipe
die **Achse, -n**	axle
der **Autofahrer, -**	driver (*of a car*)
das **Baujahr**	year of manufacture
das **Benzin**	gasoline
der **Bestzustand**	excellent condition
die **Bremse, -n**	brake
das **Fahrzeug, -e**	vehicle
der **Führerschein, -e**	driver's license
die **Garantie**	guarantee, warranty
der **Gebrauchtwagen, -**	used car
die **Haube, -n**	hood
die **Hupe, -n**	horn
die **Kleinanzeige, -n**	classified ad
der **Kofferraum, ̈-e**	trunk (*of a car*)
das **Lenkrad, ̈-er**	steering wheel
das **Motoröl**	engine oil
das **Nummernschild, -er**	license plate
die **Plakette, -n**	sticker
PS (Pferdestärken)	horsepower
der **Reifen, -**	tire
der **Reifendruck**	tire pressure
die **Reifenpanne, -n**	flat tire
der **Rost**	rust
die **Scheibe, -n**	windshield, windowpane
der **Scheibenwischer, -**	windshield wiper
der **Scheinwerfer, -**	headlight
das **Schiebedach**	sunroof
der **Sicherheitsgurt, -e**	safety belt
den **Sicherheitsgurt anlegen**	to put on the safety belt
der **Sitz, -e**	seat
der **Sondertarif, -e**	special price
der **Technische Überwachungsverein**	(*German institution that checks vehicle safety*)
die **Verhandlungsbasis**	basis for negotiating
der **Wagen, -**	car
die **Warnblinkanlage, -n**	hazard light

Ähnliche Wörter: der **Automobilklub, -s** / das **Auto-radio, -s** / die **Batterie, -n** / **Diesel** / der **Ölfilter** / der **Tank, -s** / die **Tankstelle, -n** / **warnen**

Erinnern Sie sich: parken

Verkehr und Transportmittel
Traffic and Means of Transportation

trampen	to hitchhike
verstauen	to stow away
die **Ampel, -n**	traffic light
der **Anhalter, -**	hitchhiker
per **Anhalter fahren**	to hitchhike
die **Autobahn, -en**	interstate highway, freeway
der **Autobus, -se**	bus
die **Bundesbahn** (**Bahn**)	(*West German railroad*)
die **Bahnfahrt, -en**	train ride
das **Boot, -e**	boat
die **Einbahnstraße, -n**	one-way street
die **Fahrkarte, -n**	ticket
die **Flotte, -n**	fleet
der **Flug, ⁼e**	flight
die **Fluggsellschaft**	airline
der **Flughafen, ⁼**	airport
der **Flugschein, -e**	ticket
der **Fußgänger, -**	pedestrian
der **Fußweg, -e**	sidewalk
das **Halteverbot, -e**	no stopping zone
die **Kreuzfahrt, -en**	cruise
die **Landstraße, -n**	rural highway
der **Lastwagen, -**	truck
die **Lokomotive, -n**	railway engine
der **Motorroller, -**	motor scooter
der **Ozeanriese, -n**	ocean liner
die **Panne, -n**	breakdown
der **Radfahrer, -**	cyclist
der **Radweg, -e**	bike lane
die **Richtung, -en**	direction
das **Schiff, -e**	ship
das **Schild** (**Ver-kehrsschild**), **-er**	sign
das **Schlauchboot, -e**	rubber raft
der **Strafzettel, -**	(parking or speeding) ticket
die **Straßenbahn, -en**	streetcar
die **Strecke, -n**	route
die **U-Bahn** (**Untergrundbahn**)	subway
das **Verkehrsschild, -er**	traffic sign

das **Verkehrszeichen, -**	traffic sign
die **Vorfahrt**	right of way
der **Waggon, -s**	(railroad) car
die **Zugreise, -n**	trip by train
die **Zwischenlandung, -en**	stopover
an **Bord**	on board
einfache **Fahrt**	one-way ticket
hin und zurück	round trip

Ähnliche Wörter: die **Jacht, -en** / der **Taxistand, ⁼e** / **transportieren, transportiert**

Erinnern Sie sich: der **Bus, -se** / das **Fahrrad, ⁼er** / das **Flugzeug, -e** / das **Moped, -s** / das **Motorrad, ⁼er** / das **Taxi, -s** / das **Verkehrsmittel, -** / der **Zug, ⁼e**

Reiseerlebnisse
Travel Experiences

abfliegen, abgeflogen	to take off
auf einen **Berg steigen, gestiegen**	to climb a mountain
erleben, erlebt	to experience
klettern	to climb (*rock climbing*)
der/die **Angestellte, -n** (**ein Angestellter**)	clerk
die **Bequemlichkeit, -en**	comfort, convenience
die **Beschwerde, -n**	complaint
der **Feiertag, -e**	public holiday
die **Gastfreundlichkeit**	hospitality
das **Gepäck,** *pl.* die **Gepäckstücke**	baggage
das **Gepäck aufgeben**	to check the baggage
der **Gepäckschein, -e**	baggage claim
die **Kabine, -n**	passenger area
der **Pass,** *pl.* die **Pässe**	passport
die **Pauschalreise, -n**	package tour
die **Pünktlichkeit**	punctuality
die **Reise, -n**	voyage, trip, tour
der **Reisescheck, -s**	traveler's check
das **Trinkgeld**	tip
das **Verbot, -e**	prohibition
der **Vergnügungspark, -s**	amusement park
bequem	comfortable
pünktlich	on time

Ähnliche Wörter: die **Bank, -en** / **buchen** / **landen** / **luxuriös** / der **Luxus** / **packen**

Erinnern Sie sich: fahren (fährt), ist gefahren / **die Fahrt, -en** / **die Ferien** (*pl.*) / **planen** / **reisen** / **der Urlaub, -e**

Verben — Verbs

achten auf	to watch out for
bedeuten, bedeutet	to mean
besorgen, besorgt	to get
bieten, geboten	to offer
erkennen, erkannt	to perceive; to recognize
leben	to live
ordnen	to put in order; to arrange; to fix
probieren, probiert	to try
sparen	to save
träumen	to dream
übereinstimmen, übereingestimmt	to agree
überprüfen, überprüft	to examine, check
umgeben, umgeben	to surround

Ähnliche Wörter: garantieren, garantiert / **organisieren, organisiert** / **präsentieren, präsentiert**

Substantive — Nouns

die **Abkürzung, -en**	abbreviation
die **Begegnung, -en**	encounter, meeting
der **Diskussionspunkt, -e**	point of discussion
der **Fernsehturm, ⁀e**	television tower
die **Folge, -n**	sequence
das **Fondue**	(*Swiss specialty with melted cheese*)
das **Kinderspiel**	very easy, child's play
die **Menge, -n**	amount
das **Mitglied, -er**	member
die **Nachrichten** (*pl.*)	news
der **Nachteil, -e**	disadvantage
die **Seite, -n**	side
die **Sorge, -n**	worry, anxiety
Mach dir keine Sorgen.	Don't worry.
das **Stück, -e**	piece
der **Tod**	death
der **Vorschlag, ⁀e**	proposal

Adjektive und Adverbien — Adjectives and Adverbs

ähnlich	similar
allerdings	indeed, on the other hand
allgemein	general
bald	soon
bevor	before
deshalb	therefore
dorthin	there, to that place
falsch	wrong
folgend	following
gefährlich	dangerous
gewohnt	customary, habitual
hoch	high
inbegriffen	included
jedenfalls	anyway
jedesmal	each time
links	left
mühelos	without difficulty
rechts	right
selten	rare(ly)
sicher	safe(ly)
sorgenfrei	carefree
tagsüber	during the day
überall	everywhere
ungefährlich	safe, not dangerous
zudem	moreover, in addition to
zurück	back

Ähnliche Wörter: logisch / **privat** / **spezialisiert**

Zusammensetzungen mit da- und wo- — da- and wo- compounds

dahin	there, to that place
damit	by it, with it
daran	at (by, in, on, to) it/that
darauf	on (top of) it/that
darin	in it, in there
wofür	for what? what for?
womit	with what? with which?
woran	what . . . of?
worauf	on what?
wovon	of what? from what?

Nützliche Wörter und Wendungen	Useful Words and Phrases		
Achtung!	Attention please!	**pro Woche**	per week
Das ist ein Kinderspiel!	That is easy! That's child's play!	**Was kann ich für Sie tun?**	What can I do for you?
blinken	to signal	**Willkommen!**	Welcome!
erwischt werden	to get caught	**Woran denkst du?**	What are you thinking of?
Sind Sie erwischt worden?	Did you get caught?	**Worauf sitzt man?**	What do you sit on?

ZUSÄTZLICHE TEXTE

EINE REISE NACH BERLIN: Claire

Claire hat von Regensburg aus eine Reise nach Berlin gemacht und schreibt einen Brief an ihre Freundin Luise in Zürich.

West-Berlin, den 10. Juli

Liebe Luise,

ich war faul und habe lange nicht geschrieben. Ich habe so viel in den letzten Wochen erlebt. Wie du weißt, wohne ich bei meinen Freunden Melanie und Josef in Regensburg. Seit einer Woche bin ich nun hier in Berlin, und es ist toll. Gestern bin ich nach Ost-Berlin gefahren. Das ist schon ein Unterschied[1] zu West-Berlin. Es ist nicht so lebendig, aber sehr interessant. Es war ein komisches Gefühl, über die Grenze[2] zu gehen. Ich bin mit der U-Bahn bis Friedrichstraße gefahren und dann da über die Grenze gegangen. Das war kein Problem und ging sehr schnell. Das einzig Komische war nur, daß überall Soldaten mit Maschinenpistolen herumstanden.

Ich bin viel herumgelaufen und habe mir vieles angesehen. Alles war unheimlich[3] interessant. Ich war ja auch zum ersten Mal in einem Ostblockland und wußte eigentlich nichts vom Ostblock. In den USA bekommen wir so wenig Informationen, daß wir uns kaum[4] ein Bild davon machen können.

© Ulrike Welsch

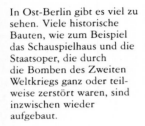

In Ost-Berlin gibt es viel zu sehen. Viele historische Bauten, wie zum Beispiel das Schauspielhaus und die Staatsoper, die durch die Bomben des Zweiten Weltkriegs ganz oder teilweise zerstört waren, sind inzwischen wieder aufgebaut.

Später war ich auf dem Alexanderplatz und bin auf den Fernsehturm hinaufgefahren. Von da hat man einen tollen Blick über die ganze Stadt. Es war ein klarer Tag, und ich konnte genau die Mauer[5] sehen. Es war schon dunkel, und sie war erleuchtet, wie eine Plastik[6] oder ein Kunstwerk. Schon pervers, so, als ob sie stolz[7] darauf wären. Als ich dann so gegen zehn Uhr nach West-Berlin zurückgekommen bin, war der Kontrast noch stärker. Im Osten waren zu dieser Zeit schon die Straßen leer, aber im Westen wimmelte es nur so von Menschen.[8] Alle Cafés und Kneipen waren voll, besonders die Straßencafés auf dem Kurfürstendamm. Verständlich,[9] es war ja auch ein richtig schöner, warmer Abend.

Natürlich habe ich hier alle wichtigen Sachen besichtigt, ist ja klar, ich bin auch Touristin, aber was mich am meisten fasziniert hat, war die Stadt selbst. Von New York sagt man immer, es ist die Stadt, die niemals schläft; hier schlafen die Leute auch nicht. Alles ist rund um die Uhr geöffnet, denn es gibt keine Polizeistunde.[10] Das ist schon anders als in Kalifornien, aber ich glaube, auch anders als bei Euch in der Schweiz.

Morgen fahre ich mit dem Zug nach Regensburg zurück. Wahrscheinlich komme ich in einem Monat nach Zürich, aber ich schreibe vorher noch mal.

Bis bald
Deine Claire

[1]Kontrast [2]Grenzlinie zwischen zwei Ländern [3]sehr [4]fast nicht [5](siehe KN) [6]Skulptur
[7]*proud* [8]wimmelte . . . waren sehr viele Menschen auf den Straßen [9]von: verstehen
[10]*closing time* (siehe KN)

Fragen

1. Wo ist Claire?
2. Wie lange ist sie schon dort?
3. Welches Gefühl hatte sie, als sie über die Grenze ging? Warum?
4. Warum war Ost-Berlin besonders interessant für sie?
5. Von wo aus hat sie die Mauer gesehen?
6. Was hält sie von der Mauer?
7. Was gefällt ihr besonders an West-Berlin?
8. Mit welcher amerikanischen Stadt vergleicht sie West-Berlin?
9. Was ist anders in West-Berlin als in Kalifornien oder der Schweiz?
10. Wohin fährt Claire in einem Monat?

KULTURELLE NOTIZ: Berliner Mauer

Grenzübergang und Wachturm an der Berliner Mauer. Die Grenze zur DDR ist mit der Mauer, Stracheldrahtzäunen und Minenfeldern die am schärfsten bewachte Grenze Europas.

© Ulrike Welsch

Die Berliner Mauer ist seit dem 13. August 1961 die Grenze zwischen Ost- und West-Berlin. Sie wurde von der DDR gebaut, weil zu viele ihrer Bürger über Ost-Berlin in den Westen flüchteten.[1] Die Mauer ist insgesamt 45,1 Kilometer lang und wird von DDR-Soldaten scharf bewacht. Ein bekannter Grenzübergang[2] heißt „Checkpoint Charlie".

[1]*fled* [2]Ort, wo man von einem Land in ein anderes gehen kann

KULTURELLE NOTIZ: Polizeistunde

In vielen West-Berliner Kneipen kann man interessante
Leute treffen.

KULTURELLE NOTIZ: Polizeistunde

Restaurants, Gaststätten und Kneipen schließen in der Bundesrepublik norma-
lerweise um ein Uhr nachts. Das wird von der Polizei kontrolliert, daher der
Name Polizeistunde. Man braucht eine Nachtlizenz, um eine Bar länger als ein
Uhr geöffnet zu haben. West-Berlin hat keine Polizeistunde, und deshalb können
Lokale rund um die Uhr geöffnet bleiben.

BEIM TÜV:[1] Josef

Text: Tell students that as a con-
trolling institution the *TÜV* is
often feared in the FRG. Explain
that the *TÜV* checks brakes,
lights, wheel alignment, tires,
rust in bearing parts, etc.

Zwei Jahre sind wieder vorbei, und Josef Bergmann muß heute mit seinem alten
Opel Kadett zum TÜV. In sehr gutem Zustand[2] ist der Wagen nicht, die Reifen
haben kein gutes Profil[3] mehr, und die Stoßdämpfer[4] sind auch nicht mehr gut.
Sonst ist aber alles in Ordnung, glaubt Josef.

TÜV-PRÜFER: Sie brauchen neue Reifen, und die vorderen Stoßdämpfer sind auch
kaputt.
JOSEF: Sind alle vier Reifen abgefahren?[5]
TÜV-PRÜFER: Nein, die hinteren sind noch in Ordnung, aber die vorderen müssen
Sie erneuern.
JOSEF: Wie lange habe ich Zeit für die Reparaturen?
TÜV-PRÜFER: Einen Monat. Aber Geduld, ich bin ja noch nicht fertig . . .

Nach dem TÜV-Termin treffen sich Josef und Melanie in einem Cafe.

MELANIE: Na, hat es geklappt?[6]

JOSEF: Überhaupt nicht! Zuerst hat er die Stoßdämpfer gefunden und dann die Reifen. Ich dachte, wenn ich ein bißchen mit ihm rede, dann vergißt er den Rest, aber nein, er hat weiter gesucht. Er hat noch die Bremsen beanstandet,[7] und im Boden hat er ein Rostloch[8] entdeckt.

MELANIE: Wieviel wird das denn kosten, wenn du es reparieren läßt?

JOSEF: Das ist ja das Schlimme! Als ich den Wagen gekauft habe, hat er mich nur 950 Mark gekostet, und dies alles zu reparieren, kostet mich bestimmt 1500 Mark, wenn nicht noch mehr.

MELANIE: Lohnt sich das denn? Kannst du es nicht selbst machen? Ich versteh auch ein bißchen was von Autos und würde dir gern helfen.

JOSEF: Selbst dann wäre es zu teuer. Ich glaube, das Beste ist, ich baue die Stereoanlage aus, mache die beiden hinteren Reifen ab—die sind noch gut—und verschrotte[9] den Wagen. Vielleicht bekomme ich dafür noch 100 Mark. Und für 700 Mark kann ich den alten Ford an der Tankstelle kaufen.

MELANIE: Und wieviel TÜV hat der noch?

JOSEF: Fast ein Jahr.

[1](siehe KN) [2]Kondition [3]*tread* [4]*shock absorbers* [5]ohne Profil [6]hat . . . *did it go all right?*
[7]kritisiert [8]*rust hole* [9]*scrap*

Fragen

1. Was bringt Josef zum TÜV?
2. Ist Josefs Auto in gutem Zustand?
3. Wie sind die Reifen?
4. Was ist sonst nicht mehr in Ordnung?
5. Wie lange hat Josef Zeit für die Reparaturen?
6. Sind die Bremsen in Ordnung?
7. Was ist teurer, das Auto oder die Reparatur?
8. Wovon versteht Melanie etwas?
9. Was will Josef mit seinem Auto machen?
10. Wieviel TÜV hat der alte Ford an der Tankstelle?

KULTURELLE BEGEGNUNGEN: Stolz auf vier Räder

Die meisten Autofahrer (56 Prozent) sind nach einer Umfrage des Instituts für Demoskopie Allensbach „unbedingt" oder „überwiegend" stolz[1] auf ihren fahrbaren Untersatz.[2] Dabei waren mehr Männer (95 Prozent) dieser Meinung als Frauen (52 Prozent). „Eher nicht" oder „gar nicht" stolz auf ihr Auto waren etwa 33 Prozent. Fast die Hälfte der Befragten sagte, daß sie „lieber schnell" fahren. Langsamer[3] wollen es dagegen nur 35 Prozent. 49 Prozent der Befragten meinten, sie haben „große Freude" beim Autofahren, 25 Prozent dagegen sagten, sie setzen sich nur hinter das Lenkrad, weil sie müssen.

Nur wenige Autofahrer sind laut Umfrage bereit,[4] vom Auto ganz wegzukommen. Die große Mehrheit der Befragten (77 Prozent) sagte, das Auto gehört zum modernen Industriestaat, weil viele Arbeitsplätze davon abhängen.[5] Skeptisch beurteilt man die Zukunft des Autos: Nur 30 Prozent der Befragten glauben, daß die meisten Bundesbürger im Jahre 2030 noch mit dem eigenen Auto fahren werden.

[1]*proud* [2]fahrbaren . . . = Auto [3]nicht so schnell [4]*ready* [5]davon . . . *depend on it*

Fragen

1. Sind mehr Männer oder mehr Frauen stolz auf ihr Auto?
2. Fahren die Deutschen lieber schnell oder lieber langsam?
3. Könnten die Deutschen leicht auf ihr Auto verzichten (*give up*)?
4. Warum gehört das Auto zum modernen Industriestaat?
5. Wie beurteilt man die Zukunft des Autos?

Diskussion

Was sind die Vor- und Nachteile einer Autogesellschaft? Sind Sie mehr für oder mehr gegen Autos? Wären Sie bereit, auf Ihr Auto zu verzichten? (Oder wenn Sie keins haben, sich keins zu kaufen?)

UNSERE STRASSE: Die Schwarzfahrgemeinschaft[1]

Hans ist mit der U-Bahn unterwegs zur Schule. Als er gerade aussteigen will, kommt ein älterer Mann auf ihn zu, zieht eine kleine Metallplakette aus der Tasche[2] und sagt: „Kann ich bitte die Fahrausweise[3] sehen?"

Hans sieht ihn an. Weglaufen geht nicht, es sind zu viele Menschen in dem Wagen. „Ich habe meinen Fahrschein verloren,"[4] sagt Hans, nachdem er in seinen Taschen gesucht hat. „Ehrlich!"

„Bitte steig an der nächsten Station mit mir aus."

Als der Zug hält, und die Türen aufgehen, will Hans gerade losrennen,[5] als ein anderer Beamter ihm den Weg verstellt.[6] „Pech[7] gehabt!"

„Schwarzfahren kostet 40 Mark," sagt der Beamte später im Büro. Hans hat natürlich soviel Geld nicht dabei. Also werden seine Personalien aufgenommen,[8] und er bekommt einen Strafzettel. Er muß das Geld innerhalb von 30 Tagen bezahlen.

Am nächsten Tag in der Schule geht Hans zu Werner und bekommt gegen Quittung[9] vierzig Mark. „Das ist das dritte Mal in diesem Monat, daß sie dich erwischt[10] haben. Du mußt vorsichtiger sein, wenn du schwarzfährst. Und überhaupt, du mußt rennen. Wenn du so oft erwischt wirst, machst du den ganzen Schnitt kaputt! Dann zahlen wir nur für deine Ungeschicklichkeit und am Ende haben wir kein Geld mehr übrig."[11] Werner ist ein alter Schwarzfahrer, und die Schwarzfahrgemeinschaft war seine Idee.

Die ganze Klasse, bis auf Udo, der sich nicht traut,[12] ist in der Schwarzfahrgemeinschaft. Alle kommen mit dem Bus, der Staßenbahn oder der U-Bahn zur Schule. Von ihren Eltern bekommen sie jeden Monat das Geld für die Monatsfahrkarte. Dieses Geld geben sie Werner, und dann fahren sie alle schwarz. Wenn die Kontrolleure einen aus der Gruppe erwischen, dann bezahlt Werner die Strafe von 40 Mark aus der gemeinsamen Kasse. Wenn sie alle vorsichtig sind oder schnell laufen können, werden sie nicht erwischt, und es bleibt viel Geld übrig. Was übrigbleibt, teilt[13] Werner dann durch alle, die eingezahlt haben. So bekommen sie jeden Monat Geld zurück. Meistens ist das für sie auch ein gutes Geschäft. Sie dürfen sich nur nicht zu oft erwischen lassen.

[1](siehe KN) [2]*pocket* [3]Fahrkarten [4]*lost* [5]*loslaufen* [6]*blocks* [7]*bad luck* [8]*werden . . . bis personal data is taken down* [9]*receipt* [10]*caught* [11]*left over* [12]Angst hat [13]*divides*

Fragen

1. Wohin fährt Hans?
2. Wer spricht ihn in der U-Bahn an?
3. Hat Hans einen Fahrschein?
4. Warum kann er nicht weglaufen?
5. Wieviel muß er bezahlen?
6. Von wem bekommt Hans das Geld für seine Strafe?
7. Wer hatte die Idee mit der Schwarzfahrgemeinschaft?
8. Warum macht Udo nicht mit?
9. Woher bekommen Hans und seine Freunde das Geld für die gemeinsame Kasse?
10. Was passiert mit dem Geld, das am Ende des Monats übrigbleibt?

Diskussion

Was halten Sie von dieser Schwarzfahrgemeinschaft?

KULTURELLE NOTIZ: Fahrkartenkontrolle

Anders als in den USA kann man in der Bundesrepublik auch ohne Fahrkarte problemlos in Busse, Straßen- oder U-Bahnen, ja sogar in Züge einsteigen. Es gibt keine Schranken,[1] die sich öffnen und schließen, oder jemanden, der beim Einsteigen die Fahrscheine kontrolliert. Um jedoch das „Schwarzfahren" zu unterbinden,[2] sind oft Kontrolleure unterwegs, die von Bus zu Bus oder Wagen zu Wagen gehen und sich die Fahrausweise zeigen lassen.

[1]Barrieren [2]stoppen

STRUKTUREN UND ÜBUNGEN

7.1. Although beginning students do not often use relative clauses in their speech, they have little or no trouble understanding them.

7.1 Relativsätze und Relativpronomen

The forms of the relative pronoun are the same as the forms of the definite article **der/das/die**, but like the demonstrative (see **5.1**) the dative plural is **denen**.

Kennst du ein Land, **das** größer als die USA ist?
Do you know a country that is bigger than the USA?

Gibt es eine Frau, **die** älter als Methusalem ist?
Is there a woman who is older than Methuselah?

Ich kenne keinen See, **der** klarer als der Königssee ist.
I don't know of any lake that is clearer than the Königssee.

Note that in written German a comma is required to set off the relative clause. The relative pronoun has the same gender and number as the noun it refers to.

ein Mann, der . . .
ein Kind, das . . .
eine Frau, die . . .

Leute, die . . .

The case of the relative pronoun depends on its function in the relative clause.

NOM
der Mann, der gestern hier war

AKK NOM
der Mann, den ich gestern getroffen habe

DAT   NOM   AKK
der Mann, dem ich   das Geld gegeben habe

Like indirect statements (**daß** . . .) and indirect questions (**ob** . . .), relative clauses are dependent clauses, and the conjugated verb moves to the end of the clause.

Das Kind war krank.
Das ist das Kind, das   krank **war**.

Den Mann habe ich gestern gesehen.
Das ist der Mann, den   ich gestern gesehen **habe**.

Although the relative pronoun is often omitted in English, it is always present in German.

Das ist der Mantel, **den** ich letzte Woche gekauft habe.
That is the coat I bought last week.

Note also that if there is a preposition, it comes directly before the relative pronoun. In English, the preposition often comes later.

Wer war denn die Frau, **mit der** ich dich gestern gesehen habe?
*Who was the woman (whom) I saw you **with** yesterday?*

Übung 1

Ihr Freund war im Ausland. Fragen Sie ihn nach den Dingen, die er gesehen oder gemacht hat.

MODELL: Städte besuchen →
Erzähl mir von den Städten, die du besucht hast!

1. Leute kennenlernen
2. Job haben
3. Wein trinken
4. Bücher lesen
5. Auto kaufen
6. Museen besuchen
7. Essen essen
8. Filme sehen
9. in Restaurants gehen

Übung 2. The most common context in which students need to use a relative clause is in giving definitions.

Übung 2

Schreiben Sie Definitionen für die folgenden Wörter. Benutzen Sie Relativpronomen.

Nützliche Wörter: Zimmer, Gerät, Transportmittel, Möbelstück

MODELL: Stuhl →
Ein Stuhl ist ein Möbelstück, auf dem man sitzt.

1. Tisch
2. Auto
3. Bügeleisen
4. Bad
5. Schlafzimmer
6. Bett
7. Flugzeug
8. Herd
9. Besen
10. Küche
11. Sofa
12. Schiff

Übung 3

Ein Brief von Jochen. Ergänzen Sie die Relativpronomen.

Lieber Peter,

die Reise, _____ ich gemacht habe, war nicht so besonders toll. Das Hotel, in _____ ich gewohnt habe, war sehr laut, und das Zimmer, _____ ich hatte, war nicht sehr groß.

Das Restaurant, _____ im Hotel war, war nicht besonders gut. Das Essen, _____ sie servierten, hat mir nicht geschmeckt, und außerdem war es zu teuer. Das Restaurant, in _____ ich dann immer gegessen habe, lag in derselben Straße, in _____ auch mein Hotel war, und es war gut und billig.

Leider war der Strand, _____ vor dem Hotel lag, sehr laut, und es waren meistens viel zu viele Leute da. Deshalb bin ich immer an einen Strand gegangen, _____ vor der Stadt lag. Dahin mußte ich zwar immer eine halbe Stunde laufen, aber das war nicht so schlimm. Außerdem war es ein wirklich schöner Strand, mit Palmen, Sonne und weißem Sand.

Die ganze Zeit war ich sehr faul. Von den Büchern, _____ ich mitgenommen hatte, habe ich noch keins gelesen. Einmal habe ich einen Ausflug auf einen Berg gemacht, _____ ganz in der Nähe der Stadt lag. Der Ausflug hat mir wirklich Spaß gemacht. Es war ein warmer Tag und ich war ganz allein unterwegs. Nur die Schuhe, _____ ich mitgenommen hatte, waren eigentlich nicht die richtigen zum Bergsteigen, und abends taten mir die Füße weh.

Das Foto, _____ ich Dir mit diesem Brief schicke, zeigt übrigens die Stadt und auch das Hotel, in _____ ich übernachtet habe.

Bis bald und viele Grüße

Dein Jochen

7.2 Komparation 2: Superlativ

To say that something is, for example, *the fastest* or *the most attractive*, add **-sten** to the adjective or adverb and use the contraction **am**.

Ein Porsche ist schnell, ein Flugzeug ist schneller, eine Rakete ist **am schnellsten**.
A Porsche is fast, an airplane is faster, a rocket is the fastest.

Jutta ist **am attraktivsten**.
Jutta is the most attractive.

German forms the superlative in only one way, by adding **-sten** to the stem. Note that English superlatives may be formed by adding *-est* to the stem of certain adjectives or by preceding the adjective with the word *most*: *fastest, the most interesting.*

When the adjective (or adverb) ends in **d** or **t**, or an **s**-sound (**s, ß, sch, x, z**), an **e** is inserted between the stem and the ending.*

intelligent	am intelligentesten
gesund	am gesündesten
heiß	am heißesten
frisch	am frischesten

Michael glaubt, daß er der **intelligenteste** Mensch in München ist.
Michael believes that he is the most intelligent person in Munich.

Um die Mittagszeit ist es meistens **am heißesten**.
The hottest weather is usually around noontime.

****Groß** is the exception to the rule: **am größten**.

The following monosyllabic adjectives have an umlaut in the superlative as well as in the comparative.

alt	älter	am ältesten
arm	ärmer	am ärmsten
dumm	dümmer	am dümmsten
groß	größer	am größten
hart	härter	am härtesten
jung	jünger	am jüngsten
kalt	kälter	am kältesten
krank	kränker	am kränksten
kurz	kürzer	am kürzesten
lang	länger	am längsten
scharf	schärfer	am schärfsten
schwach	schwächer	am schwächsten
stark	stärker	am stärksten
warm	wärmer	am wärmsten

Die **dümmsten** Bauern haben oft die **größten** Kartoffeln. (deutsches Sprichwort)

The dumbest farmers often have the biggest potatoes. (German proverb)

In Mitteleuropa ist der Januar oft der **kälteste** Monat und der August der **wärmste**.

In Central Europe, January is often the coldest month and August the warmest one.

As in English, some superlative forms are irregular. Here are the most important ones.

gut	besser	am besten
viel	mehr	am meisten
gern	lieber	am liebsten
hoch	höher	am höchsten
nahe	näher	am nächsten

Der **höchste** Berg der Welt ist der Mount Everest.
The highest mountain in the world is Mount Everest.

Schokolade esse ich am **liebsten**.
I like to eat chocolate best.

When the superlative form is preceded by the definite article, it drops **am**, and the ending is **-(e)ste** in all forms of the nominative singular and **-(e)sten** in the plural. When the superlative comes at the end of the sentence, it is usually preceded by **am** and ends in **-(e)sten**. You will get used to the **-e/-en** distribution as you have more experience listening to and reading German. (A detailed description will follow in Chapter 10.)

	M	N	F	PL
NOM	der ärmste	das ärmste	die ärmste	die ärmsten

Wie heißt **der längste** Fluß Europas? —Wolga.
"What is the name of the longest river in Europe?" "The Volga."

In welchem Land wohnen **die meisten** Menschen? —In China.
"In which country do the most people live?" "In China."

Wann sind die Tage **am kürzesten?** —Im Winter.
"When are the days the shortest?" "In winter."

Übung 4

Sprechen Sie über sich und seien Sie arrogant.

MODELL: Heidi läuft schneller als Nora. →
    Aber ich laufe am schnellsten.

1. Peter ist intelligenter als Stefan.
2. Albert ist größer als Peter.
3. Monika kann mehr essen als Frau Schulz.
4. Stephan springt höher als Albert.
5. Heidi kocht besser als Monika.
6. Monika schwimmt lieber als Stefan.
7. Rolf ist klüger als Peter.
8. Peter arbeitet mehr als Heidi.

Übung 5

Vergleiche

MODELL: Ein BMW kostet viel. (ein Rolls Royce) →
    Aber ein Rolls Royce kostet mehr.

1. In Griechenland ist es heiß. (in der Wüste)
2. In Düsseldorf ist es im Winter kalt. (am Nordpol)
3. Whiskey ist stark. (Inländer Rum)
4. Vitamine nehmen ist gesund. (gutes Essen)
5. Mexikaner essen scharf. (Thailänder)
6. Der Mississippi ist lang. (der Nil)
7. Sauerkrautsuppe schmeckt mir gut. (Tomatensuppe)
8. Am Nachmittag ist sein Fieber hoch. (am Abend)
9. Heidi wohnt nahe an der Uni. (Rolf)

Übung 6

Ergänzen Sie Komparativ oder Superlativ.

Ein neuer Wagen: Der Turbo

Der Turbo ist das _____ (schnell) Auto, das es heute gibt. Er fährt _____ (schnell) als ein Ferrari, aber braucht _____ (wenig) Benzin. Er ist das _____ (billig) Auto auf dem Markt. Er ist _____ (billig) als ein Hyundai. Unser _____ (groß) Modell hat Raum für sechs Personen. Von allen Autos dieser Größe ist der Turbo der _____ (stark). Nach einer Umfrage fahren die _____ (viel) Leute _____ (gern) einen Turbo als einen Mercedes. Handeln Sie noch heute und gehen Sie zu Ihrem _____ (nah) Turbo-Händler.

7.3. Although we list these verb + preposition combinations here for reference, we do not expect students to memorize them. Students do acquire them over time and through experiences in communicative contexts.

7.3 Präpositionen 6: feste Verb-und-Präpositionsgefüge

In both German and English there are a number of verbs that require specific prepositions, such as **denken an** (_to think of_), and **träumen von** (_to dream of_).

Jutta denkt an eine Kreuzfahrt in der Karibik.
Jutta is thinking of a cruise in the Caribbean.

Jens träumt von einem neuen Motorrad.
Jens is dreaming of a new motorbike.

Sometimes the German and English prepositions are equivalent: **lachen _über_** (_to laugh **about**_); at other times the prepositions differ: **glauben _an_** (_to believe **in**_). As you get more and more practice in listening to and reading German, you will learn which preposition goes with which verb and which case is required for the object of these prepositions. Here are some of the most common verb/preposition combinations.

+ NOM
arbeiten als — _to work as_

+ AKK
achten auf — _to pay attention to_
bitten um — _to ask for_
denken an — _to think of_
glauben an — _to believe in_
lachen über — _to laugh about_
nachdenken über — _to think about, to ponder_
schreiben an — _to write to_
schreiben/sprechen über — _to write/talk about_
vermieten an — _to rent to_
warten auf — _to wait for_

+ DAT
abhängen von — _to depend on_
arbeiten an — _to work on_
benutzen zu — _to use for_
bestehen aus — _to consist of_
erkennen an — _to recognize by_

+ DAT

fahren/reisen mit	*to go/travel by*
halten von	*to think about*
interessiert sein an	*to be interested in*
machen aus	*to make from*
sprechen von	*to speak of*
teilnehmen an	*to take part in*
träumen von	*to dream of*

Übung 7

Eine Fahrt in der U-Bahn

Ergänzen Sie die folgenden Präpositionen: an, auf, über, um, von.

Ich sitze in der U-Bahn und denke ＿＿＿＿ meine Ferien . . .

    Ich träume ＿＿＿＿ einem schönen langen Strand, blauem Wasser, weißem Sand. Ein Kellner kommt, und ich bitte ihn ＿＿＿＿ ein schönes kaltes Bier. Ich warte nicht lange ＿＿＿＿ das Bier, denn der Service ist super. Ich denke ＿＿＿＿ Maria und wie ich sie kennengelernt habe: Ich habe ＿＿＿＿ einem Tennisturnier teilgenommen, und da war auch Maria. Im letzten Spiel habe ich gegen sie gespielt, und der Sieg hat ＿＿＿＿ einem Punkt abgehangen. Sie hat gewonnen, ich habe den Ball ins Netz geschlagen. Wir haben viel ＿＿＿＿ das Spiel gelacht. So habe ich sie kennengelernt . . .

    Endstation. Jetzt bin ich schon wieder zu weit gefahren. Ich träume gern in der U-Bahn, aber jetzt komme ich wieder zu spät ins Büro, und mein Chef wartet schon ＿＿＿＿ mich.

7.4.–5. Both *wo-* and *da-*compounds are extremely useful and should be emphasized.

7.4 Wo-Verbindungen

Questions about people begin with **wer** (*who*) or **wen/wem** (*whom*). If a preposition is involved, it precedes the question word.

> **Mit wem** fährst du nach West-Berlin? —Mit meinem Bruder.
> *"With whom are you going to West Berlin?" "With my brother."*
>
> **An wen** schreibst du? —An Monika.
> *"Whom are you writing to (To whom . . .)?" "To Monika."*

Questions about things or concepts begin with **was** (*what*). If a preposition is involved, German uses compound words that begin with **wo-** (or **wor-** if the preposition begins with a vowel). Here are some examples: **womit** (*with what*), **wovon** (*about what*), **woraus** (*out of what*), **wozu** (*to what*), **woran** (*on what*).*

---

*The following prepositions cannot be preceded by **wo(r)-**: **ohne**, **außer**, **seit**.

Womit fährst du nach West-Berlin? —Mit dem Bus.
"How are you getting to West Berlin?" "By bus."'

Wovon sprichst du? —Ich spreche von meiner Reise nach Portugal.
"What are you talking about?" "I'm talking about my trip to Portugal."

Woraus besteht ein Reifen? —Ein Reifen besteht aus Gummi.
"What is a tire made of?" "A tire is made of rubber."

Wozu benutzt man das? —Das benutzt man zum Tanken.
"What do you use that for?" "You use that for pumping gas."

Woran erkennt man das? —Das erkennt man an dem gelben Licht.
"How do you recognize that?" "You recognize it by its yellow light."

Übung 8

Jürgen ruft Sie an und erzählt Ihnen von seiner letzten Reise mit Silvia. Das Telefon ist nicht ganz in Ordnung, und Sie verstehen nur die Hälfte. Fragen Sie nach.

MODELL: Silvia und ich haben lange auf den Zug gewartet. →
        Worauf habt ihr gewartet?

1. Auf der Fahrt hat Silvia nur von ihrem neuen Job gesprochen.
2. Wir sind oft mit dem Rad gefahren.
3. Es war heiß, und wir haben unter einem Ventilator geschlafen.
4. Einmal sind wir auf einen Berg geklettert.
5. Zuerst sind wir durch einen Wald gewandert.
6. Ganz oben sind wir dann auf Schnee gegangen.
7. Der Gipfel war ganz aus Eis und Schnee.
8. Einmal haben wir auch an einem Tennisturnier teilgenommen.
9. Ich habe mit meinem neuen Tennisschläger gespielt.
10. Die ganze Zeit habe ich nie an die Uni gedacht.
11. Ich träume noch heute von dieser Reise.

7.5 Da-Verbindungen

In both German and English, personal pronouns are used directly after prepositions when these pronouns refer to people (or animals).

> Ich werde bald mit ihr sprechen.
> *I'll talk to her soon.*

> Bist du mit Josef gefahren? —Ja, ich bin mit ihm gefahren.
> *"Did you go with Josef?" "Yes, I went with him."*

When the object of the preposition is a thing or concept, it is common in English to use the pronoun *it* or *them* with a preposition (*with it, for them,* and so on), but in German it is preferable to use compounds that begin with

da- (or **dar-** if the preposition begins with a vowel): **damit** (*with it*), **darin** (*in it*), **dagegen** (*against it*), **daraus** (*from it*), **davon** (*of it*).*

> Was macht man **mit einer Hupe**? —**Damit** warnt man andere Leute.
> *"What do you do with a horn?" "You warn other people with it."*

> Hast du etwas **gegen das Rauchen**? —Nein, ich habe nichts **dagegen**.
> *"Do you have something against smoking?" "No, I don't have anything against it."*

> Was macht man **aus Gold**? —**Daraus** macht man Ringe.
> *"What do you make out of gold?" "You make rings out of it."*

> Ißt du gern Sushi? —Nein, **davon** wird mir immer schlecht.
> *"Do you like to eat sushi?" "No, I always get sick from it."*

Übung 9

Minidialoge. Bitte ergänzen Sie.

A: Habt ihr an der Fahrradtour teilgenommen?
B: Ja, wir haben daran teilgenommen.
A: Und bist du auch mit deinem neuen Fahrrad gefahren?
B: Ja, ich . . .
A: Hast du deinen Eltern schon von dieser Tour erzählt?
B: Nein, denen . . .

C: Wann fängst du mit deinem Referat an?
D: Morgen . . .
C: Hast du über deine Arbeit schon nachgedacht?
D: Ja, ich . . .

E: Fährst du oft mit der U-Bahn?
F: Nein, ich . . .
E: Bist du auch gegen die hohen U-Bahnpreise?
F: Natürlich . . .

7.6. The order of elements is usually acquired easily, and students rarely make mistakes unless they try to translate directly from English.

7.6 Wortstellung 4: Zeit, Art und Weise, Ort

To describe the time, manner, and place of some event in one German sentence, use the adverbial phrases (or adverbs) in exactly that order: time (when?), then manner (how?), and then place (where?).

---

*The following prepositions cannot be preceded by **da(r)-**: **ohne**, **außer**, **seit**.

Albert fährt **am Freitag mit dem Bus nach Monterey.***
Albert is going to Monterey on Friday by bus.

Nora und Monika gehen **heute abend ins Kino**.
Nora and Monika are going to the movies tonight.

When there is more than one expression of time in a sentence, the less specific one comes first.

Mehmet steht **jeden Tag um sechs Uhr** auf.
Mehmet gets up at six o'clock every day.

Was machst du **nächstes Jahr in den Semesterferien**?
What are you doing over the break next year?

Übung 10

Minidialoge. Verwenden Sie die Wörter in Klammern.

A: Was habt ihr letzten Sommer gemacht?
B: Wir . . . (die Donau hinunterfahren / mit dem Schlauchboot)
A: Da seid ihr wohl jeden Tag sehr früh aufgestanden.
B: Ja, wir . . . (um 6 Uhr aufstehen / jeden Tag)

C: Willst . . . ? (Radtour machen / mit uns / nächstes Wochenende)
D: Ja gern. Wollt . . . ? (auf dem Rad sitzen / den ganzen Tag)
C: Nein. Wir . . . (am Samstag fahren / nach Landshut). Das sind nur 60 km. Wir . . . (in Landshut bleiben / ein paar Stunden). Wir . . . (zurück in Regensburg sein wollen / abends / um acht)
D: Gut, das ist mir recht. Ich . . . (Samstagabend / noch ins Kino gehen wollen / mit Michael).

---

*When all three are present, the expression of time is usually the first word or phrase in the sentence.

Morgen fahre ich **mit dem Zug nach Heidelberg**.

KAPITEL 8

Jugendliche in der
Bundesrepublik

In Kapitel 8 you will expand your ability to talk about memories and past experiences; your intentions, obligations, and preferences and those of others.

KINDHEIT UND JUGEND

THEMEN

Kindheit
Jugend

Erfahrungen und Erinnerungen

TEXTE

◀ Unsere Straße: Juttas neue Frisur

ZUSÄTZLICHE TEXTE

Die Abschlußfeier: Richard
Eine Sage aus Norddeutschland: Der Rattenfänger von Hameln
Ein Gespräch über den Krieg: Claire

STRUKTUREN

8.1 Perfekt 4: Wiederholung und Ergänzung
8.2 Präteritum 2: Hilfsverben, Modalverben und wissen
8.3 wann / wenn / als
8.4 Präteritum 3: starke und schwache Verben
8.5 Plusquamperfekt

GOALS

The activities in Chapter 8 give students the opportunity to talk about and understand texts about past events. This includes childhood activities and primary and secondary school memories. These topics require some use of the simple past, especially with *haben, sein,* the modals, and some other verbs.

SPRECHSITUATIONEN

 Grammatik 8.1

Explain to students that you want to talk to them about your childhood. As you narrate, use the perfect and past forms naturally, using the past forms for *haben, sein,* and the modals (and perhaps some other verbs as well). Start with: *Als ich drei Jahre alt war, lebten wir in ___* . Mention places where you grew up and where you visited and what they used to be like. Say as much about your own childhood as possible.

Er hat seinem Onkel den Rasen gemäht.

Er hat im Garten Äpfel gepflückt.

Er hat mit seiner Mutter Kuchen gebacken.

Er hat staubgesaugt und saubergemacht.

Er hat seiner Oma die Blumen gegossen.

Er hat Ernst Geschichten vorgelesen.

Sit. 1. This activity gives students the opportunity to review the present perfect. Let students match activities first; then ask questions such as: *Wer hat als Kind viel über Naturwissenschaften nachgedacht? (M. Curie.) Wer hat viel gelesen? (B. Brecht.) Wer hat schon als Kind tanzen gelernt? (E. Taylor.) usw.* Divide students into pairs and have them ask each other the same sort of questions. (Answers: Taylor: 1, 17; Brecht: 4, 5, 19; Curie: 3, 6, 8; Beckenbauer: 4, 9, 12, 18; Mittermaier: 7, 13, 15. Note: 2, 10, 11, 14, 16, 20 can be assigned to more than one person.)

Situation 1. Die Kindheit berühmter Personen

Was haben diese berühmten Leute in ihrer Kindheit gemacht? Ordnen Sie die nachfolgenden Aussagen den einzelnen Leuten zu.

— Elizabeth Taylor, Schauspielerin
— Bertolt Brecht, deutscher Dramatiker
— Marie Curie, französische Wissenschaftlerin
— Franz Beckenbauer, deutscher Fußballnationalspieler
— Rosi Mittermaier, deutsche Skiläuferin

AA 1. Pair the students and ask them to discuss their primary school activities. They should take notes on each other's activities and then report back to the class.

1. Sie ist in Amerika geboren.
2. Er hat die Fensterscheiben der Nachbarn eingeworfen.
3. Sie hat viel über Naturwissenschaft nachgedacht.
4. Er hat in Bayern gelebt.
5. Er hat Gedichte geschrieben.
6. Sie hat in Frankreich gelebt.
7. Sie ist im Winter jeden Tag Ski gefahren.
8. Sie hat Französisch gesprochen.
9. Er hat täglich Fußball gespielt.
10. Er hat viel gelesen.
11. Sie hat mit Puppen gespielt.
12. Die besten Fußballer der Welt waren seine Vorbilder.
13. Sie hat in einem Dorf in den Alpen gelebt.
14. Sie hat in einem Kino gearbeitet.
15. Sie hat Deutsch gesprochen.
16. Sie hat tanzen gelernt.
17. Sie hat eine Schauspielschule besucht.
18. Er ist mit seinem Vater zu Fußballspielen gegangen.
19. Er hat gern Geschichten erzählt.
20. Sie hat gern Bonbons gegessen.

Sit. 2. Convert the statements into questions: *Wer in der Klasse hat als Kind viel ferngesehen?* Or, do the situation as an autograph activity.

Situation 2.   Kindheit

Wer im Kurs hat das als Kind gemacht?

MODELL: Karten gespielt →
(Nora und Albert) haben als Kinder Karten gespielt.

1. viel ferngesehen
2. mit den Geschwistern gestritten
3. oft die Hosen zerrissen
4. manchmal die Lehrer geärgert
5. einen Hund oder eine Katze gehabt
6. in einer Baseballmannschaft gespielt
7. auf Bäume geklettert
8. Fensterscheiben eingeworfen
9. Leute erschreckt
10. mit den Eltern verreist

Sit. 3. Note the use of *wolltest* in 13.

Situation 3.   Interview

Als du acht Jahre alt warst . . .

1. Wo hast du gewohnt?
2. Was hast du gern gespielt?

3. Hast du viel Sport getrieben? Welchen Sport?
4. Was hast du am liebsten gegessen?
5. In welche Grundschule bist du gegangen?
6. Welchen Lehrer/welche Lehrerin hattest du am liebsten?
7. Was hat dir in der Schule gefallen?
8. Welche Fächer hattest du am liebsten?
9. Was hast du in den Pausen gespielt?
10. Wann hat die Schule angefangen? Wann hat sie aufgehört?
11. Was hast du nach der Schule unternommen?
12. Welche Bücher hast du am liebsten gelesen?
13. Was wolltest du werden? Warum?
14. Wo hat dein Vater gearbeitet? Wo deine Mutter?
15. Bist du in den Ferien verreist? Wohin?

Sit. 4. Note the use of the dative with *mit*.

AA 2. Describe a game you used to play when you were a child. How was it played? Where did you play it? With whom?

Recount typical activities in your high school. Talk about activities your parents used to do in their high school years.

Situation 4.   Was haben wir gemacht?

Denken Sie an etwas, das Sie als Kind mit einigen dieser Personen oder auch anderen Freunden und Verwandten gemacht haben.

Zum Beispiel: Ihr Vater, Ihre Mutter, Ihre Tante, Ihr Onkel, Ihre Großmutter, Ihr Großvater, Ihre Brüder, Ihre Schwestern, Ihre Freunde . . .

MODELL: Was haben Sie mit Ihrer Mutter gemacht?
Mit meiner Mutter habe ich Kreuzworträtsel gelöst.

JUGEND

 Grammatik 8.2–3

ich	konnte		wir	konnten
Sie	konnten		Sie	konnten
du	konntest		ihr	konntet
er sie es	konnte		sie	konnten

Frau Gretter war eine schöne junge Frau.

Sie ist mit ihrem Verlobten oft tanzen gegangen.

Sie hat sehr eifrig gelernt.

In der Schule wußte sie immer alles.

Freundinnen und Freunde

Sie ist sonntags mit ihrer Familie spazierengegangen.

Sie hatte viele Freundinnen und Freunde. Sie ist mit ihnen ins Kino gegangen.

Sie hat im Garten Federball gespielt.

Sit. 5. Give students a few minutes to jot down adverbs that correspond to activities. In the follow-up, ask questions such as: *Wer ist als Kind oft an den Strand gegangen? An welchen Strand sind Sie gegangen? Was haben Sie da gemacht?* Ask them why they did certain activities less frequently than others.

Situation 5.   Als ich 15 Jahre alt war . . .

Wie oft haben Sie das gemacht, als Sie 15 Jahre alt waren?

oft   manchmal   selten   nie

1. am Strand liegen
2. Kuchen backen
3. Liebesromane lesen
4. laut singen
5. auf Bäume klettern

6. spät aufstehen
7. Freunde einladen
8. allein verreisen
9. den Eltern helfen
10. Hausaufgaben vergessen

Sit. 6. Give students a few minutes to choose the appropriate answers and/or to write their own for *d.* Then divide students into groups of three to share their answers. Follow up with questions such as: *Wer ist ins Kino gegangen, wenn er/sie keine Lust hatte, in die Schule zu gehen?*

Situation 6.   Die Schule

Sagen Sie, was Sie in diesen Situationen gemacht haben.

1. Wenn Sie nicht zur Schule gehen wollten.

   a. Ich habe gesagt: „Ich bin krank".
   b. Ich bin ins Kino gegangen.
   c. Ich habe mit meinem Hund gespielt.
   d. _____

2. Wenn Ihre Mutter (Ihr Vater, Ihre Großeltern, _____) Ihnen verboten hat, fernzusehen, bevor Sie Ihre Hausaufgaben gemacht hatten.

   a. Ich habe geweint.

   b. Ich habe gesagt, daß ich keine Hausaufgaben aufbekommen habe.

   c. Ich habe schnell die Hausaufgaben gemacht.

   d. _____

3. Wenn Sie ein neues Kleidungsstück kaufen wollten, aber kein Geld hatten.

   a. Ich habe meinen Vater (meine Mutter, meine Großeltern, _____) um Geld gebeten.

   b. Ich habe Geld gespart.

   c. Ich habe gearbeitet und Geld verdient.

   d. _____

4. Wenn Sie mit Freunden ausgehen wollten und Ihre Eltern es nicht erlaubt haben.

   a. Ich bin heimlich aus dem Fenster gestiegen.

   b. Ich habe mit meinen Eltern diskutiert.

   c. Ich habe geweint und geschimpft.

   d. _____

5. Wenn Sie mitten in der Nacht Hunger hatten.

   a. Ich bin in die Küche geschlichen und habe etwas aus dem Kühlschrank genommen.

   b. Ich habe meine Mutter geweckt.

   c. Ich habe Süßigkeiten gegessen.

   d. _____

Situation 7.   Interview

Die Schule

1. Mußtest du früh aufstehen, als du zur Schule gegangen bist?
2. Wann mußtest du das Haus verlassen?
3. Mußtest du zur Schule, wenn du krank warst?
4. Durftest du abends lange fernsehen, wenn du morgens früh aufstehen mußtest?
5. Konntest du zu Fuß zur Schule gehen?
6. Wolltest du manchmal lieber zu Hause bleiben?
7. Was wolltest du werden, als du ein Kind warst?
8. Durftest du abends ausgehen? Wann mußtest du zu Hause sein?

Die Ferien

1. Durftest du verreisen, wenn du Ferien hattest?
2. Mußtest du mit deinen Eltern verreisen, oder durftest du allein wegfahren?
3. Konntest du Verwandte besuchen?

4. Mußtest du arbeiten und Geld verdienen, oder brauchtest du das nicht?
5. Solltest du in den Ferien auch etwas für deine Ausbildung tun? Was?
6. Wollten deine Eltern, daß du eine Fremdsprache lernst? Welche? Solltest du dafür ins Ausland fahren?
7. Konntest du Sport treiben, oder hattest du dafür keine Zeit?
8. Was hast du am liebsten gemacht?
9. Was war dein schönster Urlaub?

Sit. 8. Have students work in pairs to read the dialogues and then to dramatize and expand them. Let two or three pairs perform their versions in front of the class.

Situation 8. Rollenspiele

1. Jutta Ruf möchte mit ihrem Freund in die Disco gehen und bis zwei Uhr nachts wegbleiben. Sie fragt ihre Eltern, aber ihr Vater ist empört. Er ist strikt dagegen, daß seine Tochter so spät nach Hause kommt. Spielen Sie Juttas Rolle und die Rolle von Herrn Ruf.

HERR RUF: Um Punkt 12 Uhr bist du zu Hause! Zu meiner Zeit . . .
JUTTA: Aber Vati, zu deiner Zeit . . .
HERR RUF: Liebe Jutta, da gibt es überhaupt keine Diskussion . . .
JUTTA: . . .

2. Jens Krüger war mit Freunden im Kino in der Spätvorstellung, ohne seinen Eltern etwas zu sagen. Sein Vater ist sehr verärgert. Spielen Sie Jens' Rolle und die Rolle seines Vaters.

HERR KRÜGER: Wo kommst du jetzt eigentlich her?
JENS: Äh . . . Ich war im Kino und . . .
HERR KRÜGER: Wer hat dir denn erlaubt wegzugehen?
JENS: Ich . . .
HERR KRÜGER: Weißt du eigentlich, wie spät es ist?

Situation 9. Geständnisse

Sagen Sie, was in diesen Situationen passiert ist, oder was Sie gemacht haben.

MODELL: Als ich zum ersten Mal allein verreist bin, habe ich meinen Teddy mitgenommen.

1. Als ich die erste Zigarette geraucht habe, . . .
2. Wenn ich mit meinem Freund/meiner Freundin auf eine Party wollte, . . .
3. Wenn ich zu spät nach Hause gekommen bin, . . .
4. Als ich einmal meinen Hausschlüssel verloren habe, . . .
5. Wenn ich keine Hausaufgaben gemacht habe, . . .
6. Als ich meine neue Hose zerrissen habe, . . .
7. Als ich total verliebt war, . . .
8. Als ich zum ersten Mal Alkohol getrunken habe, . . .

UNSERE STRASSE: Juttas neue Frisur

Text: Ask students whether they ever did anything to their outer appearance that upset their parents, or, ultimately, themselves or friends or siblings: clothing, a new haircut, tattoos, etc. Ask them what they did when, what their parents' or others' reaction was, and how they dealt with it.

After the reading and *Fragen,* let students do the *Diskussion* in groups of 3 or 4. Go from group to group and offer your own opinion on the things they bring up.

Jutta Ruf hat einen neuen Freund, Billi. Eigentlich heißt er nicht Billi, sondern Paul, aber sein Vorbild[1] ist Billi Idol, und so nennt er sich nach ihm. Er hat sich auch die Haare ganz hellblond gebleicht und trägt immer alte kaputte Jeans, zerrissene T-Shirts und eine alte Lederjacke mit Ketten. Auf dem Oberarm hat er einen Totenkopf[2] tätowiert, und auf seiner linken Hand steht „no future". Auf beiden Wangen[3] hat er je drei parallele Narben.[4] Die hat er sich auf einer Party nach einem Billi-Idol-Konzert mit einer Rasierklinge[5] geschnitten. Jutta findet ihn toll! Sie trägt jetzt immer zerrissene schwarze Strumpfhosen,[6] Turnschuhe, die sie silbern gesprüht hat, ein T-Shirt, auf dem „I love Billi" steht, und eine alte Jeansjacke.

Es ist Mittwoch abends, nach acht Uhr. Jutta steht vor der Tür und traut sich nicht hinein. Sie hat Bedenken,[7] daß ihre neue Frisur bei ihren Eltern nicht so gut ankommt[8] wie bei ihren Freunden, besonders bei Billi.

Am Morgen ist sie nicht zur Schule gegangen, sondern hat sich mit Billi in einer Kneipe getroffen. Da haben sie noch eine Stunde über die neue Frisur gesprochen, und dann sind sie zum Friseur gegangen. Jutta hatte darauf gespart, denn so eine Frisur ist nicht billig. Nach drei Stunden war alles fertig und Billi hat geklatscht. Er war begeistert. Allerdings hat es dann auch 95 Mark gekostet, wegen der neuen Farbe und so.

Jutta hat jetzt einen Irokesenschnitt. In der Mitte steht ein drei Zentimeter breiter Haarstreifen, der von der Stirn bis in den Nacken läuft. Die Haare sind fünfzehn Zentimeter lang, stehen fest und gerade nach oben, und sind violett und grün. Der Rest des Kopfes ist kahl.[9] Billi wollte dann noch mit ihr zu einem Tätowierer gehen und ihr „Billi" auf die rechte Seite des Kopfes tätowieren lassen, aber sie hatten kein Geld mehr. Alle Freunde fanden es toll—aber jetzt steht sie allein vor der Tür und hat Angst, hineinzugehen. Sie will warten, bis ihre Eltern zu Bett gegangen sind.

Plötzlich hört sie jemanden. „Mensch, das bist ja du, Jutta!" Es ist ihr Bruder Hans, der aus dem Fenster schaut. „Wie siehst du denn aus?" Hans kann vor Lachen kaum sprechen. „Das sieht ja unmöglich aus!"

„Ach, du hast doch keine Ahnung!"

„Mutti und Papi finden es sicher toll. Komm schnell herein!"

„Nein, ich will noch warten, bis sie ins Bett gegangen sind."

„Da kannst du lange warten, es ist doch erst acht Uhr! Komm, das will ich sehen, wie die reagieren!"

[1]*Idol* [2]*skull* [3]*cheeks* [4]*scars* [5]*razor blade* [6]*tights* [7]Angst [8]gefällt [9]ohne Haare

Fragen

1. Wie heißt Juttas Freund?
2. Wie sieht er aus? Was trägt er?
3. Was trägt Jutta, seit sie ihn kennt?
4. Was für eine Frisur hat Jutta sich machen lassen?
5. Wie lange hat es gedauert?
6. Was wollte Billi noch machen lassen?
7. Warum ging das nicht?
8. Warum traut sich Jutta nicht ins Haus?
9. Wie findet Hans Juttas Frisur?

Diskussion

1. Was, glauben Sie, werden Juttas Eltern sagen?
2. Möchten Sie einen Irokesenschnitt? Was würden Sie sagen, wenn Ihr Bruder, Ihre Schwester, ein Freund oder eine Freundin einen Irokesenschnitt hätte?

ERFAHRUNGEN UND ERINNERUNGEN

Grammatik 8.4–5

Talk about "yesterday and today." Contrast life at some point in the past with life today. Include present, perfect, and past forms. Introduce past-perfect forms only where appropriate.

Nachdem Ernst die Fensterscheibe eingeworfen hatte, lief er weg.

Als Jutta ihren Hausschlüssel verloren hatte, kletterte sie durchs Fenster.

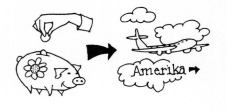

Jens hatte sein Fahrrad
repariert, bevor er
die Radtour machte.

Jürgen hatte ein Jahr gespart,
bevor er nach Amerika
fliegen konnte.

Sit. 10. After students decide which response is most likely—a, b, c, or d—let them expand and explain their choice. If students differ in their opinion, encourage them to discuss their reasons.

AA 6. Have students describe the styles of clothing that were fashionable when they were younger.

AA 7. Have students describe their first boyfriend/girlfriend as a child. What was he/she like? How did they meet? What activities did they do together?

Situation 10.   Erinnerungen

Sagen Sie, was für diese Personen wahrscheinlich ist.

1. Nachdem Jens eine Zigarette geraucht hatte,

    a. putzte er sich die Zähne.
    b. hatte er Angst vor seinem Vater.
    c. ging er joggen.
    d. machte er seine Hausaufgaben.

2. Gleich nachdem Jutta in Innsbruck angekommen war,

    a. spielte sie Tennis.
    b. rief sie ihre Mutter an.
    c. aß sie ein Stück Kuchen.
    d. schrieb sie einen Brief.

3. Nachdem Ernst ein neues Fahrrad bekommen hatte,

    a. weinte er den ganzen Tag.
    b. hatte er eine Woche Fernsehverbot.
    c. durfte er ins Kino gehen.
    d. fuhr er mit seinen Freunden zum Fußballspielen.

4. Rolf hatte sechs Jahre Englisch gelernt,

    a. bevor er ein Motorrad kaufte.
    b. bevor er seine Freundin Sabine kennenlernte.
    c. bevor er nach Amerika flog.
    d. bevor er zu studieren begann.

5. Josef hatte drei Monate gearbeitet,

    a. bevor er ein Bier trank.
    b. bevor er Urlaub in Spanien machen konnte.
    c. bevor er seine Freunde in der Disco traf.
    d. bevor er Silvia zum Essen abholte.

6. Jürgen hatte zwei Semester allein gewohnt,

   a. bevor er in die Wohngemeinschaft zog.

   b. bevor er einen Pullover strickte.

   c. bevor er Tennis spielte.

   d. bevor er zum Essen ging.

Situation 11.   Was haben Sie gemacht?

Berichten Sie von Ihren eigenen Erinnerungen.

1. Nachdem ich die Schule beendet hatte, . . .
2. . . . , bevor ich mit dem Studium anfing.
3. . . . , bevor ich in Urlaub fuhr.
4. Nachdem ich meine erste Zigarette geraucht hatte, . . .
5. Nachdem ich zu spät nach Hause gekommen war, . . .
6. . . . , bevor ich meinen Freund/meine Freundin kennenlernte.
7. Nachdem ich meine erste Prüfung bestanden hatte, . . .
8. . . . , bevor ich meine Freunde traf.
9. . . . , bevor ich in die Tanzstunde ging.
10. Nachdem ich mit meinem Vater/meiner Mutter telefoniert hatte, . . .

Sit. 12. Let students work in groups.

Situation 12.   Interaktion: Wann war das?

MODELL: deine erste Party →

     S1: Wann bist du auf deine erste Party gegangen?

     S2: Als ich 14 Jahre alt war.

1. die erste Schallplatte
2. der erste Kuß
3. die erste Zigarette
4. das erste Buch

5. die erste Ferienreise allein
6. das erste Glas Bier
7. die erste Party

Sit. 13. Ask students when they went on their first trip on their own: *Wann sind Sie zum ersten Mal allein in die Ferien gefahren? Wohin sind Sie gefahren? Wie war die Reise? Haben Sie Heimweh gehabt? usw.* Let them tell about anything special that happened.

Situation 13.   Lydias Schulaufsatz: Mein schönstes Ferienerlebnis

Als ich 12 Jahre alt war, fuhr ich zum ersten Mal allein in die Ferien. Ich war drei Wochen lang mit ungefähr 40 anderen Kindern auf der Nordseeinsel Sylt im Ferienlager. Der Bus fuhr morgens um sieben Uhr in Zürich los, und mein Vater brachte mich mit dem Auto hin.

    Im Ferienlager schliefen immer sechs Kinder in einem Zimmer in Etagenbetten. Das war sehr lustig. Tagsüber waren wir am Strand, badeten, bauten Sandburgen oder spielten Volleyball. Das Wetter war toll.

Nach einer Woche machten wir auch eine Fahrt mit einem Fischkutter und aßen frische Krabben. Aber das schönste war eine Fahrt nach Helgoland am letzten Tag des Urlaubs. Wir waren drei Stunden auf dem Schiff, und es war ziemlich stürmisch. Das Schiff schaukelte und schwankte, und es war wie in einer Berg- und Talbahn auf dem Jahrmarkt. Vielen Passagieren auf dem Schiff wurde übel, aber ich fand es toll. Das war mein schönstes Ferienerlebnis.

1. Erzählen Sie Lydias schönstes Ferienerlebnis für Ihre Mitstudenten nach.

   Mit 12 Jahren ist Lydia zum ersten Mal allein in die Ferien gefahren. Der Bus ist morgens um sieben Uhr losgefahren . . .

2. Fragen Sie nun Ihre Mitstudenten/Mitstudentinnen.

   a. Wann ist Lydia zum ersten Mal allein in die Ferien gefahren?
   b. Wann ist der Bus morgens losgefahren?
   c. Wann hat sie gebadet und Volleyball gespielt?
   d. Wann hat sie die Fahrt auf dem Fischkutter gemacht?
   e. Wann ist sie nach Helgoland gefahren?

VOKABELN

Kindheit und Jugend
Childhood and Youth

ärgern	to annoy
aufbekommen, bekam . . . auf, aufbekommen	to get as homework
erlauben, erlaubt	to give permission
erschrecken, erschreckt	to frighten
schimpfen	to scold
streiten, stritt, gestritten	to argue, quarrel
trauen	to trust, dare
verbieten, verbot, verboten	to forbid, prohibit
vergessen, vergaß, vergessen	to forget
vorlesen, las . . . vor, vorgelesen	to read aloud
wecken	to wake (*someone*) up
weinen	to cry

die **Ausbildung, -en**	education
die **Berg- und Talbahn**	roller coaster
das **Bonbon, -s**	sweets
das **Etagenbett, -en**	bunk bed
das **Fernsehverbot, -e**	ban on watching TV
die **Kindheit**	childhood
Papi (Vati)	Daddy
die **Puppe, -n**	doll
der **Schulaufsatz, ¨-e**	essay for school
die **Süßigkeiten** (*pl.*)	sweets
die **Tanzstunde, -n**	dance lesson
das **Vorbild, -er**	role model

zu meiner Zeit	when I was young

Erinnern Sie sich: jung / die Schule / spielen

Ferien am Meer

Vacation at the Beach

das **Ferienerlebnis**, -se	vacation experience
das **Ferienlager**, -	vacation camp
die **Ferienreise**, -n	vacation trip
der **Fischkutter**, -	fishing boat
das **Heimweh**	homesickness
Helgoland	(*German island in the North Sea*)
die **Krabbe**, -n	shrimp
der **Krabbenkutter**, -	boat for shrimp fishing
der **Passagier**, -e	passenger
die **Sandburg**, -en	sand castle

Ähnliches Wort: die **Nordsee**

Erinnern Sie sich: der **Badeanzug**, ¨e / der **Bikini**, -s / das **Meer**, -e / der **See**, -n / die **Sonnenbrille**, -n / der **Strand**, ¨e

Verben

Verbs

beenden, beendet	to end, finish
berichten, berichtet	to report
bitten, bat, gebeten	to ask (for something)
einwerfen (wirft ... ein), warf ... ein, eingeworfen	to throw in (*also figuratively, as in "to throw in a word or two"*)
Federball spielen	to play badminton
klettern	to climb
lassen, ließ, gelassen	to let
losfahren (fährt ... los), fuhr ... los, ist losgefahren	to start out, set out
lösen	to solve
nennen, nannte, genannt	to call
passieren, ist passiert	to happen
pflücken	to pick
reagieren, reagiert	to react
schaukeln	to rock, swing
schleichen, schlich, geschlichen	to sneak
schneiden, schnitt, geschnitten	to cut
schwanken	to shake, rock
unternehmen (unternimmt), unternahm, unternommen	to undertake
verpassen, verpaßt	to miss

warten	to wait
wegbleiben, blieb ... weg, ist weggeblieben	to stay away
zerreißen, zerriß, zerrissen	to tear
ziehen, zog, gezogen	to pull

Erinnern Sie sich: anfangen, fing ... an, angefangen / aufstehen, stand ... auf, ist aufgestanden / backen (bäckt), backte, gebacken / bringen, brachte, gebracht / dürfen, durfte, gedurft / essen, aß, gegessen / fahren, fuhr, ist gefahren / fliegen, flog, ist geflogen / gehen, ging, ist gegangen / genießen, genoß, genossen / gewinnen, gewann, gewonnen / haben, hatte, gehabt / laufen, lief, ist gelaufen / lesen (liest), las, gelesen / nachdenken, dachte ... nach, nachgedacht / rufen, rief, gerufen / schlafen, schlief, geschlafen / schreiben, schrieb, geschrieben / sprechen, sprach, gesprochen / tragen, trug, getragen / treffen, traf, getroffen / trinken, trank, getrunken / wegfahren, fuhr ... weg, ist weggefahren / werden, wurde, ist geworden / tun, tat, getan

Substantive

Nouns

die **Aussage**, -n	statement
die **Bedenken** (*pl.*)	concerns
das **Detail**, -s	detail
das **Dorf**, ¨er	village
der **Dramatiker**, - / die **Dramatikerin**, -nen	playwright
die **Erzählung**, -en	story, narrative
das **Examen**, -	examination
das **Fach**, ¨er	subject
die **Fensterscheibe**, -n	windowpane
das **Fundbüro**, -s	lost and found
der **Fußballer**, -	soccer player
das **Gedicht**, -e	poem
die **Geldbörse**, -n	wallet
das **Geständnis**, -se	confession
der **Hausschlüssel**, -	house key
der **Jahrmarkt**, ¨e	fair
das **Kleidungsstück**, -e	garment
das **Kreuzworträtsel**, -	crossword puzzle
die **Liebe**	love
der **Liebesroman**, -e	love story
die **Mannschaft**, -en	team
der **Nacken**, -	neck

der **Nationalspieler, -** / die **Nationalspielerin, -nen** — player on the national team

die **Naturwissenschaft, -en** — (natural) science

die **Pause, -n** — interval, break

der **Punkt, -e** — point

der **Rest, -e** — rest, remainder

die **Rolle, -n** — role, part

der **Schauspieler, -** / die **Schauspielerin, -nen** — actor / actress

die **Schauspielschule, -n** — college for dramatic arts

der **Skiläufer, -** / die **Skiläuferin, -nen** — skier

die **Spätvorstellung, -en** — late night show

die **Stirn, -en** — forehead

der/die **Verlobte, -n (ein Verlobter)** — fiancé(e)

der **Wissenschaftler, -** / die **Wissenschaftlerin, -nen** — scientist

die **Wohngemeinschaft, -en** — house (apartment) sharing

der **Zahn, ⁻e** — tooth
Er putzt sich die Zähne. — He's brushing his teeth.

Adjektive und Adverben
Adjectives and Adverbs

begeistert — enthusiastic; delighted

berühmt — famous

breit — wide

eifrig — eager, keen

einige — some

einzeln — single

empört — indignant

fertig — ready

fest — firm

gerade — just

heimlich — secret(ly)

je — ever

kaum — hardly

mitten — right in the middle

nachfolgend — following

nachts — at night

nochmal — once again

oben — on top

plötzlich — suddenly

stürmisch — stormy

überhaupt — at all

ungefähr — roughly, approximately

unmöglich — impossible

verärgert — annoyed

wahrscheinlich — probably

weg — gone

Ähnliche Wörter: silbern / strikt / total

Nützliche Wörter und Wendungen
Useful Words and Phrases

auf Bäume klettern — to climb trees

Fensterscheiben einwerfen — to break windowpanes

Fragen Sie nach! — Ask (about) (*something*)!

in der Mitte — in the middle

nachdem — after(ward)

übel werden — to get sick

wegen — because of

ZUSÄTZLICHE TEXTE

DIE ABSCHLUSSFEIER: Richard

Text: Explain the *Universitäts-system* in Austria, which is very similar to that in the FRG, and how students get a *Studienplatz*. Mention the importance of the *Durchschnittsnote* for entry into the university if students want to study certain subjects: *Medizin, Zahnmedizin, Architektur, usw.*

Explain exactly what it means that students *müssen ein oder mehrere Jahre aufs Studium warten.* Point out that with every semester students wait, their GPA improves by 0.2. If they have a GPA of 2.2, and *Zahnmedizin* requires 1.0, they have to wait 6 semesters or 3 years. Point out that in Germany 1.0 is the best GPA.

Richard Augenthaler aus Innsbruck hat die Matura, die Abschlußprüfung[1] am Gymnasium, bestanden.[2] Bei der offiziellen Entlassung hat der Direktor der Schule jedem Schüler sein Zeugnis überreicht und eine Rede[3] gehalten. Am Abend des Entlassungstages findet in der Aula[4] der Schule ein Fest statt. Alle Schüler, Eltern und Lehrer sind eingeladen, aber die Stimmung[5] ist seltsam.[6] Einerseits sind alle Schüler froh, die 13 Jahre Schule hinter sich zu haben, aber andererseits bleibt eine Frage offen: Was nun? Diese Frage stellt Richard einem seiner Freunde auf dem Fest.

RICHARD: Was sind denn deine Zukunftspläne?

FRANZ: Erstmal mache ich Ferien und dann . . . ehrlich gesagt, ich weiß es nicht. Eigentlich hatte ich mir alles so schön vorgestellt.[7] Irgendetwas studieren—vielleicht Germanistik und Geschichte—und dann eine gute Stelle suchen. Aber angesichts der vielen arbeitslosen Akademiker habe ich mir das schon lange aus dem Kopf geschlagen.[8]

RICHARD: Ja, die Illusion, daß einem alle Türen offen stehen nach der Matura, habe ich auch nicht mehr. Ich möchte gern Medizin studieren, aber meine Durchschnittsnote[9] ist zu schlecht.

FRANZ: Manchmal denke ich, daß Leute, die mit 16 eine Lehre[10] angefangen haben, es besser haben als wir. Sie verdienen in unserem Alter schon Geld, liegen ihren Eltern nicht mehr auf der Tasche[11] und haben einen Beruf.

RICHARD: Genau, und das Schlimme ist, ich habe auch Angst vor der Entscheidung.[12] Es ist eigentlich das erste Mal in meinem Leben, daß ich eine so wichtige Entscheidung für meine Zukunft treffen muß.

FRANZ: Ich glaube, viele Leute schieben diese Entscheidung vor sich her.[13] Sie fangen einfach an, irgendetwas zu studieren, aber sie haben noch keine Vorstellung,[14] was sie dann später mit dem Studium anfangen wollen.

RICHARD: Ich kann das verstehen, denn solange man zur Schule geht, wird einem ganz genau gesagt, was man zu tun hat. Und plötzlich soll man selbst entscheiden.

FRANZ: Außerdem war diese Schule neun Jahre lang mehr oder weniger unser Zuhause. Wir haben zusammen gelernt, auf die Lehrer geschimpft, um Noten gezittert,[15] und jetzt geht jeder seine eigenen Wege.

RICHARD: Stimmt, und irgendwie tut es mir leid, daß das alles jetzt zu Ende ist.

[1]*final exam* [2]*passed* [3]*speech* [4]Auditorium [5]Atmosphäre [6]*strange* [7]mir . . . vorgestellt *pictured* [8]habe . . . *I gave up on it* [9]*GPA* [10]*apprenticeship* [11]liegen . . . = brauchen kein Geld mehr von den Eltern [12]*decision* [13]schieben . . . = vor sich her *put off* [14]Ahnung [15]*shook*

© Beryl Goldberg

Nach der Entlassung aus der Haupt- oder Realschule sind Jugendliche in der Bundesrepublik 15 oder 16, nach dem Abitur 19 oder 20 Jahre alt. Für die meisten ist die Frage, wie es weitergeht, nicht ganz leicht zu beantworten. Es ist schwierig, eine Lehrstelle oder einen Studienplatz zu bekommen. Und auch später ist die Zukunft wegen der steigenden Arbeitslosigkeit ungewiß.

Fragen

1. Was hat Richard bestanden?
2. Was findet am Abend des Entlassungstages in der Aula statt? Wie ist die Stimmung?
3. Welche Frage stellt Richard seinem Freund Franz?
4. Weiß Franz, was er machen will?
5. Warum will er nicht mehr Germanistik und Geschichte studieren?
6. Warum kann Richard nicht Medizin studieren?
7. Warum haben Leute, die mit 16 eine Lehre angefangen haben, es vielleicht besser als die Gymnasiasten?
8. Wovor hat Richard Angst?
9. Wie schieben manche Leute die Entscheidung über ihre Zukunft auf?
10. Die Schule ist neun Jahre lang für die Schüler fast wie ein Zuhause. Was macht man während dieser Zeit alles zusammen?
11. Was tut Richard leid?

KULTURELLE NOTIZ: Hochschulstudium

Anders als in den USA muß man in den deutschsprachigen Ländern für ein Studium an einer Universität nichts bezahlen. Jeder, der die Matura oder das Abitur hat, kann sich an einer Universität einschreiben lassen. Viele Fächer sind allerdings überfüllt,[1] und dann entscheidet die Durchschnittsnote in der Matura oder im Abitur darüber, wer gleich studieren darf, oder wer ein oder mehrere Jahre aufs Studium warten muß.

[1]sind . . . = haben zu viele Studenten

EINE SAGE AUS NORDDEUTSCHLAND: Der Rattenfänger[1] von Hameln

Das historische Rattenfänger-haus in Hameln (1602/3 erbaut) erinnert mit einer Inschrift an die 130 Kinder, die der Sage nach im 13. Jahr-hundert verschwunden sind.

Die kleine Stadt Hameln an der Weser[2] war im 15. Jahrhundert sehr schmutzig. Die Abfälle,[3] die überall herumlagen, lockten viele Ratten an,[4] und so gab es bald eine schlimme Rattenplage. Zuerst fraßen[5] die Ratten nur die Abfälle auf den Straßen und in den Höfen, aber dann kamen sie auch in die Häuser und Keller der Bewohner. Nichts war mehr vor ihnen sicher.

Als die Bürger von Hameln schon ganz verzweifelt[6] waren, kam ein Flötenspieler[7] in die Stadt und bot dem Bürgermeister[8] an, die Stadt von der Rattenplage zu befreien. Es wäre allerdings nicht billig, denn er sei Spezialist. Der Bürgermeister war aber so froh, daß er sofort ja sagte.

Der Flötenspieler ging daraufhin durch die Straßen und spielte auf seiner Flöte eine seltsame Melodie. Alle Ratten kamen aus den Häuern und Kellern, und gebannt[9] folgten sie ihm aus der Stadt hinaus zur Weser. Der Flötenspieler ging langsam ins Wasser hinein, und alle Ratten folgten ihm und ertranken.[10] So wurde die Stadt von der Rattenplage befreit.

Als der Rattenfänger nun von den Bürgern seinen wohlverdienten Lohn[11] forderte,[12] gaben sie ihm nichts, denn sie waren nicht nur schmutzig, sondern auch sehr geizig.[13] Und nicht nur das, sie jagten ihn sogar aus der Stadt hinaus.[14]

Aber auf dem Weg aus der Stadt nahm der Rattenfänger wieder seine Flöte und spielte eine Melodie. Diesmal kamen alle Kinder aus den Häusern und folgten ihm wie vorher die Ratten. Er führte[15] sie aus der Stadt und verschwand[16] mit ihnen. Niemand hat sie je wieder gesehen.

[1]*Pied Piper* [2]*Fluß in Norddeutschland* [3]*garbage* [4]lockten...an *attracted* [5]*ate* [6]*desperate* [7]*ein Musiker, der Flöte spielt* [8]*mayor* [9]*fasziniert* [10]*drowned* [11]*reward* [12]*wollte* [13]waren... wollten kein Geld hergeben [14]jagten...hinaus *chased out* [15]*led* [16]*ging weg*

Fragen

1. Warum gab es in Hameln so viele Ratten?
2. Was fraßen die Ratten?
3. Wer kam in die Stadt?
4. Was machte der Flötenspieler?
5. Wie reagierten die Ratten auf die Musik?
6. Wie tötete der Flötenspieler die Ratten?
7. Warum gaben die Hamelner Bürger ihm kein Geld?
8. Wen führte der Flötenspieler dann aus der Stadt?
9. Was passierte mit den Kindern?

EIN GESPRÄCH ÜBER DEN KRIEG: Claire

Text: This reading should be assigned as homework so that all students will have read and understood it before they do the *Fragen* or *Diskussion*. In this reading we touch upon sensitive issues: the holocaust and the position of Germans during the years 1933–45. If you want to expand the subject, bring in as much additional material as possible. Films that could be shown outside of class to further the discussion/information: *From Here and Back,* a trilogy by Alex Corti; *The Boat Is Full,* by Georg Reinhart, *Die Weiße Rose; Das Boot; Mephisto.*

Melanie und Claire sind bei Melanies Großeltern, Herrn und Frau Staiger, zum Kaffee eingeladen. Claire kommt normalerweise nur mit Leuten zusammen, die in ihrem Alter sind. Jetzt hat sie die Gelegenheit[1] mit Deutschen der älteren Generation zu sprechen. Melanies Großvater ist Ende sechzig und ihre Großmutter Mitte sechzig.

CLAIRE: Waren Sie Soldat, Herr Staiger?

HERR STAIGER: Ja, ich war gerade zwanzig, als der Krieg angefangen hat. Ich war die ganze Zeit über dabei. Die letzten zweieinhalb Jahre war ich in russischer Kriegsgefangenschaft[2] in Sibirien.

CLAIRE: Das war sicher schrecklich. Waren Sie damals schon verheiratet?

FRAU STAIGER: Nein, aber verlobt[3] waren wir. Ja, das war eine furchtbare Zeit. Alles war kaputt. Sie haben sicher Fotos von deutschen Städten gesehen, wie die nach dem Krieg ausgesehen haben. Als mein Mann zurückgekommen ist, haben wir geheiratet, und dann ist es auch weitergegangen. Damals haben wir auch die ersten Amerikaner kennengelernt, Soldaten natürlich. Die waren eigentlich alle ganz nett, besonders zu den Kindern. Denen haben sie immer Schokolade und Kaugummi[4] geschenkt.

CLAIRE: Ich habe ja so viele Fragen! Aber stört[5] es Sie auch nicht, wenn man Ihnen Fragen über den Krieg stellt?

FRAU STAIGER: Nein, ganz und gar nicht. Frag nur weiter.

CLAIRE: In Regensburg gibt es doch einen Dachauplatz, und Dachau ist auch nicht weit von hier, und ich weiß, wie Melanie und Josef denken, aber . . . wie denken Sie eigentlich über die Nazis?

FRAU STAIGER: Das kann man nicht so einfach sagen. Alles ist damals direkt vor unserer Tür passiert, und wenn ich sage, daß wir von allem nichts gewußt haben, dann stimmt das nicht.[6] Aber wirklich gewußt, was da passiert ist, haben wir trotzdem nicht. Jeder hatte so ein paar Informationen, nichts Bestimmtes.

HERR STAIGER: Vor allem hat man sich auch nicht getraut,[7] darüber zu sprechen.

FRAU STAIGER: Ja genau. Man wußte ja nie, mit wem man sprach. Es hätte ja auch ein Spitzel[8] sein können. Wir hatten auch oft einfach nur Angst.

MELANIE: Aber das ist doch keine Entschuldigung!

FRAU STAIGER: Nein, eine Entschuldigung ist das nicht. Aber was hätten wir denn tun sollen?

HERR STAIGER: Was sagt man denn bei euch in Amerika? Sind wir für euch alle alte Nazis?

CLAIRE: Nein, ich glaube eigentlich nicht. Aber wir wissen auch viel zu wenig darüber, und nicht viele Leute haben die Gelegenheit, sich mit Deutschen, die den Krieg noch miterlebt haben, zu unterhalten.[9] Aber noch eine andere Frage: Wie haben Sie sich eigentlich gefühlt, als der Krieg vorbei war?

HERR STAIGER: Ich glaube, wir waren einfach nur froh, daß alles vorbei war, daß wir noch am Leben waren. Sibirien war schlimm, aber es war besser als der Krieg, und als ich dann nach Hause durfte und meine Rosi wieder hatte, da hat das Leben wieder von vorne angefangen, oder was meinst du, Rosi?

FRAU STAIGER: Ja, genau so war's. Und als der Bernd wieder da war, haben wir ja gleich geheiratet, und dann kam zuerst der Martin und dann die Sabine, und wenn man Kinder hat, denkt man eben nicht mehr so oft an die Vergangenheit, sondern an die Zukunft.

[1]Möglichkeit [2]*prisoner of war camp* [3]*engaged* [4]*chewing gum* [5]*bother* [6]stimmt . . . = ist das falsch [7]hatte Angst [8]Informant [9]sprechen

Fragen

1. Wie alt ist Herr Staiger?
2. Wie alt war er, als der Zweite Weltkrieg ausbrach?
3. Wo war er die letzten zweieinhalb Jahre des Krieges?
4. Waren er und seine Frau damals schon verheiratet?
5. Wie waren die amerikanischen Soldaten?
6. Warum hat man sich nicht getraut, „darüber" zu sprechen?
7. Was war für Herrn Staiger schlimmer als Sibirien?
8. Wie heißt Frau Staiger mit Vornamen?
9. Woran denkt man mehr, wenn man Kinder hat?

Diskussion

1. Frau Staiger sagt: „Alles ist damals direkt vor unserer Tür passiert . . . ,“ aber sie erklärt nicht, was das „Alles“ eigentlich war. Was meint sie damit?
2. Claire behauptet, daß Amerikaner die Deutschen nicht mehr als alte Nazis bezeichnen (*refer to*). Stimmt das? Erklären Sie Ihre Meinung.
3. Herr Staiger sagt, daß es ihm in russischer Kriegsgefangenschaft in Sibirien besser ging als im Krieg. Wie kann er so etwas sagen?

KULTURELLE NOTIZ: „der Krieg“

Der Zweite Weltkrieg war eine der größten Katastrophen in der Geschichte. Die meisten Städte Deutschlands lagen in Trümmern. Millionen von Menschen hatten kein Zuhause mehr, denn ungefähr ein Viertel aller Wohnungen war zerstört. Beim Luftangriff auf Dresden allein, im Februar 1945, starben ungefähr 60 000 Menschen durch Brand- und Sprengbomben. Die Folgen des Krieges in Zahlen: ungefähr 55 Millionen Tote (darunter 20 bis 30 Millionen Zivilisten), 35 Millionen Verwundete und 3 Millionen Vermißte.

© Archiv / Photo Researchers, Inc.

Wenn man in Europa über „den Krieg“ spricht, dann meint man den Zweiten Weltkrieg, der, 1939 von Hitler-Deutschland begonnen, sechs Jahre lang Europa verwüstete.[1]

[1]zur Wüste machte

STRUKTUREN UND ÜBUNGEN

8.1. This section reviews the present perfect and adds some details not yet formally introduced. This includes a formal explanation of word order for the perfect in dependent clauses.

8.1 Perfekt 4: Wiederholung und Ergänzung

As you remember from Chapter 4, it is preferable to use the present perfect tense in oral communication when talking about past events.*

> Als Kind hat Josie viel gelesen.
> *As a child Josie used to read a lot.*

To form the present perfect tense, you use **haben** or **sein** as an auxiliary with the past participle of the verb. A special word order must be followed.

A. haben oder sein

Haben is by far the most often-used auxiliary. **Sein** is normally used only when both the following conditions are met: (1) The verb is intransitive, which means it cannot have an accusative (direct) object. (2) The verb implies a change of location or condition.

> Wer **ist** als erster von England nach Frankreich **geschwommen**?
> *Who first swam from England to France?*

> Bertolt Brecht **ist** 1956 in Berlin **gestorben**.
> *Bertolt Brecht died in Berlin in 1956.*

> Ernst **ist** mit seinem Hund **spazierengegangen**.
> *Ernst went for a walk with his dog.*

Some verbs of motion can be used with or without a direct object. When used with a direct object, **haben** is the correct auxiliary; without a direct object, **sein** must be used as the auxiliary.

> Ich **habe** einen Porsche **gefahren**. (with a direct object)
> *I drove a Porsche.*

> Ich **bin** sehr schnell **gefahren**. (without a direct object)
> *I drove very fast.*

In spite of the fact that there is no change of location or condition, the following verbs also take **sein** as an auxiliary: **sein**, **bleiben**, **passieren**, and **geschehen**.

---

*The simple past tense (**Präteritum**), however, is the preferred form in spoken German with these verbs: **sein**, **haben**, **werden**, all modal verbs, and **wissen** (see 8.2).

321

Letztes Jahr **bin** ich in St. Moritz **gewesen**.
Last year I was in St. Moritz.

Gestern **ist** Paula den ganzen Tag zu Hause **geblieben**.
Yesterday Paula stayed home all day.

Was **ist** denn **passiert** (**geschehen**)?
What happened?

B. Partizip Perfekt

There are basically two ways to form the past participle. One group of verbs adds the prefix **ge-** and the ending **-en** to the stem: these are called strong verbs. The so-called weak verbs add the same prefix (**ge-**) and the ending **-t** or **-et.***

bleiben, ist geblieben	rufen, hat gerufen
reisen, ist gereist	spielen, hat gespielt

Most, but not all, strong verbs change the stem vowel.

schwimmen, ist geschwommen
werfen, hat geworfen
laufen, ist gelaufen

Very few weak verbs change the stem vowel. The following modal verbs and **wissen** are among those that do change.

dürfen, hat gedurft	müssen, hat gemußt
können, hat gekonnt	wissen, hat gewußt
mögen, hat gemocht	

The following weak verbs also undergo irregular changes.

brennen, hat gebrannt	kennen, hat gekannt
bringen, hat gebracht	nennen, hat genannt
denken, hat gedacht	rennen, ist gerannt

C. Partizipien mit **ge-** und ohne **ge-**

Verbs that are not stressed on the first syllable form the past participle without the **ge-** prefix. These verbs fall into two major groups: those that end in **-ieren** and those that have inseparable prefixes.

passieren, ist passiert	geschehen, ist geschehen
probieren, hat probiert	verletzen, hat verletzt
studieren, hat studiert	zerreißen, hat zerrissen

The most common inseparable prefixes are **be-, emp-, ent-, er-, ge-, miß-, ver-,** and **zer-.**

---

*The ending is **-et** if the stem ends in **d**, **t**, or a letter combination that would make pronunciation difficult otherwise: **hat gearbeitet, ist gelandet, hat geregnet, hat geöffnet, hat geatmet.**

bestellen	to order	gefallen	to like
empfehlen	to recommend	mißtrauen	to distrust
entschuldigen	to excuse	verzeihen	to excuse
erzählen	to tell	zerstören	to destroy

The past participle of verbs with separable prefixes have the **ge-** prefix between the separable prefix and the stem.

abreisen, ist abgereist   aufstehen, ist aufgestanden

anfangen, hat angefangen   ausmachen, hat ausgemacht

D. Wortstellung

The auxiliary and the past participle form the sentence frame (Satzklammer) in independent clauses: the auxiliary is either in first or second position and the past participle is in last position.

Letzte Woche hast du doch in der Lotterie gewonnen.

Bist du nicht letztes Jahr nach Kairo geflogen?

In dependent clauses, the conjugated verb moves to the end of the clause. This means that the auxiliary follows the past participle. In this case, the conjunction and the auxiliary form the sentence frame (Satzklammer).

Ich weiß, daß du letzte Woche in der Lotterie gewonnen hast.

Ich weiß, daß du letztes Jahr nach Kairo geflogen bist.

Übung 1

Lesen Sie den Text und suchen Sie alle Partizipien heraus. Ordnen Sie sie in Gruppen und finden Sie die Infinitive.

1. Verben mit haben
2. Verben mit sein
3. Verben mit trennbarem Präfix
4. Verben mit untrennbarem Präfix
5. Verben auf -ieren

Als ich noch klein war, habe ich mich für Mopeds interessiert. Ich habe ganze Tage daran gebastelt (*worked*) und sie repariert. Ich habe alles über Motoren gewußt und immer gedacht, daß ich mal Mechaniker werde. Im Keller hatte ich eine kleine Werkstatt. Ich bin immer früh aufgestanden, und vor der Schule bin ich hinuntergegangen und habe gearbeitet. Ich habe mich oft verletzt (*hurt*), wenn ich an den Motoren gearbeitet habe und bin zu meiner Mutter gerannt. Die hat mir dann die Hand verbunden, denn meistens habe ich mir die Hände verletzt.

Sonntags bin ich immer zu Motorradrennen gegangen. Manchmal habe ich das Motorrad meines Bruders gefahren, aber auf dem Land, denn ich hatte noch keinen Führerschein (*driver's license*) und durfte nicht auf der Straße fahren. Einmal hat mich ein Polizist angehalten, aber ich habe solange mit ihm geredet, bis ich gehen konnte. Ich habe drei Jahre gewartet, bis ich sechzehn wurde. Dann habe ich den Führerschein gemacht und konnte fahren. Aber da hatte ich mein Interesse an Mopeds und Motoren schon verloren.

Übung 2

Erinnerungen. Haben oder sein?

1. Als Kind _____ ich im Rhein von Neuss nach Düsseldorf geschwommen.
2. Ich _____ auch oft den See durchschwommen.
3. Jeden Morgen _____ ich zur Schule gelaufen.
4. Einmal _____ ich die Hundert Meter in 11 Sekunden gelaufen.
5. Als ich klein war, _____ ich mit dem Moped meines Bruders gefahren.
6. Ein Freund meines Bruders _____ einmal einen Ferrari gefahren.
7. Mit 17 _____ ich einmal von München nach Hamburg geflogen.
8. Aber ich _____ noch nie selbst ein Flugzeug geflogen.

Übung 3

Ernst war heute fleißig. Er ist früh aufgestanden und hat schon alles gemacht. Übernehmen Sie seine Rolle.

MODELL: Steh endlich auf! → Ich bin schon aufgestanden.

1. Mach Frühstück!
2. Trink deine Milch!
3. Mach den Tisch sauber!
4. Lauf mal schnell zum Bäcker!
5. Bring Brötchen mit!
6. Nimm Geld mit!
7. Zieh deine Jacke an!
8. Mach die Tür zu!

8.2. The idea is that students will normally use perfect for narration of past events, except for *haben, sein, wissen,* and the modals.

8.2 Präteritum 2: Hilfsverben, Modalverben und wissen

The simple past tense (**Präteritum**) is preferred over the present perfect tense (**Perfekt**) with some frequently used verbs, even in conversational German. These verbs include **haben,** * **sein,** * **werden,** the modal verbs, and **wissen.**

Frau Gretter **war** eine schöne junge Frau.
Ms. Gretter was a beautiful young woman.

———
*The simple past tense of **haben** and **sein** was discussed in Chapter 6.

In der Schule **wußte** sie immer alles.
In school she always knew everything.

Sie **hatte** viele Freundinnen und Freunde.
She had many friends.

A. werden

Beckenbauer wurde in Bayern groß.
Beckenbauer grew up in Bavaria.

1984 wurde er Trainer der Nationalmannschaft.
In 1984, he became the coach of the national team.

The past-tense forms of **werden** are as follows.

ich	wurde	wir	wurden
Sie	wurden	Sie	wurden
du	wurdest	ihr	wurdet
er sie } es	wurde	sie	wurden

B. Modalverben

To form the simple past tense of modal verbs, take the stem, drop any *umlauts*, and add **-te-** and any additional endings that may be required.

Gestern **wollten** wir ins Kino gehen.
Yesterday we wanted to go to the movies.

Mehmet **mußte** jeden Tag um sechs aufstehen.
Mehmet had to get up at six every morning.

Helga und Sigrid **durften** mit sechs Jahren noch nicht fernsehen.
At the age of six, Helga and Sigrid weren't yet allowed to watch TV.

Ich **sollte** gestern zu Hause bleiben, aber das Wetter war einfach zu schön.
I was supposed to stay home yesterday, but the weather was just too nice.

Warum **konntet** ihr denn nicht kommen?
Why weren't you able to come?

Compare the present-tense and simple-past-tense forms of the modal verb **können**.

PRÄSENS		PRÄTERITUM	
ich	kann	ich	konn*te*
Sie	könne**n**	Sie	konn*ten*
du	kann**st**	du	konn*test*
er sie es	kann	er sie es	konn*te*
wir	könne**n**	wir	konn*ten*
Sie	könne**n**	Sie	konn*ten*
ihr	könn**t**	ihr	konn*tet*
sie	könne**n**	sie	konn*ten*

The other modal verbs follow the same pattern in the past tense.

C. wissen

The verb **wissen** follows a similar pattern.

> Ich **wußte** nicht, daß du keine Erdbeeren magst.
> *I didn't know that you don't like strawberries.*

> **Wußtest** du, daß Maria allein nach Spanien fahren will?
> *Did you know that Maria wants to go to Spain by herself?*

Here are the forms of **wissen**.

ich	wußte	wir	wußten
Sie	wußten	Sie	wußten
du	wußtest	ihr	wußtet
er sie es	wußte	sie	wußten

Übung 4

Kinder dürfen selten alles.

MODELL: Wie oft ist Monika als Kind an den Strand gegangen?
(selten / es nicht wollen) → Selten, sie wollte es nicht.

1. Wie oft hast du als Kind gekocht? (nie / es nicht dürfen)
2. Wie oft hat Richard als Kind gelesen? (immer / es müssen)
3. Wie oft sind Marta und Sophie als Kinder Fahrrad gefahren? (nie / es nicht können)
4. Wie oft ist Nora als Kind allein verreist? (nie / es nicht dürfen)
5. Wie oft habt ihr als Kinder Fußball gespielt? (nie / es nicht wollen)
6. Wie oft hast du als Kind Eis gegessen? (selten / es nicht dürfen)
7. Wie oft haben Sigrid und Helga als Kinder ferngesehen? (selten / es nicht dürfen)
8. Wie oft ist Mehmet als Kind skigefahren? (nie / es nicht können)

Übung 5

Fragen und Antworten

MODELL: Lydia, warum bist du nicht mit ins Kino gegangen? (nicht können) →
Ich konnte nicht.

1. Ernst, warum bist du nicht mit zum Schwimmen gekommen? (nicht dürfen)
2. Warum ist Maria nicht gekommen? (nicht wollen)
3. Jens, gestern war Juttas Geburtstag! (das / nicht wissen)
4. Jutta, warum hast du eine neue Frisur? (eine / wollen)
5. Jochen, warum hast du das Essen nicht gekocht? (das / nicht sollen)

8.3 wann/wenn/als

The English words *when* and *whenever* correspond to three words in German: **wann**, **wenn**, and **als**.

To ask a direct question about some point in time, use **wann.**

Wann willst du gehen?
When do you want to go?

Wann bist du in die Schule gekommen?
When did you enter primary school? (*At what point in time* . . .)

Use all three—**wann**, **wenn**, **als**—to introduce dependent clauses; in this case they require dependent word order (conjugated verb last). Use **wann** as a conjunction in indirect questions.

Ich weiß nicht, **wann** er nach Hause kommt.
I don't know when he is coming home.

Ich weiß nicht, **wann** der Zug kommt.
I don't know when (at what time) the train is coming.

Use **wenn** to describe habitual (repeated) events either in the present or in the past. *Whenever* is often used in English to stress repeated action.

> **Wenn** Bernd nach Hause kommt, liest er immer zuerst die Zeitung.
> *When(ever) Bernd gets home, he first reads the newspaper.*

> **Wenn** ich spät nach Hause gekommen bin, hat mein Vater auf mich
>   gewartet.
> *Whenever I got home late, my father was waiting for me.*

Use the conjunction **als** to describe a single event in the past, however. Compare the following two sentences with **als** plus past (single event) and **wenn** plus past (repeated events).

> **Als** Maria das Haus betrat, klingelte das Telefon.
> *When (As) Maria entered the house, the telephone rang.*

> **Wenn** Maria das Haus betrat, rief sie laut „hallo".
> *Whenever Maria entered the house, she used to shout "hello."*

Übung 6

Minidialoge: Wann, wenn oder als?

A: _____ darf ich fernsehen?
B: _____ du deine Hausaufgaben gemacht hast!

C: Weißt du, _____ der Film aufhört?
D: Nein, ich weiß auch nicht, _____ der Film beginnt.

E: Was habt ihr gemacht, _____ ihr in München wart?
F: Wir haben sehr viele Filme gesehen.

G: Wann hast du Sofie getroffen?
H: Gestern, _____ ich an der Uni war.

I: _____ fliegst du nach Europa?
J: _____ ich genug Geld habe.

K: Du spielst sehr gut Tennis. _____ hast du das gelernt?
L: _____ ich noch klein war.

8.4 Präteritum 3: starke und schwache Verben

In written texts the simple past tense (**Präteritum**) is frequently used instead of the perfect to refer to past events.

> Jutta **fuhr** allein in die Ferien.
> *Jutta went on vacation alone.*

> Ihr Vater **brachte** sie zum Bus.
> *Her father took her to the bus.*

This form is called the simple past tense because it consists of one word rather than two: **brachte** as opposed to **hat gebracht**. As in the case with past participles, there are several different ways to form the simple past tense. You need not be able to form this tense now, but you need to recognize past-tense forms and know their infinitives.

A. Schwache Verben

You can recognize weak verbs by the **-(e)te-** that is inserted between the stem and the ending.

du sagst	du sag<u>te</u>st
wir studieren	wir studier<u>te</u>n
ihr arbeitet	ihr arbeit<u>ete</u>t

Wir badeten, bauten Sandburgen und spielten Volleyball.
We swam, built sand castles, and played volleyball.

Note that in the simple past tense, separable prefix verbs are separated in independent clauses but joined in dependent clauses, just as in the present tense.

Rolf **stellte** seinen Freunden seine Schwester Helga **vor**. Helga wollte, daß er sie ihnen **vorstellte**.

Rolf introduced his sister Helga to his friends. Helga wanted him to introduce her to them.

For a few weak verbs, the stem of the simple past is the same as the one used to form the past participle, and you will recognize it immediately.

PRÄSENS	PRÄTERITUM	PARTIZIP PERFEKT
kennen	kannte	hat gekannt
bringen	brachte	hat gebracht
denken	dachte	hat gedacht

The verbs **brennen**, **nennen**, and **rennen** follow the same pattern as **kennen**.

B. Starke Verben

All strong verbs have a different stem in the simple past: **gehen/ging**, **singen/sang**, **essen/aß**. Since English also has a number of verbs with irregular stems in the past tense (*go/went, sing/sang, eat/ate*), you will usually have no trouble recognizing simple past stems. You can easily recognize the **ich** and **er/sie/es** forms of strong verbs, because they have no ending.

Sometimes the stem of the simple past is the same as that of the corresponding past participle, sometimes it is not. Through practice reading texts in the simple past, you will gradually learn to recognize the various patterns of stem change that exist. Here are some very common past tense forms you are likely to encounter in your reading.

brechen	brach*	schwimmen	schwamm	schleichen	schlich
essen	aß	sitzen	saß	schneiden	schnitt
geben	gab	trinken	trank	schreiben	schrieb
geschehen	geschah	kommen	kam	steigen	stieg
lesen	las			streiten	stritt
nehmen	nahm	gefallen	gefiel	rufen	rief
sehen	sah	halten	hielt		
sprechen	sprach	lassen	ließ	fliegen	flog
stehen	stand	schlafen	schlief	ziehen	zog
treffen	traf	laufen	lief	lügen	log
bitten	bat	gehen	ging	fahren	fuhr
finden	fand	bleiben	blieb	tragen	trug
gewinnen	gewann	reiten	ritt	waschen	wusch
liegen	lag	scheinen	schien		

Der Bus **fuhr** um sieben Uhr **ab**. (abfahren)
The bus left at seven o'clock.

Sechs Kinder **schliefen** in einem Zimmer. (schlafen)
Six children were sleeping in one room.

Jutta **aß** frische Krabben. (essen)
Jutta ate fresh shrimp.

Übung 7

Lesen Sie den Text, schreiben Sie die Verben heraus und bilden Sie dazu die Infinitive.

Richard und Franz wollten eine Radtour machen, aber ihre Räder waren kaputt, und so mußten sie sie reparieren, bevor sie losfahren konnten. Am Morgen der Tour standen sie um sechs Uhr auf, gingen in die Garage, wo die Räder waren, und machten sich an die Arbeit. Gegen acht waren sie fertig. Sie frühstückten noch, und dann fuhren sie ab.

Gegen elf kamen sie an einen kleinen See. Sie hielten an und setzten sich ins Gras. Richards Mutter hatte ihnen Essen eingepackt. Sie waren hungrig und aßen alles auf. Sie schwammen im See und legten sich dann in den Schatten und schliefen. Am späten Nachmittag badeten sie noch einmal und radelten dann zurück nach Hause. Die Rückfahrt dauerte eine Stunde länger als die Hinfahrt.

---

*It is fairly easy to make educated guesses as to the form of the infinitive when encountering new simple past tense forms. The following vowel correspondences are the most common.

PRÄSENS	PRÄTERITUM
e/i	a
a/ei	i(e)

8.5 Plusquamperfekt

Use the past perfect tense (**Plusquamperfekt**) to refer to a past event that happened earlier than another past event.

> Nachdem Jochen noch zwei Stunden **ferngesehen hatte**, ging er ins Bett.
>
> *After he had watched (had been watching*) TV for two hours, Jochen went to bed.*

> Ich fuhr nach Hause. Ich **hatte** schon vorher **eingekauft** und konnte deshalb gleich mit dem Kochen beginnen.
>
> *I drove home. I had done my shopping earlier and could therefore start making dinner at once.*

To form the past perfect, use the simple past of the auxiliary **haben** or **sein**, whichever is required, and the past participle of the main verb. Word order is the same as for the perfect tense.

> Es **hatte** schon **begonnen** zu regnen, während er noch mit seiner Mutter sprach.
>
> *It had already begun to rain while he was still talking with his mother.*

> Sie **waren** noch nicht weit **gefahren**, als sie bemerkten, daß sie ihr Geld **vergessen hatten**.
>
> *They hadn't gone far, when they noticed that they had forgotten their money.*

Übung 8

Bringen Sie die folgenden Aktivitäten in eine logische Reihenfolge. Verwenden Sie die Konjunktion **nachdem**.

MODELL: ins Kino gehen / essen →
    Nachdem ich gegessen hatte, ging ich ins Kino.

1. Geld verlieren / zur Polizei gehen
2. Rad reparieren / Radtour machen
3. Brief schreiben / Papier kaufen
4. Auto kaufen / Führerschein machen
5. duschen / ausgehen
6. Visum besorgen / in die DDR fliegen
7. eine Flasche Champagne trinken / Examen machen
8. Spaghetti kochen / einkaufen
9. ins Bett gehen und schlafen / fernsehen
10. zum Zahnarzt gehen / Schmerzen haben

---

*Note the use of the -*ing* form in English. German does not have an equivalent of this form.

KAPITEL 9

Frühsport in einem Park
im Zentrum von Hamburg

In Kapitel 9 you will talk about health-related situations and problems: illnesses and accidents, and ways of staying healthy and in shape.

GESUNDHEIT UND KRANKHEIT

THEMEN
Körperteile
Krankheiten
Arzt, Apotheke, Krankenhaus
Unfälle und Notfälle

ZUSÄTZLICHE TEXTE
Unsere Straße: Der eingebildete Kranke
Fabel: Der geheilte Patient
Der Kater Pelle stellt sich vor: Die Welt aus den Augen
    einer Katze
Kulturelle Begegnungen: Rauchen in der DDR

STRUKTUREN
9.1 brauchen + zu
9.2 Reflexiva 1: Pronomen und Verben
9.3 Infinitiv mit zu
9.4 Demonstrativa 2: dieser, jener
9.5 lassen
9.6 Dativ 5: Unpersönliche Konstruktionen

GOALS

Chapter 9 creates opportunities
for students to communicate situations and experiences involv-
ing illness, accidents, emergen-
cies, and health in general.

SPRECHSITUATIONEN

KÖRPERTEILE

☞ **Grammatik 9.1**

TPR: Review parts of the body by asking students to touch various body parts: *Berühren Sie den Arm, berühren Sie Ihren rechten Fuß mit der linken Hand, berühren Sie Ihre Nase mit einem Finger der rechten Hand, usw.* Use TPR to introduce words for body parts not acquired or learned in previous lessons. *1. der Kopf: die Stirn, die Zunge, die Lippe, die Augenbraue, die Wimper, die Wange, der Zahn, die Nase, das Ohr, der Mund; 2. der Ellbogen, der Knöchel, der Fingernagel, der Finger, der Hals, der Nacken, die Brust, die Taille, die Hüfte, der Bauch, der Arm, die Schulter; 3. der Po, das Bein, das Knie, der Fuß, der Zeh; 4. das Innere: der Knochen, der Magen, die Leber, die Niere, die Lunge, das Herz, die Vene.*

The most common body parts will reappear in activities throughout the chapter. Use TPR to introduce the following commands: *Atmen Sie ein/aus, horchen Sie, sprechen Sie, zwinkern Sie, schlucken Sie, husten Sie, niesen Sie, kauen Sie, entspannen Sie sich.*

Give two students each a command. Then ask either/or questions: *Niest Thomas oder hustet er?* Finally follow up with past-tense questions: *Was hat Thomas gemacht? Gehustet oder geniest?*

Sit. 1. Use TPR to review the verbs on the right side. Then give students a few minutes to match parts of the body with actions. Note that the model requires use of the dative after *mit.* Expand students' replies to include *brauchen + zu: Man braucht die Bei-*

Situation 1. Funktionen der Körperteile

Was macht man mit diesen Körperteilen?

MODELL: der Mund → Mit dem Mund ißt und spricht man.

1. die Hände
2. die Beine
3. die Augen
4. die Arme
5. die Zähne
6. die Lippen
7. die Nase
8. die Ohren
9. die Finger
10 die Lunge
11. ____

a. gehen
b. greifen
c. essen
d. umarmen
e. küssen
f. hören
g. atmen
h. sehen
i. kauen
j. riechen
k. schreiben

l. sprechen
m. laufen
n. ____

Situation 2.   Definitionen: Körperteile

1. das Gehirn
2. die Lunge
3. die Augen
4. die Zunge
5. der Mund
6. die Ohren
7. der Magen
8. das Gesäß
9. die Finger
10. die Füße

a. Man braucht sie zum Atmen.
b. Man braucht es zum Sitzen.
c. Man braucht sie zum Schreiben.
d. Man braucht ihn zur Verdauung.
e. Man braucht sie zum Hören.
f. Man braucht sie zum Gehen.
g. Man braucht ihn zum Essen.
h. Man braucht sie zum Schmecken.
i. Man braucht sie zum Sehen.
j. Man braucht es zum Denken.

Situation 3.   Wenn es mir schlecht geht . . .

Wählen Sie aus: immer, meistens, manchmal, nie. Erklären Sie Ihre Wahl.

1. Wenn ich Fieber habe,
   a. lege ich mich ins Bett.
   b. nehme ich Aspirin.
   c. gehe ich zum Arzt.
   d. gehe ich zur Uni.
   e. treffe ich mich mit Freunden.

2. Wenn ich Husten habe,
   a. nehme ich Hustensaft.
   b. trinke ich heißen Tee.
   c. bleibe ich im Bett.
   d. unterhalte ich mich mit dem Apotheker.
   e. rauche ich Zigarillos.

3. Wenn mir schwindlig ist,

    a. fahre ich Fahrrad.
    b. spiele ich Tennis und strenge mich richtig an.
    c. setze ich mich hin.
    d. nehme ich Hustensaft.
    e. setze ich mich in die Sauna.

4. Wenn ich Kopfschmerzen habe,

    a. lege ich mich hin und schlafe mich aus.
    b. bade ich und trockne mich gründlich ab.
    c. nehme ich Aspirin.
    d. gehe ich zum Arzt.
    e. lege ich mir etwas Kaltes auf die Stirn.

5. Wenn ich mich erkältet habe,

    a. nehme ich eine Tablette und ruhe mich aus.
    b. trinke ich Bier.
    c. sonne ich mich am Strand.
    d. putze ich mir die Zähne
    e. gehe ich ins Krankenhaus.

KRANKHEITEN

 Grammatik 9.2–4

From your PF select photos of persons in various states of health. Review or introduce: *Ist er/sie erkältet? verletzt? bewußtlos? seekrank? usw. Hat er/sie das Bein/den Arm gebrochen? die Grippe? eine Erkältung? eine Allergie? eine Infektion? Schmerzen? Fieber? Husten? den Schnupfen? usw.*

Discuss illnesses the students had as children. Ask what kinds of treatment they received: *das Antibiotikum, das Aspirin, der Sirup, die Tablette, die Röntgenstrahlen, das Medikament.*

Situation 4. Anzeige: Gymnastik- und Fitnessstudio Fuchs

AN ALLE BODYBUILDER UND FITNESSFANS

Wir bieten an:

JAZZGYMNASTIK   SAUNA

AEROBICS   SOLARIUM

KRAFTRAUM   MASSAGE

Probestunde, Fachbetreuung, modernste Geräte im Kraftraum, individuelle Beratung

NEU: Viel Geld sparen durch GFF-Club-Karte!

Rafft euch auf, Leute, und tut endlich was für eure Gesundheit!!!

Öffnungszeiten: Mo–Sa: 10–21 Uhr
                 So: 9–15 Uhr

Gymnastik- und Fitnessstudio Fuchs
Blissestr. 5–8
1000 Berlin 31
Tel. 922 86 55

Sit. 5. Do not limit the students to the possibilities listed. Note that three of the five include reflexive verbs.

Situation 5. Hausmittel und erste Hilfe

Was ist wofür gut?

MODELL: Wenn man Bauchschmerzen hat, . . .→
Wenn man Bauchschmerzen hat, tut man gut daran, sich ins Bett zu legen.

1. Wenn man sich erkältet hat, . . .
2. Wenn man Husten hat, . . .
3. Wenn man Kopfschmerzen hat, . . .
4. Wenn man sich in den Finger geschnitten hat, . . .
5. Wenn man Halsschmerzen hat, . . .
6. Wenn man sich verletzt hat, . . .

a. ist es nötig, Hustensaft zu nehmen.
b. ist es wichtig, Kopfschmerztabletten zu nehmen.
c. ist es wichtig, die Wunden sogleich zu desinfizieren.
d. ist es am besten, einen Schal um den Hals zu binden.
e. tut man gut daran, ins Bett zu gehen und zu schwitzen.
f. ist es am besten, die Wunde zu verbinden.
g. —————

Sit. 6. Treat this activity as a game. Have the students circle *ja*, *nein*, or *manchmal*. Then have them work in pairs to figure out their total score.

AA 3. *Wie fühlen Sie sich?* Prepare small cards with the formula: *Wenn . . . Wie fühlen Sie sich?* Examples: *Wenn es regnet . . . Wie fühlen Sie sich dann? Wenn es schneit . . . ; Wenn Sie ein neues Auto fahren . . . ; Wenn Sie nicht schlafen können . . . ; Wenn Sie sich neue Kleidung kaufen . . . ; Wenn Sie zu spät zum Unterricht kommen . . . ; Wenn Sie zu viel essen . . . ; Wenn Sie einen Kilometer laufen . . . ; usw.* Pass one card to each student. Encourage students to express more than one feeling per card.

Situation 6. Psychotest

Sind Sie nervös? Sind Sie ruhig und ausgeglichen? Beantworten Sie diese Fragen.

1. Ich bin sehr nervös, wenn ich eine Prüfung habe.
   ja   nein   manchmal

2. Der Streß im modernen Leben macht mich verrückt.
   ja   nein   manchmal

3. Ich rege mich auf, wenn meine Familie mich zu etwas zwingt, was ich nicht mag.
   ja   nein   manchmal

4. Ich ärgere mich, wenn ich etwas Wertvolles verliere.
   ja   nein   manchmal

5. Ich bekomme schlechte Laune, wenn viel Verkehr ist und ich einen Termin verpasse.
   ja   nein   manchmal

Auswertung: Ja = 2 Punkte, manchmal = 1 Punkt, nein = 0 Punkte

8–10 Punkte: Sie sind sehr nervös. Reißen Sie sich etwas zusammen. 5–8 Punkte: Sie sind völlig normal. 0–5 Punkte: Sie sind sehr ruhig und ausgeglichen.

Situation 7. Diskussion: Gesundheit und Essen

KERNDLFRESSER

NATURKOST
(neu) in Pasing
Hillernstr. 2, Nähe Krankenhaus
Tel. 834 42 68

1. Ist es wichtig, sich gesund zu ernähren, oder braucht man nicht auf seine Ernährung zu achten?
2. Ernähren Sie sich gesund? Was essen Sie?
3. Warum ist es nicht vernünftig, zu viel zu essen?
4. Ist es wichtig zu frühstücken? Warum?
5. Ist es gut, regelmäßig zu essen, oder braucht man darauf nicht zu achten?
6. Muß man unbedingt Vitamine nehmen, oder reicht es, wenn man sich gesund ernährt?
7. Stellen Sie sich vor, Sie wollen abnehmen. Was nehmen Sie sich als erstes vor: Sport treiben? weniger essen? keinen Alkohol mehr?
8. Soll man sich täglich bewegen, oder braucht man keinen Sport zu treiben?

Situation 8. Interview: körperliche und geistige Verfassung

1. Fühlst du dich oft müde und abgespannt? Was strengt dich besonders an?
2. Wann bist du so richtig zufrieden?
3. Bist du froh, wenn du allein bist? Warum?
4. Was deprimiert dich? Bist du leicht deprimiert?
5. Ärgerst du dich oft? Worüber?
6. Was macht dich traurig?

Sit. 9. Review *Stimmungen*. Bring pictures from your PF that show: *nervös, wütend, sich ärgern, sich aufregen, zufrieden, gute/schlechte Laune haben, glücklich, traurig, usw.*

Situation 9. Stimmungen

MODELL: eine Mathematikprüfung haben →
Wenn ich eine Mathematikprüfung habe, werde ich nervös.

1. 50 DM auf der Straße verlieren
2. erfahren, daß jemand Ihr Auto aufgebrochen hat
3. Ihr bester Freund/Ihre beste Freundin sich über Sie geärgert hat
4. 500 DM in der Lotterie gewonnen haben
5. einen Unfall mit Ihrem Auto haben

a. freue ich mich riesig.
b. versuche ich, mich nicht aufzuregen und ganz ruhig zu bleiben, bis die Polizei kommt.
c. bin ich wütend und versuche mich daran zu erinnern, ob etwas Wertvolles im Auto war.
d. versuche ich, mich ganz sachlich mit ihm/ihr zu unterhalten.
e. ärgere ich mich stundenlang über mich selbst.
f. _____

Situation 10.   Dialog: Kopfschmerzen

Sie wollen heute abend mit einer Gruppe von Freunden tanzen gehen. Ihre Freunde kommen in einer Stunde, um Sie mit dem Auto abzuholen. Doch plötzlich bekommen Sie Kopfschmerzen. Da klingelt das Telefon; es ist Peter, einer Ihrer Freunde.

SIE: (Name)*
PETER: Hallo, hier ist Peter.
SIE: Ach hallo, Peter.
PETER: Bist du fertig?
SIE: Ehrlich gesagt . . .
PETER: . . .

Sit. 11. Note the use of *zu* + infinitive.

Use TPR to introduce the following doctor's instructions: *Ziehen Sie sich aus (machen Sie sich frei); setzen Sie sich auf den Tisch; strecken Sie die Arme aus; zeigen Sie mir, wo es Ihnen weh tut; schauen Sie geradeaus; atmen Sie tief ein/aus; atmen Sie schnell; entspannen Sie sich; öffnen Sie den Mund und sagen Sie „A"; legen Sie sich auf den Tisch; sagen Sie mir, wenn es schmerzt; legen Sie sich auf den Bauch; legen Sie sich auf den Rücken; husten Sie; nehmen Sie dieses Medikament.*

Situation 11.   Meinungen: Gesund oder nicht?

Sagen Sie, ob das gesund ist, und erklären Sie warum.

Es ist gesund, . . .

1. oft Fleisch zu essen.
2. sich drei Stunden oder länger zu sonnen.
3. jeden Tag Sport zu treiben.
4. zehn Stunden am Tag zu arbeiten.
5. jeden Abend Wein zu trinken.
6. täglich sieben Stunden oder mehr zu schlafen.
7. eine Packung Zigaretten am Tag zu rauchen.
8. jeden Morgen Kaffee zu trinken.
9. sich die Zähne einmal am Tag zu putzen.
10. einmal in der Woche zum Arzt zu gehen.

Situation 12.   Krankheiten

Sagen Sie, was nicht paßt, und erklären Sie warum.

1. Gestern war meine Tochter krank.

   a. Sie war beim Arzt.
   b. Sie hat im Park gespielt.
   c. Sie hat Tabletten genommen.
   d. Sie hat sich früh ins Bett gelegt.

---

*In den deutschsprachigen Ländern meldet man sich mit seinem Nachnamen, wenn man das Telefon beantwortet.

2. Letztes Jahr hatte ich oft Husten.

    a. Ich habe Nasentropfen genommen.
    b. Ich habe heiße Milch mit Honig getrunken.
    c. Ich habe gegurgelt.
    d. Ich habe Hustensaft genommen.

3. Wenn Sie eine Wunde an der rechten Hand haben,

    a. kleben Sie ein Pflaster darauf.
    b. zeigen Sie sie niemandem, weil sie ansteckend ist.
    c. benutzen Sie die linke Hand.
    d. halten Sie sie sauber, um eine Infektion zu vermeiden.

4. Mein kleiner Bruder hat Windpocken,

    a. und er kann nicht zur Schule gehen.
    b. und er darf mit seinen Freunden in seinem Zimmer spielen.
    c. und wir müssen heute abend den Arzt holen.
    d. und er nimmt verschiedene Medikamente.

5. Ich glaube, ich habe Mumps.

    a. Mein Kopf ist geschwollen.
    b. Ich habe Fieber.
    c. Ich fühle mich topfit.
    d. Ich habe Kopfschmerzen

ARZT, APOTHEKE, KRANKENHAUS

Grammatik 9.5–6

Im Krankenhaus läßt
man sich von der
Krankenschwester pflegen.

Beim Zahnarzt läßt man seine
Zähne in Ordnung bringen.

In der Apotheke läßt man sich
Medikamente empfehlen.

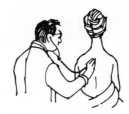

Beim Arzt läßt man sich
untersuchen und behandeln.

Beim Psychiater läßt man seine
psychischen Probleme behandeln.

Beim Chirurgen läßt man
sich operieren.

Beim Tierarzt läßt man seine
Tiere untersuchen und behandeln.

AA 4. Sie haben die Grippe. Rufen Sie den Arzt an und sprechen Sie mit der Sprechstundenhilfe. Sie haben in einer Stunde einen Termin. Legen Sie sich hin und ruhen Sie sich für eine halbe Stunde aus. Fahren Sie zur Praxis des Arztes. Gehen Sie in die Praxis und nennen Sie der Sprechstundenhilfe Ihren Namen. Warten Sie dreißig Minuten, lesen Sie eine Illustrierte, husten Sie mehrmals. Die Sprechstundenhilfe ruft Ihren Namen auf. Stehen Sie auf und gehen Sie ins Sprechzimmer des Arztes. Es ist kalt dort. Setzen Sie sich auf den Tisch. Hier kommt der Arzt. Erklären Sie ihm die Symptome. Der Arzt hört Ihnen zu und sagt dann: Ziehen Sie das Hemd aus, atmen Sie tief ein, jetzt aus. Husten Sie dreimal. Entspannen Sie sich. Und nochmal. Öffnen Sie den Mund und sagen Sie „A!" Ziehen Sie das Hemd wieder an. Nehmen Sie dieses Medikament dreimal täglich. Schlafen Sie viel, trinken Sie viel Flüssigkeit und kommen Sie in einer Woche wieder.

Situation 13.   Die medizinischen Berufe

Wohin gehen Sie, um . . .

1. Ihre allgemeine Gesundheit überprüfen zu lassen
2. sich operieren zu lassen
3. sich Medikamente gegen Husten und Schnupfen empfehlen zu lassen
4. Ihren kranken Hund untersuchen zu lassen
5. Ihre psychischen Probleme behandeln zu lassen
6. sich einen Zahn ziehen zu lassen

a. zum Arzt/zur Ärztin
b. zum Apotheker/zur Apothekerin
c. zum Tierarzt/zur Tierärztin
d. zum Psychiater/zur Psychiaterin
e. zum Chirurgen/zur Chirurgin
f. zum Zahnarzt/zur Zahnärztin

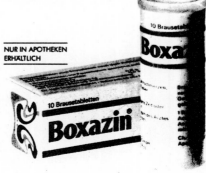

Sit. 14. Note the use of *lassen*, reflexive (both accusative and dative), and impersonal dative constructions.

Situation 14.   Interaktion

Ein Mitstudent/eine Mitstudentin ist krank. Was raten Sie ihm/ihr?

MODELL: S1: Ich habe Fieber →

        S2: Laß dir kalte Umschläge machen.

1. Ich habe Kopfschmerzen.
2. Ich habe Halsschmerzen.
3. Mir ist schwindlig.
4. Ich habe starken Husten.
5. Mir ist übel.
6. Mir tut das Knie weh.

a. Laß dich operieren.
b. Nimm Hustensaft.
c. Leg dich ins Bett.
d. Laß dir Kamillentee kochen.
e. Kauf dir Kopfschmerztabletten.
f. Ruh dich aus.
g. ――――

Sit. 15. Note the extensive use of the reflexive.

Situation 15.   Interview: Krankheit und Behandlung

1. Warst du schon mal krank? Was hat dir gefehlt?
2. Warst du schon mal im Krankenhaus? Wenn ja, wie lange warst du da?
3. Hast du dich untersuchen lassen?
4. Hast du dir eine Blutprobe entnehmen lassen?
5. Hast du dich operieren lassen?
6. Hast du dir einen Gipsverband machen lassen?
7. Warst du lange krankgeschrieben?
8. Hast du viel im Studium versäumt?
9. Hast du dir Medikamente verschreiben lassen?
10. Hast du dich röntgen lassen?
11. Hattest du Schmerzen? Welche Medikamente hast du genommen?

Sit. 16. Have students work in groups. Go from group to group to help.

AA 5. *Erlebnisse.* In groups of 2–3, each student is to think of a particular incident in his/her life in which for some reason he/she was very frightened, then describe the incident to the other students.

AA 6. *Zusätzliche Situationen:*

1. Sie nehmen den Aufzug, um ins zehnte Stockwerk eines ultra-modernen Gebäudes zu fahren. Die Wände des Lifts sind aus Glas und an der Decke hängt ein Spiegel. Als Sie den Knopf der zehnten Etage drücken, hüpft der Aufzug und fährt sehr schnell nach oben. Kurz vor dem achten Stockwerk hält er an. Der rote

Situation 16.   Dialog: Beschwerden

1. Sie sind in einer Apotheke und möchten sich ein Medikament gegen Grippe empfehlen lassen. Leider können Sie sich an das Wort „Grippe" im Deutschen nicht erinnern. Also versuchen Sie, die Symptome zu beschreiben.

APOTHEKER: Was kann ich für Sie tun?

    SIE: Ich . . .

Knopf für den Notfall funktioniert nicht und die Tür läßt sich nicht öffnen. Sie sind gefangen. Was machen Sie?
2. Sie warten im Wartezimmer ihres Zahnarztes im sechsten Stock eines Gebäudes. Mehrmals hören Sie eine Explosion im ersten oder zweiten Stock. Sie sind in der Praxis des Zahnarztes gefangen. Im Wartezimmer sind zwei kleine Fenster. Was machen Sie?

2. Es geht Ihnen sehr schlecht. Sie müssen unbedingt zum Arzt, aber Sie haben keinen Termin. Sie sprechen mit der Sprechstundenhilfe, aber sie sagt, daß Sie nicht kommen können, weil alle Termine besetzt sind. Sie versuchen, sie zu überreden.

SIE: Kann ich heute nachmittag vorbeikommen?

SPRECHSTUNDENHILFE: Tut mir leid, wir haben keinen Termin mehr frei.

SIE: Aber . . .

UNFÄLLE UND NOTFÄLLE

Situation 17. Eigener Dialog: Der Zeuge

Gestern wurden Sie auf dem Weg nach Hause Zeuge eines Unfalls. Die Polizei bittet Sie jetzt zu beschreiben, was Sie gesehen haben. Sie sind der einzige Zeuge.

DER POLIZIST: Bitte versuchen Sie, sich genau zu erinnern. Was haben Sie gesehen?

SIE: Also, ich bin auf der Keplerstraße entlanggegangen. So etwa um 18 Uhr . . .

Situation 18.   Eigener Dialog

Sie sind mit drei Freunden oder Freundinnen beim Skilaufen. Ein Freund/eine Freundin stürzt und kann nicht weiterfahren. Beraten Sie mit den anderen, was zu tun ist.

SIE:	Kannst du überhaupt nicht mehr fahren?
DER/DIE VERLETZTE:	Ich glaube nicht, mein Knie tut höllisch weh.
SIE:	Wir sollten . . .
EINE FREUNDIN/ EIN FREUND:	Aber zuerst sollten wir . . .

Situation 19.   Was ist passiert?

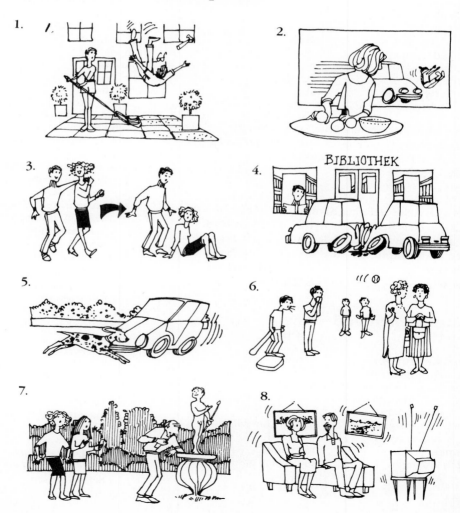

VOKABELN

Körperteile — Parts of the Body

die **Augenbraue, -n**	eyebrow
der **Bauch, ⸚e**	belly
die **Brust, ⸚e**	chest, breast
das **Gehirn, -e**	brain
das **Gesäß**	seat, bottom
der **Hals, ⸚e**	neck, throat
das **Herz, -en**	heart
die **Hüfte, -n**	hip
der **Knöchel, -**	ankle
der **Knochen, -**	bone
die **Leber**	liver
der **Magen, ⸚**	stomach
die **Niere, -n**	kidney
die **Taille, -n**	waist
die **Wange, -n**	cheek
die **Wimper, -n**	eyelashes
die **Zehe, -n**	toe
die **Zunge, -n**	tongue

Ähnliche Wörter: das **Blut** / der **Ellbogen, -** / der **Finger, -** / der **Fingernagel, ⸚** / das **Knie, -** / die **Lippen** (*pl.*) / die **Lunge, -n** / der **Muskel, -n** / der **Nerv, -en** / das **Organ, -e** / die **Rippe, -n** / das **Skelett, -e** / die **Vene, -n**

Erinnern Sie sich: der **Arm, -e** / das **Auge, -n** / der **Bart, ⸚e** / das **Bein, -e** / der **Fuß, ⸚e** / das **Gesicht, -er** / das **Haar, -e** / die **Hand, ⸚e** / der **Kopf, ⸚e** / der **Körper, -** / der **Mund, ⸚er** / der **Nacken, -** / die **Nase, -n** / das **Ohr, -en** / der **Rücken, -** / der **Schnurrbart, ⸚e** / die **Schulter, -** / die **Stirn** / der **Zahn, ⸚e**

Krankheiten und Unfälle — Illnesses and Accidents

abnehmen, nahm . . . ab, abgenommen	to lose weight
(an)schwellen, schwoll . . . (an), (an)geschwollen	to swell
sich anstrengen, angestrengt	to exert oneself, work hard
atmen	to breathe
sich aufregen, aufgeregt	to become upset, excited
sich ausruhen, ausgeruht	to rest
sich baden	to take a bath
sich bewegen, bewegt	to move oneself
brechen, brach, gebrochen	to break
sich entspannen, entspannt	to relax
sich erkälten, erkältet	to catch a cold
sich ernähren, ernährt	to live on (something), nourish
sich fühlen	to feel
gurgeln	to gargle
sich hinlegen, hingelegt	to lie (down)
husten	to cough
kauen	to chew
niesen	to sneeze
riechen	to smell
schlucken	to swallow
schmecken	to taste
schwitzen	to perspire, sweat
sich setzen	to sit down
stürzen	to fall
sich verletzen, verletzt	to hurt oneself
vermeiden, vermied, vermieden	to avoid
sich zusammenreißen, riß . . . zusammen, zusammengerissen	to pull oneself together
zwinkern	to wink
die **Erkältung, -en**	cold
die **Ernährung**	nutrition, nourishment
die **Gesundheit**	health
die **Grippe**	influenza
die **Halsschmerzen** (*pl.*)	sore throat
der **Husten**	cough
der **Infarkt, -e**	heart attack
der **Krankenwagen, -**	ambulance
die **Krücken** (*pl.*)	crutches
das **Leben**	life
die **Magenschmerzen** (*pl.*)	stomach ache
der **Notarztwagen, -**	ambulance
der **Polizist, -en** (*wk.*) / die **Polizistin, -nen**	police officer
der **Schmerz, -en**	pain
der **Schnupfen**	cold

der/die **Tote**, **-n** (ein **Toter**)	dead person
die **Trage**, **-n**	stretcher
der/die **Überlebende**, **-n** (ein **Überlebender**)	survivor
die **Verdauung**	digestion
der **Verkehr**	traffic
der/die **Verletzte**, **-n** (ein **Verletzter**)	injured person
die **Windpocken** (*pl.*)	chicken pox
die **Wunde**, **-n**	wound
die **Zahnschmerzen** (*pl.*)	toothache
der **Zeuge**, **-n**	witness

abgespannt	tired, exhausted
ansteckend	infectious
ausgeglichen	calm, settled
bewußtlos	unconscious
erkältet sein	to have a cold
gesund	healthy
ohnmächtig	unconscious
schwindlig	dizzy
seekrank	seasick
topfit	in very good shape
verletzt	injured

Es tut höllisch weh.	It hurts like hell.
Ich lasse mir einen Zahn ziehen.	I'm going to have a tooth pulled.
Mir ist schwindlig.	I feel dizzy.
Mir ist übel.	I feel sick.
schlechter Laune sein	to be in a bad mood
sich das Bein brechen	to break one's leg

Ähnliche Wörter: die **Allergie**, **-n** / **allergisch** / das **Fieber** / die **Fitneß** / die **Funktion**, **-en** / **geschwollen** / die **Infektion** / die **Massage**, **-n** / der **Mumps** / die **Polizei** / das **Problem** / der **Puls** / der **Schock** / der **Streß** / das **Symptom**, **-e** / der **Tetanus**

Apotheke und Krankenhaus

Pharmacy and Hospital

behandeln, **behandelt**	to treat
beraten, **beriet**, **beraten**	to counsel, give advice
binden, **band**, **gebunden**	to bind
empfehlen (**empfiehlt**), **empfahl**, **empfohlen**	to recommend

krankschreiben, **schrieb** . . . **krank**, **krankgeschrieben**	to declare (*someone*) sick in writing
impfen	to vaccinate
röntgen	to take an X-ray
verbinden, **verband**, **verbunden**	to bandage
verschreiben, **verschrieb**, **verschrieben**	to prescribe

der **Apotheker**, **-** / die **Apothekerin**, **-nen**	pharmacist
die **Auswertung**, **-en**	evaluation
die **Beratung**, **-en**	counseling
der **Blutdruck**	blood pressure
die **Blutprobe**, **-n**	blood test
der **Chirurg**, **-en** / die **Chirurgin**, **-nen**	surgeon
die **Fachbetreuung**, **-en**	expert counseling
das **Gerät**, **-e**	equipment
der **Gips**(**verband**)	plaster cast
das **Hausmittel**, **-**	popular medicine
der **Hustensaft**, **-̈e**	cough medicine
der **Kamillentee**, **-s**	camomile tea
die **Kopfschmerztablette**, **-n**	pills for headaches
der **Notfall**, **-̈e**	emergency
die **Öffnungszeit**, **-en**	opening hours; business hours
das **Pflaster**, **-**	band-aid
die **Probe**, **-n**	test, check
die **Röntgenstrahlen** (*pl.*)	X-rays
die **Sprechstundenhilfe**, **-n**	medical assistant
der **Termin**, **-e**	appointment
der **Umschlag**, **-̈e**	compress
der **Verband**, **-̈e**	bandage

die **Erste Hilfe**	first aid
das **Rote Kreuz**	the Red Cross

Ähnliche Wörter: die **Antibiotika**, *pl.* / die **Massage**, **-n** / das **Medikament**, **-e** / **medizinisch** / **operieren**, **operiert** / der **Psychiater**, **-** / die **Psychiaterin**, **-nen** / **psychisch** / der **Psychotest**, **-s** / die **Sauna**, *pl.* die **Saunen** / der **Sirup** / die **Tablette**, **-n**

Verben

Verbs

anbieten, **bot** . . . **an**, **angeboten**	to offer

beantworten, beantwortet	to answer
entlanggehen, ging . . . entlang, ist entlanggegangen	to walk along (*something*)
entnehmen (entnimmt), entnahm, entnommen	to take from; to learn from
fehlen	to be missing
greifen, griff, gegriffen	to grab
klingeln	to ring
küssen	to kiss
lassen (läßt), ließ, gelassen	to leave; to let; to cause
passen	to fit
reichen	to be enough, sufficient
es reicht	it is enough
reißen, riß, gerissen	to tear
sauberhalten (hält . . . sauber), hielt . . . sauber, saubergehalten	to keep clean
stecken	to put
überreden, überredet	to persuade
umarmen, umarmt	to embrace
versäumen, versäumt	to miss
versuchen, versucht	to try
vorbeikommen, kam . . . vorbei, ist vorbeigekommen	to come by
wählen	to choose; to elect
weiterfahren (fährt . . . weiter), fuhr . . . weiter, ist weitergefahren	to go on, drive on
zwingen, zwang, gezwungen	to force
sich ärgern	to get angry
sich aufraffen, aufgerafft	to get going
sich erinnern, erinnert	to remember
sich freuen	to be happy
sich sonnen	to sunbathe
sich treffen (trifft), traf, getroffen	to meet
sich vornehmen (nimmt . . . vor), nahm . . . vor, vorgenommen	to intend
sich vorstellen, vorgestellt	to imagine; to introduce

Substantive — Nouns

das **Erdbeben**	earthquake
der **Kraftraum**, ⸚e	weight lifting room
die **Laune**, -n	mood
die **Mathematikprüfung**, -en	math exam
die **Ordnung**	tidiness
die **Packung**, -en	package
der **Schal**, -s	scarf
die **Stimmung**, -en	mood
die **Wahl**	choice

Ähnliche Wörter: die **Gruppe**, -n / die **Lotterie**, -n / das **Zigarillo**, -s

Adjektive und Adverbien — Adjectives and Adverbs

besetzt	full, booked up, occupied
ehrlich	honest
endlich	finally
etwa	roughly, approximately
gründlich	thorough(ly)
höllisch	like hell
nötig	necessary
rege	busy
regelmäßig	regular(ly)
riesig	huge
sachlich	matter of fact
unbedingt	by any means
vernünftig	reasonable
verschieden	different
völlig	complete(ly)
wertvoll	valuable
zuerst	first
zufrieden	content

Ähnliches Wort: individuell

Nützliche Wörter und Wendungen — Useful Words and Phrases

Alles in Ordnung?	Is everything all right?
niemand	nobody, no one
selbst	oneself

ZUSÄTZLICHE TEXTE

UNSERE STRASSE: Der eingebildete Kranke

Herr Ruf liegt auf dem Sofa. Die Kinder sind in der Schule, seine Frau ist im Büro. Er fühlt sich nicht wohl. Er tastet seinen Hals ab,[1] schluckt, hustet, seufzt. Dann tastet er seinen Bauch ab, holt tief Luft,[2] hält die Luft an, atmet aus. So liegt er da. Schließlich steht er auf, geht zum Telefon und wählt die Nummer seines Hausarztes. Er möchte noch für diesen Vormittag einen Termin.

Dr. Schöllers Sprechstundenhilfe kennt Herrn Ruf gut, und er bekommt einen Termin für 14.30 Uhr. Als Herr Ruf gegen 12.30 Uhr aus dem Haus geht, hinkt[3] er ein bißchen.

„Der geht sicher wieder zum Arzt," sagt Frau Wagner zu ihrem Mann. „Schau dir die leidende Miene[4] an. Ich frage mich, wo der immer noch Ärzte findet, die sich anhören, was er zu sagen hat."

„Wahrscheinlich hat er wieder ein medizinisches Buch gelesen und eine neue Krankheit an sich entdeckt.[5]"

Unten auf der Straße treffen sich Frau Gretter und Herr Ruf.

„Na, Herr Ruf, wie geht's?"

„Ach, wissen Sie, gar nicht gut. Ich habe seit Tagen Schmerzen in der Kehle,[6] und die ziehen sich bis in den Magen."

„Oh, das tut mir aber leid. Was ist denn mit ihrem Bein los?"

„Mit meinem Bein?"

„Ja, Sie hinken doch."

„Ach so, ja, ja. Es tut beim Gehen ein bißchen weh."

„Gehen Sie zum Arzt?"

„Ja, ich bin auf dem Weg zu Dr. Schöller."

„Na, ich hoffe, es ist nichts Ernstes."

„Danke, Frau Gretter, das hoffe ich auch," sagt Herr Ruf leidend.

„Der Ruf ist schon wieder auf dem Weg zum Arzt. So ein Hypochonder!" sagt Frau Gretter zu Frau Körner, die sie im Supermarkt trifft.

„Was, schon wieder? Was hat er denn diesmal?"

„Ach, ich weiß auch nicht. Ich glaube, das weiß er selbst nicht so genau."

Je näher Herr Ruf Dr. Schöllers Praxis kommt, desto stärker hinkt er.

„Guten Tag, Herr Ruf. Was fehlt uns denn heute?" sagt Dr. Schöller. Und Herr Ruf erzählt und erzählt.

„Na, dann werden wir Sie mal untersuchen. Rauchen Sie noch?"

„Ja."

„Zigaretten oder Pfeife?"

„Pfeife."

„Besser als Zigaretten, aber Sie sollten ganz aufhören."

Die Sprechstundenhilfe nimmt Herrn Ruf Blut ab, mißt den Blutdruck[7] und führt noch einige weitere Tests durch.[8] Nach einer Stunde sitzt er wieder bei Dr. Schöller im Sprechzimmer. Er fühlt sich schon besser.

„Herr Ruf, Sie sind kerngesund. Ich kann nichts finden. Und wenn Sie so gesund bleiben wollen, dann hören Sie mit dem Rauchen auf, trinken Sie weniger Alkohol, und essen Sie kein Fett. Auf Wiedersehen, Herr Ruf."

Als Herr Ruf nach Hause geht, hinkt er nicht mehr und geht noch schnell auf ein Bier in die Kneipe an der Ecke.

[1]tastet ... ab = fühlt [2]*air; breath* [3]*limps* [4]Gesicht [5]gefunden [6]Hals [7]*blood pressure* [8]führt ... durch = macht

Fragen

1. Was macht Herr Ruf an diesem Morgen?
2. Wo sind seine Frau und seine Kinder?
3. Wen ruft er an und warum?
4. Was macht er, als er das Haus verläßt?
5. Wo hat er Schmerzen?
6. Was tut er, als er sich der Praxis von Dr. Schöller nähert?
7. Raucht Herr Ruf Pfeife oder Zigaretten?
8. Was macht die Sprechstundenhilfe mit ihm?
9. Wie fühlt sich Herr Ruf nach der Untersuchung?
10. Was rät ihm Dr. Schöller?
11. Was macht Herr Ruf auf dem Weg nach Hause?

FABEL: Der geheilte Patient

Text: Explain that a *Kalendergeschichte* is a short prose text with an educational or a moral implication, first introduced by Grimmelshausen in the *Immerwährender Kalender* (1670). In the 20th century B. Brecht wrote a lot of *Kalendergeschichten,* although with different implications.

After the reading have students discuss the connection among the hero of this story, his treatment, and the modern version of it in the form of fitness activities.

In einem kleinen Dorf lebte ein Mann, der den ganzen Tag zu Hause im Sessel saß oder auf dem Sofa lag, viel aß und trank und nicht arbeitete. Er brauchte nicht zu arbeiten, denn er war sehr reich. Leider war er trotzdem sehr unzufrieden. Vom vielen Essen und Trinken wurde er immer dicker und dicker. Zum Schluß[1] konnte er sich nicht mehr richtig bewegen und war nur noch krank.

Er ging zu vielen Ärzten und gab viel Geld aus. Sie verschrieben ihm Tabletten und Medikamente, aber nichts half. Eines Tages hörte er von einem berühmten Arzt, der viele Meilen von seinem Dorf entfernt wohnte. Dieser Arzt sollte ihm helfen, und so schrieb er ihm von seiner Krankheit.

Der Arzt wußte sofort, was dem Patienten fehlte und schrieb ihm zurück: „Ich will Sie gern behandeln, aber Sie dürfen nicht in Ihrer Kutsche[2] zu mir kommen, sondern müssen zu Fuß gehen, denn Sie haben einen Wurm im Bauch, der bewegt werden muß. Ihre Krankheit ist sehr gefährlich, und Sie dürfen auf keinen Fall etwas essen."

Der Mann ging gleich am nächsten Tag los, denn er hatte Angst um sein Leben bekommen. Am ersten Tag konnte er nur sehr langsam gehen. Er war wütend und schimpfte auf den Arzt. Aber schon am dritten Tag fiel ihm das Gehen leichter, und er ging schneller. Er hörte die Vögel[3] singen, sah die schöne Landschaft[4] und fühlte sich schon viel wohler[5] als am ersten Tag.

Als er am vierten Tag beim Arzt ankam, war er so gesund wie nie zuvor. Der Arzt untersuchte ihn und sagte: „Es war richtig, zu Fuß zu kommen. Der Wurm ist jetzt tot. Aber Sie haben die Wurmeier noch im Bauch, darum müssen Sie auch zu Fuß wieder nach Hause gehen. Zu Hause müssen Sie jeden Tag Holz[6] hacken und sich von jetzt an gesund ernähren. Wenn Sie nicht arbeiten und zu viel essen, bekommen Sie einen neuen Wurm, denn die Wurmeier sind noch nicht tot."

Der reiche Mann befolgte den Rat des Arztes und war so gesund wie ein Fisch im Wasser.

(frei nach J.P. Hebel)[7]

[1]Zum . . . = Am Ende [2]Wagen [3]*birds* [4]*scenery* [5]besser [6]*wood* [7](siehe KN)

Fragen

1. Was machte der reiche Mann den ganzen Tag?
2. Warum konnte er sich schließlich nicht mehr bewegen und war ständig krank?
3. Was verschrieben ihm die Ärzte, zu denen er ging?
4. Ging es ihm danach besser?
5. Wo wohnte der berühmte Arzt?
6. Was hatte der reiche Mann angeblich (*allegedly*) im Bauch?
7. Durfte der Mann mit seiner Kutsche zum Arzt fahren?
8. Warum ging der Mann gleich am nächsten Tag los?
9. Wie fühlte er sich beim Gehen?
10. Wie ging es ihm, als er beim Arzt ankam?
11. Warum sollte er zu Fuß wieder zurückgehen?
12. Was mußte er den Rest seines Lebens täglich tun?

KULTURELLE NOTIZ: Johann Peter Hebel

Johann Peter Hebel war ein deutscher Dichter und lebte von 1760 bis 1826. Er schrieb viele didaktische Stücke wie diese Erzählung. Er war ein Meister der Anekdote und der Kalendergeschichte.

DER KATER PELLE STELLT SICH VOR: Die Welt aus den Augen einer Katze

Ach, diese Flöhe[1] . . . und diese Langeweile! Herrchen und Frauchen haben nie Zeit für mich und spielen nie mit mir. Sie sind immer in Eile und immer beschäftigt. Was für ein Leben diese Menschen führen. Frauchen steht morgens sehr früh auf, geht in die Küche und kocht dieses merkwürdige[2] schwarze Zeug, das sie

© Ulrike Welsch

Was ist los in der Welt? West-deutsche Tageszeitungen informieren ausführlich über nationales und internationales Geschehen und Politik. Bekannte überregionale Tageszeitungen sind zum Beispiel die „Süddeutsche Zeitung", die „Welt", die „Frankfurter Allgemeine Zeitung" und die „Frankfurter Rundschau".

den ganzen Tag trinken. Dann weckt sie Herrchen, der möchte eigentlich noch ein bißchen schlafen, aber sie macht die Fenster auf und dreht das Radio ganz laut. Herrchen stöhnt[3] und zieht die Decke[4] über den Kopf, aber es hat alles keinen Sinn.[5]

Schließlich steht er auf, duscht und trinkt dieses stinkende schwarze Zeug, liest die Zeitung und geht zur Arbeit.

Frauchen bleibt noch etwas länger zu Hause, und manchmal darf ich noch ein bißchen am Fußende des Bettes liegen. Aber nicht lange, dann setzt sie mich vor die Tür und sagt: „Los, fang[6] Mäuse!" Ich will aber morgens nicht draußen sein. Es ist kalt und feucht,[7] also sitze ich vor dem Fenster und mache ein unglückliches Gesicht. Aber Frauchen geht dann auch weg, und ich muß bis nachmittags warten. Dann kommen beide nach Hause und machen etwas zu essen. Es riecht immer sehr gut—diese Menschen essen nicht schlecht!—aber ich bekomme leider nur die Reste.

Manchmal spielt Herrchen noch ein bißchen mit mir, aber dann sitzen sie den ganzen Abend vor dieser komischen Kiste,[8] die Geräusche[9] macht, und starren die Bilder von anderen Menschen an.[10] Sie beachten mich nicht mehr. Schließlich gehen sie ins Bett, und ich suche mir auch ein Plätzchen zum Schlafen.

[1]*fleas* [2]*seltsame* [3]*groans* [4]*cover* [5]*no use* [6]*catch* [7]*damp* [8]*box* [9]*noise* [10]*starren . . . an* = *sehen . . . an*

Fragen

1. Warum spielen Pelles Besitzer selten mit ihm?
2. Was ist „dieses merkwürdige schwarze Zeug?"
3. Wie kriegt die Frau den Mann aus dem Bett?

4. Was soll Pelle draußen machen?
5. Wann darf Pelle wieder ins Haus?
6. Was machen Pelles Besitzer abends?

Aufgabe

Die Welt aus den Augen eines Tieres.

Wählen Sie ein Tier und beschreiben Sie die Welt und ihre Bewohner aus den Augen dieses Tieres.

KULTURELLE BEGEGNUNGEN: Rauchen in der DDR

Text: Point out that smoking laws in the GDR are very rigid, and that they were introduced a long time ago, as were nonsmoking sections in restaurants. Explain that in the FRG they are just starting to introduce such laws.

Ask students about their smoking habits: *Wer in der Klasse raucht? Seit wann? Wie viele pro Tag? Denken Sie daran aufzuhören? Finden Sie Nichtraucherabteile in Restaurants gut? Warum (nicht)? usw.*

20 Zigaretten enthalten ungefähr 50 Milligramm Nikotin. Das ist eine tödliche Dosis, wenn man sie auf einmal zu sich nimmt. Raucher sind im Durchschnitt[1] viermal so oft krank wie Nichtraucher. An den gesundheitsgefährdenden Auswirkungen[2] des Rauchens gibt es keinen Zweifel[3] mehr.

Wie in vielen anderen Ländern ist auch in der DDR Zigarettenwerbung[4] verboten, und es wird viel dafür getan, auf die Gefahren des Rauchens aufmerksam zu machen.[5]

Aber dennoch nehmen viele Raucher die Warnungen auf die leichte Schulter, der Zigarettenkonsum nimmt weltweit zu.[6] Laut Statistik rauchen in der DDR 64 Prozent der jungen Männer und 43 Prozent der jungen Frauen zwischen 14 und 18 Jahren. Damit liegen die jungen Leute in der DDR nicht sehr weit unter dem Weltdurchschnitt.[7]

Der Mensch wird anscheinend erst mit 50 Jahren wirklich erwachsen,[8] denn dann geht laut Statistik die Zahl der Raucher wieder zurück.

[1]*average* [2]den ... *health-threatening consequences* [3]*doubt* [4]Werbung *advertising* [5]auf ... *to draw attention to the dangers* ... [6]nimmt ... zu = wird größer [7]*world average* [8]wird ... erwachsen *is grown up*

Fragen

1. Was passiert, wenn man das Nikotin aus 20 Zigaretten auf einmal zu sich nimmt?
2. Wer ist öfter krank, Raucher oder Nichtraucher?
3. Ist Zigarettenwerbung in der DDR erlaubt?
4. Nehmen Raucher im allgemeinen die Warnungen vor den Gefahren des Rauchens ernst?
5. Wer von den DDR-Bürgern zwischen 14 und 18 Jahren raucht mehr: die jungen Männer oder die jungen Frauen?
6. Wann geht laut Statistik die Zahl der Raucher wieder zurück?

Rauchen verboten

STRUKTUREN UND ÜBUNGEN

9.1. You may wish to stress the use of *nicht brauchen + zu* in this exercise since the other function of *brauchen + zu* (used for/to) is used extensively in the activities.

9.1 brauchen + zu

To express necessity, use **müssen** plus an infinitive in a positive sentence.

> Ich **muß** jetzt nach Hause **gehen**.
> *I need to (must) go home now.*

The opposite of **müssen** is usually expressed with **nicht brauchen** plus **zu** plus an infinitive. If the verb contains a separable prefix, the **zu** is placed between the prefix and the infinitive, and it is all written as one word.

> **Muß** ich jetzt **aufstehen**? —Nein, du **brauchst** noch **nicht aufzustehen**.
> *"Do I have to get up now?" "No, you don't have to get up yet."*

> Heute **braucht** Ernst **nicht** in die Schule **zu gehen**.
> *Ernst doesn't have to go to school today.*

Brauchen plus **zu** plus an infinitive is also used when the sentence contains a limiting adverb such as **nur**.

> Du **brauchst** nur die Zeitung **zu lesen**.
> *You only need to read the newspaper.*

You can also use **brauchen** plus **zu** in positive sentences to express that one needs (or uses) something for some purpose.

> Die Lungen **braucht** man **zum Atmen**.
> *One needs lungs for breathing.*

In the last sentence, compare the German and the English constructions: **zum Atmen**/*for breathing*. While English uses the *-ing* form of the verb, German treats the verb as a noun by capitalizing the infinitive and giving it the neuter article: **das Atmen**. Note that **zu** plus the dative article form of the article (**dem**) is contracted to **zum**.

> **Zum Lesen braucht** Herr Thelen eine Brille.
> *Mr. Thelen needs glasses for reading.*

Übung 1

Gott sei Dank nicht!

MODELL: Mußt du heute noch nach Hause fahren? (nicht mehr) →
Nein, ich brauche heute nicht mehr nach Hause zu fahren.

1. Müssen wir jetzt gehen? (noch nicht)
2. Muß er noch in die Uni gehen? (nicht mehr)

3. Mußt du nochmal zum Zahnarzt gehen? (nicht mehr)
4. Muß Maria sonntags arbeiten? (nicht)
5. Muß er nochmal Fieber messen? (kein . . . mehr)
6. Müssen Sie noch eine Prüfung machen? (keine . . . mehr)

Übung 2

Kinder fragen, Eltern antworten.

MODELL: Wozu braucht man ein Telefon? →
Das braucht man zum Telefonieren.

1. Wozu braucht man eine Brille?
2. Wozu braucht man ein Auto?
3. Wozu braucht man eine Schreibmaschine?
4. Wozu braucht man die Nase?
5. Wozu braucht man die Ohren?
6. Wozu braucht man den Mund?
7. Wozu braucht man einen Führerschein?
8. Wozu braucht man ein Messer (*knife*)?

9.2. The dative/accusative contrast with reflexives is often difficult for many students.

9.2 Reflexiva 1: Pronomen und Verben

German, as well as English, uses reflexive pronouns to show that the subject and an object of a sentence refer to the same person.

Dein Sohn ist drei Jahre alt? Ziehst du ihn noch an? —Nein, er **zieht sich** schon selbst **an**.
"Your son is three years old? Do you still dress him?" "No, he already dresses himself."

Many verbs can be used in such a manner.

Michael wäscht zuerst sein Auto und dann **wäscht** er **sich**.
Michael is washing his car first, and then he's going to wash himself.

When the sentence already contains an accusative (direct) object, the reflexive pronoun will be in the dative.

Ich **hole mir** ein Pflaster.
I'm going to get myself a bandage.

This holds true particularly with expressions regarding the parts of the body, in which case German uses a dative pronoun to indicate possession and a definite article before the noun.

Ich putze **mir die Zähne**.
I'm brushing my teeth.

Er hat **sich den Arm** gebrochen.
He broke his arm.

Some verbs are always used with a reflexive pronoun in German, whereas their English counterparts may not be. These include the following verbs.

sich ärgern	*to get annoyed, get angry*
sich aufregen	*to get excited*
sich hinlegen	*to lie down*
sich setzen	*to sit down*
sich wohlfühlen	*to feel well*
sich zusammenreißen	*to control oneself*

Melanie **hat sich hingelegt**. Sie **möchte sich** ein wenig **ausruhen**.
Melanie lay down. She wants to rest for a while.

Guten Tag! **Setzen Sie sich** doch.
Hello! Do sit down.

Reg dich doch nicht so **auf**! Du **ärgerst dich** immer viel zu viel. **Reiß dich** doch etwas **zusammen**!
Don't get so excited! You're always getting much too angry. Do control yourself a little!

Was fehlt Ihnen denn? —Ach, Herr Doktor, ich **fühle mich** gar nicht **wohl**.
"What is wrong with you?" "You see, doctor, I don't feel good at all."

AKK		DAT	
mich	uns	mir	uns
dich	euch	dir	euch
sich	sich	sich	sich

Note that in most instances the forms of the reflexive pronouns are the same as those of the personal pronouns. The only reflexive form that is distinct is **sich**, which goes with **er**, **sie** (*she*), **es**, **sie** (*they*), and **Sie*** (*you*).

Worüber ärgerst du **dich** denn? —Ach, ich ärgere **mich** über meinen Bruder.
"What are you so mad about?" "Oh, I'm angry at my brother."

Setzen Sie **sich*** doch! —Wohin kann ich **mich** denn setzen?
"Do sit down!" "Where should I sit down?"

Zieht **euch** jetzt endlich an. —Wir haben **uns** doch schon angezogen.
"Get dressed now, you guys." "But we're already dressed."

Wie fühlt **sich** Maria heute? —Ganz gut, sie hat **sich** nur ein bißchen erkältet.
"How does Maria feel today?" "Quite well, she just caught a little cold."

---

*Unless it begins a sentence, **sich** is not capitalized, not even when it refers to the polite form of address, **Sie**.

Übung 3

Wunschträume

Sagen Sie, was sich diese Personen gern kaufen möchten.

MODELL: Michael / ein neues Auto →
    Michael möchte sich ein neues Auto kaufen.

1. Maria / ein neues Kleid
2. ich / einen neuen Kassettenrecorder
3. Ernst und Hans / neue Fahrräder
4. meine Familie / ein neues Haus
5. Melanie / einen neuen Pullover
6. die Rufs / einen neuen Fernseher
7. ich / ein interessantes Buch
8. wir / neue Möbel
9. die Wagners / eine neue Stereoanlage
10. Willi / eine neue Waschmaschine

Übung 4. Remember that replies in this exercise are personal, so accept all reasonable answers.

Übung 4

Sagen Sie, wann oder wie oft Sie das machen.

BEISPIEL: duschen →
    Ich dusche mich jeden Tag.

1. Zähne putzen
2. rasieren
3. anziehen
4. das Haar kämmen
5. das Gesicht waschen
6. ausziehen
7. die Hände waschen
8. ins Bett legen
9. Haare trocknen
10. mit Freunden unterhalten

Übung 5. Point out the form of the first question (statement as question) as opposed to regular question order. Give examples of intonation: *Deine Mutter war krank?* (surprise), as opposed to intonation of a statement (*Deine Mutter war krank!*) or the usual question: *War deine Mutter krank?*

Übung 5

Minidialoge

MODELL: A: Deine Mutter war krank?
    B: Ja, aber . . . (sich schon wieder erholen) →
        Ja, aber sie hat sich schon wieder erholt.

A: Da seid ihr ja! Der Film fängt in zehn Minuten an.
B: Wir . . . (sich ja schon beeilen)

A: Haben dir die Leute auf meiner Party gefallen?
B: Ich . . . (sich gut mit ihnen unterhalten)

A: Hat dir der Film gefallen?
B: Nein, ich . . . (sich nicht dafür interessieren)

A: Jutta hat dir Blumen geschenkt?
B: Ja, und ich . . . (sich wahnsinnig darüber freuen)

A: Was ist denn mit Ihnen passiert?
B: Ach, ich . . . (sich gestern das Bein brechen)

A: Sind Sie krank?

B: Ja, leider . . . (sich schon wieder erkälten)

A: Du siehst heute anders aus!

B: Ich . . . (sich nur ein bißchen schminken)

9.3 Infinitiv mit zu

In both English and German, verbs may be followed by the word **zu** (*to*) plus an infinitive.

> Es hat angefangen **zu regnen**.
> *It started to rain.*

Sein plus an adjective can also be used with **zu** plus an infinitive.

> Ist es **wichtig zu frühstücken**?
> *Is it important to eat breakfast?*

As is usual in dependent word order in German, the combination **zu** plus an infinitive is at the end of the clause.

> Es ist nicht sehr gesund, eine Packung Zigaretten pro Tag **zu rauchen**.*
> *It is not very healthy to smoke a pack of cigarettes a day.*

Recall that when a separable-prefix verb is used with **zu**, the word **zu** goes between the prefix and the infinitive, and the combination is written as one word.

The construction **um . . . zu** is used to express the idea *in order to* . . .

> Er aß kein Fleisch mehr, **um** wieder **abzunehmen**.
> *He stopped eating meat (in order) to lose weight again.*

> Veronika flog von Zürich nach Frankfurt, **um** schneller da **zu sein**.
> *Veronika took the plane from Zürich to Frankfurt (in order) to get there sooner.*

> Peter kommt in einer Stunde, **um** dich mit dem Auto **abzuholen**.
> *Peter will be there in an hour to pick you up with his car.*

> Halten Sie die Wunde sauber, **um** eine Infektion **zu vermeiden**.
> *Keep the wound clean (in order) to prevent an infection.*

---

*A comma is inserted before the dependent infinitive clause when it contains words other than just **zu** and the infinitive.

> Versuch doch mal, das Fenster **aufzumachen**.
> *Why don't you try to open the window?*

Übung 6

Ihr Freund/Ihre Freundin fühlt sich nicht wohl. Geben Sie ihm/ihr Ratschläge, was er/sie machen oder nicht machen soll. (Beachten Sie, daß man nicht immer „zu" braucht.)

MODELL: es ist gut / Milch trinken →
Es ist gut, viel Milch zu trinken.

1. du solltest / frisches Gemüse essen
2. es ist schlecht / eine Packung Zigaretten rauchen
3. es ist wichtig / heißen Tee trinken
4. du solltest / sich ins Bett legen
5. es ist gesund / Vitamintabletten nehmen
6. du solltest / sich warm anziehen
7. es ist ungesund / lange aufbleiben
8. du solltest / früh ins Bett gehen
9. es ist schlecht / viel Alkohol trinken
10. es ist gesund / einen langen Spaziergang machen

9.4. Many English-speaking students tend to equate *dieser* with this and overuse it. The simple definite article is recommended for conversation.

9.4 Demonstrativa 2: dieser, jener

In addition to the definite article **der**, **das**, **die**, German uses the pronouns **dieser** (*this*, *these*) and **jener** (*that*, *those*) to point to or refer back to things already known.

> In meinem Leben ist einfach zu viel **Streß**. **Dieser Streß** macht mich noch ganz verrückt.
> *There simply is too much stress in my life. This stress is going to drive me crazy.*

> Morgen habe ich schon wieder **eine Prüfung**. **Diese Prüfung** macht mich noch viel nervöser als **jene**, die ich vor einer Woche hatte.
> *Tomorrow I have another exam. This exam makes me even more nervous than the one I had a week ago.*

Der, **das**, **die** is preferred in speaking and **dieser**, **jener** in writing.

The endings of **dieser** and **jener** match the forms of the definite article. For this reason, **dieser** and **jener** are sometimes called **der**-words. You will learn a few other **der**-words in **Chapter 10**.

	M	N	F	PL
NOM	der	das	die	die
	dieser	dieses	diese	diese
AKK	den	das	die	die
	diesen	dieses	diese	diese
DAT	dem	dem	der	den
	diesem	diesem	dieser	diesen

Joggen ist ein guter Sport. Besonders für **jene** Leute, die etwas mehr
wiegen als sie sollten, ist **dieser Sport** gut geeignet.
*Jogging is good exercise. This sport is especially well suited to those peo-
ple who weigh a little more than they should.*

In **diesem Jahr** waren wir noch gar nicht weg. Wenn wir nicht bald
Urlaub bekommen, breche ich zusammen.
*We haven't been able to get away at all this year. I'll have a breakdown if
we don't get a vacation soon.*

Übung 7

Mal wieder ausspannen! Ergänzen Sie dieser oder jener—mit der richtigen
Endung.

_____ Montag fahre ich mit meinem Freund ans Meer. In _____ Jahr waren wir
noch kein einziges Mal weg, und es wurde mal wieder Zeit. In dem Ort, zu dem
wir fahren, gibt es einen wunderbaren Strand. An _____ Strand gibt es ein sehr
gutes Restaurant.
  Vor einem Jahr waren wir schon einmal dort. In _____ Jahr war das Wetter sehr schlecht. Wir hoffen, daß es in _____ Jahr besser wird. Wir wollen _____
Mal mit dem Auto fahren. Mein Freund hat ein neues Auto. _____ Auto ist viel
besser als sein altes, das immer kaputt war. Ich freue mich sehr auf _____
Ferien. Sie werden sicher schön.

9.5 lassen

As the main verb in a sentence, **lassen** corresponds to the English phrase *to
leave someone/something behind.*

Michael **hat** die Schlüssel im Auto **gelassen**.
Michael left the keys in the car.

Lassen is also used with an infinitive to mean *to let* or *to allow*. When this
construction is used with a reflexive pronoun, it means *to have something
done to oneself.*

Ich **lasse mich operieren**.
I'm having an operation.

Mutti, **läßt** du mich ins Kino **gehen**?
Mommy, will you let me go to the movies?

Lassen follows the pattern of **fahren**, **raten**, and other verbs that have the
stem change **a → ä**.

ich	lasse	wir	lassen
Sie	lassen	Sie	lassen
du	läßt	ihr	laßt
er sie es	läßt	sie	lassen

Lassen, like the modal verbs, is used with the infinitive of another verb without **zu**.

> Wenn Sofie krank ist, **läßt** sie sich Kamillentee **kochen**.
> *Whenever Sofie is sick, she has some camomile tea made for her.*

Lassen can be used reflexively or with an object different from the subject.

> Sein Vater **läßt sich** einmal im Jahr **untersuchen**.
> *His father has a physical (has himself examined) once a year.*

> Sein Vater **läßt** ihn nicht allein **verreisen**.
> *His father doesn't let him travel alone.*

When the phrase already contains an accusative (direct) object, the reflexive pronoun will be in the dative.

> **Ich lasse mir** die Haare **schneiden.**
> *I'm having my hair cut.*

The present perfect tense is **hat gelassen**.

> Sie **hat** das Trinkgeld auf dem Tisch **gelassen**.
> *She left the tip on the table.*

If **lassen** is used in a perfect tense with an infinitive, however, **lassen** is also used in the infinitive form rather than in the form of the past participle.

> Josie und Uli **haben** sich ein Haus **bauen lassen**.
> *Josie and Uli had (themselves) a house built.*

Übung 8

Was machen Sie selbst? Was lassen Sie sich machen?

MODELL: Fenster putzen → Ich putze die Fenster selbst.
Zahn ziehen → Ich lasse mir den Zahn ziehen.

1. Haare schneiden
2. Auto reparieren
3. im Krankenhaus untersuchen
4. Wäsche waschen
5. Essen kochen

6. Haus putzen
7. Rasen mähen
8. Rezept verschreiben
9. Lunge röntgen

9.6. The impersonal dative construction is particularly strange to English speakers and you should use it extensively in your teacher talk before expecting students to use it themselves.

9.6 Dativ 5: unpersönliche Konstruktionen

In certain cases German uses impersonal constructions with the pronoun **es** to express some transient mental states or physical conditions. The person experiencing these states or conditions is expressed in the dative case.

> Wie geht **es deinem Freund**?—**Es** geht **ihm** gut.
> *"How's your friend?" "He's fine."*
>
> **Es** ist **ihr** kalt.
> *She is (feeling) cold.*
>
> **Es** ist **ihm** langweilig.
> *He is bored.*

The dative pronoun is often in first position.

> **Uns** geht **es** gut.
> *We are doing fine.*

If the dative pronoun is followed by a form of **sein**, however, the impersonal **es** is dropped.

> **Mir ist** heiß.
> *I am (feeling) hot.*
>
> **Ihm ist** schlecht.
> *He is not (feeling) well.*

Note the difference between the following personal and impersonal constructions. The personal construction conveys a lasting quality, whereas the impersonal construction signifies a temporary feeling.

> **Sie ist** langweilig.
> *She is boring.*
>
> **Ihr ist** langweilig.
> *She is (feeling) bored.*
>
> **Er ist** kalt.
> *He is a cold person.*
>
> **Ihm ist** kalt.
> *He is (feeling) cold.*

Übung 9

Mir ist kalt!

Mögliche Gründe: schlecht, kalt, heiß, langweilig, warm

MODELL: Warum machst du denn das Fenster zu? →
Mir ist kalt!

1. Warum zieht Renate ihren Pullover aus?
2. Warum gehen Josef und Melanie ins Kino?
3. Warum liegt Herr Ruf im Bett?
4. Warum zieht ihr eure Mäntel nicht aus?
5. Warum bist du so rot?
6. Warum eßt ihr nicht?
7. Warum macht Silvia die Tür auf?
8. Warum seht ihr schon wieder fern?
9. Warum hat Michael eine Mütze auf?
10. Warum gehen die Wagners heute ins Schwimmbad?

KAPITEL 10

© Owen Franken

In vielen Restaurants und Gasthäusern kann man im Sommer draußen essen.

In Kapitel 10 you will learn to talk about food and situations related to food: shopping for groceries, prices, and recipes. You will also talk about manufactured goods and materials, household appliances, clothes, and the problems of sizes when shopping for clothes.

ESSEN UND EINKAUFEN

THEMEN

Essen und Trinken
Haushaltsgegenstände und
  deren Gebrauch
Einkaufen und Kochen
Beim Kleiderkauf

ZUSÄTZLICHE TEXTE

Eine Kriminalgeschichte
Eine Reise in die Schweiz: Claire
Kulturelle Begegnungen: Gibt es den Tante-Emma-Laden
  noch?

STRUKTUREN

10.1 Adjektive 1: Form und Verwendung
10.2 Adjektive 2: Komparation und Ordnungszahlen
10.3 Pronomen 3: welcher, jeder, mancher, solcher
10.4 stehen/stellen, sitzen/setzen, liegen/legen

GOALS

In this chapter the students will
interact in situations that involve shopping and food. The
food section includes discussions
about favorite foods, foods and
meals in the German-speaking
countries, how to shop for food in
a market, and how to follow recipes in German. Students will
learn how to order meals in a
restaurant in Chapter 12. The
grammar in this chapter focuses
on adjectives.

SPRECHSITUATIONEN

ESSEN UND TRINKEN

 Grammatik 10.1

Use your PF to introduce some food and beverage vocabulary for each main meal: breakfast, lunch, and dinner. It is not necessary to introduce every word for the foods that appear in subsequent activities; however, the most common words should be introduced so that when the oral activity is done in class, there will be only a few totally new words in each activity. Then introduce very common foods of German-speaking countries that are different from and similar to American foods. Comment on the different names and functions of the three meals.

AA 1. Pronoun review: The students have heard and read the impersonal object pronouns many times in previous chapters. Use pictures, plastic replicas, or actual food items to provide opportunities for students to use the impersonal accusative object pronouns. *Hier ist eine Orange. Ich gebe sie Ted. Ted, hier ist die Orange. Wer hat sie jetzt? (Ted.) Richtig, Ted hat sie. Ich habe sie ihm gegeben. Wo ist der Apfel jetzt? Wer hat ihn?*

DAS FRÜHSTÜCK

gekochte Eier — der Käse — der Schinken — der Quark — der Kaffee — der Tee — der Kakao — das Hörnchen — das Brot — die Brötchen — die Butter — die Marmelade — der Honig

Meistens esse ich ein frisches Brötchen, ein gekochtes Ei und selbstgemachte Marmelade zum Frühstück. Außerdem brauche ich einen starken Kaffee zum Wachwerden.

DAS MITTAGESSEN

das Mineralwasser — der Orangensaft — der Schokoladenpudding — das Bier — die Knödel — der Eisbecher — der Nachtisch — die Pommes Frites — das Schnitzel — das Gemüse — der gemischte Salat — die Kartoffeln

Zum Mittagessen esse ich am liebsten einen gemischten Salat, gebratenes Fleisch oder gegrillten Fisch mit gekochten Kartoffeln.

DAS ABENDESSEN

das Schwarzbrot · das Graubrot · die Würstchen · die Wurst · die sauren Gurken · die Milch · die Limonade · der Heringssalat

Heiße Würstchen? Die mag ich heute nicht. Kauf doch mal wieder den guten Heringssalat!

Sit. 1. Note that you may also wish to use pronouns in the answer: *Weichgekochte Eier? Nein, ich esse sie nie zum Frühstück.* In the follow-up ask the students to explain their choice.

Situation 1. Die Mahlzeiten

Wie oft essen und trinken Sie das—oft, manchmal, selten, oder nie?

MODELL: zum Frühstück / weichgekochte Eier →
  Weichgekochte Eier esse ich oft zum Frühstück.

1. zum Frühstück

   a. knusprige Brötchen
   b. heiße Würstchen
   c. gekochten Schinken
   d. kalte Milch

   e. frischen Orangensaft
   f. deutsches Bier
   g. italienische Äpfel

2. zum Mittagessen

   a. gute Pommes Frites
   b. deftige Rühreier
   c. selbstgemachte Marmelade
   d. frischen Fisch

   e. dänischen Kuchen
   f. französischen Wein
   g. ein großes Käsebrot

3. zum Abendessen

   a. saure Gurken
   b. leckeren Schokoladenpudding
   c. italienische Spaghetti

   d. kanadischen Honig
   e. bayrische Knödel
   f. frisches Sauerkraut

Sit. 2. Introduce a wide range of beverages using your PF. Then give students a few minutes to choose their beverages according to the occasion. In the follow-up, ask them to give reasons for their choices.

Situation 2. Mein Lieblingsgetränk

Nennen Sie Ihr Lieblingsgetränk bei diesen Gelegenheiten. Hier sind einige Möglichkeiten:

eiskalte Limonade	Mineralwasser	Tomatensaft
starker Kaffee	warme Milch	Orangensaft
kalter Tee	heißer Kakao	Multivitaminsaft
Eiskaffee	frische Buttermilch	Apfelsaft
mexikanisches Bier	Trinkjoghurt	Traubensaft
trockener Wein	Fruchtsäfte	

MODELL: Wenn ich morgens aufstehe, . . . →
Wenn ich morgens aufstehe, trinke ich am liebsten einen starken Kaffee mit Milch.

1. Wenn ich zu Mittag esse, . . .
2. Wenn ich zu Abend esse, . . .
3. Wenn ich abends vor dem Fernseher sitze, . . .
4. Wenn ich Sport getrieben habe, . . .
5. Wenn mir sehr heiß ist, . . .
6. Wenn ich nicht einschlafen kann, . . .
7. Wenn ich auf einer Party bin, . . .
8. Wenn ich Frühstückspause mache, . . .
9. Wenn ich sehr müde bin und nicht einschlafen will, . . .
10. Wenn mir sehr kalt ist, . . .

Situation 3.   Finden Sie den Fehler!

In jeder Wortgruppe gibt es ein Wort, das nicht in die Liste paßt. Suchen Sie dieses Wort und erklären Sie, warum es nicht paßt.

MODELL: der Apfel, die Birne, der Fisch, die Weintraube →
Das Wort „Fisch" paßt nicht, weil Fisch kein Obst ist.

1. die Gurke, die Tomate, das Bier, der grüne Salat
2. der Pfirsich, die Kirsche, das Öl, die Ananas
3. der Schokoladenpudding, das Eis, das Apfelmus, die Eier
4. das Rumpsteak, das Schnitzel, das Erdbeereis, das Hähnchen
5. der Honig, die Bohnen, das Johannisbeergelee, die Marmelade
6. der Hummer, die Krabben, der Tee, der Fisch
7. der Quark, die Milch, der Kaffee, das Bier
8. die Pilze, die Erbsen, die Möhren, die Äpfel
9. der Rum, der Cognac, die Milch, der Wein
10. die Haselnüsse, die Walnüsse, die Mandeln, die Ölsardinen

Sit. 4. Use your PF to preview some of the new words for foods in this activity. Read the choices aloud while the students follow along. Then individually or in groups of two, have them select foods and plan a diet menu for three days.

Situation 4.   Gesünder leben!

Stellen Sie sich vor, daß Sie mehr auf gesundes Essen achten wollen. Hier haben Sie Vorschläge für eine gesunde Diät. Stellen Sie einen Plan für eine ganze Woche auf. Essen Sie nicht zu viel!

Am ersten Tag esse ich zum Frühstück . . .
Dazu trinke ich . . .

Frühstück

Wählen Sie eins aus jeder Gruppe:

1. frischen Fruchtsaft oder Obst: eine halbe Pampelmuse oder eine ganze Apfelsine, einen ganzen Apfel, ein paar Pflaumen, Weintrauben oder Kirschen
2. wählen Sie: Corn-flakes mit kalter Milch oder ein weichgekochtes Ei und eine Scheibe Knäckebrot
3. eine dünne Scheibe Schwarzbrot mit Quark und Marmelade oder eine dünne Scheibe Graubrot mit fettarmer Margarine und Honig
4. eine Tasse Kaffee, Tee oder ein Glas fettarme Milch

Mittagessen

Wählen Sie eins aus jeder Gruppe:

1. 1/4 gegrilltes Hähnchen, ein gegrilltes Fischfilet, ein mageres Schnitzel oder ein kleines Rumpsteak
2. Salat aus frischen Tomaten und Gurken mit wenig Essig und Öl und eine Tasse Gemüsebrühe oder grünen Salat mit Hüttenkäse oder frischen Fruchtsalat ohne Zucker
3. Bohnengemüse, gekochten Blumenkohl oder Erbsen und Möhren
4. frischen Tomatensaft, Mineralwasser, Diätlimonade oder Tee

Abendessen

Wählen Sie eine Kombination aus:

1. eine dünne Scheibe Schwarzbrot mit magerem Schinken und sauren Gürkchen
2. eine dünne Scheibe Vollkornbrot mit holländischem Käse und eine halbe Tomate
3. ein hartgekochtes Ei, Graubrot mit Margarine, etwas Remoulade
4. einen Rollmops, eine dünne Scheibe Graubrot mit fettarmer Margarine
5. eine dünne Scheibe Schwarzbrot mit fettarmem Camembert und ein paar Oliven
6. ein Glas kalte Milch, Früchtetee, Mineralwasser oder frischen Orangensaft

Situation 5.   Wer in der Klasse . . .

1. ißt nie fettige Hamburger?
2. ißt selten japanisches Essen?
3. ißt fast jeden Tag frisches Obst?
4. frühstückt fast nie?
5. ißt gebratene Eier mit Speck zum Frühstück?
6. ißt oft in der Mensa?
7. ißt oft gegrilltes Hähnchen?
8. würzt sein Essen mit viel Pfeffer?
9. ißt fast immer zu Hause?
10. hat für heute Mittag ein belegtes Brot dabei?

Situation 6.   Interviews

Die Mahlzeiten

1. Was ißt du normalerweise zum Frühstück? Was zum Mittagessen?
2. Ißt du viel zum Abendessen? Was?
3. Ißt du immer Nachtisch?
4. Trinkst du tagsüber viel starken Kaffee?
5. Ißt du zwischen den Mahlzeiten?
6. Was ißt du, wenn du mitten in der Nacht großen Hunger hast?
7. Ißt du, unmittelbar bevor du ins Bett gehst?
8. Was hast du heute morgen gegessen?
9. Was ißt du heute zum Mittagessen?
10. Was ißt du heute zum Abendessen?

Als Kind

1. Was hast du als Kind am liebsten gegessen?
2. Was hast du nie gegessen?
3. Was mußtest du essen, wenn du Nachtisch haben wolltest?
4. Was hast du gemacht, wenn es etwas zu essen gab, was du nicht mochtest?
5. Hast du oft in Restaurants gegessen?
6. Was war dein Lieblingsrestaurant? Warum?
7. Was hast du dort gegessen? Was hast du getrunken? Hast du das Essen bezahlt oder jemand anders?

Sit. 7. Read through both parts of this situation with the class to be sure they understand them. Then have students take roles and create dialogues. This activity works better if they do NOT write out their lines but rather perform from notes.

Situation 7.   Rollenspiele für zwei

1. Es ist Mitternacht. Sie bereiten sich mit einem Freund/einer Freundin auf eine Chemieprüfung vor. Sie sind beide müde und haben keine Lust mehr. Sie müssen weitermachen und wollen nicht so viel starken Kaffee trinken. Was können Sie tun, um wieder wach zu werden?
2. Stellen Sie sich vor, Sie machen eine Schlankheitskur, weil Sie sechs Kilo zugenommen haben. Unglücklicherweise bekommen Sie eine Einladung zu einem eleganten Essen in einem sehr teuren Restaurant. Sie können unmöglich absagen, wollen aber Ihre Diät auf keinen Fall unterbrechen.

HAUSHALTSGEGENSTÄNDE UND DEREN GEBRAUCH

Grammatik 10.2–3

TPR: Bring to class objects and/or pictures to illustrate materials in the display. Introduce and talk about each while placing them in various locations throughout the room. Then ask students to point to (*zeigen Sie*) and finally to locate (*Wo ist . . . ?*) the objects and materials (*Wo ist das Objekt aus Baumwolle?*) Then do TPR sequences like: *Dann, nehmen Sie das Objekt aus Baumwolle und legen Sie es unter den Tisch von Marilyn. Terri, nehmen Sie das Objekt aus Gold und legen Sie es auf Silvias Tisch. Silvia, nehmen Sie es und legen Sie es unter Tinas Tisch.*

Der Teller ist aus Porzellan.

Die Folie ist aus Aluminium.

Das Gebäude ist aus Stein.

Der Pullover ist aus Baumwolle.

Der Löffel ist aus Silber.

Die Pfanne ist aus Stahl.

Der Stuhl ist aus Holz.

Die Teekanne ist aus Glas.

Der Eimer ist aus Plastik.

Situation 8. Gebrauch von Materialien

Was macht man aus diesem Material?

MODELL: aus Silber → Aus Silber macht man Ringe.

1. aus Stahl	6. aus Baumwolle
2. aus Holz	7. aus Glas
3. aus Gold	8. aus Wolle
4. aus Blech	9. aus Gummi
5. aus Plastik	10. aus Stein

Situation 9. Gespräch: Geschmackssache

Sie müssen verschiedene Geschenke kaufen. Der Verkäufer/Die Verkäuferin hat Ihnen verschiedene Gegenstände in verschiedenen Farben und Materialien gezeigt. Sagen Sie, was Ihnen besser gefällt und warum. Übernehmen Sie zusammen mit einem anderen Studenten/einer anderen Studentin die beiden Rollen.

MODELL: Möchten Sie einen Pullover aus Wolle oder Baumwolle?
Ich möchte einen Pullover aus Wolle, weil der wärmer ist.

Möchten Sie . . .

1. einen Ring aus Silber oder aus Gold?
2. einen Eimer aus Blech oder aus Plastik?
3. eine Teekanne aus Porzellan oder aus Glas?
4. Schuhe aus Gummi oder aus Leder?
5. einen Stuhl aus Holz oder aus Metall?
6. einen Schal aus Wolle oder aus Kunstfaser?
7. ein Kleid aus Baumwolle oder aus Seide?
8. einen Löffel aus Stahl oder aus Silber?

Situation 10. Was kostet das?

Was kosten diese Geräte? Stellen Sie eine Liste zusammen, und beginnen Sie mit dem teuersten, und schließen Sie mit dem billigsten Artikel. Überlegen Sie dann, was am wichtigsten ist.

GRUPPE A	GRUPPE B
1. eine Kaffeemaschine	1. ein Radiowecker
2. ein elektrischer Dosenöffner	2. ein Fernsehapparat
3. ein Taschenrechner	3. ein Kassettenrecorder
4. ein Mikrowellenherd	4. ein Plattenspieler
5. ein Kühlschrank	5. ein Videorecorder

Sit. 11. Let students work in groups; then expand, explain, and discuss 2, 3, and 4. Give your opinion too.

Situation 11. Diskussion: Haushaltsgeräte

1. Welche elektrischen Haushaltsgeräte besitzen Sie, Ihre Eltern oder Freunde? Welches Gerät finden Sie am wichtigsten?
2. Stellen Sie sich vor, Sie dürfen nur ein Gerät im Haus haben. Welches wählen Sie aus und warum?
3. Ein Freund/Eine Freundin möchte sich Ihre Stereoanlage für eine große Party ausleihen. Tun Sie ihm/ihr den Gefallen? Warum (nicht)?
4. Verleihen Sie Ihre Sachen oft? Gibt es Sachen, die Sie grundsätzlich nicht verleihen? Warum (nicht)?

Sit. 12. Point out that *zum* nominalizes the verb; hence the verbal begins with a capital letter.

Situation 12. Wofür benutzt man diese Gegenstände?

MODELL: ein Friseur / eine Schere / Haare schneiden →
  Ein Friseur benutzt eine Schere zum Haareschneiden.

1. ein Koch
2. eine Hausfrau
3. eine Fotografin
4. ein Gärtner
5. ein Buchhalter
6. ein Mechaniker
7. _____

a. ein Schraubenschlüssel / Reifen wechseln
b. ein Computer / rechnen
c. eine Pfanne / braten
d. ein Film / fotografieren
e. eine Kaffeemaschine / Kaffee kochen
f. eine Schaufel / graben
g. _____

EINKAUFEN UND KOCHEN

Grammatik 10.4

—Haben Sie noch reife Tomaten?
—Leider nicht mehr. Aber morgen gibt es wieder welche.

—Ich mag keinen Fisch.
—Ich esse manchmal ganz gern Fisch.

—Essen Sie oft Schweinefleisch?
—Wer? Ich? Nein, ich esse nie Schweinefleisch.

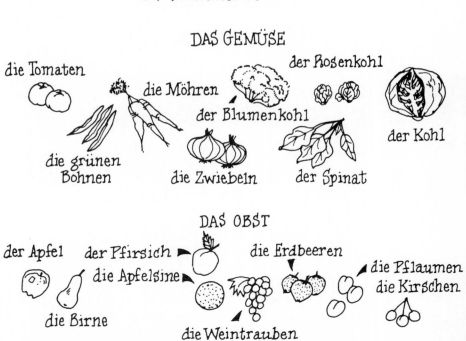

FLEISCH und FISCH

das Rindfleisch

der Hummer

die Krabben

der Fisch

das Geflügel

das Schweinefleisch

die Muscheln

DAS GEMÜSE

die Tomaten

die Möhren

der Rosenkohl

der Blumenkohl

der Kohl

die grünen Bohnen

die Zwiebeln

der Spinat

DAS OBST

der Apfel

der Pfirsich

die Erdbeeren

die Apfelsine

die Pflaumen
die Kirschen

die Birne

die Weintrauben

Sit. 13. Use the supermarket ad to review price and quantity terms: *Was kostet der Speck? Wieviel müssen Sie für ein Kilo Hackfleisch bezahlen? Wieviel kostet ein Kilo Tomaten?* Then divide the class into groups of three students each. Let them work together on the shopping problem. Check the totals and see which group finishes most rapidly and most accurately.

The sums are: *Liste 1: 14,92 DM; Liste 2: 12,35 DM; Liste 3: 20,95 DM.*

AA 7. Describe how foods and drinks are prepared. For example, have one student name a favorite food or drink. Then solicit from the class how that item is prepared: *Was brauchen wir? Was ist der erste Schritt? Und jetzt, was machen wir? Was müssen wir zuerst machen?* and *dann . . .*

Situation 13.   Was kostet das?

Sie gehen in Göttingen zum All-Kauf-Markt. Das ist ein großer Supermarkt, der recht billig ist und viele Sonderangebote hat. Sehen Sie sich die drei Einkaufslisten an, und rechnen Sie den Preis für jede Liste aus. Beachten Sie die Mengenangaben!

LISTE 1
200 g geräucherter Speck
2 Dosen Tomatensuppe
1 kg Hackfleisch
3 Zitronen
1 Paket Haferflocken

LISTE 2
1 kg Hackfleisch
1 Glas Mayonnaise
1,5 kg Zwiebeln
1 kg frische Möhren
2 kg Äpfel

LISTE 3
400 g frische Krabben
1 kg Pfirsiche
500 g Schnitzelfleisch
2 Salatgurken
1 kg Tomaten
1 Flasche Salatsoße

TPR. *Wir wollen einen Kuchen backen.* Bring the ingredients: flour, sugar, eggs, butter, spices, soda, and the necessary utensils to class to mime the actions. Use this sample sequence or your own favorite recipe: *Wir wollen einen Kuchen für die Klasse backen. Hier sind die Sachen, die wir brauchen: Mehl, Zucker, Eier, Milch, Butter und Gewürze. Zuerst nehmen Sie zweieinhalb Tassen Zucker. Schmelzen Sie dann die Butter in einem Topf auf dem Herd. Mischen Sie die Butter gut mit dem Zucker. Geben Sie jetzt drei Eier in einen Topf und schlagen Sie sie bis sie schaumig werden. Mischen Sie die Eier unter die Butter und den Zucker, und rühren Sie es gut. Nehmen Sie jetzt dreieinhalb Tassen Mehl und mischen Sie die Gewürze hinein: Zimt, Muskatnuß und eine Prise Salz. Vermischen Sie jetzt alles miteinander. Probieren Sie. Fetten Sie jetzt eine Kuchenform ein, und geben Sie den Teig in die Form. Schieben Sie die Form für 45 Minuten in den Backofen. Spülen Sie jetzt das Geschirr und putzen Sie die Küche. Jetzt der Kuchen! Öffnen Sie den Backofen und prüfen Sie, ob er fertig ist. Nein, noch nicht ganz. Nach weiteren 10 Minuten ist der Kuchen fertig. Machen Sie den Backofen auf und nehmen Sie den Kuchen heraus. Vorsicht, verbrennen Sie sich nicht. Lassen Sie den Kuchen abkühlen. Schneiden Sie jetzt den Kuchen in Stücke und servieren Sie ihn.*
Have a cake already prepared and then take it out of a bag (the "oven") and serve pieces to the class.

AA 8. *Jetzt machen wir ein Supersandwich. Wir wollen das alle zusammen machen und jeder kann bestimmen, was wir auf das Sandwich legen.* Ask the class for ingredients and write them on the board. Then, together describe how to make the sandwich: *Zuerst nehmen wir das Brot, darauf streichen wir Butter, und dann . . .*

Situation 14.   Frau Körners Spezialität: Geschnetzeltes Schweinefleisch mit grünen Bohnen

ZUTATEN FÜR VIER PERSONEN

1 Paket tiefgefrorene Bohnen (300 g)
1/2 Teelöffel Bohnenkraut
Wasser
Salz
500 g Schweinefleisch
4 Eßlöffel Butter

Pfeffer
Chinagewürz
Sojasoße
1/8 l Tomatenketchup
4 Birnenhälften aus der Dose

ZUBEREITUNG

Bohnen mit Bohnenkraut in kochendem Salzwasser etwa 20 Minuten kochen. Abtropfen lassen. Inzwischen das Fleisch in feine Streifen schneiden. In einer großen Pfanne die Butter erhitzen, und das Fleisch 15 Minuten gut bräunen. Gewürze und Tomatenketchup zugeben. 10 Minuten leicht kochen lassen. Birnen in Streifen schneiden und in die Pfanne geben, ebenso die abgetropften Bohnen. Gut vermischen, nochmals abschmecken und nach Geschmack etwas Birnensaft zugeben.
Dazu schmecken Bratkartoffeln.
Zubereitungszeit ungefähr 30 Minuten.

Situation 15.   Besuch

Sie haben Freunde eingeladen und bereiten mit Ihrem Freund/Ihrer Freundin den Abend vor. Sie räumen die Wohnung auf und decken den Tisch.

MODELL 1: die Blumen, auf den Tisch →
       Die Blumen stellen wir auf den Tisch.

MODELL 2: die Messer, neben die Teller →
       Die Messer legen wir neben die Teller.

1. die Teller, auf den Tisch
2. die Servietten, auf den Teller
3. die Kerze, in die Mitte
4. die Gabeln, neben die Messer
5. die Löffel, auf die andere Seite
6. die Kaffeetassen, in die Küche
7. der Stuhl, ans Fenster
8. die Töpfe, in die Geschirrspülmaschine
9. die schmutzigen Schuhe, in den Keller
10. die Pullover, in den Schrank

BEIM KLEIDERKAUF

Use your PF to show people wearing various articles of clothing. Talk about different sizes, how different items look on different persons, how their clothing fits, and so on.

—Welche Größe brauchen Sie?

—Ich brauche Größe 40.

—Darf ich das Kleid mal anprobieren?

—Natürlich, dort drüben ist die Ankleidekabine.

—Welche Schuhgröße haben Sie?

—Ich habe Schuhgröße 43.

Situation 16. Definitionen

1. der Regenschirm
2. der Schlafanzug
3. der Schal
4. die Socken
5. die Unterhose
6. die Handschuhe

a. Man trägt sie an den Füßen.
b. Man benutzt ihn, wenn es regnet oder schneit.
c. Man trägt ihn beim Schlafen.
d. Man trägt ihn um den Hals, wenn es kalt ist.
e. Man trägt sie bei kaltem Wetter an den Händen.
f. Man läuft in ihr normalerweise nicht auf der Straße herum.

Damengrößen		Herrenhemden		Herrengrößen	
USA	Europa	USA	Europa	USA	Europa
8	36	14	36	36	46
10	38	14½	37	38	48
12	40	15	38	40	50
14	42	15½	39	42	52
16	44	16	41	44	54
18	46	16½	42	46	56
		17	43	48	58

Schuhe	
USA	Europa
5½	37
6½	38
7½	39/40
8½	41
9½	42
10½	43
11½	44
12½	45

Situation 17. Eigener Dialog: In der Boutique

Sie sind in einer Boutique und möchten elegante Abendkleidung für einen festlichen Empfang. Sie beraten mit der Verkäuferin/dem Verkäufer über Größe, Farbe und Stoff. Eine Schwierigkeit sind die Größen. In der Bundesrepublik gibt es für Frauen Größen von 36 bis 46 und für Männer von 46 bis 58.

VERKÄUFER/ VERKÄUFERIN: Guten Tag, kann ich Ihnen helfen.

SIE: Ich suche ein Abendkleid (einen Abendanzug).

VERKÄUFER/ VERKÄUFERIN: . . .

Situation 18. Eigener Dialog: Im Schuhgeschäft

Sie sind im Winter in Deutschland. Das Wetter ist wie üblich schlecht, und Sie brauchen unbedingt ein Paar feste Schuhe. Der Verkäufer/die Verkäuferin, der/die Sie bedient, erkundigt sich nach Ihren Wünschen. Versuchen Sie, ihm/ihr klarzumachen, was Sie möchten. Bedenken Sie die in Deutschland üblichen Schuhgrößen.

SIE: Guten Tag, ich brauche unbedingt ein Paar feste Schuhe.

VERKÄUFER/VERKÄUFERIN: Nehmen Sie doch bitte Platz. Welche Größe brauchen Sie denn?

SIE: Schwer zu sagen. Vielleicht . . .

VOKABELN

Essen / Food

die **Ananas**, -	pineapple
das **Apfelmus**	applesauce
das **belegte Brot**	sandwich
die **Birne**, -n	pear
die **Birnenhälfte**, -n	pear half
der **Blumenkohl**	cauliflower
die **Bohne**, -n	bean
das **Bohnenkraut**	savory
die **Bratkartoffel**, -n	fried potatoes
der **Camembert**	(*name of a French cheese*)
das **Chinagewürz**, -e	(*special seasoning from China*)
das **Ei**, -er	egg
der **Eisbecher**, -	bowl of ice cream
die **Erbse**, -n	pea
die **Erdbeere**, -n	strawberry
der **Essig**	vinegar
das **Fett**, -e	fat, grease
das **Geflügel**	poultry
das **Gelee**, -s	jelly
das **Gemüse**	vegetables
die **Gemüsebrühe**	vegetable stock
das **Gewürz**, -e	seasoning
das **Graubrot**	rye bread
das **Gürkchen**, -	baby dill pickles
die **Gurke**, -n	cucumber
das **Hackfleisch**	ground meat
die **Haferflocken** (*pl.*)	oats
das **Hähnchen**, -	chicken
der **Heringssalat**	(*fish cocktail*)
das **Hörnchen**, -	(*a horn-shaped sweet roll*)
der **Hummer**, -	lobster
der **Hüttenkäse**	cottage cheese
die **Johannisbeere**, -n	red currant
die **Kartoffel**, -n	potato
der **Käse**	cheese
die **Kirsche**, -n	cherry
das **Knäckebrot**, -e	crisp bread
der **Knödel**, -	dumpling
der **Kohl**	cabbage
die **Mandel**, -n	almond
die **Marmelade**, -n	jam
die **Möhre**, -n	carrot
die **Muschel**, -n	clam, shellfish
das **Obst**	fruit
die **Ölsardinen**	canned sardines
die **Pampelmuse**, -n	grapefruit
der **Pfirsich**, -e	peach
die **Pflaume**, -n	plum
der **Pilz**, -e	mushroom
die **Pommes Frites** (*pl.*)	French fries

der **Quark**	curd (*similar to sour cream*)
die **Remoulade, -n**	tartar sauce
das **Rindfleisch**	beef
der **Rollmops, ¨e**	pickled herring
der **Rosenkohl**	Brussels sprouts
das **Rührei, -er**	scrambled egg
der **Schinken**	ham
das **Schnitzel, -**	veal or pork cutlet
das **Schwarzbrot, -e**	black rye bread
das **Schweinefleisch**	pork
der **Speck**	bacon
die **Traube, -n** (**Weintraube**)	grape
das **Vollkornbrot, -e**	whole grain bread
das **Würstchen, -**	small sausage
die **Zitrone, -n**	lemon
der **Zucker**	sugar
die **Zwiebel, -n**	onion

Ähnliche Wörter: die **Butter** / **eiskalt** / der **Fruchtsalat, -e** / die **Haselnuß,** *pl.* die **Haselnüsse** / der **Honig** / das **Joghurt, -s** / die **Margarine** / die **Mayonnaise, -n** / das **Öl** / die **Olive, -n** / der **Pfeffer** / der **Reis** / das **Salz** / der **Schokoladenpudding** / die **Sojasoße, -n** / die **Soße, -n** / der **Spinat** / die **Tomate, -n** / der **Tomatenketchup** / die **Tomatensuppe, -n** / die **Walnuß,** *pl.* die **Walnüsse**

Erinnern Sie sich: der **Apfel, ¨** / die **Apfelsine, -n** / das **Brot, -e** / das **Brötchen, -** / das **Eis** / der **Fisch** / das **Fleisch** / der **Kuchen, -** / die **Pizza, -s** / der **Salat, -e** / die **Schokolade** / die **Wurst**

Trinken — Drink

der **Birnensaft, ¨e**	pear juice
der **Früchtetee, -s**	herbal tea
der **Fruchtsaft, ¨e**	fruit juice
das **Getränk, -e**	drink, beverage
der **Kakao**	cocoa
das **Lieblingsgetränk, -e**	favorite drink
der **Saft, ¨e**	juice

Ähnliche Wörter: das **Bier** / die **Buttermilch** / der **Cognac** / der **Eiskaffee** / das **Mineralwasser** / der **Rum**

Erinnern Sie sich: der **Apfelsaft** / der **Kaffee** / die **Limonade** / die **Milch** / der **Tee** / das **Wasser** / der **Wein, -e**

Küche und Zubereitung — Food and Preparation

abschmecken, abgeschmeckt	to taste (*in cooking*)
abtropfen, abgetropft	to let (*something*) drip off
bedienen, bedient	to serve
(zu)bereiten, bereitete . . . (zu), (zu)bereitet	to prepare
braten, briet, gebraten	to fry
bräunen	to brown, fry
decken	to cover
erhitzen, erhitzt	to heat
grillen	to barbeque
vermischen, vermischt	to mix
würzen	to season
zugeben (gibt . . . zu), gab . . . zu, zugegeben	to add

das **Abendessen**	evening meal, dinner
die **Einkaufsliste, -n**	shopping list
die **Mahlzeit, -en**	meal
die **Mengenangabe, -n**	measurement
der **Nachtisch, -e**	dessert
die **Zubereitung, -en**	preparation
die **Zubereitungszeit, -en**	preparation time
die **Zutaten** (*pl.*)	ingredients

deftig	tasty
fettarm	lean, reduced fat
fettig	containing fat, greasy
gegrillt	grilled
gemischt	mixed
geräuchert	smoked
geschnetzelt	minced
hartgekocht	hard-boiled
knusprig	crisp
kochend	boiling
lecker	delicious
mager	lean
reif	ripe
saftig	juicy
salzig	salty
sauer	sour
selbstgemacht	homemade
süß	sweet
tiefgefroren	frozen (*food*)
weichgekocht	soft-boiled
zart	tender

Das esse ich ganz gern. I quite like (to eat) it.

Ähnliche Wörter: die **Diät, -en** / das **Kilo, -s** / der **Liter, -** / das **Pfund, -e** / die **Spezialität, -en**

Haushaltsge-genstände und Haushaltsgeräte
Household Objects and Appliances

die **Dose, -n**	can
der **Dosenöffner, -**	can opener
der **Eimer, -**	bucket
der **Eßlöffel, -**	tablespoon
der **Fernsehapparat, -e**	TV set
die **Flasche, -n**	bottle
die **Folie, -n**	foil
die **Gabel, -n**	fork
die **Kaffeetasse, -n**	coffee cup
die **Kerze, -n**	candle
der **Löffel, -**	spoon
das **Messer, -**	knife
der **Radiowecker, -**	radio alarm clock
die **Schaufel, -n**	shovel
die **Schere, -n**	scissors
die **Serviette, -n**	napkin
der **Taschenrechner, -**	pocket calculator
die **Tasse, -n**	cup
der **Teelöffel, -**	teaspoon
der **Teller, -**	plate
der **Topf, -̈e**	pot
die **Zange, -n**	tongs, pliers

Ähnliche Wörter: **elektrisch** / die **Kaffeemaschine, -n** / das **Netz, -e** / die **Pfanne, -n**

Erinnern Sie sich: der **Backofen, -̈** / das **Bügeleisen, -** / der **Fernseher, -** / das **Geschirr** / die **Geschirr-spülmaschine, -n** / das **Glas, -̈er** / das **Handtuch, -̈er** / der **Herd, -e** / die **Kaffeekanne, -n** / der **Küchen-schrank, -̈e** / der **Kühlschrank, -̈e** / das **Radio, -** / das **Spülbecken, -** / der **Staubsauger, -** / die **Stereoanlage, -n** / das **Telefon, -e** / die **Teekanne, -n** / der **Toaster, -** / die **Uhr, -en** / das **Waschbecken, -**

Materialien
Materials

die **Baumwolle**	cotton
das **Blech**	tin (sheet metal)
das **Gummi**	rubber
das **Holz**	wood, timber
die **Kunstfaser**	synthetic fiber

das **Leder**	leather
die **Seide**	silk
der **Stahl**	steel
der **Stein**	stone
der **Stoff**	fabric, material

Ähnliche Wörter: das **Aluminium** / das **Gold** / das **Material,** *pl.* die **Materialien** / das **Metall** / das **Plastik** / die **Wolle**

Beim Kleiderkauf
Buying Clothes

anprobieren, probierte . . . an, anprobiert	to try on

der **Abendanzug, -̈e**	evening suit
das **Abendkleid, -er**	evening dress
die **Abendkleidung**	evening clothes
der **Absatz, -̈e**	heel
die **Ankleidekabine, -n**	fitting room
der **Bademantel, -̈**	bathrobe
der **Handschuh, -e**	glove
der **Schlafanzug, -̈e**	pajamas
die **Schuhgröße, -n**	shoe size
der **Sonderangebot, -e**	sale, special offer
der **Streifen, -**	stripe
das **Unterhemd, -en**	undershirt
die **Unterhose, -n**	underpants
die **Unterwäsche**	underwear

Welche Größe brauchen Sie?	Which size do you need?

Ähnliche Wörter: der **Artikel, -** / der **Preis, -e** / die **Sandale, -n** / die **Socken** (*pl.*)

Erinnern Sie sich: der **Anzug, -̈** / der **Badeanzug, -̈e** / die **Badehose, -n** / der **Bikini, -s** / die **Bluse, -n** / der **Gürtel, -** / das **Hemd, -en** / die **Hose, -n** / der **Hut, -̈e** / die **Jacke, -n** / die **Jeans** (*pl.*) / das **Sakko, -s** / das **Kleid, -er** / die **Krawatte, -n** / der **Mantel, -̈** / die **Mütze, -n** / der **Pullover** / der **Rock, -̈e** / der **Schuh, -e** / der **Stiefel, -** / das **T-Shirt, -s**

Verben
Verbs

absagen, abgesagt	to cancel
beachten, beachtet	to watch out for, notice
besitzen, besaß, besessen	to own

einschlafen (schläft ... ein), schlief ... ein, ist eingeschlafen	to fall asleep
klarmachen, klargemacht	to make (*something*) clear
rechnen	to figure, calculate
sich (etwas) ansehen (sieht ... an), sah ... an, angesehen	to look at (something)
sich erkundigen, erkundigt	to ask, find out
überlegen, überlegt	to consider
unterbrechen (unterbricht), unterbrach, unterbrochen	to interrupt
verleihen, verlieh, verliehen	to lend, loan
weitermachen, weitergemacht	to go on
wünschen	to wish
zunehmen (nimmt ... zu), nahm ... zu, zugenommen	to put on weight
zusammenstellen, zusammengestellt	to put together

Substantive — Nouns

der **Beutel, -**	bag, purse, pouch
die **Einladung, -en**	invitation
der **Empfang, -̈e**	reception
der **Fehler, -**	mistake
der **Gebrauch**	use
die **Gelegenheit, -en**	opportunity
der **Geschmack**	taste

der **Keller, -**	cellar
die **Schlankheitskur, -en**	diet
die **Schwierigkeit, -en**	difficulty

Ähnliche Wörter: der **Fotograf, -en** / die **Fotografin, -nen** / der **Gärtner, -** / die **Gärtnerin, -nen** / das **Packet, -e** / die **Wortgruppe, -n**

Adjektive und Adverbien — Adjectives and Adverbs

ebenso	as well
fast	almost
festlich	festive, ceremonial
grundsätzlich	basic(ally)
nochmals	again
normalerweise	normally
üblich	usual(ly)
unglücklicherweise	unfortunately
unmittelbar	immediate(ly)
wach	awake
wach werden	to wake up (by oneself)

Ähnliche Wörter: dänisch / elegant / fein / kanadisch / mexikanisch

Nützliche Wörter und Wendungen — Useful Words and Phrases

auf keinen Fall	not at all
Das ist Geschmackssache.	It's a matter of taste.
die **Haare schneiden**	to cut one's hair
recht billig	quite cheap

ZUSÄTZLICHE TEXTE

EINE KRIMINALGESCHICHTE

Text: After reading the story, let students act out an interrogation by *Inspektor Schilling*. One student should be *Schilling*, who asks the questions; other students could be: *Taxifahrer, Kioskverkäufer, Passant, Kellner/in, Gäste im Café.* Then let students write (as homework assignment) speculations on Schilling's question: *Was ist passiert?*

Ein unauffällig gekleideter Mann steigt auf der Königsallee in Düsseldorf aus einem Taxi, bezahlt und geht zu einem Kiosk. Er scheint nervös, sieht sich mehrmals um.

„Er hat mir über zwei Mark Trinkgeld[1] gegeben," sagte der Taxifahrer nachher aus.

Am Kiosk kauft der Mann eine „Süddeutsche Zeitung" und eine „International Herald Tribune". Wieder sieht er sich mehrere Male um und beobachtet die Straße.

„Ich glaube, er hörte nicht gut, er hat mich dreimal nach dem Preis gefragt," sagte der Kioskbesitzer aus.

Ein dunkelgrauer Mercedes 450 SL mit drei Männern und einer Frau am Steuer parkt schräg gegenüber. Die vier beobachten den Mann. Der sieht sie und geht schnell in die Köpassage, ein großes Einkaufszentrum mit vielen Geschäften, Restaurants und Cafés. Zwei der Männer steigen aus und folgen ihm.

„Sie trugen beige Regenmäntel," sagte ein Passant, als Inspektor Schilling ihm die Fotos der Männer zeigte.

Der Mann mit den beiden Zeitungen betritt das Café König, setzt sich in eine Ecke, schlägt sehr schnell eine der Zeitungen auf und versteckt[2] sich dahinter.

„Er wirkte sehr nervös," sagte die Kellnerin.

Er bestellt einen Kaffee und einen Cognac und zahlt sofort.

„Er verschüttete[3] den Kaffee, als er die Milch hineingoß, aber er gab mir ein sehr gutes Trinkgeld," sagte die Kellnerin weiter aus.

Die beiden Männer in den Regenmänteln betreten das Café und sehen sich um. Als sie den Mann hinter der aufgeschlagenen „Herald Tribune" erkennen, gehen sie hinüber und setzen sich an den Nachbartisch.

„Sie waren sehr unfreundlich und bestellten beide Mineralwasser," meinte die Kellnerin, die sie bediente.

Eine attraktive Frau, Mitte dreißig, betritt das Café, sieht sich um, lacht, als sie den Mann mit der Zeitung sieht, wird bleich,[4] als sie die beiden Männer erkennt. Sie setzt sich in eine andere Ecke und beobachtet alles.

„Sie war sehr elegant und teuer gekleidet," sagte der Kellner, der an ihrem Tisch arbeitete.

Schließlich geht einer der Männer zu dem Mann mit der Zeitung hinüber, er beugt sich zu ihm hinunter und hinter die Zeitung. Plötzlich fällt der Mann mit der Zeitung mit dem Kopf auf den Tisch. Er liegt reglos da. Der andere nimmt ihm die „Herald Tribune" aus der Hand, faltet sie schnell. Die ersten Leute werden laut, denn sie sehen, was passiert ist. Die beiden Männer rennen aus dem Café, über die Königsallee und springen in den parkenden Wagen.

383

„Sie sind mit quietschenden Reifen davongefahren," berichtete ein Polizist, der gerade Streife ging.

Die Gäste des Cafés laufen jetzt laut schreiend durcheinander. Keiner beachtet die Frau, die zu der Leiche hinübergeht und die „Süddeutsche Zeitung" nimmt, sie unter den Arm steckt und schnell das Café verläßt.

„Ich erinnere mich so gut an sie, weil sie nicht bezahlt hat," sagte der Kellner.

Die Polizei ist sehr schnell da. Immer noch laufen alle Leute durcheinander, keiner beachtet die Leiche. Als die Polizei den Toten sehen will, ist der verschwunden.

Inspektor Schilling fragt: Was ist passiert?

^{1}*tip* ^{2}*hides* ^{3}*spilled* ^{4}weiß im Gesicht

Fragen

1. Wer hat die Leiche entdeckt?
2. Wer ist der Mörder?
3. Wer hat die Leiche verschwinden (*disappear*) lassen?
4. Wohin ist die Frau gegangen?
5. Wie viele Zeugen (*witnesses*) haben wir? Wie viele Verdächtige (*suspects*)?
6. Wie war der Mann gekleidet? Wie die Männer, die ihn verfolgten?
7. Warum, glauben Sie, waren sie an den Zeitungen interessiert?

Aufgaben

Erzählen Sie die Geschichte aus der Perspektive . . .

1. der Kellnerin.
2. des Kioskbesitzers.
3. der eleganten Frau.
4. des Mannes, der die „Herald Tribune" nahm.

EINE REISE IN DIE SCHWEIZ: Claire

Claire hat von Regensburg aus eine Reise nach Luzern, Zürich und Schaffhausen gemacht. Sie schreibt einen Bericht an ihre Freunde in Regensburg.

Zürich, im September

Liebe Melanie, lieber Josef,

hallo ihr Lieben. Nach langer Pause ist hier ein kleiner Bericht aus der Schweiz. Zuerst war ich in Luzern. Schön ist es da, aber es ist nicht sehr viel los. Dann bin ich nach Zürich gefahren; das war ein Unterschied wie Tag und Nacht.

Text: Review *Schweiz,* especially *Zürich,* with maps, pictures from your PF, and, if you have them, slides.

Tell students that they will read about Claire, the American student who is traveling through Switzerland. You may want to refresh students' memories of Claire: *Wer ist Claire? Woher kommt sie? Bei wem wohnt sie? Welche Reisen hat sie gemacht? Wie hat es ihr gefallen? usw.*

Ask students what they think of Switzerland and what associations they have. A topic that lends itself to discussion is *Frauenwahlrecht in der Schweiz.*

© Ulrike Welsch

Ein Spaziergang am Rheinufer in Basel, der zweitgrößten Stadt der Schweiz. Sie hat ungefähr 200 000 Einwohner.

Ich bin stundenlang durchs Niederdorf gelaufen, die Altstadt von Zürich. Hier gibt es viele Kneipen und Cafés, und die Leute sind freundlich, gar nicht streng und diszipliniert, wie man es eigentlich von Schweizern erwartet. Wenn ich nur ein bißchen mehr Geld hätte, würde ich stundenlang durch die Bahnhofsstraße laufen und mir alles mögliche kaufen. Hier ist ein exklusives Geschäft neben dem anderen. Die Bahnhofsstraße ist eine Fußgängerzone, in der außer Straßenbahnen nichts fährt. („Trams" nennen sie hier die Straßenbahnen.) Hier ist auch das berühmte Café „Sprüngli". Da bin ich meist nachmittags hingegangen und habe Kaffee mit Seitenwagen getrunken—ein Kaffee mit einem Schnaps oder einem Likör—und Kuchen gegessen.

Von Zürich aus habe ich dann einen kurzen Abstecher[1] nach Schaffhausen gemacht. Da habe ich mir den Rheinfall[2] angesehen und den Munot, eine alte Burg aus dem 16. Jahrhundert, die auch das Wahrzeichen[3] von Schaffhausen ist. In der Altstadt haben mich ein paar Leute angesprochen, die dann auch ganz nett waren, und mit denen ich am Abend noch in die „Walliser Kanne" gegangen bin.

Wenn man den Schaffhausnern trauen[4] kann, ist dieses Restaurant berühmt, besonders für Fondue und Raclette,[5] seine Spezialitäten. Also ich kannte das Restaurant ja nicht, aber das Essen war sehr gut, besonders das Fondue. Zum Essen haben wir „Pflümli" getrunken, Pflaumenschnaps; der hat geschmeckt! Ich war richtig betrunken, als der Abend zu Ende war. Abende sind ja in der Schweiz auch immer früh zu Ende. Während der Woche schließen die Bars und Kneipen schon um halb zwölf. Naja, die Schweizer müssen wohl früh zu Bett gehen, damit sie am nächsten Tag noch vor dem Frühstück ihre Straßen sauber-machen können.

Zu Hause habe ich immer gehört, daß die Schweiz eine vorbildliche[6] Demo-kratie sei. Na, so toll ist sie wohl auch wieder nicht. Im Kanton Uri haben die

Frauen erst seit einigen Jahren das Wahlrecht,[7] und erst seit 1984 gibt es im Schweizer Parlament in Bern auch eine Frau, eine einzige Frau![8] Stellt euch das nur einmal vor. So umwerfend demokratisch finde ich das nicht.

So, für heute mache ich mal Schluß. Morgen fahren Luise und ich Ski. Nicht weit von hier gibt es ein tolles Sommerskigebiet.

Tschüß und viele Grüße

Eure Claire

[1]Reise [2](siehe KN) [3]Symbol [4]glauben [5](siehe KN) [6]exemplarische [7]*right to vote* [8](siehe KN)

Fragen

1. Wie heißt die Altstadt von Zürich?
2. Was kann man in der Bahnhofsstraße sehen?
3. Was trinkt Claire im Café „Sprüngli"?
4. Was hat Claire in Schaffhausen besucht?
5. Was sind die Spezialitäten in der „Walliser Kanne"?
6. Warum sind die Abende in der Schweiz immer früh zu Ende?
7. Was hält Claire von der Demokratie in der Schweiz?
8. Seit wann gibt es im Schweizer Parlament eine Frau?

KULTURELLE NOTIZ: Der Rheinfall von Schaffhausen

Der Rheinfall von Schaffhausen ist der größte Wasserfall Europas. Er ist 150 Meter breit und 24 Meter tief.

KULTURELLE NOTIZ: Fondue und Raclette

Fondue und Raclette sind Schweizer Spezialitäten. Fondue ist geschmolzener[1] Käse mit Weißwein und Kirschwasser, und Raclette ist ein Gericht aus Kartoffeln mit Paprika, Zwiebeln, Gurken und Käse.

[1]*melted*

KULTURELLE NOTIZ: Frauenwahlrecht in der Schweiz

Die Schweiz hat 26 Bundesstaaten oder Kantone. Frauenwahlrecht wurde auf Bundesebene 1971 eingeführt. Für Kantonalwahlen gilt es erst seit 1984 in allen Kantonen.

KULTURELLE BEGEGNUNGEN: Gibt es den Tante-Emma-Laden noch?

Text: Ask students where they prefer to shop for particular items, at a supermarket or in specialty stores: *Kaufen Sie Brot lieber im Supermarkt oder in einer Bäckerei? Kaufen Sie Fleisch lieber im Supermarkt oder in einer Metzgerei? usw. Wo kaufen Sie am liebsten? Warum?*

Ein oft zitierter Unterschied[1] zwischen dem deutschen und dem amerikanischen Einkaufen ist der Tante-Emma-Laden. In diesem kleinen Einzelhandelsgeschäft bedient meist der Besitzer oder die Besitzerin noch selbst die Kunden.

Doch mittlerweile ist der Tante-Emma-Laden auch in der Bundesrepublik eine große Seltenheit geworden. Stattdessen dominieren die ständig größer werdenden Supermärkte,[2] die nicht mehr nur Lebensmittel und Drogerieartikel anbieten, sondern zunehmend all das verkaufen, was vor noch nicht allzu langer Zeit nur in speziellen Einzelhandelsgeschäften zu bekommen war. Eine Folge der enormen Vergrößerung dieser Märkte ist, daß sie im Stadtkern keinen Platz mehr finden und so das Einkaufen selbst sich grundsätzlich verändert hat. Durch ihre Lage sind die Märkte meist nur mit dem Auto zu erreichen. Man kauft nicht mehr dort ein, wo man wohnt, sondern wo es am billigsten ist. Die Möglichkeit beim Einkaufen soziale Kontakte zu pflegen,[3] wie dies früher oft der Fall war, ist sehr gering.[4] Man kann größere Mengen auf einmal einkaufen und diese Lebensmittel in der Tiefkühltruhe[5] aufbewahren.

Ein weiterer Unterschied zwischen deutschen und amerikanischen Einkaufsgewohnheiten, die Häufigkeit[6] des Einkaufens, ist daher auch nicht mehr so deutlich.[7] Die Tendenz geht auch in der Bundesrepublik dahin, eher nur ein- oder zweimal in der Woche einzukaufen.

Eine deutsche Besonderheit wird sicherlich noch nicht so schnell verschwinden, und das sind die kleinen Bäckereien und Metzgereien. Die Vorliebe für gutes Brot, leckeren Kuchen und gute Wurst ist einfach zu groß. In den meisten Supermärkten gibt es zwar große Wurst-, Fleisch- und Backwarenabteilungen, doch fast jeder Bäcker und Metzger hat seine eigenen Spezialitäten, die kaum nachzuahmen[8] sind; außerdem sind die Produkte dort meist frischer.

[1]*difference* [2]die... = die Supermärkte, die ständig größer werden [3]*foster* [4]*klein* [5]*freezer* [6]*frequency* [7]*klar* [8]*imitieren*

© Ulrike Welsch

Ein kleines Lebensmittelgeschäft in der Bundesrepublik

Fragen

1. Was ist ein Tante-Emma-Laden?
2. Gibt es noch viele Tante-Emma-Läden in der Bundesrepublik?
3. Was kann man in den riesigen Supermärkten alles kaufen?
4. Wo werden die riesigen Supermärkte gebaut?
5. Warum ist es schwierig, beim Einkauf in Supermärkten soziale Kontakte zu pflegen?
6. Was ist möglich, wenn man mit dem Auto zum Einkaufen fährt?
7. Nennen Sie einen weiteren Unterschied zwischen deutschen und amerikanischen Einkaufsgewohnheiten, der langsam verschwindet.
8. Welche Besonderheit beim Einkaufen in Deutschland wird nicht verschwinden? Warum?

STRUKTUREN UND ÜBUNGEN

10.1. Adjective inflections are quite complex, and it takes many years of experience in speaking German to use them correctly without effort. What we have tried to do in this section is to present two "rules of thumb" for adjective endings so that students can (1) focus on endings when they read and (2) monitor their own written work. We believe that in speech, adjective endings are probably first acquired in fixed phrases such as *guten Morgen, kaltes Bier, ein schöner Tag,* and so forth. We have divided the explanation into two parts, nominative/accusative and dative/plural, explaining first the general principle of only one gender-marked inflection and then the distribution of *-e/-en* for the unmarked inflections.

10.1 Adjektive 1: Form und Verwendung

A. Attributiv und prädikativ

Adjectives used in front of nouns are called attributive adjectives and have endings similar to the forms of the article: **kalter, kaltes, kalte, kalten, kaltem.** Adjectives that follow the verb **sein** and a few other verbs are called predicate adjectives and do not have any endings.

> **Heiße** Würstchen! Ich verkaufe **heiße** Würstchen! —Verzeihung, **sind** die Würstchen auch **heiß**? —Natürlich, was denken Sie denn?!
> *"Hot dogs! I'm selling hot dogs!" "Excuse me, are the hot dogs really hot?" "Of course, what do you think?!"*

> Zum Frühstück möchte ich ein **weichgekochtes** Ei.
> *I'd like a soft-boiled egg for breakfast.*

> Welche Farbe gefällt Ihnen besser, **rot** oder **grün**? —**Rot.** —Dann nehmen Sie doch den **roten** Pullover. Oder ist Ihnen der zu **rot**?
> *"Which color do you prefer, red or green?" "Red." "Then why don't you take the red sweater? Or do you think it's too red?"*

B. Adjektivendungen

Recall the forms of the definite article **der/das/die** and the forms of **dieser.**

	M	N	F	PL
NOM	der	das	die	die
	dieser	dieses	diese	diese
AKK	den	das	die	die
	diesen	dieses	diese	diese
DAT	dem	dem	der	den
	diesem	diesem	dieser	diesen

The final letter(s) or endings of the determiner* usually signal the gender, number, and case of the noun that follows. These so-called signals are as follows.

	M	N	F	PL
NOM	er	es	e	e
AKK	en	es	e	e
DAT	em	em	er	en

---

*A determiner is an article (**der, ein, kein**) or a similar word, such as **dieser**, or a possessive pronoun (**mein, dein**, and so on).

When there is only an adjective in front of the noun without a determiner, the adjective takes the ending (signal) the determiner would have taken.

heiße Würstchen   mit **alten** Menschen
die Würstchen   mit den Menschen

When a determiner that has no ending is present, the following adjective will take the signal.*

ein kalter Winter   **kein** schönes Wetter
der Winter   das Wetter

mein kleiner Bruder   **ihr** blaues Kleid
der Bruder   das Kleid

Rule 1: One signal is enough!

Compare the following phrases.

1		das	Kind
2		dieses	Kind
3		das liebe	Kind
4		liebes	Kind
5	ein liebes		Kind

All phrases contain one and only one signal. In phrases 1–3 the signal is on the determiner. Therefore, the adjective ends in **-e** in phrase 3—keep in mind that all attributive adjectives end at least in **-e**. In phrases 4–5 the signal is on the adjective, because there either is no determiner, as in 4, or because the determiner does not show the signal, as in 5.

Übung 1

Im Spezialitätengeschäft: Sie sind in einem Spezialitätengeschäft und dürfen alles probieren. Alles ist so toll, daß Sie wissen wollen, aus welchen Ländern die verschiedenen Sachen kommen.

MODELL: Tee . . . indisch →
Wie schmeckt Ihnen der Tee? —Gut! Ist es indischer Tee?

1. die Marmelade . . . englisch
2. der Tabak . . . türkisch
3. der Salat . . . holländisch
4. der Kuchen . . . dänisch
5. die Pfirsiche . . . griechisch

6. die Orangen . . . spanisch
7. die Tomaten . . . italienisch
8. das Weißbrot . . . französisch
9. der Rotwein . . . portugiesisch
10. die Weißwurst . . . bayrisch

---

*The indefinite and negative articles (**ein**, **kein**) and the possessives (**mein**, **dein**, and so on) do not have an ending in the masculine nominative and the neuter nominative and accusative.

Übung 2

Der Gourmet: Michael ist etwas Besseres, oder glaubt es zumindest zu sein, und ißt und trinkt daher nicht alles, sondern nur, was er für fein hält. Übernehmen Sie Michaels Rolle.

MODELL: (der) Käse . . . dänisch
     A: Magst du Käse?
     B: Ja, aber nur dänischen!

1. (das) Bier . . . amerikanisch
2. (der) Kaviar . . . russisch
3. (der) Wein . . . französisch
4. (die) Salami . . . italienisch

5. (der) Reis . . . chinesisch
6. (der) Thunfisch . . . japanisch
7. (der) Spargel . . . deutsch
8. (die [*pl.*]) Muscheln . . . spanisch

Übung 3

Japanischer Tee. Bitte ergänzen Sie.

Das ist japanisch_____ Tee. Japanisch_____ Tee muß man auch aus japanisch_____ Porzellan trinken. Andrea hat japanisch_____ Tee lieber als englisch_____ Tee. Die Engländer trinken schwarz_____ Tee immer mit Milch und Sahne. Auch ich finde, daß english_____ Tee mit süß_____ Sahne wirklich besser schmeckt. Man muß Tee sehr heiß trinken. Nur heiß_____ Tee schmeckt richtig gut. Besonders wenn es draußen kalt ist. Und mit echt_____ westindisch_____ Rum schmeckt er natüurlich noch besser.

Übung 4

Minidialoge auf dem Markt. Bitte ergänzen Sie.

A: Schön_____, rot_____ Rosen!
B: Sind die Rosen auch frisch?
A: Aber natürlich! Ich habe nur frisch_____ Blumen.

C: Was möchten Sie bitte?
D: Ich hätte gern Tee mit Rum.
C: Wollen Sie ihn mit weiß_____ Rum oder mit normal_____?

E: Bayrisch_____ Käse!
F: Ja, aus deutsch_____ Landen frisch auf den Tisch.

G: Hier habe ich eine Überraschung für sie.
H: Wie wunderbar! Russisch_____ Kaviar! Mit russisch_____ Kaviar könnten Sie mich verführen (*tempt*).

I: Frisch_____ Obst! Frisch_____ Gemüse! Frisch aus Kalifornien!

J: Haben Sie auch kalifornisch_____ Orangen?

I: Aber natürlich!

K: Gut_____ deutsch_____ Markenbutter!

L: Haben Sie auch holländisch_____ Käse?

K: Na klar!

C. Artikel und Adjektiv

When a noun phrase consists of a determiner and an adjective, the determiner usually carries the signal, and consequently the adjective does not need one. Compare the following phrases.

NOM	Das ist	**der junge**	Mann.
DAT	Ich spreche mit	**der jungen**	Frau.
NOM	Hier ist	**die junge**	Frau.
PL	Kennst du	**die jungen**	Frauen.
AKK	Siehst du	**den jungen**	Mann.

An adjective that does not need a signal takes an **-n** in all forms of the dative and the plural, and in the masculine accusative. Otherwise, it ends in **-e**.

	M	N	F	PL
NOM	e	e	e	en
AKK	en	e	e	en
DAT	en	en	en	en

Rule 2: When the adjective itself does not need a signal, it takes an -n "outside of Oklahoma."

In parallel constructions, all adjectives in a row take the same ending.

In Berlin kenne ich eine **schöne alte** Kneipe.
In Berlin, I know a nice old bar.

Diese **süßen kleinen** Teddybären möchte ich alle haben.
I want to have all these cute little teddy bears.

Übung 5. Michael's sentences all use the accusative case and Maria's sentences the nominative case. Remind students that unmarked plural endings are *-en* and that this ending distinguishes plural from feminine singular nouns: *die schwarze Hose, die schwarzen Hosen.*

Übung 5

Im Geschäft: Michael hat kein Geld, aber er möchte alles kaufen. Maria muß ihn immer bremsen.

MODELL: der Schirm / weiß →

MICHAEL: Den weißen Schirm da kaufen wir.

MARIA: Nein, der weiße Schirm ist viel zu teuer.

1. die Hose / schwarz
2. die Schuhe / grün
3. die Baseballmütze / gelb
4. die Sandalen / leicht

5. das Hemd / schick
6. die Unterhose / modisch
7. der Schlafanzug / blau

8. der Bademantel / grau
9. die Socken / rot
10. die Handschuhe / hellbraun

Übung 6. The question uses the nominative case and the answer the accusative case. Watch out for the change to *Gefallen Ihnen* . . . with plural nouns.

Übung 6

Lieber etwas anderes.

MODELL: der Schirm / weiß / rot →
      Gefällt Ihnen der weiße Schirm?
      Nicht so richtig. Ich nehme lieber den roten.

1. die Bluse / kariert / gestreift
2. das Hemd / blau / grün
3. die Stiefel / braun / grau

4. die Schuhe / schwarz / blau
5. der Mantel / dick / dünn
6. die Hose / lang / kurz

10.2. In this section we explain formally the use of endings on comparatives and ordinals, which were introduced with informal guidelines early in this text.

10.2 Adjektive 2: Komparation und Ordnungszahlen

A. Komparation

As you recall from Chapter 7, the superlative form of adjectives ends in **-e** or **-en**. Now you know the reason why. When used attributively (before the noun), the superlative as well as the comparative forms have adjective endings.*

    Nimm doch den schnelleren Wagen!
    Why don't you take the faster car!

    Wer ist wohl der reichste Mann der Welt?
    Who, I wonder, is the richest man on earth?

B. Ordnungszahlen

Now you may also begin to understand the endings of the ordinal numbers. Compare the phrases **der erste Januar** and **am ersten Januar**. The first phrase contains a nominative singular form—**erste**—which does not take an **-n**, whereas the second phrase contains a dative form—**ersten**—which does require an **-n**.

    Welches Datum haben wir heute? —Heute ist **der achte März** (Nom).
    "What's the date today?" "Today's the eighth of March."

    Wann kommen deine Eltern zurück? —**Am fünften Februar** (Dat).
    "When are your parents coming back?" "On the fifth of February."

---

*The superlative form in the phrase **am besten** (**am schnellsten**, **am weitesten**, and so on) ends in **-en** because it follows the dative **am** (**an dem**).

Whether ordinal numbers are used in dates or in other expressions of sequence, the same rules for adjective endings apply.

> Nora ist **das zweite** von vier Kindern.
> *Nora is the second of four children.*

> Hawai ist **der fünfzigste Staat** der USA.
> *Hawaii is the fiftieth state of the USA.*

> Er hatte kaum **sein einundzwanzigstes Lebensjahr** erreicht.*
> *He had barely reached his twenty-first year.*

Recall that with the exception of **erst-**, **dritt-**, **siebt-**, and **acht-**, the ordinal numbers from 1 to 19 are formed by adding **-t-** and those above 19 by adding **-st-** to the corresponding cardinal number.

Note that dates written at the beginning of letters, diary entries, and so on signal a definite time and are in the accusative case.†

> Regensburg, **den** 4. März 1987

Übung 7

Mehr geht leider nicht!

MODELL: die Stiefel / warm →
   Sind das die wärmsten Stiefel?
   Ja, wärmere haben wir leider nicht.

1. die Handschuhe / klein
2. die Socken / dick
3. die Unterhosen / groß

4. die Absätze / hoch
5. die Strumpfhosen / dünn
6. die Sandalen / leicht

Übung 8

Bitte vergleichen Sie.

Nützliche Wörter: das Auto, der Berg, der Fluß, die Frucht, der Monat, die Stadt

MODELL: Würzburg (klein) / Bremen →
   Würzburg ist eine kleinere Stadt als Bremen.

---

*Ordinal numbers above 12 are usually not spelled out, but rather a period is put after the numeral: **das 14. Regiment**. All dates are written this way as well: **am 22. August, der 3. Oktober**.
†When dates are given in German, the day precedes the month: 1.6. 1966 = 1. Juni 1966; 10.12. 1980 = 10. Dezember 1980.

1. San Francisco (schön) / Los Angeles
2. Weintrauben (süß) / Zitronen
3. ein Porsche (schnell) / ein Dodge Colt
4. der Mount Everest (hoch) / die Zugspitze
5. der August (heiß) / der Januar
6. der Amazonas (lang) / der Main

Übung 9

Weltrekorde

1. Die _____ Wurst der Welt war fast 9 km lang.
2. Der _____ Mann der Welt war 2,72 m groß.
3. Der _____ Wein der Welt kostet 62 000.- DM.
4. China ist das Land mit den _____ Menschen.
5. Chinesisch ist die _____ geschriebene Sprache der Welt. Sie ist über 6 000 Jahre alt.
6. Das _____ Tier der Welt ist der Gepard (*cheetah*). Er kann 101 km pro Stunde laufen.

Übung 10

Übung 10. Nacht der heiligen Walpurga: The night that witches are believed to meet on the Blocksberg (Brocken) in the Harz mountains for their sabbath. To ward off the witches, people used to put up three crosses and certain herbs at their stables to protect the stock. Other spells to ward off the witches: ringing of churchbells, whip lashes, lighting of Walpurgis bonfires.

Lesen Sie die folgenden Sätze laut und schreiben Sie dann die Daten aus.

MODELL: Der 1.1. 1988 war ein Freitag. →
Der erste Erste 1988 war ein Freitag.

1. Am 14.12. 1911 erreichte Roald Amundsen als erster den Südpol.
2. Am 6.12. feiert man in vielen europäischen Ländern den Nikolaustag.
3. Den 1.5. feiert man auch in der DDR als Tag der Arbeit.
4. Der 26.12. ist in der Bundesrepublik ein Feiertag.
5. Der 30.4. ist die Walpurgisnacht.
6. Am 18.11. hat Mickymaus Geburtstag.
7. Den 4.7. feiert man in Amerika als Unabhängigkeitstag.
8. Am 15.6. 1215 wurde in England die Magna Carta unterzeichnet.
9. Am 14.7. 1789 begann die Französische Revolution.

10.3 Pronomen 3: welcher, jeder, mancher, solcher

In addition to **der**, **ein/kein** and possessives, there are several other common determiners: **welcher** (*which*), **jeder** (*each*), **mancher** (*some*), and **solcher** (*such a*). These determiners, like **dieser** and **jener**, take the same endings as **der/das/die**.

Welche Stadt meinst du denn?*
Which town are you referring to?

Ich war **in jeder Bar** der Stadt.
I was in every bar in the town.

Manches Wochenende verbrachte ich damals am Strand.
At that time I spent many a weekend at the beach.

Mit solchen Leuten kann man sich nicht amüsieren.
With people like that you can't have fun.

Use **was für ein** (*what kind[s] of*) instead of **welcher** when referring to a class rather than to individual items.

Was für eine Zeitung hätten Sie denn gern? —Eine Tageszeitung.
"What kind of newspaper would you like?" "A daily newspaper."

Welche Zeitung hätten Sie denn gern? —Die „Süddeutsche Zeitung",
    bitte.
"Which newspaper would you like?" "The Süddeutsche Zeitung, *please."*

Use **jeder** only in the singular; in the plural use **alle**.

Das weiß doch **jedes Kind**!
Every child knows that!

Alle Kinder wußten die Antwort.
All children knew the answer.

In casual speech it is common to use **so ein** instead of **solcher** in the singular.

So eine Niederlage hatte der FC Bayern lange nicht mehr erlebt.
The FC Bayern hadn't experienced such a defeat in a long time.

Mancher is used mainly in the plural; neither **mancher** not its counterpart **manch ein** are very common in the singular.

Manche Leute lernen es einfach nie.
Some people just never learn.

Übung 11

Welcher? Was für ein?

Was für eine Zeitung hätten Sie denn gern?	Von einem zwölfjährigen
Welche Zeitung möchten Sie?	Von Nora
Von welchem Mädchen sprichst du?	Eine Abendzeitung

---

*When **welche** is not at the beginning of a clause, it may also mean *some*.

Ich kenne noch **welche**.
I know some more.

Von was für einem Mädchen sprichst du?	„Die Frankfurter Allgemeine"
Was für ein Bier möchtest du?	Klassische Musik
Welches Bier möchtest du?	Ein interessantes
Was für ein Buch lesen Sie gerade?	Ein gutes
Welches Buch lesen Sie gerade?	Das bayrische
Welche Platte möchtest du hören?	„Stiller" von Max Frisch
Was für Musik hörst du gern?	Beethovens Neunte

10.4. English, of course, also makes these sorts of distinctions, but many of your students may not.

10.4 stehen/stellen, sitzen/setzen, liegen/legen

German very carefully differentiates the position of objects or people in space, for example, whether they stand (**stehen**), sit (**sitzen**), or lie (**liegen**).

> Eine Flasche Wein **steht** auf dem Tisch.
> *A bottle of wine is (standing) on the table.*
>
> In der Ecke **sitzt** die Großmutter und liest.*
> *The grandmother sits in the corner and reads.*
>
> Auf dem Boden **liegt** ein Buch.
> *There is a book (lying) on the floor.*

For this reason, the English verbs *put* or *place* have three equivalents in German that specify whether something has been positioned to stand, to sit, or to lie.

> **Stell** den Wein auf den Tisch.
> *Put (Stand) the wine on the table.*
>
> Dann kannst du dich in den Sessel **setzen**.
> *Then you can sit down in the easy chair.*
>
> **Leg** das Buch neben den Wein.
> *Put (Lay) the book next to the wine.*

Note that **stehen**, **sitzen**, and **liegen** require a dative object with prepositions that can take either dative or accusative objects, since these verbs represent position; **stellen**, **setzen**, and **legen** require an accusative object with those prepositions because they represent motion toward a destination.

> Wohin **stellst** du die Blumen? —**Auf den Tisch.**
> *"Where are you putting the flowers?" "On the table."*
>
> Wo **stehen** die Blumen? —**Auf dem Tisch.**
> *"Where are the flowers?" "On the table."*

The three verbs that denote position in space have irregular past-tense forms, whereas those that denote movement in space have regular past-tense forms.

---

*Use **sitzen** only with people and animals, not with objects.

Zuerst **standen** die Blumen auf dem Tisch. Dann **stellte** er sie auf den Schrank.
First, the flowers were on the table. Then he put them on the cupboard.

Albert **saß** zuerst auf dem Stuhl. Dann **setzte** er sich neben Nora aufs Sofa.
First, Albert sat on the chair. Then he sat down next to Nora on the couch.

Die Teile der Sonntagszeitung **lagen** überall im Zimmer herum. Monika nahm sie und **legte** sie fein säuberlich auf das Telefontischchen.
Parts of the Sunday paper were lying all over the room. Monika took them and put them neatly on the telephone stand.

Übung 12. You might explain that the *Sonnenschirm* is separate from the table and also explain how it works. Most American students would expect the umbrella to be attached to the middle of the table.

Übung 12

Das Picknick: Maria und Michael bereiten ein Picknick in ihrem Garten vor. Michael, der große Organisator, gibt Befehle. Maria hat allerdings schon alles gemacht. Übernehmen Sie Marias Rolle.

MODELL: Stell den Tisch in den Garten. →
Er steht schon im Garten.

1. Stell den Sonnenschirm neben den Tisch.
2. Leg das blaue Tischtuch auf den Tisch.
3. Stell die Rosen auf den Tisch.
4. Stell die Teller auf den Tisch.
5. Leg die Servietten neben die Teller.
6. Leg die Gabeln und Messer auf die Servietten.
7. Stell die Weingläser hinter die Teller.
8. Stell die Wassergläser neben die Weingläser.

Übung 13

Minidialoge: Ergänzen Sie Artikel oder Pronomen.

A: Wohin stellst du die Blumen?
B: Auf _____ Tisch.

C: Warum setzt du dich nicht an _____ Tisch?
D: Ich sitze hier auf _____ Sofa bequemer.

E: Bitte leg meine Bücher auf _____ Regal.
F: Sie liegen schon dort auf _____ Tisch.

G: Ich kann meine Brille nicht finden.
H: Sie sitzt auf dein _____ Nase.

I: Steht der Wein noch (in) _____ Kühlschrank?

J: Nein, er steht auf _____ Schrank, neben _____ Gläsern.

K: Was machst du heute?

L: Ich lege mich den ganzen Tag (in) _____ Bett.

K: Liegst du denn schon (in) _____ Bett?

L: Nein, jetzt sitze ich noch an mein_____ Schreibtisch.

M: Hast du die Suppe auf _____ Herd gestellt?

N: Sie steht schon seit einer Stunde auf _____ Herd.

O: Wo ist der Stadtplan?

P: Er liegt in dein_____ Tasche.

KAPITEL 11

Der Hauptbahnhof
in Frankfurt
am Main

In Kapitel 11 you will talk more about travel and travel-related experiences: getting around in unfamiliar places, following directions, reading maps, and so on. You will also learn more about places to visit in the German-speaking countries and about tourism there.

AUF REISEN

THEMEN
Reisepläne
Den Weg finden
Tourismus

ZUSÄTZLICHE TEXTE
Köln und Düsseldorf: Claire
Anzeige: Das Hotel „Zum Goldenen Anker"
In der großen weiten Welt: Jürgen erzählt

STRUKTUREN
11.1 Konjunktiv II 1: Höflichkeitsform der Modalverben
11.2 Adjektive 3: substantivierte Adjektive
11.3 hin und her
11.4 Präpositionen 7: den Weg beschreiben
11.5 Modalverben 5: doppelter Infinitiv
11.6 Reflexiva 2: Verben mit festen Präpositionen

GOALS

Chapter 11 continues the focus
on travel that was begun in
Chapter 7, but now we emphasize travel in Europe. The activities include common travel situations and topics: making travel
plans and reservations, using
maps, going to hotels, restaurants, and supermarkets. We
also include information on tourist attractions in Europe.

SPRECHSITUATIONEN

REISEPLÄNE

 Grammatik 11.1–2

Talk about a trip you once took. In your input introduce as many new items from the display as possible.

DAS REISEBÜRO

der Reisepaß

der Flugschein

die Buchung

der Angestellte   die Fahrkarte

—Wir möchten einen Flug buchen.
—Hin und zurück?

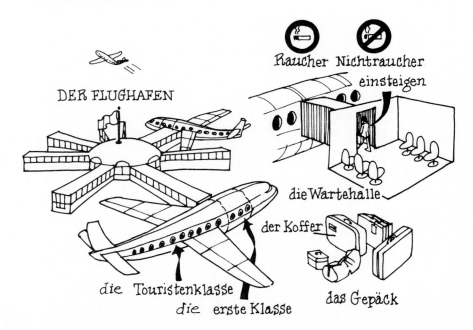

DER FLUGHAFEN

Raucher   Nichtraucher

einsteigen

die Wartehalle

der Koffer

die Touristenklasse
die erste Klasse

das Gepäck

—Möchten Sie einfache
Fahrt oder hin
und zurück?
—Hin und zurück, bitte.

—Wann fährt der Zug nach
Frankfurt?
—Um 10.00 Uhr auf Gleis 10.

Situation 1.   Was könnte man machen?

Stellen Sie sich vor, Sie sind mit Freunden an verschiedenen Orten. Machen Sie
Vorschläge, was man tun könnte.

MODELL: Sie sind eben in Hamburg angekommen. →
Wir könnten fotografieren oder essen gehen oder . . .

1. Sie sind auf Schloß Neuschwanstein in Oberbayern.
2. Sie sind im Bus auf dem Weg zum Strand auf der Nordseeinsel Sylt.
3. Sie sind im Flugzeug nach Spanien. Der Flug dauert noch drei Stunden.
4. Sie sind in einem Hotel in Berlin. Sie sind gerade vom Flughafen gekommen.
5. Sie sind in einem wunderschönen Tal in den Schweizer Alpen.
6. Sie sind in der Leipziger Altstadt.

Situation 2.   Interaktion: Reisebüro

```
                          REISELADEN BERLIN


                             Gneisenaustr. 95
                             1000 Berlin 62
                             Tel. 683 97 64

                      Preiswerte Flüge in alle Welt:

    Auckland            3.100,-      Kairo              1.776,-
    Bangkok             1.498,-      Lima               1.818,-
    Barcelona             588,-      Mexiko             1.665,-
    Casablanca            690,-      Nairobi            1.632,-
    Chicago             1.110,-      New York             799,-
    Colombo             1.632,-      Rio de Janeiro     2.600,-
    Delhi               1.499,-      Stockholm            365,-
    Fuerteventura         767,-      Tokio              2.370,-
    Gran Canaria          712,-      Tunis                550,-
    Havana              1.193,-      Wien                 445,-
```

S1: Haben Sie einen preiswerten Flug von Berlin nach Colombo?
S2: Ja, natürlich.
S1: Was kostet der Flug?
S2: 1.632 Mark.

Sit. 3. Have students act out a similar dialogue.

Situation 3. Dialog: Am Fahrkartenschalter

Silvia möchte mit dem Zug von Göttingen nach München fahren. Sie erkundigt sich am Fahrkartenschalter auf dem Bahnhof nach der günstigsten Verbindung.

BAHNBEAMTER: Bitte schön?

SILVIA: Ich möchte morgen nach München fahren. Wann geht der erste Zug?

BAHNBEAMTER: Moment, da muß ich nachsehen . . . um 6.30 Uhr.

SILVIA: Das ist mir ein bißchen zu früh. Wann geht der nächste?

BAHNBEAMTER: Um 8.05 Uhr geht ein Intercity über Würzburg und Nürnberg nach München.

SILVIA: Gut. Eine Fahrkarte bitte.

BAHNBEAMTER: Einfach oder Hin- und Rückfahrt?

SILVIA: Hin und zurück bitte.

BAHNBEAMTER: Möchten Sie erster oder zweiter Klasse fahren?

SILVIA: Zweiter Klasse bitte.

BAHNBEAMTER: Das macht dann 138 Mark bitte.

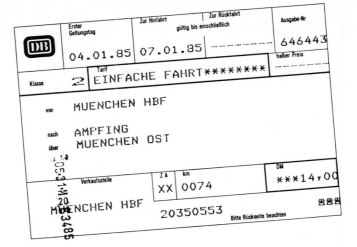

Situation 4.   Eigene Dialoge: Reiseprobleme

Das Gepäck wiegt zuviel

Sit. 4. Ask students to think about the first dialogue and ask them to name things they would leave behind if they had to in a situation like that. Have students work in groups to act out and explain the dialogue and their choices.

Herr und Frau Wagner wollen eine Reise nach Italien machen. Sie haben einen Flug nach Rom gebucht und sind jetzt auf dem Münchner Flughafen Riem am Gepäckschalter. Als der/die Schalterangestellte ihre beiden riesigen Koffer entgegennimmt und auf die Waage stellt, haben beide Koffer 10 Kilo Übergewicht. Herr Wagner möchte aber nicht mehr bezahlen. Übernehmen Sie die Rollen von Herrn und Frau Wagner und dem/der Angestellten.

ANGESTELLTE /
ANGESTELLTER: Tut mir leid, aber Ihr Gepäck wiegt zuviel. Das kostet extra.
HERR WAGNER: Wirklich! Warten Sie, wir nehmen etwas heraus . . .
FRAU WAGNER: Nein, das geht nicht. Völlig unmöglich . . .

Alles ausgebucht

Margret Ruf ist auf einer Geschäftsreise in London. Sie bekommt einen Telefonanruf aus München und erfährt, daß ihr Mann eine akute Blinddarmentzündung hat und im Krankenhaus liegt. Sie ruft sofort bei ihrer Fluggesellschaft an, um herauszufinden, ob es am selben Tag noch einen Flug nach München gibt. Es gibt zwar mehrere Flüge, aber sie sind schon ausgebucht. Übernehmen Sie die Rollen von Frau Ruf und dem/der Angestellten.

ANGESTELLTE /
ANGESTELLTER: Guten Tag. Was kann ich für Sie tun?
FRAU RUF: Ich brauche dringend einen Flug nach München. Am besten heute noch.
ANGESTELLTE /
ANGESTELLTER: Tut mir leid, aber es ist alles ausgebucht.
FRAU RUF: Aber . . .

Situation 5.   Anzeige: Urlaub mit Anders Reisen

Nur noch wenige Plätze frei!

3 Wochen TÜRKEI im Bus
mit
ANDERS REISEN

18. August – 7. September   1280,- DM

Auch noch keine Ahnung, wohin im Sommer in Urlaub—und mit wem? Wie wär's mit der Türkei—und mit uns? Die Reise dauert drei Wochen, genauer gesagt vom 18. August bis 7. September, und führt einmal rund durch die westliche Türkei. Geboten wird viel Abwechslung: genug Zeit, um Istanbul zu erobern und auf der Reise in die innere Türkei Land, Leute und eine Menge landschaftlicher Attraktionen kennenzulernen. Nach den Reisestrapazen ist reichlich Gelegenheit, an den weiten Stränden der türkischen Küste so richtig auszuspannen.

Gereist wird mit dem Bus, und übernachtet wird in geräumigen Zwei-Mann-Zelten, gekocht in der buseigenen Gemeinschaftsküche. Kein Luxustourismus ist angesagt, sondern eine Reise, bei der man sich gegenseitig und vor allem die Türkei hautnah kennenlernen und erleben kann.

Kosten wird der Spaß für drei Wochen 980,- DM, dazu kommen pro Woche 100,- DM in die gemeinsame Essenskasse. Macht summa summarum 1280,- DM für drei Wochen Urlaub komplett. Ist das nichts?

Wer Interesse an der Reise hat, sollte Informationsmaterial anfordern bei

ANDERS REISEN
Münchner Freiheit 15
8000 München 40
Tel. 34 32 67

Fragen

1. In welches Land kann man mit Anders Reisen fahren?
2. Mit welchem Verkehrsmittel fährt man?
3. Wie lange dauert die Reise? Was sind die genauen Daten?
4. Wie wird übernachtet und gekocht?
5. Was kann man auf der Reise alles machen?

6. Warum ist es keine Reise für Luxus-Touristen?
7. Wo kann man Informationen bekommen?

Diskussion

Was gefällt Ihnen besser, eine Pauschalreise mit einer Reisegesellschaft oder Rucksacktourismus? Warum?

DEN WEG FINDEN

Grammatik 11.3–4

Vom Schloßturm zum Karlplatz

Give TPR commands that include directions: *Gehen Sie, biegen Sie rechts/links ein, immer geradeaus weiter, gehen Sie nach rechts/links, schauen Sie, usw.*

Use an overhead projector to project a city map on the board. Make sure the map has typical places found in any German city: *Postamt, Kirche, Rathaus, Fußgängerzone, Kino, Café, usw.* Ask for volunteers to come up and trace with fingers from one place to another, following your directions. Sample sequence: *Sie sind vor dem Rathaus und wollen zum Postamt. Gehen Sie hier geradeaus und biegen Sie dann in die zweite Straße rechts ein. An der dritten Ecke gehen Sie nach links, dann kommen Sie direkt zum Postamt.* Handle these descriptions in a more natural way after you go through the more detailed descriptions, as the preceding. Use patterns such as: *Kennen Sie X? Wissen Sie wo X ist? Sehen Sie X da geradeaus? usw. Vom Rathaus zum Kino. Wo bitte ist das Rex Kino? Kennen Sie das Café X? (Ja.) Das Rex ist eine Straße weiter auf der rechten Seite.*

Gehen Sie zuerst geradeaus das Rathausufer hinunter, dann links in die Zollstraße. Dann die Zollstraße entlang über den Marktplatz. Links sehen Sie das alte Rathaus und das Standbild des Kurfürsten Johann Wilhelm II. Dann gehen Sie rechts die Marktstraße hinunter über die Kreuzung Dammstraße und Flingerstraße auf die Berger Straße. Die Berger Straße entlang über die Kreuzung Hafenstraße und Wallstraße. Halten Sie sich ein bißchen links, aber bleiben Sie auf der Berger Straße, sie führt Sie direkt zum Karlplatz.

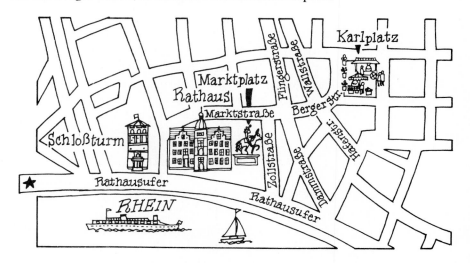

Sit. 6. Guide students through an *U-/S-Bahn* map by giving them directions that they can follow with their finger.

Situation 6. Die Schnellbahnen in München

Beschreiben Sie, wie man von einer U-Bahn- oder S-Bahnstation zur anderen kommt. Denken Sie daran, daß man oft umsteigen muß.

MODELL: Von Gauting (S6) nach Lohhof (S1)
Steigen Sie in die S6 und fahren Sie über Stockdorf und Gräfelfing in Richtung Pasing. In Pasing steigen Sie um in die S1 Richtung Freising. Die S1 hält direkt in Lohhof.

1. Vom Fasanengarten (S2) zum Marienplatz (U6)
2. Vom Olympiazentrum (U3) zur Münchner Freiheit (U6)
3. Vom Josefsplatz (U8) zum Kolumbusplatz (U1)
4. Von der Universität (U6) nach Riem (S6)
5. Von Hohenbrunn (S1) zum Goetheplatz (U6)

Situation 7.   Stadtplan von Regensburg

Erklären Sie, wie man von einem Teil der Stadt zum anderen kommt. Orientieren Sie sich an den Zahlen.

MODELL: vom Jesuitenplatz zur Goldenen-Bären-Straße: Gehen Sie links die Obermünsterstraße entlang bis zur Oberen Bachgasse. Dann rechts in die Obere Bachgasse hinein, geradeaus über die Gesandtenstraße, in die Untere Bachgasse und weiter bis zum Kohlenmarkt. Geradeaus weiter und Sie sind in der Goldenen-Bären-Straße.

1. vom Dachau Platz zur Keplerstraße
2. vom Domplatz zur Marschallstraße

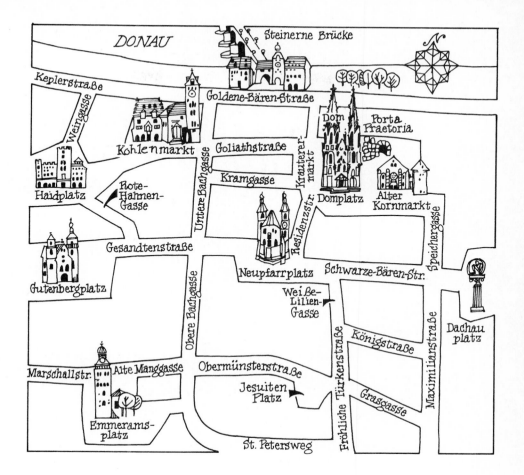

3. von der Ecke Grasgasse und Maximilianstraße zur Goliathstraße
4. vom Gutenbergplatz zum Krauterermarkt
5. von der Porta Praetoria zur Weingasse
6. vom Haidplatz zur Fröhlichen Türkenstraße
7. vom Alten Kornmarkt zur Steinernen Brücke
8. vom Emmeramsplatz zum Dom

Situation 8.   Eigener Dialog: Wo ist die nächste Tankstelle?

Auf dem Weg zum Einkaufen hält neben Ihnen ein Auto voller Touristen. Die Touristen fragen Sie nach dem Weg zur nächsten Tankstelle.

EIN TOURIST: Entschuldigung. Gibt es hier in der Nähe eine Tankstelle?
SIE: Ja, fahren Sie . . .

TOURISMUS

☞   **Grammatik 11.5–6**

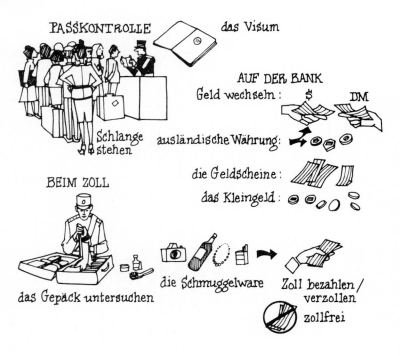

PASSKONTROLLE das Visum

Schlange stehen

AUF DER BANK

Geld wechseln : $ DM

ausländische Währung :

die Geldscheine :

das Kleingeld :

BEIM ZOLL

das Gepäck untersuchen

die Schmuggelware

Zoll bezahlen / verzollen

zollfrei

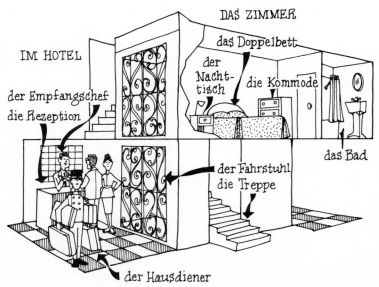

DAS ZIMMER

das Doppelbett

IM HOTEL

der Nacht-tisch

die Kommode

der Empfangschef
die Rezeption

das Bad

der Fahrstuhl
die Treppe

der Hausdiener

Situation 9. Eigener Dialog: Probleme beim Zoll

Renate und ihre Freundin Gabi packen in einem Hotel ihre Koffer. Sie sind in Spanien im Urlaub und fliegen morgen zurück nach Berlin. Sie haben viele Geschenke für Freunde und Verwandte gekauft. Für Schmuck und einige andere teure Geschenke müssen sie bei der Einreise nach West-Berlin Zoll bezahlen. Gabi will die teuren Dinge verstecken und schmuggeln, vor allem die kleinen. Für sie ist das ganz selbstverständlich. Übernehmen Sie die Rollen von Renate und Gabi.

Renate und Gabi.

RENATE: Aber Gabi, ich kann doch
beim Zoll nicht lügen!

GABI: Wer spricht denn von lügen!
Wir gehen einfach hin und ...

RENATE: Aber ich glaube ...

GABI: Das Problem ist, daß du ...

Situation 10. Anzeige: Die Schweizerische Volksbank macht mehr aus Ihrem Geld!

Für die Schweiz sprechen ihre politische Stabilität, ihre wirtschaftliche Sicherheit und eine der härtesten Währungen der Welt.

Für die Schweizerische Volksbank sprechen über 5000 erfahrene Mitarbeiter, über 115 Jahre Erfahrung und eine schnelle und zuverlässige Beratung.

Unsere Kreditkarten und Schecks ermöglichen Ihnen eine angenehme und problemlose Geschäftsabwicklung auch im Ausland. Unsere Reiseschecks machen Ihren Urlaub zum sorgenfreien Vergnügen.

Investieren Sie einen Brief, oder schauen Sie doch einfach bei uns vorbei. Die Schweiz und die Schweizerische Volksbank haben etwas zu bieten.

SCHWEIZERISCHE VOLKSBANK
Generaldirektion: Öscherstraße 10, CH-3001 Bern

Sie finden uns in Zürich an der Bahnhofsstraße genauso wie in Basel, St. Gallen, Schaffhausen, Lugano, Ascona, Locarno, Genf, Montreux, Luzern und St. Moritz. Oder in mehr als 140 anderen Orten in der Schweiz.

Fragen

1. Welche Vorteile hat die Schweiz?
2. Was spricht für die Schweizerische Volksbank?
3. Was kann man bei der Schweizerischen Volksbank bekommen?
4. Wie kann man sich über die Bank informieren?
5. Wo gibt es diese Bank überall?

Situation 11.   Interviews

Paßkontrolle und Zoll

1. Warst du schon im Ausland?
2. Hast du einen Reisepaß gebraucht? Wo hast du ihn beantragt?
3. Hast du durch die Paßkontrolle und durch den Zoll gemußt?
4. Hast du den Beamten deinen Paß zeigen müssen? Hat es lange gedauert?
5. Hast du deine Koffer auspacken müssen?
6. Wonach, glaubst du, suchen die Zollbeamten?

Beim Geldwechseln

1. Warst du schon in Ländern, wo man nicht mit Dollar bezahlen konnte?
2. Welche Währung hast du gebraucht?
3. Hast du auf einer Bank Geld gewechselt?
4. Hast du viel Geld gewechselt? Warum (nicht)?
5. War es schwierig, sich an die ausländische Währung zu gewöhnen? Warum (nicht)?

Situation 12.   Eigener Dialog: Beim Geldwechseln

Sie arbeiten am Schalter einer Bank. Ein Tourist aus den USA möchte Reiseschecks in D-Mark wechseln. Leider hat er seinen Reisepaß im Hotel vergessen und kann sich nicht ausweisen.

SIE: Was kann ich für Sie tun?
TOURIST: Ich möchte Reiseschecks einwechseln.
SIE: Gern. Darf ich bitte Ihren Reisepaß haben?
TOURIST: Meinen Reisepaß? Den habe ich . . .
SIE: Tut mir leid . . .

Situation 13.   Dialog: Auf Zimmersuche

Herr und Frau Frisch machen einen Kurzurlaub in Oberbayern. In einem idyllischen Ort suchen sie ein Zimmer für drei Nächte.

Sit. 11. If the answer to the first question is *nein*, have the students make up answers to the rest of the questions.

AA 2. TPR. Sample sequence: *Ankunft im Hotel: Sie kommen in einem Taxi am Hotel an. Steigen Sie aus und nehmen Sie Ihr Gepäck aus dem Kofferraum. Bezahlen Sie den Fahrer. Nehmen Sie Ihr Gepäck und gehen Sie an die Rezeption. Füllen Sie die Anmeldeformulare aus und folgen Sie dann dem Portier auf Ihr Zimmer. Nehmen Sie den Aufzug zum siebten Stock. Gehen Sie im siebten Stock zu Ihrem Zimmer, öffnen Sie die Tür und treten Sie ein. Lassen Sie sich den Schlüssel geben, geben Sie dem Portier ein Trinkgeld, sagen Sie, daß Sie zufrieden sind und „Danke!" Legen Sie sich aufs Bett, testen Sie es und ruhen Sie sich aus.*

Sit. 12. Make allowance for reversal of roles: *Tourist/in.*

Sit. 13. Tell students that in most hotels and especially in *Pensionen* breakfast is included in the price. Some rooms in *Pensionen* do not have a private bath or shower.
  Make allowance for reversal of roles: *Frau Frisch/Wirt.*

HERR FRISCH: Guten Tag. Haben Sie noch ein Doppelzimmer frei?

WIRTIN: Das kommt darauf an. Wie lange wollen Sie denn bleiben?

HERR FRISCH: Drei Tage.

WIRTIN: Ich habe noch ein Doppelzimmer mit Dusche und Toilette.

HERR FRISCH: Gut. Wieviel kostet es denn?

WIRTIN: 21 Mark pro Person mit Frühstück.

HERR FRISCH: Können wir das Zimmer mal sehen?

WIRTIN: Gern. Kommen Sie bitte mit.

Sit. 14. Make allowance for *Empfangschefin/Sie.*

Situation 14. Eigener Dialog: Haben Sie ein Zimmer frei?

Sie sind gerade in Nürnberg angekommen, nachdem Sie den ganzen Tag auf der Autobahn gefahren sind. Sie sind sehr müde und möchten nur für eine Nacht ein Zimmer, weil Sie am nächsten Tag nach München weiterfahren wollen. Sie sind im Gasthaus „Zum Adler" an der Rezeption. Informieren Sie sich über das Zimmer und entscheiden Sie, ob Sie es nehmen.

EMPFANGSCHEF: Guten Abend, bitte schön?

SIE: Haben Sie noch ein Einzelzimmer?

EMPFANGSCHEF: Ein Einzelzimmer? Natürlich. Möchten Sie ein Zimmer mit Dusche und Toilette oder mit Bad?

SIE: Ich möchte . . .

Sit. 15. Let students work in groups of two and then report on the answers of the interviewee.

Situation 15. Interview: Unterkunft

1. Hast du schon einmal eine Unterkunft im Ausland gesucht? Wo? War es schwierig? Warum (nicht)?

2. Mit wem warst du unterwegs? Hast du ein Hotel oder eine Jugendherberge gesucht? Welche Vorteile hat ein Hotel? Welche Vorteile hat eine Jugendherberge?
3. Warst du schon einmal in einem Luxushotel? Wo? Warum? Wie war es?
4. Warst du schon einmal in einem schlechten Hotel? Wo? Warum?

Situation 16.   Gute Ratschläge für die Reise

Sie sind 20 Jahre und wollen mit Freunden zum ersten Mal nach Europa fliegen. Ihr Vater gibt Ihnen gute Ratschläge. Sagen Sie, ob Sie sie befolgen wollen oder nicht.

MODELL: Ruft mich an, wenn ihr irgendwelche Probleme habt. →
        Gut, wir rufen dich an, wenn wir irgendwelche Probleme haben. /
        Warum sollen wir dich denn anrufen?

1. Geht abends nicht allein weg.
2. Eßt nur in guten Restaurants.
3. Schlaft nicht im Park.
4. Seid vorsichtig beim Schwimmen im Meer.
5. Schreibt mir jeden Tag eine Karte.

Situation 17.   Eine Reise nach Europa

Sie machen Pläne für eine Reise nach Europa. Sagen Sie, was Sie wo machen.

MODELL: Die Koffer packe ich, wenn ... →
        Die Koffer packe ich, wenn ich zu Hause bin.

1. Die Flugscheine kaufe ich, wenn ...
2. Etwas zu lesen kaufe ich, wenn ...
3. Meine Eltern (meinen Freund/meine Freundin) rufe ich an, wenn ...
4. Geld wechsle ich, wenn ...
5. Ein Auto miete ich, wenn ...

VOKABELN

Reisen und Tourismus — Travel and Tourism

anforden, angefordert	to order
auspacken, ausgepackt	to unpack
aussteigen, stieg . . . aus, ist ausgestiegen	to get out/off
mieten	to rent
übernachten, übernachtet	to spend the night
umsteigen, stieg . . . um, ist umgestiegen	to change (*trains, planes, or buses*)
verzollen, verzollt	to declare (*goods at customs*)
wiegen, wog, gewogen	to weigh
der Bahnbeamte, -n (ein Bahnbeamter) / die Bahnbeamtin, -nen	railroad clerk
der Bahnhof, ¨e	railroad station
der Beamte, -n (ein Beamter) / die Beamtin, -nen	public employee; civil servant
die Buchung, -en	reservation
das Doppelzimmer, -	double room
die Einreise	entry (*into another country*)
das Einzelzimmer, -	single room
der Empfangschef, -s / die Empfangschefin, -nen	receptionist
der Fahrkartenschalter, -	ticket office, counter
das Gasthaus, ¨er	inn
der Geldschein, -e	banknote
der Gepäckschalter, -	baggage office, window
das Gleis, -e	platform
der Hausdiener, -	porter
die Hin- und Rückfahrt	round trip
die Jugendherberge, -n	youth hostel
das Kleingeld	change (*coins*)
die Paßkontrolle, -n	passport check
Raucher	smoking section
die Reisegesellschaft, -en	travel company
die S-Bahn, -en (Stadtbahn)	city train
der Schalter, -	counter, window
die Schlange, -n	line
die Schmuggelware, -n	contraband
das Übergewicht	excess weight
die Unterkunft, ¨e	accommodation
die Verbindung, -en	connection
die Waage, -n	scales
die Währung, -en	currency
die Wartehalle, -n	waiting room
der Zoll	customs
beim Zoll	in customs
der Zollbeamte, -n (ein Zollbeamter) / die Zollbeamtin, -nen	customs officer
ausgebucht	booked up
geräumig	spacious
günstig	inexpensive
hautnah	at close range
landschaftlich	scenic
preiswert	reasonably priced
unterwegs	on the road, while traveling
weit	far
zollfrei	duty free
Erster oder zweiter Klasse?	First or second class?
Geld (ein)wechseln, (ein)gewechselt	to exchange money
ein Visum beantragen, beantragt	to apply for a visa
Wann geht der Zug?	When does the train leave?

Ähnliche Wörter: das **Doppelbett, -en** / das **Informationsmaterial** / (sich) **informieren, informiert** / die **Kreditkarte, -n** / die **Rezeption, -en** / **schmuggeln** / der **Tourist, -en** (*wk.*) / die **Touristin, -nen** / die **Touristenklasse** / die **Türkei** / **türkisch** / das **Visum**, *pl.* die **Visa** / **westlich**

Erinnern Sie sich: ankommen, kam . . . an, ist angekommen / ausspannen, ausgespannt / besichtigen, besichtigt / der **Bus, -se** / **einpacken, einge-packt** / **einsteigen, stieg . . . ein, ist eingestiegen** / **fahren (fährt), fuhr, ist gefahren** / **die Fahrt, -en** / **die Ferien** (*pl.*) / **der Flugschein, -e** / **das Flugzeug, -e** / **fotografieren, fotografiert** / **das Gepäck,** (*pl.*) **die Gepäckstücke** / **das Hotel, -s** / **mitnehmen (nimmt . . . mit), nahm . . . mit, mitgenommen** / **planen** / **reisen, ist gereist** / **das Taxi, -s** / **der Urlaub** / **das Verkehrsmittel, -** / **der Zug, -̈e** / **zurückfahren (fährt . . . zurück), fuhr . . . zurück, ist zurückgefahren** / **zurückkommen, kam . . . zurück, ist zurückgekommen**

In der Stadt — In the City

der **Alte Kornmarkt**	Old Corn Market (*a plaza in Regensburg*)
die **Altstadt, -̈e**	old part of town
der **Dom**	cathedral
der **Fasanengarten**	historic park (*in Munich*)
die **Historische Wurstküche**	Historic Sausage Grill (*in Regensburg*)
die **Kreuzung, -en**	intersection
die **Münchner Freiheit**	statue and square (*in Munich*)
das **Rathaus, -̈er**	city hall
das **Schloß, -̈er**	castle
der **Schloßturm, -̈e**	castle tower
die **Schnellbahnen**	city trains (*similar to subway*)
der **Stadtplan, -̈e**	city map
das **Standbild, -er**	statue
die **Steinerne Brücke**	Old Stone Bridge (*in Regensburg*)
entlang	along(side)
geradeaus	straight ahead

Ähnliche Wörter: sich orientieren, orientiert / die **Statue, -n**

Erinnern Sie sich: die **Apotheke, -n** / die **Bäckerei, -en** / die **Bibliothek, -en** / die **Boutique, -n** / der **Brunnen, -** / das **Bürohaus, -̈er** / das **Café, -s** / die **Disco, -s** / die **Drogerie, -n** / die **Fabrik, -en** / der **Friseursalon, -s** / die **Haltestelle, -n** / das **Hotel, -s** / das **Kino, -s** / die **Kneipe, -n** / das **Krankenhaus, -̈er** / das **Lebensmittelgeschäft, -e** / der **Marktplatz, -̈e** / das **Museum,** *pl.* die **Museen** / der **Park, -s** / der **Parkplatz, -̈e** / die **Pizzeria, -s** / der **Platz, -̈e** / das **Reise-**

büro, -s / das **Restaurant, -s** / die **Schlachterei, -en** / das **Schwimmbad, -̈er** / das **Stadtzentrum** / die **Straße, -n** / die **Straßenecke, -n** / der **Supermarkt, -̈e** / die **Tankstelle, -n** / der **Tennisplatz, -̈e** / das **Theater, -** / die **Universität, -en** (die **Uni**) / der **Zeitungsladen, -̈**

Verben — Verbs

sich ausweisen, wies . . . aus, ausgewiesen	to show one's ID
sich bedanken, bedankt	to thank
berücksichtigen, berücksichtigt	to take into account
bestellen, bestellt	to order
einbiegen, bog . . . ein, eingebogen	to turn into
entgegennehmen (nimmt . . . entgegen), nahm . . . entgegen, entgegengenommen	to accept; to receive
entscheiden, entschied, entschieden	to decide
ermöglichen, ermöglicht	to make possible
erobern, erobert	to conquer
sich gewöhnen an, gewöhnt	to get used to
herausfinden, fand . . . heraus, herausgefunden	to find out
lügen, log, gelogen	to lie
nachsehen (sieht . . . nach), sah . . . nach, nachgesehen	to check
verstecken, versteckt	to hide

Ähnliche Wörter: investieren, investiert

Substantive — Nouns

die **Abwechslung, -en**	diversion, variety
die **Blinddarmentzündung, -en**	appendicitis
die **Entschuldigung, -en**	excuse
die **Gemeinschaftsküche**	shared kitchen

die **Generaldirektion, -en**	general management
die **Geschäftsab-wicklung, -en**	business procedures
der **Kurfürst, -en** (*wk.*)	elector; duke
die **Lüge, -n**	lie
die **Macht, ¨e**	power
der **Mitarbeiter, -** / die **Mitarbeiterin, -nen**	colleague
der **Nachttisch, -e**	nightstand
der **Ratschlag, ¨e**	piece of advice
der **Schmuck**	jewelry
die **Sicherheit**	security
der **Spaß**	fun
die **Strapaze, -n**	fatigue; drudgery
der **Telefonanruf, -e**	telephone call
der **Treffpunkt, -e**	meeting place
der **Vorteil, -e**	advantage

Ähnliche Wörter: das **Interesse** / die **Stabilität**

Adjektive und Adverbien	Adjectives and Adverbs
gegenseitig	mutual
gemeinsam	together

genauso	just like that
genug	enough
reichlich	abundantly
selbstverständlich	naturally, of course
vorsichtig	careful
wirtschaftlich	economic
wunderschön	wonderful
zuverlässig	reliable

Ähnliche Wörter: akut / **idyllisch** / **komplett** / **problemlos** / **rund** / **voll**

Nützliche Wörter und Wendungen	Useful Words and Phrases
Es lohnt sich.	It's worth it.
genauer gesagt	to be more precise
Ich habe es mir verdient.	I deserve it.
Interesse haben an	to be interested in
keine Ahnung	no idea
Schlange stehen	to stand in line
(seinen) Rat befolgen	to take (his) advice
Tut mir leid.	I'm sorry.
von einem zum anderen	from one to the other
Wie wär's mit . . . ?	How about . . . ?

ZUSÄTZLICHE TEXTE

KÖLN UND DÜSSELDORF: Claire

Claire war einige Tage in Düsseldorf und Köln. Jetzt ist sie wieder zurück in Regensburg und erzählt ihren Freunden Melanie und Josef von ihren Erlebnissen.

MELANIE: Na, wie hat es dir da oben im Norden gefallen?

CLAIRE: Sehr gut. Das sind sehr schöne Städte, Köln und Düsseldorf, sehr lebendig. Wart ihr schon mal da?

Das Hauptportal des Kölner Doms. Dieser gotische Dom wurde 1248 nach dem Vorbild der Kathedrale von Amiens begonnen und erst 1842–1880 endgültig vollendet.

© Owen Franken / Stock, Boston

Text: Review Köln and Düsseldorf with a map, pictures from your PF, and, if possible, slides. Show pictures of major sites: *Dom in Köln, Hauptbahnhof Köln, Altstadt Düsseldorf, Kunstakademie, Ansicht des Rheins, usw.* Tell students that both Düsseldorf and Köln are important cities in the West German art scene. Mention some contemporary West German painters who are well known in the US as well: Anselm Kiefer, Markus Lüppertz, Georg Baselitz, Jörg Immendorf, etc. Talk about Josef Beuys.

JOSEF: Nein, noch nicht. Du weißt ja, daß der Norden Ausland für uns ist. (*Er lacht.*)

CLAIRE: Ja, das habe ich gehört, das sind die Preußen da oben, nicht?

MELANIE: Ja, ja, aber das sind nur Witze,[1] die wir da machen. Aber ich war auch noch nie da. Düsseldorf ist sehr modern, oder?

CLAIRE: Es ist sehr modern und sehr alt. Direkt am Rhein gibt es die Altstadt, die nennt man dort die längste Bar der Welt. Es ist eine riesige Fußgängerzone mit hunderten von Bars, Kneipen, Restaurants und Diskotheken. Da liegt auch die berühmte Kunstakademie, an der Josef Beuys[2] unterrichtet hat, und die Kunsthalle ist auch da.

JOSEF: Sind das die berühmten rheinischen Kneipen, wo man am Tresen[3] steht und sich langsam aber sicher vollaufen läßt?[4]

CLAIRE: Also, so schlimm ist es ja nun auch wieder nicht. Außerdem ist das Bier dort wirklich lecker, richtiges Altbier aus Düsseldorf. Da kommt euer bayrisches Bier nicht 'ran.

JOSEF: „Lecker", dieses Wort hast du wohl da oben gelernt, bei uns sagt man „gut". Aber wie bist du eigentlich mit der Sprache klargekommen? Düsseldorfer Platt[5] ist doch ein unverständliches Kauderwelsch.[6]

CLAIRE: Die Leute habe ich eigentlich ganz gut verstanden. Sie sprechen wirklich ganz anders als hier, aber nur, wenn sie Platt sprechen. Wenn sie Hochdeutsch sprechen, gibt es keine Probleme, und die meisten Leute sprechen Hochdeutsch, im Gegensatz zu hier. Aber mir ist aufgefallen, daß sie in Köln schon wieder ganz anders sprechen als in Düsseldorf, und es liegt doch nur knapp 50 Kilometer weiter südlich. Erstaunlich.

MELANIE: Bist du mit dem Zug von Düsseldorf nach Köln gefahren?

CLAIRE: Nein, ich bin mit einem Rheindampfer[7] gefahren. Es war allerdings nicht sehr schön, denn man sieht nur ein Industriegebiet nach dem anderen. Und direkt in der Mitte liegt ein riesiges Bayer-Werk. Kein Wunder, daß der Rhein so verdreckt[8] ist.

JOSEF: Und wie hat dir Köln gefallen?

CLAIRE: Das war dann wieder schön. Besonders der Dom hat mir imponiert.[9] Der ist ja noch größer als eurer. Köln ist zwar nicht so exklusiv und elegant wie Düsseldorf, aber das Nachtleben ist mindestens genau so gut.

JOSEF: Ja, ja, das Nachtleben. Das ist bei dir ja immer das Wichtigste.

CLAIRE: Warum denn nicht? Du gehst doch auch fast jeden Abend in eine andere Kneipe.

MELANIE: (*Sie lacht.*) Ja, bei Josef ist das natürlich 'was anderes.

[1]*jokes* [2](siehe KN) [3]*bar* [4]trinkt, bis man betrunken ist [5]Düsseldorfer Dialekt [6]*gibberish* [7]Schiff [8]schmutzig [9]gefallen

Fragen

1. Waren Melanie und Josef schon in Köln oder in Düsseldorf?
2. Wie nennt man in Bayern die Leute, die nördlich von Bayern wohnen?
3. Warum nennt man die Altstadt in Düsseldorf die längste Bar der Welt?
4. Welcher berühmte deutsche Künstler hat an der Kunstakademie in Düsseldorf unterrichtet?
5. Wie heißt die Bierspezialität des Rheinlands?
6. Wie ist Claire von Düsseldorf nach Köln gekommen?
7. Warum ist der Rhein so verdreckt?
8. Was hat Claire in Köln besonders gefallen?

KULTURELLE NOTIZ: Josef Beuys

Josef Beuys (1921–1986) war ein deutscher Zeichner, Plastiker und Aktionskünstler. 1961–1972 war er Professor an der Kunstakademie in Düsseldorf.

ANZEIGE: Das Hotel „Zum Goldenen Anker"

Das Hotel „Zum Goldenen Anker" in Hamburg hat genau die richtige Atmosphäre für gestreßte Manager.

Einen Stadtpark, 50 Meter vom Hotel entfernt, wo finden Sie so was?

Bei uns, in Hamburg. Zum Service unseres Hauses gehört es, Ihnen ein Zimmer im Grünen anzubieten, das nur ein paar Minuten von der Autobahn, vom Flughafen und der City entfernt liegt.

Angenehm, finden Sie nicht? Und bei weitem nicht das einzig Angenehme, das Sie im Hotel „Zum Goldenen Anker" erwartet.

Kostenlose Fahrräder für eine kurze Tour. Internationale Fischspezialitäten aus der Küche. Eine Bar für lange Nächte. Ein Parkplatz in der Garage.

FÜR DIE GESCHÄFTSREISE

Das Hotel „Zum Goldenen Anker" am Rande des Geschäftszentrums „City Nord" ist der ideale Treffpunkt für geschäftliche Veranstaltungen, für Empfänge und Bankette bis zu 200 Personen.

FÜR DEN URLAUB

Für eine Stadt, die so lebendig ist wie Hamburg, sollte man sich ruhig ein bißchen Zeit nehmen. Ein Wochenende im Hotel „Zum Goldenen Anker", zur günstigen Weekend-Pauschale, ist eine Abwechslung, die Sie sich verdient haben. Und Ihre Familie eigentlich auch.

Sie erreichen uns über unsere Reservierungszentrale. Sie steht Ihnen unter der Telefonnummer 040/2205404 zur Verfügung.

Selbstverständlich berücksichtigen wir Ihren Zimmerwunsch: Nichtraucher, Einzelzimmer oder Doppelzimmer mit Bad oder Dusche oder eine Suite.

ES LOHNT SICH, INS HOTEL „ZUM GOLDENEN ANKER" ZU KOMMEN

Bei treuen Gästen bedanken wir uns mit einer Einladung zu einem privaten Gala-Diner in unserem Clubraum „Hanseatik". Erkundigen Sie sich nach diesem Angebot.

Fragen

1. Wo liegt das Hotel „Zum Goldenen Anker"?
2. Welchen Komfort bietet das Hotel seinen Gästen?
3. Für welche Reisen eignet sich das Hotel „Zum Goldenen Anker"?
4. Wann ist der Preis besonders günstig?
5. Wie reserviert man in diesem Hotel ein Zimmer?
6. Wie bedankt sich die Hotelleitung (*management*) bei treuen Gästen?

IN DER GROSSEN WEITEN WELT: Jürgen erzählt

Text: Tell students that often young Germans go on trips to southern Europe or northern Africa during their vacations. Ask students if they have ever been in these parts and, if so, whether they met German travelers. What did they think about them? Give the *Aufgabe* as homework.

Hab' ich euch eigentlich schon die Geschichte von Franz erzählt? Den ich in Marokko kennengelernt habe? Damals, als wir noch keinen Führerschein hatten, und entweder getrampt sind, oder manchmal auch mit Interrail gefahren sind? Nicht? Ja, die Story muß ich euch einfach erzählen; denn so einen Typ wie den Franz, den trifft man nicht alle Tage.

Lange Haare, blonder Vollbart, in ausgewaschenen Jeans, mit einem Rucksack auf dem Rücken und Gitarre in der Hand, so stand er vor mir in der Schlange. Das war in Casablanca auf dem Bahnhof. Ich war seit 10 Tagen unterwegs, hatte am Strand in der Nähe von Barcelona ein paar Tage mit Freunden verbracht,[1] war dann allein weitergereist—eine Reise, von der ich euch auch mal erzählen muß—und war schließlich in Casablanca gelandet.

Casa blanca, weißes Haus, nicht das in Washington, ihr wißt schon, einfach nur ein weißes Haus. Weiß waren sie auch, die Häuser hier, weiß und flach, wie man es sich vorstellt, wenn man Casablanca hört, oder Algier, oder Granada, einstöckige, viereckige, weiße Häuser. Aber woran man nicht denkt, das sind die Bettler.[2] Bettler wie Fliegen,[3] Fliegen auf den Bettlern, auf Geschwüren,[4] Armstümpfen, offenen Wunden. Die Bettler laufen auf dich zu, schreien dich an, aber davon wollte ich ja gar nicht erzählen. Nein, wie ein Bettler sah er nicht aus, der Franz, eher im Gegenteil,[5] trotz seiner abgenutzten Kleidung, seines Wandervogelrucksacks und seiner etwas gebeugten Haltung.[6] Irgendwas war da. Vielleicht war es auch nur die Gitarre.

Ihr wißt, daß ich einen Hang[7] zur Musik habe. Ich bin zwar nicht sehr musikalisch, eigentlich überhaupt nicht, aber Musik zieht mich an,[8] besonders wenn ich sie live höre, wenn da jemand steht oder sitzt und Musik macht, davon komm ich gar nicht mehr los. Doch damals, als ich da in Casablanca auf dem Bahnhof in der Schlange stand, hörte man nur irgendein Gedudel aus einem Lautsprecher, so ein unrhythmisches Singen auf einem Ton—und der Typ vor mir, der summte leise mit.[9]

Ich wollte nach Marrakesch, ihr wißt schon *"Don't you know we're riding on the Marrakesh Express,"* die Stadt aus Tausendundeinenacht, die Stadt der Schlangenbeschwörer[10] und Kamele, der Sandstürme und Minarette, das Ende der Bahnstrecke,[11] das Tor[12] zur Sahara. Deswegen war ich eigentlich nach Marokko gekommen, nicht wegen Casablanca oder Tanger, und natürlich nicht wegen der Bettler, allerdings auch nicht wegen Franz.

Ich stand also in der Schlange, auf dem Bahnhof in Casablanca, um einen Fahrschein für die erste Klasse zu bekommen. *"You need air conditioning,"* hatte mir ein Typ aus New York erzählt, *"otherwise you'll suffocate."* Und *air conditioning* gab es nur in der ersten Klasse. Also stellte ich mich an.[13] Vor mir, hinter mir, nur Europäer oder vielleicht US-Amerikaner; die Marokkaner waren anscheinend die Hitze gewohnt und fuhren zweiter Klasse.

Und es ging langsam, schrecklich langsam. Um halb acht war ich schon am Bahnhof gewesen, und schon standen mindestens fünfzig vor mir, um halb zehn war meine Schachtel Zigaretten alle, und noch ungefähr 10 Leute vor mir, der Schalter hatte erst um halb neun aufgemacht.

"Pardon me, can you watch my luggage?"

„Natürlich", sagte er, „ich bin auch Deutscher. Du brauchst mich nicht auf Englisch anzuquasseln."[14] Und so lernten wir uns kennen ...

[1]*spent* [2]*beggars* [3]*flies* [4]Abszessen [5]*im ... on the contrary* [6]gebeugten ... *stooped posture* [7]Tendenz [8]*zieht ... attracts* [9]summte ... *hummed along* [10]*snake charmers* [11]Zuglinie [12]große Tür [13]stellte ... an *got in line* [14]anzusprechen

Fragen

1. Wo hat Jürgen Franz kennengelernt?
2. Wie ist er damals gereist?
3. Beschreiben Sie Franz.
4. Was bedeutet Casablanca auf deutsch?
5. Wie sind die Häuser in Casablanca?
6. Woran denkt man nicht, wenn man den Namen Casablanca hört?
7. Was begeistert Jürgen besonders?
8. Was hält er von marokkanischer Musik?
9. Wohin möchte Jürgen?
10. Was verbindet er mit dem Namen Marrakesch?
11. Warum möchte er erster Klasse fahren?
12. Wie lange steht er schon in der Schlange?
13. Welches Problem hat er?

Aufgabe

Erzählen Sie die Geschichte weiter.

STRUKTUREN UND ÜBUNGEN

11.1 Konjunktiv II 1: Höflichkeitsform der Modalverben

Use a special form called the *subjunctive* with modal verbs to be more polite or cautious.

> Entschuldigung, **könnten** Sie mir bitte sagen, auf welchem Bahnsteig der Zug aus Kiel ankommt?
>
> *Excuse me, could you please tell me on which platform the train from Kiel is going to arrive?*
>
> Ich **müßte** mal telefonieren. **Dürfte** ich Ihr Telefon benutzen?
> *I need to make a phone call. Could I use your phone?*

To form the subjunctive of modal verbs, take the forms of the simple past and add an *umlaut* if there is one in the infinitive. With modal verbs that do not have an *umlaut* in the infinitive (**sollen** and **wollen**), the forms of the subjunctive and the simple past are the same.

PRÄSENS	PRÄTERITUM	KONJUNKTIV II
können	ich konnte	ich könnte
müssen	ich mußte	ich müßte
dürfen	ich durfte	ich dürfte
mögen	ich mochte	ich möchte
sollen	ich sollte	ich sollte
wollen	ich wollte	ich wollte

Here are the subjunctive forms of **können** and **wollen**.

ich	könnte	wir	könnten	ich	wollte	wir	wollten
Sie	könnten	Sie	könnten	Sie	wollten	Sie	wollten
du	könntest	ihr	könntet	du	wolltest	ihr	wolltet
er sie es	könnte	sie	könnten	er sie es	wollte	sie	wollten

These subjunctive forms can also express uncertainty, doubt, or even insecurity. The speaker does not really want to commit himself/herself to what he/she is saying.

Wo bleibt denn bloß Albert? —Er **müßte** eigentlich bald kommen.
"Where in the world is Albert?" "He ought to be here soon."

Sie brauchen mich doch nicht mehr. **Könnte** ich nicht vielleicht jetzt
gehen?
You don't need me anymore, do you? Couldn't I go then?

Möchte, the subjunctive form of **mögen**, has almost become a synonym of
wollen in modern German.

Wohin **wollen** Sie denn fahren? —Wir **möchten** diesmal nach Kanada.
"Where do you want to go?" "We'd like to go to Canada this time."

A new polite form, **hätte gern**, is now used more and more, especially in service encounters.

Ich **hätte gern** eine Cola, bitte.
I'd like a coke, please.

Wir **hätten gern** die Speisekarte, bitte.
We'd like the menu, please.

Übung 1

Überredungskünste: Versuchen Sie, jemanden dazu zu überreden, etwas anderes zu machen als was er/sie machen will.

MODELL: Ich fahre jetzt. (bleiben) →
         Ach, könntest du nicht bleiben?

1. Ich komme morgen. (heute)
2. Ich muß jetzt Trompete üben. (später)
3. Wir gehen morgen wandern. (schwimmen)
4. Ich koche jetzt Kaffee. (Tee)
5. Ich gehe jetzt ins Bett. (aufbleiben)
6. Ich fahre in diesem Jahr nach Spanien. (Italien)
7. Wir übernachten heute im Zelt. (Hotel)
8. Ich gehe jetzt zu Fuß in die Stadt. (mit dem Auto fahren)

Übung 2

Sie wollen mit einem Freund ausgehen und fahren in seinem Auto mit. Versuchen Sie besonders freundlich und höflich zu sein.

MODELL: Können wir jetzt gehen? →
         Könnten wir jetzt gehen?

1. Mußt du nicht noch tanken?
2. Sollen wir Jens nicht noch abholen?

3. Können zwei andere Freunde von mir auch mitfahren?
4. Darf ich das Autoradio anmachen?
5. Könnt ihr etwas zusammenrutschen (*slide together*)?
6. Sollen wir nicht in die Stadt fahren?
7. Ich muß noch zur Bank, Geld holen.
8. Darf ich das Fenster aufmachen?

11.2 Adjektive 3: substantivierte Adjektive

Nouns such as **der/die Angestellte** (*employee*) and **der/die Bekannte** (*acquaintance*) are adjectives used as nouns, and they take adjective endings.

> **Der Schalterangestellte** nahm die Koffer und stellte sie auf die Waage. **Ein anderer Angestellter** kümmerte sich inzwischen um die Flugscheine.
> *The counter clerk took the suitcases and put them on the scales. In the meantime, another clerk took care of the tickets.*

Here are some of the most common adjectives used as nouns.

der Angestellte	ein Angestellter	*employee*
die Angestellte	eine Angestellte	
der Beamte*	ein Beamter	*civil servant; official; clerk*
der Bekannte	ein Bekannter	*acquaintance*
die Bekannte	eine Bekannte	
der Deutsche	ein Deutscher	*German (person)*
die Deutsche	eine Deutsche	
der Gelehrte	ein Gelehrter	*scholar*
die Gelehrte	eine Gelehrte	

> Vor kurzem habe ich **mit einer Deutschen** eine Reise gemacht.
> *A short while ago, I took a trip with a German woman.*

> **Ein Gelehrter** saß uns gegenüber.
> *A scholar sat across from us.*

> **Der Bahnbeamte** kam, um die Fahrscheine zu kontrollieren.
> *The conductor came to check the tickets.*

Other German adjectives can be used as nouns as well, particularly ones that describe people. Adjective endings are also used with these.

> Wer war denn der Blonde, mit dem ich dich gestern in der Stadt gesehen habe?
> *Who was the blond guy I saw you with yesterday in the city?*

When an adjective is used as a noun, feminine gender usually refers to a woman, masculine gender to a man, and neuter gender to an abstract notion.

---

*The female equivalent of der **Beamte** is die **Beamtin**.

Siehst du **den Dicken** da drüben?
Do you see the fat guy over there?

Drei Tage lang hatte man **die Alte** nicht mehr gesehen.
The old woman had not been seen for three days.

Das Schöne an dir ist, daß du nicht lügst.
The nice thing about you is that you don't lie.

Übung 3

Minidialoge

A: Siehst du den Blond_____ da drüben? Gefällt er dir?
B: Nicht so richtig. Der Dunkelhaarig_____ gefällt mir besser.

A: Die Sportlich_____ da geht jeden Tag joggen. Und der Klein_____ da drüben ißt immer zu viel.
B: Sportlich_____ leben länger!

A: Kennst du den Neu_____ im Deutschkurs?
B: Meinst du den Groß_____ in der ersten Reihe?
A: Ja, den Schwarzhaarig_____.

11.3 hin und her

The two words **hin** and **her**—which you know from **wohin** (*where to*) and **woher** (*where from*)—can be combined with verbs and prepositions to specify (1) movement away from the speaker or the speaker's point of view (**hin**) and (2) movement toward the speaker or the speaker's point of view (**her**).

Zuerst geben Sie am Schalter ihre Koffer auf. Dann **gehen** Sie die Treppe zur Wartehalle **hinauf**.
First you check in your luggage at the counter. Then you go up the stairs to the waiting room. (away from the check-in counter)

Guten Tag! Bin ich hier richtig bei Schulz? —Ja, **kommen** Sie doch bitte **herein**.
"Hello! Is this the Schulz residence?" "Yes, do come in, please." (toward the speaker)

Was? Sie waren noch nie in Ägypten? Da müssen Sie unbedingt mal **hinfahren**.
What? You've never been to Egypt? Well, you just have to go there sometime. (away from the speaker)

Übung 4

Wer bekommt den Apfel? Ergänzen Sie **hin** und **her**.

Sofie und Willi gehen spazieren. Es ist Spätsommer. Sie kommen an einen Apfelbaum, und oben hängt ein letzter glänzender Apfel. „Willi, klettre _____auf und hol mir den Apfel _____unter".

   „Ich kann nicht _____aufklettern, mein Fuß ist doch verstaucht. Du mußt schon selbst _____aufklettern und dir den Apfel _____unterholen".

   Sofie geht zum Baum und sagt: „Dann komm wenigstens _____ und hilf mir _____auf". Willi geht zu ihr _____über, stellt sich an den Baum und hilft ihr _____auf. Als Sofie oben ist, ruft sie: „Ach Willi, die Sicht ist so schön von hier oben. Du solltest auch _____aufkommen".

   „Du weißt doch, ich kann nicht _____auf. Aber wirf mir den Apfel _____unter, dann kann ich ihn probieren, während du die Aussicht genießt".

   Sofie wirft den Apfel _____unter. Willi fängt ihn und beißt _____ein. Als Sofie endlich _____untergeklettert ist, hat er den Apfel schon aufgegessen.

11.4 Präpositionen 7: den Weg beschreiben

When used to give directions, **hinauf** and **hinunter** are placed after the noun, and the noun itself is in the accusative case.

> Gehen Sie zuerst **den Hochweg hinunter** und dann **die Kantstraße hinauf**.
> *First you go down* Hochweg *and then you go up* Kantstraße.

The preposition **entlang** is also placed at the end of the clause after a noun in the accusative case.

> Sie fahren ungefähr zwei Kilometer **den Fluß entlang**.
> *You'll drive alongside the river for approximately two kilometers.*

When **über** has the meaning of *via*, it is used with the accusative case.

> Sie gehen **über die Sternstraße** zur Kolpingsallee.
> *You go to* Kolpingsallee *via* Sternstraße.

The preposition **bis** (*up to*, *until*) used by itself requires the accusative case.

> Ich könnte noch **bis nächste Woche** bleiben.
> *I could stay on till next week.*

When **bis** is used with another preposition, **bis** comes first. The noun is in the case that is required by the other preposition, or, in other words, the preposition nearest it.

> Fahren Sie **bis zur nächsten Ampel** weiter.
> *Continue to the next traffic light.*
>
> Gehen Sie **bis an die Wand**.
> *Walk up to the wall.*

Use **einsteigen** for *getting in* (a car) or *getting on* (a bus), and **aussteigen** for *getting out* or *off*. For changing trains and buses use **umsteigen**.

> Zuerst **steigen** Sie in die S6 in Richtung Pasing **ein**. In Pasing **steigen** Sie in die S1 in Richtung Freising **um**. In Lohhof **steigen** Sie dann **aus**.
> *First you get on the S6 to Pasing. In Pasing you change into the S1 to Freising. Then you get off in Lohhof.*

11.5 Modalverben 5: doppelter Infinitiv

There are two ways of forming a perfect tense with modal verbs.* When there is no dependent infinitive, modal verbs follow the regular present perfect construction: the conjugated auxiliary **haben** is used with the past participle of the modal.

> **Hast** du durch den Zoll **gemußt**?†
> *Did you have to go through customs?*
>
> Das **habe** ich nicht **gewollt**.
> *I didn't intend that.*

A double infinitive construction results when a modal is used in the perfect tense with an infinitive. Both the main verb and the modal following it appear in their infinitive form, and both are at the end of the sentence.

> **Hast** du den Beamten deinen Paß **zeigen müssen**?
> *Did you have to show your passport to the customs officials?*
>
> **Habt** ihr auch am Sonntag Geld **wechseln können**?
> *Were you able to change money on Sundays too?*

Lassen and a few other verbs such as **sehen** and **hören** follow a similar construction in the perfect tense.

> Die Flugkarten **haben** wir uns von meiner Mutter **kaufen lassen**. Die arbeitet in einem Reisebüro.
> *We had my mother buy the tickets for us. She works in a travel agency.*

---

*Recall from Chapter 8 that it is more common to use the simple past tense of modal verbs. Some people, however, prefer the present perfect tense, particularly when there is no dependent infinitive.

†When a direction is expressed in sentences with modal verbs, the verb of movement can be left out.

Ach, hallo Jens! Da bist du ja. Ich **habe** dich gar nicht **kommen sehen**.
Oh, hi Jens! There you are. I didn't even see you come.

Komm, spiel uns doch was auf der Gitarre vor, Josef. Melanie **hat** dich
noch nie **singen hören**.
*Why don't you play something for us on the guitar, Josef? Melanie has
never heard you sing.*

Übung 5

Michael und Maria fahren mal wieder in Urlaub. Hier sind Michaels Pläne für
den Tag.

„Wir wollen morgen in Urlaub fahren, und ich muß deshalb heute noch viel
tun. Mein Auto ist kaputt, und ich lasse es von meinem Mechaniker reparieren.
Dann lasse ich es an meiner Tankstelle waschen und polieren. Ich lasse auch
gleich noch das Öl wechseln und die Reifen aufpumpen. In der Zwischenzeit
lasse ich mir die Haare schneiden. Wenn ich zurückkomme, muß ich nur noch
bezahlen, und dann ist das Auto fertig für unsere Reise".

Michael und Maria sind schon ein paar Stunden unterwegs und machen eine
Pause. Michael ruft Herrn Ruf an und erzählt ihm, was er alles gemacht hat.
Übernehmen Sie die Rolle Michaels.

„Wir sind heute in Urlaub gefahren, und ich habe deshalb gestern . . .“

11.6 Reflexiva 2: Verben mit festen Präpositionen

As you remember from Chapter 7, there are a number of verbs that require
specific prepositions, such as **suchen nach** (*to look for*) and **ankommen auf**
(*to depend on*).

Die Zollbeamten **suchen nach** Alkohol, Zigaretten und Parfums.
The customs officers are looking for alcohol, cigarettes, and perfumes.

Haben Sie noch ein Zimmer frei? —Das **kommt darauf an**, wie lange Sie
bleiben wollen.
"Do you have a vacancy?" "That depends on how long you want to stay."

Some of these verbs, such as **sich gewöhnen an** (*to get used to*) and **sich
interessieren für** (*to be interested in*), are used with reflexive pronouns in
addition to requiring specific prepositions. Here are the most important ones.

+ AKK
sich amüsieren über   *to find something funny*
sich bewerben um   *to apply for*

sich einstellen auf	*to adapt to*
sich entscheiden für	*to decide on*
sich erinnern an	*to remember*
sich freuen auf	*to look forward to*
sich gewöhnen an	*to get used to*
sich halten für	*to consider oneself to be*
sich informieren über	*to get information about*
sich interessieren für	*to be interested in*
sich kümmern um	*to take care of*
sich unterhalten über	*to talk about*

+ DAT

sich beschäftigen mit	*to spend time with*
sich beteiligen an	*to take part in*
sich erkundigen nach	*to inquire about*

Könnt ihr **euch** noch **an** eure letzte Reise **erinnern**?
Do you still remember your last trip?

Damals habt ihr **euch für** griechische Vasen **interessiert**.
At that time you were interested in Greek vases.

Ihr habt **euch** gut **informiert** und habt **euch** dann **dafür entschieden**, nach Griechenland zu fahren.
You informed yourselves well, and then you decided to go to Greece.

Ja, das stimmt. Damals haben wir **uns** nur **über** Griechenland **unterhalten**.
Yes, that's true. At that time, the only thing we talked about was Greece.

Wir haben **uns** so **darauf gefreut**.
We were so looking forward to it.

Wir haben **uns nach** den billigsten Flugpreisen **erkundigt** und **uns um** alles **gekümmert**.
We asked around for the cheapest flights and took care of everything.

When a subject pronoun follows the conjugated verb, the reflexive pronoun comes after the subject pronoun. In other instances the reflexive pronoun usually comes right after the conjugated verb.

Hast du dich um die Stelle als Steward beworben? —Nein, ich **habe mich** noch nicht damit beschäftigt.
"Did you apply for the job as a steward?" "No, I haven't spent any time on this yet."

Übung 6

Ergänzen Sie den Brief.

Liebe Eltern,

ich habe _____ jetzt endlich _____ die neue Umgebung gewöhnt. Es war nicht leicht, _____ _____ das Leben an der Universität einzustellen. Es geht mir nun nicht mehr so wie meiner Freundin Nora: Sie freut _____ immer furchtbar _____ zu Hause.

Monika und ich haben _____ _____ ein Stipendium in der Bundesrepublik beworben. Mal sehen, ob die Auswahlkommission _____ _____ uns entscheidet. Immerhin interessieren _____ sehr viele Studenten _____ dieses Stipendium. Wir müssen zu einem Interview, und die Kommission unterhält _____ mit uns _____ aktuelle Probleme in Europa. Ich habe _____ schon ein bißchen _____ die Bundesrepublik informiert, aber ich muß _____ natürlich noch viel mehr _____ Politik beschäftigen. Ich hoffe, Ihr haltet _____ nicht _____ treulos, weil ich so selten schreibe.

Bis bald
Eure Heidi

KAPITEL 12

© Beryl Goldberg

Gemütliche Runde
beim Bier

In Kapitel 12 you will learn how to persuade others to do things by making suggestions, offering advice, giving commands, and so on. You will also learn how to order meals in restaurants.

AUFFORDERN UND EINLADEN

THEMEN
Befehle, Aufforderungen und Bitten
Guter Rat ist teuer
Im Restaurant

ZUSÄTZLICHE TEXTE
Kulturelle Begegnungen: Glück in Deutschland
Familienbande
Ausreise in den Westen: Sofie und Marta

STRUKTUREN
12.1 Imperativ 3: Zusammenfassung und Ergänzung
12.2 Nebensätze 2: Temporalsätze und Finalsätze
12.3 Konjunktiv II 2: würde, hätte, wäre
12.4 Nebensätze 3: abhängige Fragesätze
12.5 Zum Gebrauch der Fälle: Zusammenfassung und
Ergänzung

GOALS

The focus of Chapter 12 is persuasion, or asking others to do things. This includes direct commands of all sorts, giving and following advice, making dates and suggestions, giving invitations, and ordering meals in a restaurant.

SPRECHSITUATIONEN

BEFEHLE, AUFFORDERUNGEN UND BITTEN

 Grammatik 12.1–2

TPR: Ask the students to give you commands. Write each command on the board as it is given. If they do not know a command form, ask them to give it in English and then supply the correct German form. Include as many commands as you can act out in the class. Then show pictures of people doing things. Give a picture to a student and ask him/her to command you to do the illustrated activity. Finally, review how to give directions. Have a volunteer stand up. Command him/her to walk in various directions: *Gehen Sie geradeaus, biegen Sie rechts/links ein/ab, gehen Sie nach rechts/links.* Pair the students and have them give each other directional commands.

Räum dein Zimmer auf und geh dann sofort ins Bett!

Iß jetzt! Beim Essen spricht man nicht!

Würden Sie mir bitte noch einen Kaffee bringen?

Saugen Sie bitte Staub und putzen Sie die Fenster.

Könnten Sie die Bremsen überprüfen und mich dann im Büro anrufen?

Sit. 1. Ask the students to think of other commands that one might give to these persons.

Situation 1. Aufträge

Welchen Auftrag könnten Sie dieser Person geben?

1. einer Frau, die Ihnen beim Putzen hilft
2. einer Stewardeß/einem Steward im Flugzeug
3. einer Verkäuferin in einer Boutique
4. einem Kellner in einem Restaurant
5. einem Automechaniker

a. Würden Sie mir bitte die Suppe bringen?
b. Würden Sie mir bitte ein Kissen bringen?
c. Stauben Sie bitte die Möbel ab und saugen Sie den Teppich.
d. Würden Sie bitte den Wagen reparieren?
e. Könnten Sie mir die Hose eine Nummer größer geben?

Sit. 2, 3, 4. Read these activities aloud and have the students follow along. Read the commands with correct intonation and ask which are appropriate for the particular situation described. Then ask students to give you other commands that would be appropriate.

AA 4. Have students work in pairs and practice giving commands to each other. They may use either formal or informal commands according to the parts they play: friend-friend, mother-child, teacher-student, and so on. Examples: *an die Tafel kommen, in die Bibliothek gehen, in ein Restaurant kommen, sich ausziehen, das Zimmer aufräumen, usw.*

AA 5. Have students pretend that they are giving commands to someone from another planet. They should tell the alien how to: *das Haus putzen, den Hund waschen, das Geschirr spülen, eine Tasse Kaffee machen, einen Salat machen, ein Butterbrot machen, einen Kuchen backen.*

Situation 2. Was soll Lydia tun?

Denken Sie an Ihre Kindheit und daran, daß Kindern ständig Vorschriften gemacht werden. Stellen Sie sich vor, Sie sind die neunjährige Lydia, und Ihre Mutter kommt abends um sieben Uhr in Ihr Zimmer. Was sagt Ihre Mutter zu Ihnen? Was sollen Sie tun, und warum?

1. Mach bitte deine Hausaufgaben, bevor du ins Bett gehst.
2. Steh pünktlich auf, damit du nicht zu spät zur Schule kommst.
3. Wasch dich und putz dir die Zähne.
4. Komm zum Frühstück, bevor der Kaffee kalt wird.
5. Kämm dich, bevor du gehst.
6. Spiel in deinem Zimmer, draußen ist es zu kalt.
7. Sei ruhig, solange Vati noch schläft.

Situation 3. In der Schule

Lydia hat alle Anordnungen ihrer Mutter befolgt, aber jetzt sagt ihr Frau Dehne, ihre Lehrerin, wieder, was sie tun soll. Entscheiden Sie, welche Anordnungen angebracht sind und welche nicht, und warum.

1. Leg deine Spielsachen in den Schrank in der Garage.
2. Lies bitte Kapitel zwei vor.
3. Iß deinen Teller leer.
4. Wasch dir vor dem Essen die Hände.
5. Schreib die Antworten an die Tafel.
6. Zieh heute dein grünes Hemd an.
7. Wisch bitte die Tafel ab.

Situation 4. Verbote

Die arme Lydia hört dauernd: „Tu dies nicht, tu jenes nicht!" Haben Sie die folgenden Verbote auch gehört? Von wem? Warum?

1. Spiel bitte nicht im Wohnzimmer!
2. Sprich nicht mit deinem Nachbarn!
3. Schreib nicht auf den Tisch!
4. Jetzt gibt es keine Süßigkeiten. Wir essen gleich.
5. Mach nicht solchen Lärm, während ich telefoniere!
6. Leg deine Spielsachen nicht aufs Bett!
7. Wirf die Kreide nicht durchs Klassenzimmer!
8. _____

GUTER RAT IST TEUER

☞ **Grammatik 12.3–4**

Wenn ich reich wäre,
würde ich nie mehr arbeiten.

Wenn Ernst eine Schlange hätte,
würde er seine Schwestern erschrecken.

Wenn Jens ein Motorrad hätte,
würde er nach Dänemark fahren.

Wenn Michael mehr Geld hätte,
würde er einen Porsche kaufen.

Sit. 5. In a follow-up have students explain their answers.

Situation 5. Ratschläge für ein glückliches Leben

Welche Bedeutung haben diese Ratschläge für ein glückliches Leben? Erklären Sie Ihren Standpunkt.

Um ein glückliches Leben zu führen, muß man . . .

1. Geduld haben
2. sein Geld vorsichtig ausgeben
3. auf seine Gesundheit achten
4. häufig Freunde und Verwandte besuchen
5. viel Marihuana rauchen
6. alles mit Humor nehmen
7. jeden Sonntag in die Kirche gehen
8. jeden Tag genießen
9. versuchen, eine gute Ausbildung zu bekommen
10. täglich zwölf Stunden schlafen
11. einen schönen Mann/eine schöne Frau heiraten
12. in fremde Länder reisen

Glück: mit netten Leuten zusammensein . . . fröhlich sein . . . verliebt sein . . . viel Geld haben . . . oder was würden Sie sagen?

© Ulrike Welsch

Sit. 6. Note the use of *würden*.

Situation 6. Interview: Wenn du jetzt mit deinem Studium fertig wärst, . . . ?

1. Würdest du wieder zu Hause wohnen? Wenn ja, würde das deinen Eltern gefallen?
2. Würdest du dann arbeiten?

3. Was würdest du machen? Was würden deine Eltern sagen?

4. Würdest du Urlaub machen? Wenn ja, wohin würdest du fahren?

5. Würdest du heiraten? Wenn ja, hätten deine Eltern etwas dagegen? Würdest du Kinder haben wollen? Wenn ja, wie viele?

Situation 7.   Andere beeinflussen

Sit. 7. Ask students to think of one thing that they would like a friend to do with them on a weekend. *Ich will/möchte, daß X am Wochenende mit mir* ____ . Then encourage them to use all the arguments they can think of to convince the person in question.

Manchmal glauben wir, daß wir anderen gute Ratschläge geben können. Geben Sie den folgenden prominenten Personen gute Ratschläge. Erläutern Sie Ihre Ratschläge.

MODELL: S1: Herr Bürgermeister, an Ihrer Stelle würde ich nicht so viel Geld für soziale Einrichtungen ausgeben.
S2: Ja, warum denn nicht?
S1: Weil die Gemeinde sowieso zu wenig Geld hat.

1. Herr Präsident/Frau Präsidentin, . . .
2. Herr/Frau _____ (Ihr Chef/Ihre Chefin), . . .
3. Herr Direktor/Frau Direktorin, . . .
4. Herr Bundeskanzler/Frau Bundeskanzlerin, . . .
5. Herr/Frau _____ (Ihr Professor/Ihre Professorin), . . .
6. _____

Jetzt geben Sie den anderen Studenten in Ihrem Kurs Ratschläge.

MODELL: rauchen → Michael, an deiner Stelle würde ich weniger rauchen.

1. Eis oder Kuchen essen	5. Sport treiben
2. arbeiten	6. Geld ausgeben
3. Alkohol trinken	7. _____
4. schlafen	

Situation 8.   Gute Ratschläge

Ihr Freund/Ihre Freundin kann manchmal nicht mit Problemen fertig werden. Helfen Sie ihm/ihr.

Mögliche Ratschläge: fragen, zuhören, Gebrauchsanweisung lesen, suchen, lernen, nachdenken, früher ins Bett gehen, nachschauen

MODELL: Ich weiß nicht, wann die Bibliothek aufmacht. →
Ruf doch einfach an!

1. Ich habe keine Ahnung, wie der Wecker funktioniert.
2. Ich habe keine Ahnung, wer in der Küche ist.
3. Ich weiß nicht, warum ich nie etwas im Deutschkurs verstehe.
4. Wenn ich nur wüßte, was ich für die Klausur lernen soll.
5. Ich habe keine Ahnung, wo meine Autoschlüssel sind.

6. Ich weiß nicht, wie ich die Prüfung bestehen soll.
7. Wenn ich nur wüßte, wem ich die Schallplatte von Herbert Grönemeyer geliehen habe.
8. Ich habe keine Ahnung, warum ich morgens immer so müde bin.

Situation 9.   Eigener Dialog

Jens möchte eine Woche mit Freunden am Chiemsee zelten. Seine Eltern haben nichts dagegen. Das einzige Problem ist, daß Jens das Auto seines Vaters benutzen möchte, weil sie so viel mitnehmen wollen. Jens hat zwar noch keinen Führerschein, aber sein Freund Franz ist schon 18. Spielen Sie die Rollen von Jens und seinem Vater.

JENS: Aber Vati, Franz fährt doch gut Auto. Er hatte noch nie einen Unfall.
HERR KRÜGER: Das spielt überhaupt keine Rolle, Jens, . . .

Sit. 10. Give as written homework.

Situation 10.   Guter Rat ist teuer.

1. Stefan hat morgen früh um acht Uhr eine Mathematikklausur. Es ist sehr spät, und in der Wohnung nebenan ist eine Party. Die Musik ist so laut, daß Stefan nicht schlafen kann. Er geht hinüber und klopft. Aber als er seine Nachbarn bittet, die Musik etwas leiser zu drehen, knallen sie ihm, ohne ein Wort zu sagen, die Tür vor der Nase zu. Was würden Sie Stefan raten?
2. Ihr Freund Bernd bewirbt sich um eine Lehrstelle bei einer bekannten Bank. Heute ist sein Vorstellungsgespräch. Sie kommen zwei Stunden vorher in seine Wohnung, und er ist völlig ratlos. Er weiß überhaupt nicht, wie er sich verhalten und was er sagen soll. Sie schauen ihn an und stellen fest, daß sein Haar ganz wirr ist, daß er Sandalen und eine kurze Hose trägt und daß sein Hemd nicht gebügelt ist. Was raten Sie ihm?

Sit. 11. Have students read the situation silently. Then, in groups of two or three, they should formulate their advice and justify their suggestions.

Situation 11.   Auf dem Sozialamt

Sie sind beim Sozialamt angestellt. Meistens erteilen Sie Ratschläge und versuchen, den Leuten zu helfen, die mit ihren Problemen zu Ihnen kommen. Heute sitzt Ralf Neuhaus in Ihrem Büro. Wie können Sie ihm helfen? Welche Ratschläge würden Sie ihm geben?

Ralf Neuhaus, 25 Jahre

Mein Vater hat meine Mutter verlassen, als ich 12 Jahre alt war. Ich bin der älteste von vier Kindern, und meine Mutter mußte arbeiten, um uns zu ernähren. Meinen Vater haben wir nie wiedergesehen, und er hat sich auch nicht um uns gekümmert. Wir sind ohne Vater großgeworden. Meine Mutter hatte auch nie viel Zeit, sich um uns zu kümmern, weil sie so viel gearbeitet hat. Ich habe früh angefangen zu arbeiten und bin nebenbei zur Abendschule gegangen. Weil ich gut war, konnte ich nach dem Militärdienst anfangen zu studieren. Meine Mutter war immer sehr stolz auf mich, aber mit meinen beiden jüngeren Brüdern hat sie Schwierigkeiten—Drogen und Jugendkriminalität, Sie wissen schon. Sie gehen nicht zur Schule und arbeiten auch nicht. Meine Mutter ist verzweifelt. Sie hat mich gebeten, wieder nach Hause zu kommen, um ihr zu helfen. Aber ich weiß nicht, was ich machen soll. Ich möchte ihr so gern helfen, aber ich möchte auch mein Studium nicht aufgeben. Ich weiß überhaupt nicht mehr, was ich tun soll.

Situation 12.   Jutta und Jens hüten bei Wagners die Kinder.

Wagners gehen heute abend zu einer Geburtstagsfeier. Jutta und Jens sollen die Kinder hüten, bis die Eltern zurückkommen. Jutta und Jens treffen sich vorher und beraten, was sie machen wollen. Was würden Sie an Jens' und Juttas Stelle tun? Erklären Sie Ihren Standpunkt.

1. Sollen wir den Kindern alles zu essen geben, was sie wollen?
2. Sollen wir ihnen etwas vorlesen?
3. Sollen wir sie den ganzen Abend fernsehen lassen?
4. Sollen wir mit ihnen Karten spielen?
5. Sollen wir ihnen erklären, warum sie nicht alles dürfen?
6. Sollen wir sie um sieben Uhr ins Bett schicken?

· ·

IM RESTAURANT

   Grammatik 12.5

TPR: Students sit in groups of three. Sample sequence: *Wir essen im Restaurant: Gehen wir aus essen. Ziehen Sie Ihre schönsten Sachen an. Fahren Sie mit dem Wagen zum Restaurant. Gehen Sie hinein und suchen Sie einen freien Tisch. Lassen Sie sich die Karte geben und lesen Sie sie. Sie haben großen Hunger. Da kommt der Kellner und Sie bestellen zwei Bier. Sprechen Sie mit Ihrem Freund/Ihrer Freundin. Da kommt das Bier. Bestellen Sie jetzt beim Kellner, Zwiebelsuppe mit Käse, Pfeffersteak für Sie und Rouladen für Ihren Freund/ Ihre Freundin und zum Nachtisch Eis mit Früchten. Trinken*

Sie, unterhalten Sie sich und schauen Sie die anderen Leute im Restaurant an. Da kommt endlich das Essen. Sie trinken und essen. Nach dem Desert trinken Sie noch je einen Kaffee. Es hat Ihnen gut geschmeckt. Fragen Sie nach der Rechnung: „Die Rechnung bitte.“ Zahlen Sie und geben Sie dem Kellner ein Trinkgeld. (Point out how a tip is usually given in Germany: Kellner: Das macht 84 Mark. Gast gibt 90 und sagt: Stimmt so!) Stehen Sie auf und gehen Sie hinaus. Machen Sie noch einen kurzen Spaziergang und fahren Sie dann nach Hause zurück.

Sit. 13. Have students name as many foods as they can.

1. Veronika und Bernd Frisch bestellen Rumpsteak mit frischen Pilzen, Kroketten und Salat.
2. Der Koch schmeckt das Essen ab.
3. Der Ober bringt das Essen.
4. Die Frischs trinken Rotwein.
5. Das Essen ist ausgezeichnet.
6. Herr Frisch bezahlt die Rechnung. Er gibt dem Ober ein Trinkgeld.

Situation 13.   Mein Lieblingsessen

Sagen Sie, was Sie bestellen, . . .

1. wenn Sie in einem deutschen Restaurant essen.
2. wenn Sie in der Mensa essen.
3. wenn Sie an einem Würstchenstand essen.
4. wenn Sie in einem italienischen Restaurant essen.
5. wenn Sie bei McDonalds essen.

Sit. 14. Develop the story using the past tense. Have students practice in groups and use various person-number substitutions (for example, they pretend that they and their friends did these things yesterday). Josie hat gestern für vier Personen in einem Restaurant einen Tisch reserviert. Zuerst hat sie sich gebadet und dann elegant angezogen. Kurz vor acht ist sie mit ihrem Mann am Restaurant angekommen. Wenig später sind auch ihre Freunde gekommen und sie sind ins Restaurant hineingegangen. Sie haben sich an ihren Tisch gesetzt und gleich vier Bier bestellt. Sie haben die Speisekarte bekommen und dann das Essen bestellt. Sie haben gegessen und sich dabei gut unterhalten. Anschließend haben sie noch Kaffee und Kognak getrunken. Zum Schluß haben sie nach der Rechnung gerufen, die Rechnung bezahlt und der Kellnerin ein gutes Trinkgeld gegeben.

Situation 14.   Josie und Uli sind ins Restaurant gegangen.

Sit. 15. Comment on the different German foods on the menu. Pair students and have them ask each other questions using *Wieviel kostet es?* Introduce appropriate restaurant expressions: *Was bestellen wir? vielleicht; ich hätte gern; für mich; bringen Sie mir/uns; usw.* Then put students in groups of three: two order and one is the *Kellner/in*. (Optional: Ask students to bring tablecloths and vases while you provide the plastic or real flowers and candles.) When the food has been served, the waiter can trade places with one of the patrons, and the group can role-play again.

Situation 15.   Zum Stadtwächter

Sie gehen mit Freunden zum Essen ins Restaurant „Zum Stadtwächter". Sie lesen die Speisekarte und überlegen, was Sie essen und trinken möchten. Bestellen Sie etwas beim Ober und sagen Sie Ihren Freunden, warum Sie gerade das bestellen.

MODELL: Ich nehme das Wiener Schnitzel, weil es nicht so teuer ist (andere Gründe: weil ich gern . . . esse, weil ich eine Schlankheitskur mache, weil ich kein Fleisch essen möchte, . . .).

Restaurant Zum Stadtwächter

Vorspeisen

6 Schnecken mit Kräuterbutter und Toast	DM 8,–
Krabbencocktail mit Buttertoast	DM 7,50
Rinderkraftbrühe mit Ei	DM 4,50
Schneckencremesuppe	DM 6,50
Französische Zwiebelsuppe mit Käse überbacken	DM 6,–
Hausgemachte französische Fischsuppe mit Knoblauchtoast	DM 7,75

Hauptgerichte

Filetsteak mit Spätzle und Endiviensalat	DM 16,80
Sauerbraten mit Nudeln und gemischtem Salat	DM 10,50
Wiener Schnitzel mit Pommes Frites und Butterbohnen	DM 11,–
Schweinebraten mit Knödeln und gemischtem Salat	DM 9,50
Forelle „Müllerin" in Petersilienbutter, neue Kartoffeln, Salat	DM 16,–
Seezungenfilets in Tomaten-Buttersoße, Reis, Salat	DM 15,80
Hasenkeule mit Waldpilzen in Rahm, Spätzle, Salat	DM 17,–
Hähnchen in Rotwein, gedünstete Champignons, Butterreis	DM 12,–

Getränke

Bier vom Faß	0.5 l	DM 1,60
Pils vom Faß	0.4 l	DM 1,80
Weißbier	0.5 l	DM 2,10
Mineralwasser		DM 1,40
Cola, Fanta, Sprite		DM 1,30
Orangensaft		DM 1,60
Rot- oder Weißwein, Hausmarke, Schoppen		DM 3,50

★ ★ ★

Sit. 16. Let students work in groups of two.

AA 6. *Sprechen Sie über eines der folgenden Themen: 1. Eine lustige Sache, die Ihnen einmal in einem Restaurant passiert ist. 2. Ein Erlebnis, das Sie einmal in einem Restaurant in einem fremden Land hatten. 3. Beschreiben Sie einer Person, die keine Supermärkte kennt, einen amerikanischen Supermarkt. 4. Schreiben Sie das Rezept Ihres Lieblingsessens auf.*

Situation 16.   Interview: Restaurants

1. **Magst du japanisches Essen? Ißt du gern chinesisch?**
2. **Welche Restaurants magst du am liebsten?**
3. **Gehst du oft essen? Wie oft in der Woche ißt du nicht zu Hause?**
4. **Gehst du oft zu McDonalds?**
5. **Gibt es ein Restaurant, in dem du häufig ißt? Magst du das Essen? die Atmosphäre? die Preise?**
6. **Findest du es wichtig, daß die Bedienung freundlich ist?**
7. **Welches ist das feinste Restaurant in deiner Gegend?**
8. **Wieviel muß man in einem feinen Restaurant für ein gutes Essen bezahlen?**
9. **Was trinkst du am liebsten?**

Sit. 17. Encourage students to give as many answers as possible. Let them go through different levels of politeness and formality. Encourage them to express anger as well.

Situation 17.   Was sagen Sie?

1. **Sie sitzen am Tisch in einem Restaurant. Sie haben Hunger, aber noch keine Speisekarte. Sie sehen den Kellner und sagen . . .**
2. **Sie haben mit Ihren Freunden im Restaurant gegessen. Sie haben es eilig und möchten zahlen. Sie rufen den Kellner und sagen . . .**
3. **Sie sind allein essen gegangen. Das Restaurant ist voll. Es gibt keine freien Tische mehr. Plötzlich kommt jemand, den Sie nicht kennen, und fragt, ob er sich an Ihren Tisch setzen kann. Sie sagen . . .**
4. **Sie sind in einem Restaurant. Sie haben es sehr eilig. Sie rufen die Bedienung und sagen . . .**
5. **Sie essen mit Ihren Eltern in einem feinen Restaurant. Da stellen Sie fest, daß eine Fliege in der Suppe schwimmt. Sie rufen den Ober und sagen . . .**
6. **Sie haben einen Sauerbraten mit Knödeln bestellt. Der Ober bringt Ihnen einen Schweinebraten. Sie sagen . . .**

Situation 18.   Dialog: Melanie und Josef gehen aus.

Melanie und Josef haben sich einen Tisch ausgesucht und sich hingesetzt. Der Kellner kommt an ihren Tisch.

KELLNER: Bitte schön?
MELANIE: Könnten wir die Speisekarte sehen?
KELLNER: Natürlich. Möchten Sie etwas trinken?
MELANIE: Für mich ein Mineralwasser bitte.
JOSEF: Und für mich ein Bier.
KELLNER: Gern.

⋮

KELLNER: Wissen Sie schon, was Sie essen möchten?
MELANIE: Ich möchte das Rumpsteak mit Pilzen und Kroketten.

JOSEF: Und ich hätte gern die Forelle „blau" mit Kräuterbutter, grünem Salat und Salzkartoffeln. Dazu noch ein Bier bitte.

KELLNER: Gern. Darf ich Ihnen auch etwas zu trinken bringen?

MELANIE: Nein, danke, im Augenblick nicht.

VOKABELN

Aufforderungen und Rat	**Requests and Advice**
anstellen, angestellt	to employ
auffordern, aufgefordert	to request, command
aufgeben (gibt . . . auf), gab . . . auf, aufgegeben	to give up
ausgeben (gibt . . . aus), gab . . . aus, ausgegeben	to spend

aussuchen, ausgesucht	to select
beeinflussen, beeinflußt	to influence
bestehen, bestand, bestanden	to pass
sich bewerben, bewarb, beworben	to apply
drehen	to turn
sich entschließen, entschloß, entschlossen	to decide, make up one's mind
erläutern, erläutert	to explain

sich kümmern um	to look after
leihen, lieh, geliehen	to borrow
großwerden (wird ... groß), wurde ... groß, ist groß- geworden	to grow up
heiraten	to marry
nachschauen, nachgeschaut	to check
schicken	to send
sich verhalten (verhält), verhielt, verhalten	to behave
verbessern, verbessert	to improve
verhindern, verhindert	to prevent
verschlechtern, verschlechtert	to make worse
verzichten, verzichtet	to forego, do without
zögern	to hesitate
die **Abendschule**, -n	evening school
die **Anordnung**, -en	order
die **Aufforderung**, -en	invitation, request
der **Auftrag**, ⁻e	task, order
die **Bedeutung**, -en	meaning
der **Befehl**, -e	command
der **Bundeskanzler**, - / die **Bundes- kanzlerin**, -nen	West German chancellor
der **Bürgermeister**, - / die **Bürgermeisterin**, -nen	mayor
die **Einrichtung**, -en	institution
die **Gebrauchsan- weisung**, -en	instructions
die **Geduld**	patience
die **Gemeinde**	community
die **Gesellschaft**	society
die **Jugendkriminalität**	juvenile delinquency
der/die **Jugendliche**, -n (ein **Jugendlicher**)	youth, young person
das **Klassenzimmer**, -	classroom
der **Lärm**	noise
die **Lösung**, -en	solution
der **Rat**	piece of advice
das **Sozialamt**, ⁻er	office for social services
der **Standpunkt**, -e	point of view
die **Vorschrift**, -en	direction, instruction
das **Vorstellungs- gespräch**, -e	interview
angebracht	acceptable, proper
die **Kinder hüten**	to babysit

die **prominente Persönlichkeit**	very important person (VIP)
einen **Rat erteilen**, erteilt	to give advice
mit **Problemen umgehen**	to deal with problems

Ähnliche Wörter: der **Direktor**, -en / die **Direktorin**, -nen / die **Droge**, -n / der/die **Kriminelle**, -n (ein **Krimineller**) / die **Kultur** / die **Politik** / die **Proble- matik**, -en / die **Theorie**, -n

Im Restaurant — At the Restaurant

dünsten	to steam (food)
überbacken, überbackte, überbacken	to broil
die **Bedienung**, -en	service
die **Butterbohnen** (*pl.*)	butter beans
der **Champignon**, -s	mushroom
der **Endiviensalat**	endive
die **Fliege**, -n	fly
die **Forelle**, -n	trout
die **Hasenkeule**, -n	leg of rabbit
das **Hauptgericht**, -e	main course
die **Hausmarke**	house wine
der **Knoblauchtoast**, -s	garlic bread
der **Krabbencocktail**, -s	shrimp cocktail
die **Kräuterbutter**	herb butter
die **Kroketten** (*pl.*)	(*fried potato balls*)
das **Lieblingsessen**	favorite dish
der **Müller**, - / die **Müllerin**, -nen	miller
die **Petersilie**	parsley
das **Pils**	(*special kind of beer*)
der **Rahm**	sour cream
die **Rinderkraftbrühe**	beef broth
der **Rotwein**, -e	red wine
die **Sahne**	cream
die **Salzkartoffel**, -n	boiled potato
der **Sauerbraten**	(*special kind of beef roast*)
die **Schnecke**, -n	snail
der **Schoppen**, -	ca. 1/2 pint (*of wine or beer*)
der **Schweinebraten**	pork roast
die **Seezunge**, -n	sole (*fish*)
die **Soße**, -n	sauce, gravy
die **Spätzle** (*pl.*)	(*special type of noodles from Swabia*)

die **Speisekarte**, -n	menu
die **Vorspeise**, -n	appetizer
der **Waldpilz**, -e	mushroom (*wild-growing*)
das **Weißbier**	wheat beer
der **Weißwein**, -e	white wine
der **Würstchenstand**, ⁻e	fast food sausage grill
die **Zwiebelsuppe**, -n	onion soup
ausgezeichnet	excellent
gedünstet	steamed
gemischt	mixed

Ähnliche Wörter: die **Atmosphäre** / der **Butterreis** / der **Buttertoast** / die **Cola**, -s / die **Creme** / die **Fanta**, -s / das **Filetsteak**, -s / die **Fischsuppe**, -n / die **Nudel**, -n

Erinnern Sie sich: (*See Chapter 10:* **Essen**, **Trinken**, **Küche** und **Zubereitung**.)

Verben / Verbs

abstauben, abgestaubt	to dust
aufmachen, aufgemacht	to open
dehnen	to stretch
sich kämmen	to comb
klopfen	to knock
knallen	to bang
werfen (wirft), warf, geworfen	to throw

Ähnliche Wörter: funktionieren, funktioniert

Substantive / Nouns

der **Augenblick**, -e	moment
der **Autoschlüssel**, -	car key
die **Geburtstagsfeier**, -n	birthday party
das **Kissen**, -	pillow
die **Möbel** (*pl.*)	furniture
das **Spiel**, -e	game
die **Spielsachen** (*pl.*)	toys

Ähnliche Wörter: der **Automechaniker**, - / die **Automechanikerin**, -nen / **Dänemark** / der **Humor**

Adjektive und Adverbien / Adjectives and Adverbs

bekannt	known
dauernd	all the time, permanent(ly)
eilig	in a hurry
einzig	only
fremd	strange, foreign
gebügelt	ironed
geliehen	borrowed
gleich	at once, immediately
glücklich	happy
häufig	often, frequent(ly)
heutzutage	nowadays
kürzlich	recent(ly)
leichtsinnig	careless
leise	quiet, in a low voice
die meisten	most
menschlich	human, humane
mittlerweile	meanwhile
nebenbei	by the way
neunjährig	nine years old
öffentlich	public
ratlos	perplexed, at a loss
solange	as long as
solcher, solches, solche	such
sowieso	in any case
ständig	all the time, permanent(ly)
stolz	proud
übrig	left (over)
ungünstig	unfavorable
unumgänglich	unavoidable
verzweifelt	desperate
wirkungsvoll	efficient
wirr	tangled, uncombed
zunehmend	increasing

Ähnliche Wörter: sozial / unterpriviligiert

Nützliche Wörter und Wendungen / Useful Words and Phrases

Das ist Unsinn/ Quatsch.	That's nonsense.
Ich bin anderer Meinung.	I have a different opinion.
Ich bin der gleichen Meinung.	I have the same opinion.

Ich bin der Meinung, daß . . .	I'm of the opinion that . . .
Ich finde es (nicht) gut, daß . . .	I (don't) like the idea that . . .
Ich finde es richtig/ falsch, daß . . .	I think it's right/wrong that . . .
Ich frage mich . . .	I wonder . . .
Ich habe den Eindruck, daß . . .	I have the impression that . . .

Ich habe das Gefühl, daß . . .	I have the feeling that . . .
Ich hoffe . . .	I hope
meiner Ansicht nach . . .	I think . . . , in my opinion . . .
während	while
Was meinst du/meinen Sie?	What do you think?

ZUSÄTZLICHE TEXTE

KULTURELLE BEGEGNUNGEN: Glück in Deutschland

Text: Let students read passages and then do the discussion in groups of 3 or 4. Give them ample time to discuss 1–3 in groups.

Eine Reporterin interviewte Deutsche in Ost und West und stellte ihnen die Frage: Was ist für Sie Glück?

Hier ist eine Auswahl von Antworten, die sie in den beiden deutschen Staaten bekam.

Krefeld, Bundesrepublik: Frau, Anfang 30

„Glück ist für mich, wenn ich richtig fröhlich bin, wenn ich mit einem Menschen zusammen bin, den ich gern habe, dann kann ich sehr glücklich sein. Glück kann aber auch sein, wenn ich etwas sehr Schönes sehe, einen Schmetterling[1] oder eine Blume, dann denke ich: Schön, die Welt ist doch noch da. Das hängt sehr stark vom Augenblick ab."[2]

Bremen, Bundesrepublik: Mann, Mitte 20

„Also Glück ist für mich sicher nicht, wenn ich im Lotto gewinne oder so. Für mich ist Glück, wenn ich vollkommen zufrieden bin."

Leipzig, DDR: Frau, Anfang 20

„Ach wissen Sie, im Moment ist für mich alles Glück, weil ich gerade erst entbunden[3] habe, da ist für mich alles glücklich. Ganz egal,[4] was passiert. Ich kann das im Moment sehr schlecht erklären, alles, was ich empfinde,[5] ist für mich schön und glücklich. Liebe ist Glück."

Eine Meinungsumfrage in der Bundesrepublik

Saarbrücken, Bundesrepublik: Mann, Anfang 60

„Der Mensch braucht viel Glück im Leben, das habe ich gerade gestern erst gemerkt, als ich fast bei einem Autounfall unter die Räder gekommen wäre. Glück ist tatsächlich alles, vor allem, nicht geschädigt[6] zu werden. Das war gestern um Haaresbreite,[7] was ich da erlebt habe. Ich kann nur sagen: das war wirklich Glück."

Halle, DDR: Frau, Mitte 30

„Glück ist, wenn man gesund und zufrieden ist, finde ich."

Dresden, DDR: Mann, Ende 20

„Tja, Glück . . . Zufriedenheit, Gesundheit und Freunde."

Fulda, Bundesrepublik: Frau, Anfang 40

„Vor allen Dingen ist es wichtig, daß man Arbeit hat, daß man nicht arbeitslos ist. Wichtig ist, daß die Familie gesund ist. Das ist Glück. Mehr kann ich dazu nicht sagen."

[1]*butterfly* [2]hängt . . . ab *depends* [3]ein Baby bekommen [4]*Ganz . . . It doesn't matter* [5]fühle
[6]verletzt [7]um . . . *by a hair's breadth*

Diskussion

1. Was halten Sie von den Antworten? Sehen Sie einen Unterschied zwischen den Antworten im Westen und denen im Osten?
2. Welche Antworten, glauben Sie, würde man in den USA geben?

3. Wie würden Sie diese Frage beantworten: Was ist für Sie Glück? Vergleichen Sie Ihre Antworten mit denen Ihrer Mitstudenten.

FAMILIENBANDE

Jochen Förster und Mark Thompson sind Englischlehrer an der „Inlingua" Sprachschule in Düsseldorf. Jochen ist fünfundzwanzig und wohnt noch bei seinen Eltern in Düsseldorf. Mark ist neunundzwanzig, und seine Familie lebt in den USA. Er ist schon lange im Ausland und ist durch ganz Europa gereist, bevor er die Stelle als Englischlehrer bei „Inlingua" angenommen hat. Die beiden haben sich nach dem Unterricht in einem Café in der Nähe der Schule getroffen und unterhalten sich.

JOCHEN: Wirklich, Mark, ich mag die Arbeit an der Schule, aber manchmal denke ich, es wäre besser, wenn ich mal aus Deutschland weggehen würde, zum Beispiel nach Amerika. Ich glaube, es würde mir ganz gut tun, und mein Englisch könnte ich auch verbessern.

MARK: Dein Englisch ist gut, du solltest nur mehr lesen, um deinen Wortschatz[1] zu vergrößern.

JOCHEN: Ach, es ist ja nicht nur wegen der Sprache, ich will einfach weg von meinen Eltern.

MARK: Habt ihr Probleme?

JOCHEN: Es ist immer dasselbe, sie wollen immer wissen, was ich mache, wohin ich gehe und so weiter. Ich habe keine Lust mehr, ich bin doch kein Kind mehr! Und mein Vater weiß immer alles besser.

MARK: Warum nimmst du dir nicht eine eigene Wohnung? Alt genug bist du ja.

JOCHEN: Das kostet wieder zu viel Geld.

MARK: Unsinn! Wir verdienen dasselbe, und ich muß ja auch eine Miete zahlen. Du willst wohl nicht auf den Komfort verzichten, was?

JOCHEN: Nein, nein. Es geht ja nicht nur ums Ausziehen. Ich muß weg! Mein ganzes Leben habe ich hier verbracht, bin hier zur Schule gegangen, dann in Köln studiert, und jetzt arbeite ich hier. Ich kenne alle Leute, und es passiert einfach nichts Neues. Wie war das denn eigentlich bei dir, ich meine, mit deinen Eltern und so?

MARK: Meine Eltern sind immer umgezogen, fast jedes Jahr haben wir in einer anderen Stadt gewohnt. Jetzt wohnen meine Eltern in Florida, meine Schwester Diane lebt mit ihrem Mann in Buffalo, New York, mein älterer Bruder wohnt mit seiner Frau und seinen Kindern in San Diego, und mein jüngerer Bruder studiert noch. Er ist an der Johns Hopkins Universität in Baltimore. Wir sehen uns also nicht sehr oft, und jeder geht mehr oder weniger seine eigenen Wege.

JOCHEN: Ich muß mir von meinem Vater immer anhören, daß sich in einer Familie jeder um den anderen zu kümmern[2] hat. Und es ist ja auch 'was Wahres dran. Ist es denn nicht furchtbar, wenn jedes Familienmitglied so weit vom anderen entfernt lebt? Die kennen sich ja nach einiger Zeit nicht mehr.

Viele junge Leute, die in einer anderen Stadt arbeiten, studieren oder in der Ausbildung sind, kommen nur am Wochenende oder in den Ferien nach Hause.

© Peter Menzel

MARK: Mensch, Jochen, das ist doch ein Vorurteil.[3] Soll ich dir jetzt auch erzählen, was man in Amerika unter einer typisch deutschen Familie versteht?

JOCHEN: Lieber nicht! Aber findest du denn nicht, daß es besser ist, wenn die Geschwister und die Eltern näher beieinander leben und sich umeinander kümmern können?

MARK: Du weißt auch nicht, was du willst. Zuerst sagst du, das Leben mit deinen Eltern geht dir auf die Nerven und du willst weit weg, dann argumentierst du so wie dein Vater. Du darfst nicht vergessen, daß es kulturelle Unterschiede[4] gibt. Wichtige Werte der nordamerikanischen Gesellschaft sind Unabhängigkeit[5] und persönlicher Erfolg. Eltern erziehen[6] ihre Kinder sehr früh zu Unabhängigkeit, aber das heißt natürlich nicht, daß sie ohne Liebe und familiäre Geborgenheit[7] aufwachsen.

JOCHEN: Ja, ja, das ist klar. Aber das ist für uns trotzdem manchmal schwer zu verstehen, vor allem bei den enormen Entfernungen[8] in den USA. Wenn hier Glieder einer Familie woanders leben, dann sind sie maximal 650 Kilometer voneinander entfernt, und das ist nichts im Vergleich[9] zu der Entfernung zwischen Florida und Kalifornien.

MARK: Ich glaube schon, daß die Familie in unseren beiden Ländern eine ähnliche Stellung hat. Wichtig ist sie sicher überall. Aber dieses ganze Gespräch hat dein Problem nicht gelöst, oder?

JOCHEN: Nicht direkt vielleicht, aber ich glaube, ich werde mir eine eigene Wohnung suchen. Du hast recht, ich bin tatsächlich alt genug. Es ist höchste Zeit.

MARK: Na prima, dann erst mal viel Glück bei der Wohnungssuche.

[1]Vokabular [2]sich ... um ... kümmern *look after* [3]*prejudice* [4]*differences* [5]*independence* [6]*train* [7]*security* [8]Distanzen [9]*comparison*

Fragen

Wer sagt das, Jochen oder Mark?

1. Meine Eltern wollen immer wissen, was ich mache.
2. Wir wohnen weit voneinander entfernt, aber daß wir uns kaum noch kennen, ist ein Klischee.
3. Meine Geschwister leben alle in verschiedenen Teilen des Landes.
4. Ich würde gern mal ein anderes Land kennenlernen.
5. Wir sind sehr oft umgezogen.
6. Es ist wichtig, daß Eltern und Kinder sich umeinander kümmern.
7. Wir wollen unabhängig von unseren Eltern sein.
8. Eine intakte Familie ist in allen Ländern wichtig.

Diskussion

Die amerikanische Familie: Trifft das Bild, das hier gezeichnet wird, zu?[1] Sind Unabhängigkeit und persönlicher Erfolg wirklich wichtige Werte der amerikanischen Gesellschaft? Welche anderen Werte gibt es? Wie sieht es in Ihrer Familie aus?

[1]Trifft ... zu *Is ... true*

AUSREISE IN DEN WESTEN: Sofie und Marta

Sofie Pracht und Marta Szerwinski sitzen in einem Café am Alexanderplatz in Ost-Berlin. Sofie ist von Dresden nach Berlin gefahren, um ihre Freundin Marta zu besuchen. Marta kommt aus Danzig und lebt seit drei Jahren in der DDR. Sie ist Technikerin.

SOFIE: Wie geht es eigentlich deinen Eltern und deinen Schwestern? Die wohnen doch jetzt in der BRD, nicht?

MARTA: Ja, schon seit '84.

SOFIE: Warum sind sie denn in den Westen gezogen?

MARTA: Ach, für sie war das der große Traum.[1] Du weißt, daß seit den Helsinki-Verträgen alle Deutschstämmigen[2] aus den ehemaligen deutschen Ostgebieten in Polen, der UdSSR und der Tschechoslowakei in die Bundesrepublik ausreisen können. Es dauert zwar lange, bis ein Ausreiseantrag[3] bearbeitet wird, und bei meiner Familie hat es auch zwei Jahre gedauert, aber '84 war es dann so weit, und sie durften ausreisen, ich natürlich auch.

SOFIE: Und warum bist du nicht ausgereist?

MARTA: Ich wollte nicht. Was sollte ich denn in der BRD? Meinen Beruf und meine Freunde hatte ich in Danzig. Und außerdem hatte ich damals auch einen festen Freund, ohne den ich nicht ausreisen wollte.

SOFIE: Hattest du denn keine Schwierigkeiten, nachdem deine Familie ausgereist war?

MARTA: Am Anfang, ja. Ich habe sogar meine Stelle verloren, weil ich „Betriebsgeheimnisse"[4] hätte ausplaudern können. Aber nach einiger Zeit hat sich alles wieder normalisiert. Und dann habe ich ja sogar die Arbeit hier in Berlin bekommen.

SOFIE: Hörst du oft von deinen Eltern?

MARTA: Ja, eigentlich schon. Sie kommen mich auch öfter besuchen. Gesundheitlich geht es ihnen ganz gut, aber so richtig glücklich sind sie nicht da drüben. In Danzig war mein Vater Handwerksmeister,[5] und jetzt ist er ein einfacher Arbeiter. Außerdem haben meine Eltern auch noch viele Schulden, denn als sie dort ankamen, hatten sie ja nichts. Manchmal denke ich, sie würden gern wieder zurückkommen. Aber das geht jetzt natürlich nicht mehr.

SOFIE: Wie können sie dich denn so einfach besuchen?

MARTA: Sie haben ja jetzt einen westdeutschen Paß, und für einen Tagesausflug nach Ost-Berlin braucht man damit nicht einmal ein Visum.

SOFIE: Na, da habt ihr es ja noch gut.

[1]*dream*   [2]*people of German origin*   [3]*exit petition*   [4]*shop secrets*   [5]*master craftsman*

Fragen

1. Wo sind Marta und Sofie?
2. Woher kommt Marta?
3. Wo lebt sie jetzt?
4. Wo leben Martas Eltern und Schwestern?
5. Wann durfte die Familie Szerwinski ausreisen?
6. Welche Leute dürfen seit den Helsinki-Verträgen ausreisen?
7. Warum ist Marta nicht ausgereist?
8. Welche Schwierigkeiten hatte Marta, nachdem ihre Familie ausgereist war?
9. Welche Probleme haben Martas Eltern in der Bundesrepublik?
10. Warum kann sich Marta oft mit ihren Eltern und Schwestern treffen?

STRUKTUREN UND ÜBUNGEN

12.1. This section includes details that have not been introduced in previous sections on the imperative.

12.1 Imperativ 3: Zusammenfassung und Ergänzung

The imperative (command form) in German is used for making requests and suggestions and for giving instructions and directions, as well as for issuing orders.* To soften requests or suggestions or to make them more polite, modal particles, such as **doch**, **mal**, and **bitte**, are often included in the imperative sentence.

> **Mach bitte** das Fenster zu.
> *Close the window, please.*

> **Gehen Sie doch** zum Arzt.
> *Why don't you see a doctor?*

The imperative has four forms: the familiar singular (**du**), the familiar plural (**ihr**), the polite (**Sie**), and the first-person plural, which includes the speaker (**wir**).

A. Sie und wir

In both the **Sie-** and **wir-**forms, the verb begins the sentence, and the pronoun follows.

> **Gehen wir** doch heute ins Kino.
> *Let's go to the movies today.*

> **Geben Sie** mir mal bitte die Milch.
> *Pass me the milk, please*

B. Ihr

The **ihr-**imperative consists of the present-tense **ihr-**form of the verb without the pronoun.

> Albert und Nora, **kommt** bitte mal **her**.
> *Albert and Nora, please come here.*

C. Du

The **du-**imperative consists of the present-tense **du-**form of the verb without the pronoun and without the **-(s)t** ending.

---

*Impersonal commands are usually expressed with infinitives or in passive constructions with **werden** plus a past participle.

> Nicht aus dem Fenster **beugen**!
> *Don't lean out of the window!*

> Hier **wird** nicht **geraucht**!
> *There's no smoking here!*

453

du kommst	**Komm!***
du tanzt	**Tanz!***
du arbeitest	**Arbeite!**
du ißt	**Iß!**

Verbs that have a stem-vowel change from **a** to **ä** or **au** to **äu** do not have an *umlaut* in the **du**-imperative.

du fährst	**Fahr!**
du läufst	**Lauf!**
du hältst	**Halt(e)!**

The **du**-imperative of **werden** is **werde**.

> **Werde** jetzt bloß nicht frech!
> *Now just don't get fresh!*

D. sein

The verb **sein** has irregular imperative forms.

	SG	PL
1. Person		Seien wir
2. Person	Seien Sie	Seien Sie
	Sei	Seid

> **Sei** so gut und gib mir die Butter, Andrea.
> *Be so kind and pass me the butter, Andrea.*

> **Seid** jetzt mal etwas leiser, Kinder.
> *Be a little less noisy, children.*

> **Seien Sie** doch nicht so schnell eingeschnappt, Frau Frisch.
> *You shouldn't be offended so quickly, Mrs. Frisch.*

> **Seien wir** mal ein bißchen leiser, damit Mutti schlafen kann.
> *Let's be a little more quiet, so Mommy can sleep.*

Übung 1. If you do this exercise orally, insist on realistic intonation and the use of *doch*.

Übung 1

Jutta möchte es ihrem Vater recht machen und fragt ihn deshalb immer, ob sie etwas tun darf. Spielen Sie die Rolle des Vaters.

MODELL: Darf ich mal Jens anrufen? → Ja, ruf ihn doch mal an.

1. Darf ich jetzt Klavier üben?
2. Darf ich den Fernseher einschalten (*turn on*)?
3. Darf ich jetzt die Schokolade essen?
4. Darf ich das Fenster aufmachen?
5. Darf ich dir einen Kuß geben?

---

*In written German, you will sometimes see a final **-e** (**komme, gehe**), but in the spoken language this final **-e** has become quite old-fashioned. Verbs such as **arbeiten** and **öffnen**, which have the ending **-est** end in **-e** in the imperative.

6. Darf ich mit dir reden?
7. Darf ich zu dir kommen?
8. Darf ich das Geschirr abwaschen?

9. Darf ich dir den Knopf annähen?
10. Darf ich in den Garten gehen?

Übung 2. Note that some subjects are singular and others are plural.

Übung 2

Aufforderungen!

MODELL: Zimmer aufräumen / Jens und Ernst → Jens und Ernst, räumt euer Zimmer auf.

1. nicht so laut sein / Jens und Ernst
2. pünktlich sein / Michael und Maria
3. nicht so viel rauchen / Uli
4. mehr Obst essen / Josie
5. nicht so schnell fahren / Herr Wagner
6. an der Ecke warten / Frau Körner
7. nicht ungeduldig sein / Natalie und Rosemarie
8. Vater von mir grüßen / Andrea und Paula
9. sich waschen und sich die Zähne putzen / Hans
10. jeden Tag ein Kapitel lesen / Helga und Sigrid

Übung 3. Have students complete the sentences (perhaps in small groups or as homework) and then do this exercise orally, emphasizing correct and realistic intonation.

Übung 3

Minidialoge. Verwenden Sie die folgenden Verben: einsteigen, haben, helfen, kaufen, kommen, machen, schreiben, sprechen, vergessen, warten.

A: Ich sitze jetzt schon wieder sechs Stunden vor dem Computer.
B: Du arbeitest zu viel. _____ mal eine Pause.

C: Mutti, Mutti, Ernst hat mich geschlagen!
D: Seid ruhig und _____ schnell in den Bus ein!

E: Oh, das ist aber ein großer Hund!
F: _____ keine Angst, der Hund beißt Sie bestimmt nicht!

G: _____ bitte lauter, ich verstehe Sie nicht.
H: Ja, wie laut soll ich denn sprechen? Wollen Sie, daß ich schreie?

I: Na, was ist? Kommen Sie nun oder kommen Sie nicht?
J: Ich bin ja gleich fertig. Bitte _____ doch noch einen Moment.

K: Du, Jürgen, nächsten Samstag können wir leider nicht zu eurem Fest kommen.
L: Schon wieder nicht! Wir haben euch schon so oft eingeladen! _____ doch endlich mal!

M: Deine Schrift kann kein Mensch lesen. _____ bitte deutlicher!
N: Warum denn? Du sollst das ja auch nicht lesen.

© Keystone / The Image Works

Vorsicht
bissiger Hund

O: Kann ich mit euch zum Schwimmen gehen?

P: Ja, komm und _____ deine Badehose nicht.

Q: _____ mir bitte, ich kann die Koffer nicht allein tragen.

R: Aber natürlich, Großmutter, wir helfen dir doch gern.

S: Frische Tomaten! _____ frische Tomaten!

T: Na, so frisch sehen die aber nicht mehr aus!

12.2. Although students need to become accustomed to hearing and using dependent word order, do not let this interfere with the binding of meaning to the conjugations themselves.

12.2 Nebensätze 2: Temporalsätze und Finalsätze

A. Temporalsätze

To express relationships in time between clauses, use the following conjunctions: **bevor** (*before*), **solange** (*as long as*), **während** (*while*), **sobald** (*as soon as*), **bis** (*until*). All these conjunctions require dependent word order, with the conjugated verb at the end of the subordinate clause.

> Lydia muß noch ihre Hausaufgaben machen, **bevor** sie ins Bett **gehen kann.***
> *Lydia still has to do her homework before she can go to bed.*

> Sie spielt draußen im Garten, **solange** ihr Vater **schläft**.
> *She plays outside in the yard as long as her father is asleep.*

> Sie darf nicht Klavier spielen, **während** ihr Vater und ihre Mutter **sich unterhalten**.
> *She's not allowed to play the piano while her father and mother are talking.*

> **Sobald** Lydia mit dem Frühstück fertig **ist**, muß sie ihr Zimmer aufräumen.
> *As soon as Lydia is done having breakfast, she has to clean up her room.*

> Lydia muß im Haus bleiben, **bis** ihre Eltern **zurückgekommen sind**.
> *Lydia has to stay in the house until her parents have come back.*

Recall that the entire dependent clause is considered the first element of the sentence when it comes before the main clause. Since the verb in the main clause then follows in second position, the pattern **Verb-Komma-Verb** results.

I   II   III

Sobald Lydia mit den Hausaufgaben fertig **ist**, **muß** sie ins Bett gehen.
As soon as she's done with her homework, she has to go to bed.

---

*Note that in German a comma separates all dependent clauses from their main clauses.

B. Finalsätze

A dependent clause that starts with **damit** (*so that, in order to*) expresses a purpose, goal, or motive.

> Lydia muß jeden Tag um sieben Uhr aufstehen, **damit** sie pünktlich in die Schule **kommt**.
> *Lydia has to get up at seven every morning to get to school on time (so that she gets to school on time.)**

Übung 4. Practice these orally with the students as well.

Übung 4

Minidialoge: Ergänzen Sie die richtige Konjunktion: bevor, bis, damit, sobald, solange, während.

A: Können wir jetzt endlich essen?
B: Nein, wir müssen warten, _____ Michael da ist.

C: Wir gehen, _____ du fertig bist.
D: Ich bin schon fertig!

E: _____ dieser Mensch bei euch wohnt, komme ich nicht vorbei.
F: Nächste Woche fährt er ja wieder nach Hause.

G: _____ du duschst, wasche ich das Geschirr ab.
H: Das ist lieb von dir!

I: Beeil dich ein bißchen, _____ wir nicht zu spät kommen!
J: Wir haben doch noch eine halbe Stunde Zeit, _____ der Film anfängt.

K: _____ die Sonne scheint, sollten wir spazierengehen.
L: Dann laß uns gleich losgehen, _____ es wieder anfängt zu regnen!

12.3. Using exaggerated intonation in sentences with these subjunctive forms will aid the students in binding meaning to them.

12.3 Konjunktiv II 2: würde, hätte, wäre

A. würde

The subjunctive II forms of **werden—würde, würdest, würden,** and **würdet**—are used in German much in the same way as the modal verb *would* is used in English.

The **würde** forms are used in very polite requests.

> **Würden** Sie mir bitte noch einen Kaffee **bringen**?
> *Would you please bring me another cup of coffee?*

---

*The infinitive construction (*to get to school on time*) is more common in English, whereas the equivalent um . . . zu construction (**um pünktlich in die Schule zu kommen**) is used less often in spoken German than the **damit** construction, which uses a conjugated verb form (**damit sie pünktlich in die Schule kommt**).

They are also used in wishes and hypothetical statements.

> Wenn er doch nur bald **kommen würde!**
> *If only he would come soon!*

> Wenn es nicht **regnen würde**, könnten wir spazierengehen.
> *If it weren't raining (wouldn't rain), we could go for a walk.*

Here are the subjunctive II forms of werden.

ich	würde	wir	würden
Sie	würden	Sie	würden
du	würdest	ihr	würdet
er sie es }	würde	sie	würden

B. hätte und wäre

Generally, **würde** is not used with the infinitives **haben** and **sein**. The forms of **hätte** and **wäre** are preferred.

> Wenn Michael reich **wäre**, würde er nie wieder arbeiten.
> *If Michael were rich, he would never work again.*

> Wenn Ernst eine Schlange **hätte**, würde er seine Schwestern erschrecken.
> *If Ernst had a snake, he would scare his sisters.*

Here are the forms of **hätte** and **wäre**.

ich	hätte	wir	hätten	ich	wäre	wir	wären
Sie	hätten	Sie	hätten	Sie	wären	Sie	wären
du	hättest	ihr	hättet	du	wärest*	ihr	wäret*
er sie es }	hätte	sie	hätten	er sie es }	wäre	sie	wären

To form past subjunctive forms, **hätte** and **wäre** are used as subjunctive auxiliaries in the same way that **haben** and **sein** are used to form the perfect tense.

---

*In casual speech and writing, one often encounters **du wärst** and **ihr wärt**.

Gestern **habe** ich mir einen Porsche **gekauft**. —Aber der ist doch für euch nicht groß genug! Also, ich **hätte** mir einen BMW **gekauft**.

"Yesterday I bought myself a Porsche." "But it just isn't big enough for all of you. I would have bought a BMW."

Gestern **bin** ich in den Park **gegangen**. —Aber es hat doch den ganzen Tag geregnet! Also, ich **wäre** an deiner Stelle nicht in den Park **gegangen**.

"Yesterday I went to the park." "But it rained all day long! If I were you I wouldn't have gone to the park."

Übung 5. This can also be used as an oral activity. Use exaggerated intonation to emphasize the unreality of the situations.

Übung 5

Was würden Sie machen, wenn . . .

BEISPIEL: Wenn das Wetter schön wäre, . . . (schwimmen gehen) →
Wenn das Wetter schön wäre, würde ich schwimmen gehen.

1. Wenn es kalt wäre, . . . (im Bett bleiben)
2. Wenn ich nicht so müde wäre, . . . (den Film anschauen)
3. Wenn ich tausend Mark finden würde, . . . (eine Reise machen)
4. Wenn ich nicht so faul wäre, . . . (das Examen bestehen)
5. Wenn ich ein neues Auto hätte, . . . (nach Rom fahren)
6. Wenn ich mehr Talent hätte, . . . (Romane schreiben)
7. Wenn ich eine Woche frei hätte, . . . (viel schlafen)
8. Wenn ich sportlich wäre, . . . (Tennis spielen)
9. Wenn ich mein Examen hätte, . . . (eine große Party geben)
10. Wenn ich mehr Zeit hätte, . . . (mehr lesen)

Übung 6

Maria und Michael haben Streit. Sie ist nicht besonders glücklich mit ihm. Sie erzählt Jutta ihr Leid. Übernehmen Sie Juttas Rolle.

MODELL: MARIA: Ich habe Michael geliebt. →
JUTTA: Ich hätte ihn nicht geliebt.

1. Ich bin nur mit Michael in Urlaub gefahren.
2. Ich habe ihm 1000 Mark gegeben.
3. Ich bin nur mit ihm ins Kino gegangen.
4. Ich habe ihn gepflegt, als er krank war.
5. Ich bin nur mit ihm spazierengegangen.
6. Ich habe ihm Vitamintabletten gekauft.
7. Ich bin für ihn einkaufen gegangen.
8. Ich habe seine Socken gewaschen.
9. Ich bin nur mit ihm auf Parties gegangen.
10. Ich habe jeden Tag für ihn gekocht.

12.4 Nebensätze 3: abhängige Fragesätze

Recall from Chapter 6 that you use the conjunction **ob** to turn a direct yes/no question into an indirect one.

> Fährt Jürgen heute an die Uni? —Das weiß ich nicht. Frag ihn doch, ob er an die Uni fährt.
> *"Is Jürgen going to the university today?" "I don't know. Why don't you ask him if he's going to the university?"*

Question words can also be used as conjunctions to make indirect questions. The question word begins the clause, and the conjugated verb moves to the end of the clause to complete the **Satzklammer**.

> Wie funktioniert denn der Wecker? —Ich habe keine Ahnung, wie der blöde Wecker funktioniert.
>
> *"How does the alarm clock work?" "I have no idea how that stupid alarm clock works."*
> Wem hast du denn deine Schallplatte geliehen? —Wenn ich nur wüßte, wem ich sie diesmal wieder geliehen habe.
>
> *"Who did you lend your record to?" (To whom . . . ?) "If I only knew who I lent it to this time." (. . . to whom . . .)*
> Wie willst du nur die Prüfung bestehen? —Ich weiß auch nicht, wie ich sie bestehen soll.
>
> *"How do you expect to pass your exam?" "I don't know either how I'm going to pass it."*

Übung 7

Fragen Sie Ihre Freunde.

MODELL: wer / meinen Autoschlüssel / haben →
        Weißt du (Hast du eine Ahnung), wer meinen Autoschlüssel hat?

1. wie lange / die Bibliothek / offen sein
2. warum / Albert / nicht auf die Party kommen
3. wie / man / das Fenster zumachen
4. wer / das Examen bestanden haben
5. was / wir / Nora zum Geburtstag schenken
6. wann / die Klausur / anfangen
7. warum / Stefan / seine Hausaufgaben nicht haben
8. wie schwer / dieser Text / sein

12.5. New in this section are the dative verbs and the accusative with expressions of time and measurement.

12.5 Zum Gebrauch der Fälle: Zusammenfassung und Ergänzung

There are three main factors that influence the choice of a particular case: function, prepositions, and verbs.

A. Funktion

Function refers to the role a particular noun or pronoun plays within the framework of a sentence, for example, whether it is the subject, the direct object, or the indirect object. The subject of a sentence (who or what is doing something) is in the nominative case; the direct object (the thing or person to which or to whom the action is done) is in the accusative case; and the indirect object (usually a person to whom the direct object is given, told, or whatever) is in the dative case.

NOM	DAT	AKK
Der Ober bringt	**den Frischs**	ihre Getränke.

The waiter is bringing the Frisches their drinks.

B. Präpositionen

Nouns or pronouns that follow prepositions are always in a case other than the nominative. You have encountered three groups of prepositions so far: those that take the accusative, the dative, and either the accusative or the dative (**Wechselpräpositionen**).

AKK		DAT		AKK/DAT	
bis	gegen	aus	nach	an	über
durch	ohne	außer	seit	auf	unter
entlang*	um	bei	von	hinter	vor
für		mit	zu	in	zwischen
				neben	

The accusative/dative prepositions (**Wechselpräpositionen**) require accusative objects when movement toward a destination is involved. They require dative objects when no such destination is expressed, but rather when the focus is on a stationary location or place.

Der Ober hat ein Glas Wein **in der Hand**.
The waiter has a glass of wine in his hand.

Er stellt den Wein **auf den Tisch**.
He puts the wine on the table.

Neben dem Wein liegt die Speisekarte.
The menu is next to the wine.

C. Verben

Certain verbs, just like prepositions, require a noun to be in a particular case. The verbs **sein**, **werden**, **bleiben**, and **heißen** establish identity relationships between the subject and the predicate, and therefore require the predicate noun to be in the nominative case along with the subject.

---

*Recall that **entlang** is placed behind the noun to which it refers.

Ich gehe **die Donau entlang**.
I walk along the Danube.

Jetzt bin ich noch Student, aber bald werde ich ein berühmter Arzt sein.
I'm still a student now, but soon I'll be a famous physician.

The following verbs and a few others require dative objects.

antworten	*to answer*
begegnen	*to encounter*
danken	*to thank*
folgen	*to follow*
gefallen	*to please*
gehören	*to belong*
helfen	*to help*
passen	*to fit*
passieren	*to happen*
schmecken	*to be pleasing to the taste*
zuhören	*to listen*

Ernst, warum **antwortest** du **mir** nicht?
Ernst, why don't you answer me?

Gestern **ist mir** ein komischer Typ **begegnet**.
Yesterday I met a strange guy.

Ich **danke Ihnen** recht herzlich.
I thank you very much.

Ist Ihnen auch jemand **gefolgt**?
Did anyone follow you?

Dein neues Hemd **gefällt mir** nicht.
I don't like your new shirt.

Gehört diese Gitarre **dir**?
Does this guitar belong to you?

Heute muß ich **meinem Vater helfen**.
I have to help my father today.

Die Schuhe **passen mir** nicht; sie sind zu groß.
The shoes don't fit; they are too big.

Gestern **ist mir** etwas Komisches **passiert.**
A funny thing happened to me yesterday.

Heute **schmeckt mir** aber auch gar nichts.
Nothing appeals to me today. (I don't have any appetite.)

Hört mir bitte genau **zu**.
Please listen to me carefully.

D. Zeit- und Maßangaben im Akkusativ

The accusative case is used in expressions that refer to a specific point in time or segment of time.

Gestern bin ich **den ganzen Tag** zu Hause geblieben.
Yesterday I stayed home all day long.

The accusative is also used to express measurement—for example, how long or how heavy something is.

Rosemarie ist gerade **einen Meter** groß.
Rosemarie is just one meter tall.

E. Zusammenfassung

The following chart summarizes the use of the nominative, accusative, and dative cases.

FUNKTION	NOMINATIV Subjekt	AKKUSATIV direktes Objekt	DATIV indirektes Objekt
PRÄPOSITIONEN	—	bis, durch, entlang, für, gegen, ohne, um	aus, außer, bei, mit, nach, seit, von, zu
		ZIEL an, auf, hinter, in, neben, über, unter, vor, zwischen	ORT
VERBEN	bleiben, heißen, sein, werden	viele Verben	danken, gefallen, passen, schmecken, . . .
ANDERES		bestimmte Zeit, Maßangaben	

Übung 8

Jutta hat sich verliebt! Ergänzen Sie.

Jutta hat sich total verliebt. Sie sah vor ein_____ Monat auf ein_____ Klassenfest ein_____ jungen Mann, und jetzt denkt sie nur noch an ih_____. Er trug an jen_____ Abend ein_____ Jeansjacke, unter sein_____ Jacke ein altes Unterhemd, und ein_____ uralte Hose. Er stand d_____ ganze Zeit neben d_____ Tür. Seine Kleidung und sein_____ blauen Augen gefielen ihr sehr. Er schaute oft zu ih_____ hin, aber sie sprach ih_____ nicht an, sie war zu schüchtern.

Jetzt träumt sie von ih_____. Sie möchte mit ih_____ durch d_____ Park gehen und in d_____ Stadt. Vielleicht könnten sie auch mal für ein paar Tage ohne d_____ Eltern wegfahren. Sie möchte ih_____ gern ein_____ Brief schreiben, aber sie weiß sein_____ Adresse nicht. Sie kennt nur sein_____ Vornamen, Florian. D_____ Namen wird sie nie mehr vergessen! Morgens in d_____ Schule denkt sie an ih_____, mittags auf d_____ Weg nach Hause, nachmittags bei d_____ Hausaufgaben, abends vor d_____ Fernseher oder in d_____ Disco. Ach, wenn sie ih_____ doch nur noch einmal treffen könnte! Diesmal würde sie sicher zu ih_____ gehen und ih_____ ansprechen.

KAPITEL 13

Junges Paar im Park

In Kapitel 13 you will learn to talk about your expectations for the future and about your hopes and fears. You will have the opportunity to discuss a number of contemporary issues, to talk about values and stereotypes, and to express your opinion in a number of ways.

WIR UND DIE WELT, HEUTE UND MORGEN

THEMEN

Familie, Partnerschaft und
   Ehe
Die Welt von morgen
Stereotype und Vorurteile

ZUSÄTZLICHE TEXTE

Kulturelle Begegnungen: Sexismus in der Sprache
Film und Fernsehen in Deutschland: Rolf
Unsere Straße: Die neue Stelle

STRUKTUREN

13.1 Genitiv 2: Flexionsformen
13.2 Genitiv 3: Präpositionen
13.3 Adjektive 3: eine andere Sicht
13.4 Futur
13.5 Konjunktiv II 3: als ob

TEXTE

◀ Unsere Straße: Rollentausch

GOALS

In this chapter students begin to
express their opinions and ideas
about social relationships such
as friendship and marriage and
about goals in their lives.

SPRECHSITUATIONEN

FAMILIE, PARTNERSCHAFT UND EHE

☞ **Grammatik 13.1–3**

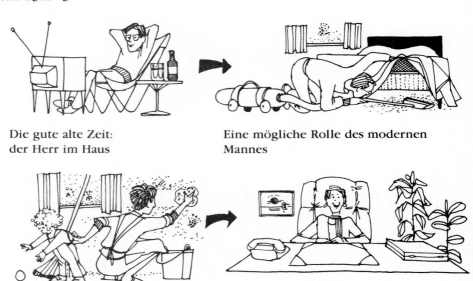

Die gute alte Zeit:
der Herr im Haus

Eine mögliche Rolle des modernen
Mannes

Die alte Rolle der Frau:
Hausfrau und Mutter

Das neue Leben einer Frau,
die außerhalb des Hauses arbeitet

Sit. 1. Ask students to read these statements at home, to think about them, and to be prepared to discuss their reactions in class.

Situation 1.   Meinungen

Es gibt unterschiedliche Meinungen über die Rollen von **Männern und Frauen.**
Nehmen Sie zu den folgenden Aussagen Stellung.

1. Ein Mann sollte nicht nur arbeiten. Er sollte sich auch um die Familie kümmern. Abends sollte er nicht nur vor dem Fernseher sitzen und Bier trinken oder in die Kneipe gehen.
2. Eine Frau muß vor allem gut aussehen. Intelligenz ist nicht so wichtig. Sie sollte schlank sein und sich attraktiv anziehen. Aber sie sollte auch gut kochen können und für die Familie sorgen.
3. Ein Mann sollte auch Pflichten im Haushalt übernehmen und die Kinder erziehen. Die Ehepartner sollten nicht an bestimmte Rollen gebunden sein.

Sit. 2. These sorts of ads are more common in German-speaking countries than in the U.S. Explain *Kennwort*.

4. Ein Mann muß stark und dominant sein. Er sollte Verantwortung übernehmen. Frauen brauchen einen Beschützer, bei dem sie sich geborgen fühlen können.
5. Ein Mann sollte sportlich und intelligent sein. Man sollte sich mit ihm über alles unterhalten können.
6. Frauen sind unpraktisch und technisch unbegabt. Handwerkliches Geschick liegt ihnen nicht im Blut.
7. Frauen können genauso logisch denken wie Männer. Es ist ein Vorurteil, daß sie keinen Sinn für Mathematik haben.
8. Eine Frau sollte nicht mehr Geld verdienen als ihr Mann. Das führt zu Krisen in der Ehe, weil der Mann sich minderwertig fühlt.

Situation 2.   Heiratsanzeigen

Immer allein frühstücken ist langweilig. Auch allein verreisen ist doof! Frau, 37 Jahre, klein und schlank, sucht Mann, dem es auch so geht. Er sollte Interesse für Sport, Konzert, Kino, Gemütlichkeit und Natur haben—Lehrer angenehm—zwischen 35 und 45 Jahre alt sein. Kennwort: Wer wagt, gewinnt.

Brauche keinen Mann, der für mich Entscheidungen trifft, sondern einen für Leib und Seele. Bin 27 Jahre, 168 groß, 65 kg, friedlich, ausgeglichen, lebensfroh und optimistisch, keine Traumfrau, aber vielleicht eine für länger. Suche netten Mann, der auch Spaß am Leben hat und eine feste Beziehung sucht. Kennwort: Versuch

Bist du eine häßliche alte Schlampe, fett, abstoßend, lustlos dahinvegetierend und suchst einen zu dir passenden Partner, um sich gegenseitig anzuekeln? Bin widerlicher, dreckiger Penner, 23, faul, gefräßig, dumm und nehme jede! Na? Wie wär's? Kennwort: Widerlich

Mein Papi, 25, 190 und ich, Jenny, 4, suchen eine nette Frau und Mutti, Brüder und Schwestern kein Hindernis. Schreibe bald! Bild? Kennwort: Jonny und Jenny

Suche Million, zur Not auch mit Anhang, dann verprassen wir deine Kohle. Wenn wir dann arm sind, haben wir eine Grundlage, um eine vernünftige Beziehung aufzubauen. Hast du jedoch keine Million, könnte man gleich zum Thema Beziehung kommen. Mann, 35. Kennwort: 1 Mi − 1 Mi = du und ich

Fragen

1. Was halten Sie von diesen Anzeigen?
2. Welche gefallen Ihnen und warum?
3. Welche stereotype Rollenerwartungen finden Sie?

4. Können Sie sich vorstellen, daß Sie einmal auf eine Heiratsanzeige hin antworten würden? Warum (nicht)?
5. Warum geben Leute solche Anzeigen auf?

Situation 3.   Ratschläge

Eltern geben ihren Kindern viele gute Ratschläge. Wie finden Sie diese Ratschläge? Sind sie gut und wichtig? Altmodisch? Irrelevant? Begründen Sie Ihre Aussagen.

1. Eine gute Ausbildung ist wichtig. Lern so viel wie möglich.
2. Die Karriere ist nicht alles. Genieß dein Leben.
3. Freunde sind das Wichtigste im Leben. Sei kein Einzelgänger.
4. Man muß sich immer anpassen. Sei nicht eigenwillig.
5. Sei nicht egoistisch. Nur wer auch an andere denkt, ist ein glücklicher Mensch.
6. Heirate nicht zu früh. Überleg dir genau, ob es der/die Richtige für dich ist.
7. Kauf dir ein Haus oder eine Wohnung, damit du ein Zuhause hast.
8. Versuch, Hobbies und Interessen zu entwickeln. Dann wird dir nie langweilig.
9. Mach dich nicht von anderen abhängig. Bleib immer selbständig.

Sit. 4. Let students work in groups.

Situation 4.   Diskussion: Ein guter Charakter

1. Welche Charaktereigenschaften sollte die Person haben, die Sie einmal heiraten? (Wenn Sie verheiratet sind: Welche Charaktereigenschaften sind Ihnen an Ihrem Partner wichtig?)
2. Welche Charaktereigenschaften hat ein guter Vater? eine gute Mutter? ein guter Großvater? eine gute Großmutter?
3. Denken sie an Ihren besten Freund/Ihre beste Freundin: Welche Charaktereigenschaften erwarten Sie von einem Freund? Warum sind Freunde wichtig? Wer ist wichtiger in Ihrem Leben, Ihre guten Freunde oder Ihre Familie? Warum?
4. Glauben Sie, daß ein egoistischer Mensch ein guter Freund/eine gute Freundin sein kann? Warum (nicht)?
5. Was ist wichtiger bei einem guten Freund/einer guten Freundin, Loyalität oder Intelligenz?
6. Haben Sie Freunde aus der Schule, die nicht an der Universität studieren? Glauben Sie, daß es wichtig ist, sie zu behalten, oder denken Sie, daß Sie und diese Freunde jetzt nichts mehr gemeinsam haben? Erklären Sie Ihren Standpunkt.
7. Was erwarten Sie von einem Freund? Verständnis? Loyalität? Uneingeschränkte Hilfe?

Sit. 5. Let students work in groups.

Situation 5.   Diskussion: Rollenverteilung in der Ehe

1. Definieren Sie die Rolle der „Mutter" und die des „Vaters". Welche ist komplizierter?
2. Sollten Frauen, die kleine Kinder haben, außerhalb des Hauses arbeiten?
3. Liebt eine Mutter ihre Kinder mehr als ein Vater?
4. Sollen Kinder sich um ihre Eltern kümmern, wenn diese alt sind?
5. Warum wollen manche Leute keine Kinder haben?
6. Gibt es Leute, die keine Kinder haben sollten? Erklären Sie Ihre Antwort.

UNSERE STRASSE: Rollentausch[1]

Text: Have students recall details about the Ruf family and then imagine a situation in which they would be gossiping about the family. Set up groups of 4–5 and encourage each group to gossip about one member of the family. Then let one student from each group pass on the gossip to the rest of the class.
Introduce the term: Hausmann.

Frau Körner und Herr Thelen tratschen[2] über die Familie Ruf.

FRAU KÖRNER: Der Ruf macht es sich ja auch leicht. Seine Frau verdient das Geld, und er sitzt zu Hause und spielt den Hausmann.

HERR THELEN: Sie soll bei dieser Spielzeugfirma[3] sehr erfolgreich sein, habe ich gehört.

FRAU KÖRNER: Na, einer muß ja für die Familie das Geld verdienen, wenn er schon nichts leistet.[4]

Von den Frauen im Alter zwischen 15 und 65 Jahren ist jede zweite berufstätig. 37% der arbeitenden Bevölkerung sind Frauen. Über 40% der arbeitenden Frauen haben Kinder. Die Ehepartner müssen sich über ihre Anteile an den Haushalts- und Berufspflichten einigen.

© Peter Menzel

HERR THELEN: Stimmt, mit ihm scheint nicht viel los zu sein.[5] Angeblich[6] ist er ja Schriftsteller, aber mehr als ein dünnes Büchlein hat er bisher noch nicht zustande gebracht.[7]

FRAU KÖRNER: Sein Buch steht in der Buchhandlung an der Ecke im Regal, aber ich habe es nicht gelesen. Kennen Sie es?

HERR THELEN: Nein, aber es soll ein bißchen neurotisch sein. Michael hat es gelesen.

FRAU KÖRNER: Kein Wunder. Der Ruf ist ja auch ein bißchen komisch. Dauernd hat er irgendwelche Wehwehchen und rennt zum Arzt.

HERR THELEN: Die Kinder sind ziemlich sich selbst überlassen,[8] finde ich. Die Mutter ist ja auch den ganzen Tag nicht da!

FRAU KÖRNER: Also, die Jutta sieht furchtbar aus mit dieser Frisur. Und wie sie sich anzieht!

HERR THELEN: Haben Sie ihren Freund schon gesehen? Der sieht noch schlimmer aus. Wie ein Penner.

FRAU KÖRNER: Wenn Jutta meine Tochter wäre, würde ich diese Freundschaft unterbinden.[9] Meine Tochter würde mit so einem verwahrlosten[10] Bengel nicht herumlaufen!

HERR THELEN: Meine auch nicht. Aber so was passiert, wenn die Mutter sich nicht um die Kinder kümmert, weil sie unbedingt Karriere machen will. Dieser neumodische Rollentausch hat einfach keinen Sinn.

FRAU KÖRNER: Da haben Sie ganz recht, Herr Thelen, eine Frau sollte sich um Haushalt und Kinder kümmern. Wenn sie Karriere machen will, soll sie wenigstens keine Kinder in die Welt setzen!

HERR THELEN: Mich persönlich würde es auch gar nicht ausfüllen, nur die Kinder zu hüten und das Essen zu kochen. Das ist doch keine Arbeit für einen Mann.

FRAU KÖRNER: Wahrscheinlich macht seine Frau auch das meiste, wenn sie aus dem Büro nach Hause kommt. So ist es leider oft.

HERR THELEN: Möglich. Ich glaube kaum, daß der Ruf sich überarbeitet. Er hat in letzter Zeit einen ganz schönen Bierbauch bekommen.

[1]Rollenwechsel [2]*gossip* [3]*toy company* [4]nichts... *doesn't achieve anything.* [5]Er scheint nicht viel zu können. [6]*Supposedly* [7]zustande... *accomplished* [8]sich... *are left to themselves* [9]verbieten [10]ungepflegten und unordentlichen

Fragen

1. Wer verdient bei der Familie Ruf das Geld?
2. Was macht Herr Ruf?
3. Hat er schon viele Bücher geschrieben?
4. Wie findet Michael Pusch Herrn Rufs Buch?
5. Warum ist Herr Ruf ein bißchen komisch?
6. Warum sind Jutta und Hans sich selbst überlassen?
7. Wie sieht Juttas Freund, Herrn Thelens Meinung nach, aus?
8. Was würde Frau Körner Jutta verbieten, wenn sie ihre Tochter wäre?
9. Warum hält Herr Thelen diesen „neumodischen" Rollentausch für Unsinn?
10. Was sollte, Frau Körners Meinung nach, eine Frau, die Karriere machen will, nicht tun?
11. Was würde Herrn Thelen nicht ausfüllen?
12. Glauben Herr Thelen und Frau Körner, daß Herr Ruf wirklich die traditionelle Rolle einer Hausfrau übernommen hat?

Diskussion

1. Was halten Sie von den Ansichten und Meinungen von Herrn Thelen und Frau Körner?
2. Gibt es die traditionelle Rollenverteilung zwischen Mann und Frau noch? Wenn ja, wie sieht sie aus? Wenn nein, wodurch wurde sie ersetzt?
3. Wie sehen Sie Ihre Rolle in einer Ehe oder Beziehung? (Falls Sie keine Beziehung eingehen wollen: Warum nicht?) Diskutieren Sie mit Ihren Mitstudenten.

DIE WELT VON MORGEN

Grammatik 13.4

The future tense in German has connotations of prediction or intent, as opposed to the present tense. Present a list of your own "New Year's Resolutions (*Gute Vorsätze fürs Neue Jahr*)." *Im nächsten Jahr werde ich nach Europa fahren, an der Uni in Berlin studieren, mir schicke neue Kleider kaufen, usw.* Then ask students to write their own resolutions and afterward to share them with the class.

Im Jahre 2010 werden die Menschen zum Vergnügen zum Mond fliegen.

Im Jahre 2010 werden täglich noch mehr Menschen verhungern.

Im Jahre 2010 wird man in einer Stunde von Frankfurt nach San Franzisko fliegen können.

Im Jahre 2010 werden Roboter alle Arbeiten verrichten.

Sit. 6. This activity gives students the opportunity to hear and to read future forms. Ask for their reactions to these statements. Add others of your own choosing.

Situation 6. Leben in der Zukunft

Wie wird die Welt wohl in zwanzig Jahren aussehen?

1. Es wird Friede sein.
2. Wir werden alle unsere Privatflugzeuge haben.
3. Nur Computer werden noch lesen und schreiben können.
4. Es wird nicht genug zu essen geben für alle, und viele werden verhungern.
5. Es wird keine Wälder mehr geben.
6. Es wird keine Umweltverschmutzung mehr geben.
7. Die Sowjetunion und die USA werden sich nicht mehr feindlich gegenüberstehen.
8. Wir werden viel mehr Freizeit haben.
9. Die Schlager von Elvis Presley werden immer noch gehört werden.
10. Es wird keine Kinos mehr geben, denn jeder wird sich seine Filme zu Hause ansehen.

Situation 7. In der Zukunft

Sagen Sie, was Sie wahrscheinlich machen werden, wenn . . .

MODELL: Wenn ich alt bin, . . . →
  S1: Wenn ich alt bin, werde ich mir ein Häuschen im Grünen kaufen.
  S2: Wenn ich alt bin, . . .

1. Wenn ich mit der Universität fertig bin, . . .
2. Wenn ich meinen ersten Job habe, . . .
3. Wenn ich nach Deutschland fahre, . . .

4. Wenn ich heirate, . . .
5. Wenn ich Kinder habe, . . .
6. Wenn ich Geburtstag habe, . . .
7. _____

Sit. 8. This situation can be done in the form of an interview as well.

AA 2. Ask students if they have cars. If very few have cars, let them think about their parents' cars. *Stellen Sie sich Ihr Leben ohne einen (eigenen) Wagen vor. Wie würde sich Ihr Leben ändern? Wäre der Unterschied drastisch? Könnten Sie sich leicht anpassen? Sind Autos wirklich unentbehrlich?* Pose similar questions about the following items: *Elektrizität, Kinos, Fotokopiergeräte, Flugzeuge, Schreibmaschinen, Computer, fließendes Wasser.*

Situation 8. Diskussion: Karriere und Glück

1. Was wollen Sie werden? Warum?
2. Glauben Sie, daß man auch ohne konkrete Vorstellungen über seine Karriere oder seinen Beruf glücklich sein kann?
3. Was erwarten Sie von Ihrem Beruf? Erwarten Sie Geld? persönliche Befriedigung? Abenteuer?
4. Wollen Sie Ihr ganzes Leben lang denselben Beruf haben? Warum (nicht)?
5. Wollen Sie sich selbständig machen? Warum (nicht)?
6. Wie stellen Sie sich ein glückliches Leben vor?
7. Gibt es eine Art von „Glück", das man kaufen kann? Erklären Sie Ihre Antwort.
8. Welche Art von Glück kann man nicht kaufen?
9. Was sind Ihre Ziele im Leben? Können Sie die ohne Geld erreichen?
10. Was machen Sie, um glücklich zu sein?

STEREOTYPE UND VORURTEILE

Grammatik 13.5

Michael tut so, als ob er der attraktivste Mann der Welt wäre.

Herr Siebert spricht mit Maria, als ob er eine Schülerin vor sich hätte.

Juttas Freund sieht aus,
als ob er ein Penner wäre.

Herr Ruf benimmt sich, als ob er ein
berühmter Schriftsteller wäre.

Situation 9.   Diskussion: Stereotype

„Typisch, eine Frau am Steuer". Dieser Ausspruch zeigt ein bestimmtes Vorurteil gegen Frauen. Dieses Stereotyp ist völlig falsch, denn es ist bekannt, daß Männer nicht bessere Autofahrer sind als Frauen. Sind die folgenden bekannten Stereotype auch völlig falsch, oder enthalten sie vielleicht ein bißchen Wahrheit?

1. Italiener essen Spaghetti und trinken Rotwein.
2. Spanier machen immer nur „Siesta".
3. Männer zeigen ihre Gefühle nicht.
4. Menschen aus warmen Ländern arbeiten nicht gern, sie schlafen und trinken lieber.
5. Deutsche arbeiten den ganzen Tag und sind sehr unfreundlich.
6. Französisch ist die schönste Sprache der Welt.
7. Leute, die Englisch sprechen, brauchen keine andere Sprache zu lernen.
8. Amerikaner essen immer Hamburger und Hot Dogs.

Situation 10.   Vorurteile

Denken Sie an einen Prominenten/eine Prominente, der/die aussieht, als ob . . .

MODELL: immer traurig wäre →
            Buster Keaton sieht aus, als ob er immer traurig wäre.

1. immer Hunger hätte
2. viel Geld hätte
3. zu viel essen würde
4. sehr unglücklich wäre
5. nicht genug schlafen würde
6. sehr dumm wäre
7. zu viel trinken würde
8. sehr intelligent wäre
9. immer müde wäre
10. sehr viel Geld für Kleidung ausgeben würde
11. _____

Situation 11.   Mehr Schein als Sein

Denken Sie an etwas, was Leute, die Sie kennen, häufig vorgeben zu tun oder zu sein. Sie wissen es besser!

MODELL: Ein Mann, den ich kenne, . . . →
Ein Mann, den ich kenne, tut immer so, als ob er der große Playboy wäre.

1. Eine Frau, die ich kenne, . . .
2. Meine beste Freundin tut immer so, . . .
3. Unser Nachbar . . .
4. Manche Professoren . . .
5. Mein bester Freund . . .
6. _____

Sit. 12. Let students work in groups.

AA 5. Divide the students into groups of four or five and ask them to prepare a short skit based on any one of the following themes: the family, friendship, love, marriage, sex roles, stereotypes. Give them a few suggestions such as: interviews, the news, a scene from a movie or a soap opera, a new version of a fairytale or any other children's story, an historical event, a meeting between two famous people from two different centuries.

Situation 12.   Diskussion: Fernsehen—Pro und Kontra

1. Gibt es Ihrer Meinung nach Themen, die nicht im Fernsehen besprochen werden sollten? Themen wie: Ehebruch, Scheidung, Selbstmord, Drogen, Homosexualität, Gewalt, Abtreibung, Kindesmißhandlung, Vergewaltigung oder Euthanasie. Warum (nicht)?
2. Sehen Sie viel fern? Wie viele Stunden am Tag? Wie lange sollte man pro Tag höchstens fernsehen? Welches sind Ihre Lieblingssendungen? Was sollte im Fernsehen gezeigt werden? Sollte die Regierung eines Landes Fernsehsendungen zensieren? Wenn ja, welche Sendungen? Sollten Kinder mehr als zwei Stunden am Tag fernsehen? Welche Sendungen sollten sie nicht sehen? Sollte man Kindern das Fernsehen ganz verbieten? Ist Fernsehen schlecht für die Gesundheit? Warum (nicht)?
3. Welche Wirkung hat Fernsehen auf das Familienleben? Kann Fernsehen in der Familie zu Konflikten führen? Wenn ja, zu welchen? Können die Mitglieder einer Familie sich auch anders miteinander beschäftigen? Wenn ja, wie? Sollte man das Fernsehen ganz abschaffen, damit Leute mehr lesen, spielen oder sich miteinander beschäftigen können? Fördert Fernsehen die Phantasie, oder schadet es ihr eher? Erklären Sie.

ZDF

15.00 Das Haus am Eaton Place
Der „böse" Deutsche, Frauen im Krieg
16.30 Freizeit
... und was man daraus machen kann
17.00 heute
anschließend
Aus den Ländern
17.15 Tele - Illustrierte
17.45 Die roten Elefanten
Nach dem gleichamigen Roman von Henry Kolarz
18.56 ZDF - Ihr Programm
19.00 heute
19.30 auslandsjournal
ZDF — Korrespondenten berichten aus aller Welt
20.15 Aktenzeichen: XY ... ungelöst
Eduard Zimmermann berichtet über ungeklärte Kriminalfälle
21.15 Der Sport Spiegel
Otto Wanz, 340 Pfund, der Catch-Weltmeister zum Anfassen
21.45 heute-journal
22.05 Die Goldene Kamera 1985
Eine Showreportage von Peter von Zahn
22.50 Aktenzeichen: XY ... ungelöst
22.55 Die Sport Reportage
23.25 Der Hund von Baskerville
England 1983 mit Ian Richardson, Donald Churchill, Denholm Elliott u.a.
Regie Douglas Hickox (Deutsche Erstaufführung)
1.00 heute

III

NDR · RB · SFB
18.00 Hallo Spencer
Die Stellvertreter
18.30 Musikladen · Eurotops Extra
19.15 Indien - Land ohne Hoffnung? (4)
Im Strudel der Milchflut
19.45 Simmt denn das?
Ein Landschaftsquiz
Wo Fulda und Werra sich küssen
20.00 Tagesschau
20.15 extra drei
Die aktuelle Wochenschau
20.45 Augenblicke
Oskar Kokoschka - Von der Natur der Gesichte
21.00 Lindenstraße (11)
21.30 III nach Neun
23.30 Kino Werkstatt
Filme, Festivals und Filmemacher zu den 36. Internationalen Filmfestspielen Berlin
0.45 Letzte Nachrichten

Hessischer Rundfunk
· 18.15 Bevor die letzten Vögel ziehen · 19.05 Hessen Rallye · 20.00 Haus · Herd · Garten · 20.45 Kneibs Fall · 21.30 Drei aktuell und Sport · 22.00 Drei nach Neun

Südwest 3
· 18.00 Träume, die keine blieben · 18.25 Die Fingerfertigen · 18.30 1 x 1 für Tierfreunde · 18.35 Black Beauty · 18.58 Regionalprogramme ·

Situation 13. Eigener Dialog

Im Fernsehen gibt es eine neue Krimiserie, die sehr brutal sein soll. Der zehn-jährige Hans sitzt vor dem Fernseher und will die Krimiserie anschauen. Herr Ruf findet, daß die Serie absolut nichts für Kinder ist und daß Hans sowieso zuviel fernsieht. Hans soll lieber ein Buch lesen, denn Fernsehen macht dumm. Hans ist natürlich ganz anderer Meinung. Spielen Sie Herrn Rufs Rolle und die von Hans.

HERR RUF: Hans, du sitzt ja schon wieder vor dem Fernseher!
HANS: Es gibt eine tolle neue Krimiserie, Vati!
HERR RUF: Sag bloß, du willst dir diesen Mist anschauen . . .
HANS: Na klar, alle Kinder in meiner Klasse . . .

VOKABELN

Familie, Partnerschaft und Ehe
Family, Partnership, and Marriage

anpassen, angepaßt — to adjust
erwarten, erwartet — to expect
erziehen, erzog, erzogen — to educate, raise

der **Beschützer**, - — protector
die **Beziehung**, -en — relationship
der **Charakter**, -e — personality
die **Charaktereigen-schaft**, -en — personality trait
die **Dame**, -n — lady
der **Ehebruch**, ¨e — adultery
der **Ehepartner**, - — marriage partner
der **Einzelgänger**, - — outsider, loner
das **Familienleben** — family life
die **Gemütlichkeit** — easygoing disposition; coziness (*of a place*)
die **Hausfrau**, -en — housewife
der **Hausmann**, ¨er — "houseman"
die **Heiratsanzeige**, -n — marriage ad
die **Kindesmißhand-lung**, -en — child abuse

der **Penner**, - — bum
die **Rollenverteilung**, -en — distribution of roles
die **Scheidung**, -en — divorce
die **Schlampe** — untidy person (*colloquial*)
der **Streit** — argument, quarrel
die **Traumfrau**, -en — ideal wife
der **Traummann**, ¨er — ideal husband

abhängig — dependent
altmodisch — old-fashioned
eigenwillig — willful, obstinate
erfolgreich — successful
erfüllt — fulfilled
faul — lazy
geborgen — secure, safe, sheltered
geschlechtsspezifisch — sex specific
miteinander — with each other
selbständig — independent
unglücklich — unhappy

mit Anhang — *here:* with children

Ähnliche Wörter: attraktiv / dominant / egoistisch / die **Generation, -en** / der **Haushalt, -e** / die **Homosexualität** / die **Intelligenz** / die **Loyalität** / der **Partner, -** / die **Partnerin, -nen** / die **Partnerschaft, -en** / das **Rollenstereotyp, -e**

Erinnern Sie sich: der **Bruder, "** / die **Frau, -en** / der **Mann, "er** / die **Ehe, -n** / die **Eltern** (*pl.*) / der **Enkel, -** / die **Enkelin, -nen** / die **Enkelkinder** (*pl.*) / der/die **Erwachsene, -n** / die **Geschwister** (*pl.*) / die **Großeltern** (*pl.*) / der **Großvater, "** / die **Großmutter, "** / das **Kind, -er** / die **Kusine, -n** / die **Mutter, "** / die **Schwester, -n** / der **Sohn, "e** / die **Tochter, "** / der **Vater, "** / die **Verwandtschaft** / der **Vetter, -n** / die **Zwillinge** (*pl.*)

Probleme	Issues
abschaffen, abgeschafft	to abolish
anekeln	to disgust, sicken
aufbauen, aufgebaut	to build (up)
begründen, begründet	to base an argument on
sich beschäftigen mit, beschäftigt	to deal with
besprechen (bespricht), besprach, besprochen	to talk about
enthalten, enthielt, enthalten	to contain
entlassen, entließ, entlassen	to dismiss
entwickeln, entwickelt	to develop
erreichen, erreicht	to reach
fördern	to advance, promote
gegenüberstehen, stand . . . gegenüber, gegenübergestanden	to face
sich mit (etwas) herumschlagen (schlägt . . . herum), schlug . . . herum, herumgeschlagen	to deal with (something)
schaden	to harm
sich benehmen (benimmt), benahm, benommen	to behave, act

sorgen für	to look after
verhungern, verhungert	to starve to death
verlangen, verlangt	to demand
vernachlässigen, vernachlässigt	to neglect
verprassen, verpraßt	to squander (money)
verrichten, verrichtet	to do, perform
vorgeben (gibt . . . vor), gab . . . vor, vorgegeben	to pretend
sich weigern	to refuse
wagen	to dare
wirken	to act, function as
zensieren	to censor

die **Abtreibung, -en**	abortion
die **Anforderung, -en**	need, demand
die **Befriedigung, -en**	satisfaction
die **Elektrizität**	electricity
die **Entscheidung, -en**	decision
das **Fotokopiergerät, -e**	copying machine
der **Friede**	peace
das **Gegenteil**	contrary, opposite
das **Geschick**	skill
handwerkliches Geschick	practical skills
die **Gewalt**	violence
das **Glück**	happiness; luck
die **Grundlage, -n**	basis
das **Hindernis, -se**	obstacle
die **Karriere, -n**	career
der **Mond**	moon
die **Regierung, -en**	government
die **Seele, -n**	soul
der **Selbstmord, -e**	suicide
der **Sinn**	sense, meaning
der **Streit**	argument, quarrel
die **Suche**	search
die **Umweltverschmutzung**	pollution
der **Unterricht**	instruction
die **Verantwortung**	responsibility
die **Vergewaltigung, -en**	rape
das **Verständnis**	understanding
der **Versuch, -e**	attempt, trial, try
die **Vorstellung, -en**	idea, conception
das **Vorurteil, -e**	prejudice
die **Wahrheit, -en**	truth
das **Ziel, -e**	goal, aim
der **Zweifel, -**	doubt
feindlich	hostile
friedlich	peaceful

gefräßig	voracious, greedy
minderwertig	inferior
passend	fit, proper
überflüssig	superfluous
unbegabt	untalented, not gifted

die **Sendung, -en**	program
die **Serie, -n**	series
das **Steuer(rad)**	steering wheel
die **Voraussetzung, -en**	prerequisite
das **Zuhause**	home

Verben — Verbs

antreten (tritt ... an), trat ... an, angetreten	to start
anziehen, zog ... an, angezogen	to dress
aussehen (sieht ... aus), sah ... aus, ausgesehen	to look (like)
behalten (behält), behielt, behalten	to keep
betrachten, betrachtet	to look at
betreten (betritt), betrat, betreten	to enter
dasitzen, saß ... da, dagesessen	to sit there
eintreten (tritt ... ein), trat ... ein, ist eingetreten	to enter
zeigen	to show

Ähnliche Wörter: definieren, definiert

Substantive — Nouns

das **Abenteuer, -**	adventure
der **Ausspruch, ˜e**	saying
die **Eingangshalle, -n**	lobby
die **Fernsehsendung, -en**	TV program
das **Gemälde, -**	painting
der **Geruch, ˜e**	smell
das **Häuschen, -**	small house
das **Kennwort**	password
die **Kohle**	coal; money (*colloquial*)
der **Korridor, -e**	hallway
die **Krimiserie, -n**	detective series
der **Leib**	body (*old-fashioned*)
der **Mist**	nonsense (*colloquial*)
die **Phantasie, -n**	imagination
der **Raum, ˜e**	room
der **Schlager, -**	hit (song)

Adjektive und Adverbien — Adjectives and Adverbs

abstoßend	disgusting
äußer-	outer
außerhalb	outside
bloß	only
bunt	colorful
dreckig	dirty
dumm	stupid
eingerichtet	established
erstaunt	surprised
fett	fat
gebunden	bound
langsam	slow(ly)

Präpositionen mit dem Genitiv — Prepositions with the Genitive

(an)statt	instead of
trotz	despite, in spite of
während	during
wegen	because of
außerhalb	outside
innerhalb	inside
oberhalb	above
unterhalb	below

Nützliche Wörter und Wendungen — Useful Words and Phrases

eher	rather
einen Tag freinehmen (nimmt ... frei), nahm ... frei, freigenommen	to take a day off
Es geht mir genauso.	I feel the same.
höchstens	at the most
immerhin	after all
jedoch	however
Sie ist lebensfroh.	She enjoys life.
manche Leute	some people
schließlich	finally

ZUSÄTZLICHE TEXTE

KULTURELLE BEGEGNUNGEN: Sexismus in der Sprache

Text: Have students scan the text and then work in groups to solve the *Aufgaben*. Later ask them to discuss the problem in class. Further examples: *der Glaube unserer Väter/der Glaube unserer Vorfahren; Stadtväter/Mitglieder des Stadtrates; Woche der Brüderlichkeit/Woche der Menschlichkeit; der Kranke/kranke Leute; der Deutsche/die Deutschen, deutsche Männer und Frauen; Liebe deinen Nächsten/ Liebe deine Nächsten; jemand, der/alle, die; unsere Skidamen/ unsere Skiläuferinnen.*

Wie die meisten Sprachen der Welt ist auch das Deutsche eine Sprache, die Frauen unsichtbar[1] macht, ihre Leistungen[2] ignoriert und sie nicht anspricht. „Man" trifft Entscheidungen für Frauen und Kinder. Selbst das Menschsein wird Frauen sprachlich abgesprochen[3]: „Alle Menschen werden Brüder." Zu welchen Absurditäten die deutsche Sprache manchmal neigt,[4] haben insbesondere die Linguistinnen Luise Pusch und Senta Trömel-Plötz gezeigt: „Wer hat seinen Lippenstift liegengelassen." Die Emanzipierung der Sprache hat allerdings schon begonnen, und es gibt eine feministische Linguistik, die versucht, die sprachliche Unterdrückung[5] der Frauen aufzuzeigen, und die nach Alternativen zu sexistischem Sprachgebrauch sucht. Im folgenden nun eine kleine Liste mit sexistischen Formulierungen und möglichen Alternativen.

SEXISTISCHER SPRACHGEBRAUCH	ALTERNATIVE
Kaufmann gesucht	Kaufmann/Kauffrau gesucht
Wir suchen einen Fachmann.	Wir suchen eine Fachkraft.
der weiße Mann	die Weißen
Der kluge Mann baut vor.	Kluge bauen vor.
Studenten	Studenten und Studentinnen
jeder Student	alle Studierenden
Der Nächste bitte!	Der oder die Nächste bitte!
jeder vierte	jede vierte Person
jemand, der . . .	alle, die . . .
Mädchen und Männer	Mädchen und Jungen; Frauen und Männer
Fräulein Meier	Frau Meier

[1]*invisible* [2]Erfolge [3]weggenommen [4]tendiert [5]*oppression*

Aufgabe

Finden Sie andere Sexismen im Deutschen und suchen Sie nach möglichen Alternativen.

FILM UND FERNSEHEN IN DEUTSCHLAND: Rolf

Text: Ask students which German films they have seen, what directors they know, what actors/ actresses. Ask them if they have seen Swiss, Austrian, GDR films. Then discuss 1–3. Define *Wirtschaftswunder* as the economic upswing in the '50s in the FRG.

Rolf und die Studenten des Deutschkurses sitzen in einer Kneipe und sprechen über Film und Fernsehen in der Bundesrepublik und der DDR.

NORA: Gestern haben wir im Kurs „Die Ehe der Maria Braun" von Fassbinder gesehen. Das war ein toller Film.

479

STEFAN: Ja, ich hatte ja keine Ahnung, was in den fünfziger Jahren in der Bundesrepublik so alles ablief.[1] Vom Wirtschaftswunder[2] hatten wir ja schon mal gehört, aber so richtig vorstellen konnte ich mir darunter nichts.

ROLF: Ich finde den Film auch gut. Kennt ihr eigentlich auch andere deutsche Filme?

MONIKA: Ich habe fast alle Filme von Herzog gesehen. Klaus Kinski finde ich wahnsinnig gut, besonders wenn er einen Wahnsinnigen[3] spielt wie in „Aguirre, der Zorn Gottes".

ROLF: Ich glaube, der ist auch ein bißchen wahnsinnig. Aber ich bin erstaunt, daß ihr diesen Film kennt. Die meisten jungen Leute in der Bundesrepublik kennen ihn nämlich nicht.

MONIKA: Ja, da staunst du, was? Wir sind nämlich nicht nur[4] die unkultivierten Amerikaner, die nur in die großen Renner wie „Das Boot" oder „Paris, Texas" gehen, obwohl diese Filme auch nicht schlecht waren. Was man so hört, verdienen Leute wie Schlöndorf oder Wenders mehr daran, in den „Art Cinemas" hier gespielt zu werden, als bei euch drüben.

ROLF: Das kann schon sein. Aber „Männer" von Doris Dörrie kennt ihr wohl nicht.

AL: Die erste echte deutsche Komödie seit Jahren? Natürlich! Der Film ist in San Franzisko monatelang gelaufen. Als der anlief—ich war damals noch an der High-School—ist meine Klasse geschlossen ins Kino marschiert. Wir haben zwar nicht viel verstanden, aber unser Lehrer hat sich köstlich amüsiert.

MONIKA: Sag mal Rolf, gehen die Deutschen eigentlich viel ins Kino?

ROLF: Ja, zwar nicht so viel wie hier und vor allem nicht nur freitags und sonnabends, aber doch.

AL: Wieso freitags und sonnabends?

ROLF: Na, das sind doch die Ausgehtage in den USA. Da gibt es immer Schlangen! Und während der Woche ist nichts los. Also, ich gehe hier grundsätzlich am Sonntag ins Kino. Da steht man nicht Schlange und hat viel Platz im Kino.

STEFAN: Sag's nur: wir sind wieder die Herdentiere,[5] und in Deutschland geht man während der Woche ins Kino, nicht?

ROLF: Nein, während der Woche wird ferngesehen.

STEFAN: Wie ist denn eigentlich das Fernsehen in der Bundesrepublik? Ich hab gehört, es soll ziemlich öde[6] sein.

ROLF: Na, interessantere Filme mögen wohl hier laufen, aber dafür kommt nicht alle fünf Minuten Werbung.

MONIKA: Ihr habt keine Werbung im Fernsehen?

ROLF: Doch, doch, aber bei den drei staatlichen Sendern—und das sind immer noch die wichtigsten, auch wenn es mittlerweile ein paar private gibt—läuft die Werbung zwischen sechs und acht Uhr. Allerdings

Fernsehen ist auch eine Lieb-
lingsbeschäftigung vieler deutscher Jugendlicher. Es gibt
zwar weniger Programme als
zum Beispiel in den USA,
aber durch die privaten Kabel-
programme, für die man allerdings extra bezahlen muß, ist
die Auswahl von drei oder
vier bis zu 16 Programme
angestiegen.

© Renata Shiller / Monkmeyer Press Photo Service

werden die Filme nicht unterbrochen, sondern die Werbung wird in
Blöcken von zehn Minuten gezeigt, und dann kommt wieder ein kur-
zer Film, oft irgendeine alte amerikanische Serie.

STEFAN: Aber dann verfehlt[7] ja die Werbung ihr Ziel. Wer bleibt denn sitzen
und sieht sie an?

ROLF: Zumindest hat man die Wahl, ob man sich berieseln lassen[8] möchte
oder nicht.

MONIKA: Du sagst, sie zeigen oft amerikanische Serien—welche denn zum
Beispiel?

ROLF: So ziemlich alles, von *Dynasty*—das heißt drüben der „Denver-
Clan"—und *Dallas* zu *Miami Vice*.

AL: Und Sonny Crockett spricht dann auf Deutsch?

ROLF: Natürlich! Akzentfreies Deutsch! Und den Kubaner versteht man auch
auf Deutsch nicht.

STEFAN: Ach, und die arme DDR hat keinen Sonny Crockett, sondern nur ihr
sozialistisches Fernsehen.

ROLF: Wo denkst du hin? Die sehen natürlich auch oft Westfernsehen—das
heißt unser Fernsehen—außer sie wohnen zu weit weg von der
Grenze.

AL: Dann sehen die auch *Dallas* und alles andere?

ROLF: Klar, alles was bei uns gezeigt wird, sehen die auch. Woher glaubst du,
haben die ihre Informationen über die USA? Und—pst—ich glaube,
selbst Honecker sieht sich ab und zu *Miami Vice* an. Aber nicht
weitersagen!

[1]passierte [2]*"economic miracle"* [3]Verrückten [4]*quite* [5]Schafe [6]langweilig [7]findet nicht [8]sich
. . . *to subject oneself to*

Fragen

1. Welche Jahre hat der Film „Die Ehe der Maria Braun" zum Thema?
2. Welcher Film wurde „die erste deutsche Komödie seit Jahren" genannt?
3. Welche Tage bezeichnet Rolf als die Ausgehtage der Amerikaner?
4. Was, behauptet Rolf, machen die Deutschen während der Woche?
5. Wann läuft im deutschen Fernsehen die Werbung?
6. Gibt es in der DDR nur „sozialistisches" Fernsehen?

Diskussion

1. Rolle und Funktion der Werbung im Fernsehen: Diskutieren Sie Vor- und Nachteile des staatlichen und des privaten Fernsehens.
2. Stellen Sie sich vor, die einzigen Informationen über die USA, die die Deutschen haben, kämen von Serien wie *Dallas* und *Miami Vice*. Wie würde dann das Amerikabild der Deutschen aussehen?
3. Inwieweit beeinflussen fiktionale Bücher und Filme das Bild, das man von einem anderen Land hat? Geben Sie Beispiele aus dem amerikanischen Fernsehen.

UNSERE STRASSE: Die neue Stelle

Michael liest eine Anzeige aus der „Süddeutschen Zeitung":

Amerikanerin, seit kurzem in München, sucht dringend Studenten/Studentin für Deutschunterricht. Gute Bezahlung. Voraussetzungen: freundlich, ruhig, intelligent und sollte viel Zeit haben.

Michael schneidet die Anzeige aus, zieht seine weiße Jacke aus und bittet seinen Chef, den Rest des Tages freinehmen zu dürfen. Sein Chef weigert[1] sich, es kommt zu einem Streit, und schließlich wird Michael entlassen.[2] „Besser so," denkt Michael, „die Arbeit gefällt mir sowieso nicht. Jetzt muß ich mich nicht mehr mit unmöglichen Gästen herumschlagen, denen man nichts recht machen kann. Und der dauernde Geruch von Essen, der in der Kleidung sitzt, geht mir schon lange auf die Nerven. Das Trinkgeld war auch nie gut." Michael liest nochmal die Adresse der Amerikanerin. Es ist ganz in der Nähe.

Nach einer kurzen Busfahrt findet er ohne Schwierigkeiten die Straße und das Haus: Es ist sehr alt, mit riesigen Türen aus schwerem Holz, schmiedeeisernen Gittern an den Fenstern und einem Garten, der vernachlässigt wirkt.

Michael sieht sich die Anzeige nochmal an, bevor er klingelt. Er ist sich ziemlich sicher, daß er alle Anforderungen erfüllt, die in der Anzeige verlangt werden. Freundlich ist er, intelligent auch, ohne Zweifel; ruhig ist er auch, außer wenn man ihm auf die Nerven geht, und das sind schon gute Voraussetzungen,[3] um

Text: Discuss the problems of employment for young people. Ask personal questions such as: *Wie viele von Ihnen arbeiten neben dem Studium? Arbeiten Sie den ganzen Tag? Ist es schwierig, gleichzeitig zu arbeiten und zu studieren?* Stress reading the story for pleasure/global understanding. Follow the reading with questions such as: *Finden Sie die Reaktion von Michaels Chef richtig? Sind Sie schon einmal entlassen worden? Warum? Was ist passiert? Erscheint es Ihnen komisch, daß sich so viele Leute um die Stelle beworben haben?* Ask students to predict what is going to happen once Michael is interviewed. (Optional: Ask students to write a second part or another "ending" for the story. They could also present this "ending" in skits.)

erfolgreich Deutsch unterrichten zu können. Zeit hat er auch, denn immerhin ist er gerade entlassen worden, und Arbeit braucht er auch. Deutsch? Na klar, immerhin spricht er das schon sein ganzes Leben lang.

Schließlich klingelt er. Nach einigen Sekunden öffnet ein kleiner, dünner Mann.

„Kommen Sie auf die Anzeige?"

„Ja, ‚Student für Deutschunterricht' . . ."

„Bitte, kommen Sie herein."

Langsam nur öffnet sich die Tür, und Michael tritt ein bißchen schüchtern ein.

„Ich bin der Privatsekretär der gnädigen Frau," sagt der Mann.

„Ist sie da?"

„Sie schläft noch."

Michael sieht auf seine Uhr. Es ist halb zwei. Verstohlen sieht er sich in der großen Eingangshalle um, alles ist ultramodern eingerichtet, das genaue Gegenteil zum Äußeren des Hauses. Dicke Teppiche und weiße Wände, Gemälde[4] in bunten Farben, nichts ist überflüssig oder steht herum. Michael folgt dem Sekretär in einen langen Korridor.

„Die gnädige Frau wird sich in einer Stunde mit Ihnen allen unterhalten."

„Mit uns allen?"

„Ja, mit Ihnen allen." Sie betreten einen anderen Raum, der dem Äußeren des Hauses ähnlicher ist. Dieser Raum ist voller junger Leute, die dasitzen und lesen, einige schlafen, andere betrachten gelangweilt die Decke. Niemand spricht. Niemand beachtet Michael, als er eintritt. Michael setzt sich auf den letzten freien Stuhl ganz hinten in der Ecke.

„Wie heißen Sie bitte?" fragt ihn der Sekretär.

„Michael . . . Michael Pusch."

Der Mann schreibt den Namen in ein großes Buch.

„Warten Sie hier, wir werden Sie rufen."

Michael macht es sich bequem. „Was sind schon ein paar Stunden," denkt er zufrieden, „eine angenehme Pause, bevor ich meinen neuen Job antrete."

[1]sagt nein [2]wird . . . *Michael was fired* [3]*prerequisites* [4]Bilder

Fragen

1. Von wem stammt die Anzeige?
2. Was passiert, als Michael den Rest des Tages freinehmen will?
3. Warum ist Michael mit seiner Arbeit nicht zufrieden?
4. Warum glaubt Michael, daß er der ideale Mann für die Stelle wäre?
5. Wer öffnet ihm die Tür?
6. Wie sieht das Innere des Hauses aus, im Vergleich zum Äußeren?
7. Ist Michael der einzige Bewerber?

STRUKTUREN UND ÜBUNGEN

13.1. We emphasize that the genitive case is used mostly in writing and that the construction *von* + dative usually indicates possession. Genitive endings are somewhat complex and we do not expect students to be able to produce them at this point.

13.1 Genitiv 2: Flexionsformen

To express that something or somebody belongs to or is in some way related to something or somebody else, the preposition **von** followed by the dative case is commonly used in spoken German.

> Das ist **das Haus von meinen Eltern**.
> *This is the house of my parents.*

Especially in writing, however, this relationship between two noun phrases may be expressed by using the genitive case.

> Kennst du **den Freund meiner Schwester**?
> *Do you know the friend of my sister?*
> **Die Farbe dieses Mantels** gefällt mir nicht.
> *I don't like the color of this coat.*

Here are the forms of the determiners in the genitive.

M	N	F	PL
des	des	der	der
dieses	dieses	dieser	dieser
eines	eines	einer	—
keines	keines	keiner	keiner
meines	meines	meiner	meiner

The signals for case, gender, and number are **-s** in the masculine and neuter and **-r** in the feminine and plural.

Weak masculine nouns (see Chapter 5) add **-(e)n** in the genitive singular as well as in the accusative and dative singular.

> Hast du das neue Auto meines **Neffen** gesehen?
> *Have you seen my nephew's new car?*

All other masculine nouns and all neuter nouns take an ending in the genitive singular as well.* If they consist of only one syllable, or if they end in **-s**, **-ß**, **-z**, they usually take the ending **-es**.

> Michael möchte den Rest des **Tages** freinehmen.
> *Michael would like to take the rest of the day off.*

---

*Recall the other case ending that most nouns show: the **-n** in the dative plural.

Masculine and neuter nouns with more than one syllable that do not end in an s-sound add **-s**. Feminine nouns and nouns in the plural do not have a genitive ending.

> Das ist das Fahrrad meines **Vaters**, und das da ist das Fahrrad meiner **Mutter**.
> *This is my father's bicycle, and this one is my mother's bicycle.*

Adjectives that do not need a signal (because the signal is already present on the article or pronoun) end in **-n**. Adjectives that do need a signal (because there is no article or pronoun before them) take **-r** in the feminine and plural and **-n** in the masculine and neuter.

> die Arbeit eines **modernen** Mannes
> *the work of a modern man*
>
> der Brief meiner **lieben** Großmutter
> *my dear grandmother's letter*
>
> Wegen **schlechten** Wetters kann die Maschine nicht starten.
> *Because of bad weather, the airplane cannot take off.*
>
> Trotz **schlechter** Sicht müssen wir weiterfahren.
> *Despite poor visibility, we have to drive on.*

Here are the adjective endings with and without determiners.

GENITIVENDUNGEN MIT ARTIKEL

	ARTIKEL	ADJEKTIVE	NOMEN
M	des, eines	-en	-(e)s/-(e)n
N	des, eines	-en	-(e)s
F	der, einer	-en	—
PL	der	-en	—

GENITIVENDUNGEN OHNE ARTIKEL

	ADJEKTIV	NOMEN
M	-en	-(e)s/-(e)n
N	-en	-(e)s
F	-er	—
PL	-er	—

13.2. Students should be able to understand the meaning of these prepositions when they are used in the input.

13.2 Genitiv 3: Präpositionen

A. Präpositionen

The genitive is also required by certain prepositions. Here are the most common ones.

(an)statt	*instead of*
trotz	*despite, in spite of*
während	*during*
wegen	*because of*
außerhalb	*outside*
innerhalb	*inside*
oberhalb	*above*
unterhalb	*below*

Anstatt eines Mannes, der für mich Entscheidungen trifft, suche ich
einen für Leib und Seele.
*Instead of a man who will make decisions for me, I'm looking for one
who is good for body and soul.*

Trotz des vielen Regens ist noch nicht genügend Wasser in den
Tanks.
Despite all the rain, there isn't enough water in the tanks yet.

Während der letzten Tage bin ich nicht viel aus dem Haus
gekommen.
During the last few days I didn't get out of the house much.

Wegen dieser dummen Situation kann ich nun nicht zur Hochzeit
kommen.
Because of this stupid situation, I can't come to the wedding now.

Außerhalb des Hauses stand ein kleiner Pavillon, und **innerhalb
dieses Pavillons** wartete er.
*Outside the house there was a little pavilion, and he was waiting
inside this pavilion.*

Unterhalb des Dorfes führte eine Brücke über den Fluß, aber **oberhalb des Dorfes** gab es nur Wald und Stromschnellen.
*Below the village there was a bridge across the river, but above the
village there were only forest and rapids.*

B. Präpositionen und Pronomen

(1) While **anstatt** (*instead of*) is used with nouns, pronouns take **anstelle
von** plus dative.

Könnte ich **anstelle von ihr** mitkommen?
Could I come along instead of her?

(2) **Trotz** (*despite, in spite of*) and **während** (*during*) are not commonly
used with pronouns.

(3) **Wegen** (*because of, due to, as far as . . . is/are concerned*) may be used
with a pronoun in the dative case.

Kennst du Peter? —Natürlich! **Wegen ihm** hatte ich letzten Samstag keine Zeit.
"Do you know Peter?" "Of course! Because of him, I didn't have any time last Saturday."

Alternatively the combination **wegen** plus a pronoun may result in compounds: **meinetwegen, deinetwegen, Ihretwegen, seinetwegen, ihretwegen, unsertwegen, euretwegen.**

Meinetwegen könnt ihr alle mitfahren.
As far as I'm concerned, you can all come along.

(4) In combination with pronouns, **außerhalb** (*outside*), **innerhalb** (*inside*), **oberhalb** (*above*), and **unterhalb** (*below*) are used with **von** plus dative.

Innerhalb der Stadt war alles tot und leer, **außerhalb von ihr** tobte das Leben.
In the city everything was dead and deserted; outside it everything was teeming with life.

Übung 1

Minidialoge: Ergänzen Sie trotz, statt, während, wegen.

A: Bist du tatsächlich spazierengegangen?
B: Ja, ich bin _____ des Regens in den Park gegangen.

A: Warst du gestern auch im Kino?
B: Nein, _____ meiner Prüfung bin ich zu Hause geblieben.

A: Was machst du _____ der Ferien?
B: Ich fahre nach Spanien.

A: Ich muß _____ meiner Erkältung zur Uni.
B: Du Ärmster, leg dich lieber ins Bett!

A: Fährst du nächste Woche weg?
B: Ich kann doch _____ des Semesters nicht verreisen!

A: Warum bist du mit dem Bus gefahren?
B: _____ des schlechten Wetters.

A: Hast du dir ein neues Auto gekauft?
B: Nein, _____ des Autos habe ich mir einen Computer gekauft.

A: In deinem Zimmer ist es _____ der Heizung kalt!
B: Tut mir leid, sie funktioniert nicht richtig.

Übung 2

Setzen Sie die fehlenden Artikel und Endungen in den folgenden Text ein.

Während mein_____ Aufenthalt_____ zu Hause habe ich in diesem Jahr wegen mein_____ Krankheit nicht viel unternommen. Ich habe im Haus mein_____ Eltern gewohnt und den meisten Teil d_____ Tag_____ im Bett verbracht. Aber trotz d_____ Krankheit hatte ich keine Langeweile. Ich habe den neuen Freund mein_____ Schwester kennengelernt. Wegen mein_____ Studium_____ in den USA hatte ich ihn bis dahin noch nicht gesehen. Im Keller ihr_____ Haus_____ haben meine Schwester und ihr Freund einen Flipper und eine Billardplatte. Während d_____ Tag_____ war ich oft bei ihnen und habe gespielt. Ich hatte natürlich kein Auto, aber meistens konnte ich das Auto mein_____ Vater_____ oder das Fahrrad mein_____ Mutter benutzen. Erst während d_____ letzten Woche mein_____ Zeit dort wurde ich gesund. Aber da war der Zeitpunkt mein_____ Abflug_____ schon fast gekommen.

13.3 Adjektive 4: eine andere Sicht

In Chapter 10 you learned some rules for determining adjective endings. In combinations of determiner plus adjective plus noun there can be only one gender/number/case signal (marker). If there is no signal on the determiner (**ein/kein/mein**), or if there is no determiner, then the adjective must carry the signal: **ein altes Haus, kaltes Wasser**. If the determiner carries the signal, then the adjective must end in **-e** or **-en**: **das alte Haus, die alten Häuser**. Remember, the "state of Oklahoma" will help you determine when to use **-e** and **-en**. Look at the chart once more, this time with the addition of the genitive case.

	M	N	F	PL
NOM	e	e	e	en
AKK	en	e	e	en
DAT	en	en	en	en
GEN	en	en	en	en

There is another method you can use to check your written work with regard to adjective endings. The rules appear to be somewhat more complex, but some students prefer them. According to this method, the ending on the determiner will tell you what may follow it. Look at the possibilities, and keep in mind that when the adjective is not preceded by a determiner, the adjective itself must take the gender/number/case signal.

DETERMINER ENDING	ADJECTIVE ENDING
1. **-em, -en**	**-en**
2. **-er**	**-en** (*non-subject*) or **-e** (*subject*)
3. **-s**	**-en** (*genitive*) or **-e** (*non-genitive*)
4. **-e**	**-en** (*plural*) or **-e** (*singular*)
5. no ending	**-er** (*masculine*) or **-e** (*neuter*)

(1) If the determiner ends in **-em** or **-en** (**dem**, **den**, **diesem**, **diesen**, **keinem**, **keinen**), the adjective ending is **-en**.

Ich suche **einen netten** Mann, der eine feste Beziehung möchte.
I am looking for a nice man who wants a steady relationship.

Nehmen Sie zu **den folgenden** Aussagen Stellung.
Take a stand on the following statements.

Mit **einem netten jungen** Mann würde ich gern allein auf einer Insel wohnen.
I wouldn't mind living alone on an island with a nice young man.

(2) If the determiner ends in **-er** (**der**, **dieser**, **keiner**), the adjective ends in **-e** if the noun is in the nominative case (subject or predicate nominative); otherwise it ends in **-en**.

Der beste Freund ist jemand, der auch Kritik übt.
The best friend is someone who also criticizes.

Ist Loyalität oder Intelligenz wichtiger bei **einer guten** Freundin?
Is it loyalty or intelligence that is more important in a good friend?

Während **der ganzen** Nacht konnte er kein Auge zumachen.
He couldn't sleep all night long.

(3) If the determiner ends in **-s** (**das**, **des**, **dieses**, **keines**), the adjective ending is **-e** unless it is in the genitive case (then it is **-en**). The genitive case is easily recognized by the **-(e)s** on most nouns.

Kennst du **dieses blonde** Mädchen da?
Do you know that blonde girl over there?

Trotz **des langweiligen** Wetters sind wir nicht zu Hause geblieben.
Despite the boring weather, we didn't stay home.

(4) If the determiner ends in **-e** (**die**, **diese**, **keine**), the adjective ending is **-e** when the noun is singular and **-en** when it is plural.

Als ich in deinem Alter war, hatte ich noch **keine feste** Freundin.
When I was your age I didn't have a steady girl friend.

Sind **Ihre guten** Freunde wichtiger für Sie als Ihre Eltern?
Are your good friends more important for you than your parents?

(5) If there is no ending on the determiner (**ein**, **kein**, **mein**), the adjective ends in **-er** when the noun is masculine and in **-es** when the noun is neuter.

> **Mein schönstes** Erlebnis war, als **mein bester** Freund mit mir in Urlaub gefahren ist.
> *My nicest experience was when my best friend went with me on vacation.*

Übung 3

Minidialoge. Ergänzen Sie die Adjektivendungen.

A: Na, wie ist denn Ihr neu_____ Auto?
B: Ach, der alt_____ Mercedes war mir lieber.
A: Dann hätte ich mir aber keinen neu_____ Wagen gekauft!

A: Wie schmeckt Ihnen denn der italienisch_____ Wein?
B: Sehr gut. Ich bestelle gleich noch eine weiter_____ Flasche.

A: Heute repariere ich mein kaputt_____ Fahrrad.
B: Prima! Dann kannst du meinen blöd_____ Kassettenrecorder auch reparieren. Er ist schon wieder kaputt.
A: Meinetwegen. Aber dann habe ich wieder kein frei_____ Wochenende.

A: Mutti, ich habe Angst vor dem groß_____ Hund!
B: Aber das lieb_____ Hündchen beißt doch nicht.
C: Das kann man bei diesem riesig_____ Vieh nicht wissen. Nehmen Sie Ihr „lieb_____ Hündchen" lieber an die Leine!

Übung 4

Text: Ergänzen Sie die Adjektivendungen.

Antwort auf eine Kontaktanzeige—Kennwort: Wer wagt, gewinnt!

An die klein_____ und schlank_____ Frau, deren nett_____ und interessant_____ Anzeige in der Süddeutsch_____ Zeitung stand. Ich bin ein lebensfroh_____, ausgeglichen_____, optimistisch_____ aber einsam_____ Lehrer aus dem schön_____ Niederbayern. Aber bin ich auch der gesucht_____ Mann für Dich? Ich habe lange keine weit_____ und interessant_____ Reisen mehr gemacht. Allein hatte ich keine groß_____ Lust dazu. Im Moment führe ich ein eher langweilig_____ Leben. Aber ich kann es kaum erwarten, aus dieser eng_____ Welt herauszukommen. Ich habe kein groß_____ Interesse an Sport, aber an allen kulturell_____ Dingen. Leider habe ich kein neu_____ Foto, das alt_____ muß genügen. Ich habe mich sowieso kaum verändert. Da bin ich wie die bayrisch_____ Landschaft. Ich habe es gewagt. Werde ich gewinnen?

Dein dreiundvierzigjährig_____ Lehrer

13.4 Futur

Use a form of **werden** plus infinitive to talk about future events and present or future probability.

> Wie **wird** die Welt wohl in 20 Jahren aussehen?
> *What's the world going to look like in 20 years?*

> Wir **werden** alle unsere Privatflugzeuge **haben**.
> *We all will have our private planes.*

When an adverb of time is present or when it is otherwise clear that future actions or events are indicated, German uses the present tense.

> **Nächstes Jahr fahren** wir nach Schweden.
> *Next year we'll go to Sweden.*

> Was **machst** du, **wenn du in Österreich bist**?
> *What are you going to do when you're in Austria?*

The future tense sometimes expresses future probability. In such cases, an adverb such as **wohl** (*probably*) is often present as well.

> Morgen abend **werden** wir **wohl** zu Hause **bleiben**.
> *Tomorrow evening we'll probably stay home.*

The future tense is also used to express present probability, which is usually indicated, again, by the use of an adverb such as **wohl**.

> Mein Freund **wird wohl** zu Hause **sein**.
> *My friend is probably home.*

Übung 5   Mutmaßungen in der Isabellastraße

MODELL: Wo bleibt denn Hans? (bald kommen) →
        Er wird wohl bald kommen.

1. Wie ist Herrn Rufs neues Buch? (ziemlich neurotisch sein)
2. Warum ist Juttas Freund nicht mit seinem Motorrad da? (wieder kaputt sein)

3. Warum kommt Maria nicht zu Herrn Thelens Geburtstag? (beschäftigt sein)
4. Hast du Frau Gretter in der letzten Woche gesehen? (verreist sein)
5. Wann kommt Frau Körner aus Italien zurück? (im August zurückkommen)
6. Wo ist Jens? (zu Hause sein)
7. Ist Jutta schon mit der Schule fertig? (bald fertig sein)
8. Sind Michael und Maria schon verheiratet? (bald heiraten)
9. Hat Herr Wagner sein Auto schon verkauft? (bald verkaufen)
10. Was macht Herr Siebert im Sommer? (zu seiner Tochter fahren)

13.5 Konjunktiv II 3: als ob

Use **als ob** plus subjunctive as the German equivalent of *as if*. Note that **als ob** requires dependent word order and that it is separated from the main clause by a comma.

> Herr Ruf tut so, **als ob** er jeden Tag eine neue Geschichte **schreiben würde**.
> *Mr. Ruf acts as if he wrote a new story every day.*

> Ernst sieht aus, **als ob** er seine Schwestern gern **erschrecken würde**.
> *Ernst looks as if he would like to scare his sisters.*

Recall that **hätte** and **wäre** are preferred instead of **würde** plus the infinitive **haben** or **sein**.

> Michael tut so, **als ob** er der attraktivste Mann der Welt **wäre**.
> *Michael acts as if he were the most attractive man in the world.*

> Herr Siebert spricht mit Maria, **als ob** er eine Schülerin vor sich **hätte**.
> *Herr Siebert talks to Maria as if he had a student in front of him.*

Übung 6

Die Bewohner der Isabellastraße klatschen gern.

MODELL: Maria sieht gar nicht so gut aus. (so tun / Filmstar sein) →
    Aber sie tut so, als ob sie ein Filmstar wäre.

1. Herr Ruf ist kein großer Schriftsteller. (sich benehmen / berühmt sein)
2. Ernst ist kein guter Schüler. (so tun / nur gute Noten haben)
3. Herr Ruf arbeitet nicht viel im Haushalt. (so reden / der emanzipierte Hausmann sein)
4. Die Wagners interessieren sich für gar nichts. (so tun / alles schon erlebt haben)

5. Michael ist gar nicht so toll. (so tun / ein Playboy sein)
6. Herr Siebert ist nicht arm. (so reden / kein Geld haben)
7. Herr Thelen trinkt gern Bier. (so tun / Antialkoholiker sein)
8. Frau Gretter ist nicht mehr so jung. (sich benehmen / eine Zwanzigjährige sein)

KAPITEL 14

Protest gegen die nukleare Wiederaufbereitungsanlage im bayrischen Wackersdorf

In Kapitel 14 you will discuss contemporary issues such as urban problems and political, ecological, and geographical concerns; you will learn about some of the social problems that immigrants face in Europe.

WAS UNS ANGEHT— AKTUELLE PROBLEME

GOALS

This chapter offers students an opportunity to talk about political and environmental issues, urban problems, economic concerns, and geography. The vocabulary is quite extensive, but still you may need to offer more words when necessary, so that students can talk about issues and events of immediate importance.

SPRECHSITUATIONEN

☞ **Grammatik 14.1**

Ich möchte wissen, ob im 21. Jahrhundert ein Mittel gegen das Altern gefunden wird.

Warum wird nicht endlich etwas gegen die Umweltverschmutzung und das Waldsterben getan?

Wenn das Wettrüsten nicht aufhört, wird die Erde bald in die Luft gesprengt.

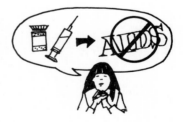

Ich frage mich, ob der Mensch durch Roboter und Computer ersetzt werden kann.

Ich hoffe, daß bald ein Mittel gegen AIDS gefunden wird.

Sit. 1. Introduce this activity by using pictures as well as a large map of the world. Use the questions in the text as guidelines and expand to include other points of interest and relevance to students. Possible answers: 1. *Bundesrepublik Deutschland, USA, Japan;* 2. *Kanada, DDR, USA;* 3. *Südafrika;* 4. *Kuba,*

Situation 1.   Diskussion: Nord und Süd, Ost und West

Nennen Sie Länder, . . .

1. die hochindustrialisiert sind.
2. in denen sehr viel moderne Landwirtschaft betrieben wird.
3. die sehr viele Diamanten exportieren.

*Puerto Rico, Kolumbien; 5. Spa-
nien, Griechenland, Mexiko; 6.
Sowjetunion, China, Indien; 7. Is-
rael, Iran, Libyen; 8. USA, Israel,
Kanada; 9. Brasilien, Mexiko,
Argentinien.*

4. in denen Kaffee angebaut wird.
5. die sehr abhängig vom Tourismus sind.
6. deren Bevölkerungszahl über 250 Millionen liegt.
7. von denen keine guten nachbarschaftlichen Beziehungen unterhalten werden.
8. deren Importe höher sind als ihre Exporte.
9. die sehr viele Schulden haben.

Sit. 2. Students will know only
some of these, but they can mark
the ones they know and find the
others by deduction. Give some
background information on each
historical figure according to the
interests of your particular class.
Answers: 1d, 2f, 3g, 4b, 5a, 6c,
7e.

Situation 2.   Hätten Sie's gewußt?

Wer war das?

1. Deutsche Regisseurin, die die Filme „Männer" und „Mitten ins Herz" gedreht hat?
2. Schweizer Schriftsteller, der die Romane „Stiller" und „Homo Faber" geschrieben hat?
3. Österreichischer Komponist, der in dem Kinofilm „Amadeus" porträtiert wurde?
4. Deutscher Philosoph und Ideologe, der mit Friedrich Engels den Marxismus begründet hat?
5. Deutscher Schriftsteller aus Lübeck, der das nationalsozialistische Deutschland verließ und später in Kalifornien lebte?
6. Deutscher Ingenieur, Raketenkonstrukteur und Leiter der NASA-Planung?
7. Österreichischer Arzt, von dem die Psychoanalyse entwickelt worden ist?

a. Thomas Mann
b. Karl Marx
c. Wernher von Braun
d. Doris Dörrie
e. Sigmund Freud
f. Max Frisch
g. Wolfgang Amadeus Mozart

Sit. 3. *1. Bundesrepublik
Deutschland; 2. Österreich;
3. Bundesrepublik, DDR;
4. Schweiz, Bundesrepublik;
5. Bundesrepublik; 6. Schweiz;
7. Schweiz; 8. Schweiz.*

Situation 3.   Welches deutschsprachige Land ist bekannt für . . . ?

1. Bier
2. Sachertorte
3. Sauerkraut
4. Käse

5. Autos
6. Uhren
7. Banken
8. Schokolade

Situation 4. Die Landeshauptstädte der Bundesrepublik Deutschland

Entscheiden Sie, zu welcher Landeshauptstadt die folgende Beschreibung paßt.

1. In der Nähe dieser Stadt werden sehr gute deutsche Autos wie Mercedes und Porsche hergestellt. Sie liegt im Südwesten der Bundesrepublik.
2. Diese Stadt wird „Deutschlands heimliche Hauptstadt" genannt. Sie hat mehr als eine Million Einwohner und ist berühmt für ihr Bierfest.
3. Diese Stadt ist zwar nicht sehr groß, aber sie ist gleichzeitig einer der zwei Stadtstaaten und der zweitgrößte Seehafen der Bundesrepublik.
4. Diese Landeshauptstadt ist auch ein Heilbad, denn am Rand des Taunus entspringen viele Mineralquellen. Ganz in der Nähe liegt die eigentliche Metropole dieses Bundeslandes mit Westdeutschlands bedeutendstem Flughafen.
5. Diese norddeutsche Stadt hat sich als Messe- und Industriestadt überall in der Welt einen Namen gemacht. Sie ist Landeshauptstadt des zweitgrößten Bundeslandes, das sich von Ostfriesland im Norden bis zum Weserbergland und zum Harz im Süden erstreckt.
6. Diese Stadt wird auch „Deutschlands Tor zur Welt" genannt. Sie ist eine Freie Hansestadt und der wichtigste Hafen der Bundesrepublik. Sie liegt an der Elbe.

7. Die Landeshauptstadt dieses menschenreichsten Bundeslandes liegt im industriellen Ballungsgebiet von Rhein und Ruhr im Westen der Bundesrepublik.

8. Diese alte Römerstadt liegt in einer der schönsten deutschen Landschaften und ist Zentrum der wichtigsten Weinbauregion der Bundesrepublik. Rheinpfalz, Mosel-Saar-Ruwer, Rheinhessen sind die bekanntesten Weinanbaugebiete des Landes.

9. Diese Stadt ist die Landeshauptstadt des kleinsten Bundeslandes, abgesehen von den Stadtstaaten Hamburg und Bremen. Das Land liegt an der Grenze zu Frankreich und Luxemburg. Die Verarbeitung von Kohle ist der wichtigste Industriezweig.

10. Diese Stadt liegt an der Ostsee und ist Landeshauptstadt des nördlichsten Bundeslandes. Das Land liegt zwischen Nord- und Ostsee und grenzt im Norden an Dänemark.

POLITIK UND WIRTSCHAFT

☞ **Grammatik 14.2**

We have tried to include controversial positions in this section in order to stimulate political discussion.

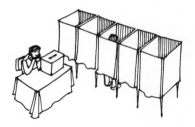

Nur wenige Leute haben gewählt.
Viele sind zu Hause geblieben.

Terroristen haben die Botschaft besetzt
und mehrere Geiseln genommen.

Fast alle europäischen Staaten
haben sehr viele Arbeitslose.

Einige Leute wollen, daß die Bundesrepublik aus der NATO austritt.

Sit. 5. Use this activity to familiarize students with political terminology. Extend the discussion of each term as much as possible. Answers are: 1b, 2i, 3l, 4a, 5h, 6c, 7k, 8j, 9g, 10d, 11e, 12f.

Situation 5.   Definitionen: Politik

Entscheiden Sie, welche Aussage zu den folgenden Begriffen paßt, und nehmen Sie zu den Begriffen Stellung.

1. Kapitalismus
2. Pressefreiheit
3. Sozialismus
4. Demokratie
5. Freie Meinungsäußerung
6. Marxismus
7. Kommunismus
8. Totalitarismus
9. Medien
10. Gewerkschaft
11. Streiks
12. Diktatur

a. Die Bevölkerung wählt die Regierung.
b. Das Privateigentum ist sehr wichtig.
c. Diese Ideologie beruht auf den Theorien von Karl Marx.
d. Dieser Verband wahrt die Interessen der Arbeitnehmer gegenüber Arbeitgebern und Regierung.
e. Arbeitnehmer legen ihre Arbeit nieder, um die Arbeits- oder Lohnbedingungen zu verbessern.
f. Die gesamte Regierungsgewalt ist in einer Person konzentriert.
g. So bezeichnet man Radio, Fernsehen, Film, Zeitungen, Zeitschriften.
h. Bürger können frei sagen, was sie denken.
i. Journalisten können alles schreiben, ohne Angst vor Verfolgung und Pressezensur.
j. Die Regierungsgewalt ist in der Hand von einigen wenigen Politikern. Es gibt keine politische Opposition.
k. Das Regierungssystem basiert auf dem Marxismus.
l. In diesem Regierungssystem ist zum Beispiel die medizinische Versorgung der Bevölkerung umsonst.

Sit. 6. Ask students to judge how most Americans would react to these situations. They may contrast their own position with the position of the majority if they wish.

Situation 6.   Politische Probleme

Bedenken Sie die folgenden politischen Aussagen. Glauben Sie, daß die Mehrheit der nordamerikanischen Bevölkerung sie unterstützen oder ablehnen würde? Erläutern Sie Ihre Antwort.

1. Die westeuropäischen Regierungen sollten die Bedrohung durch den Kommunismus nicht unterschätzen.

2. In den USA sollten mehr Leute wählen, vor allem die unterprivilegierten Gruppen der Bevölkerung.
3. Eine Frau sollte selbst entscheiden, ob sie abtreiben will oder nicht. Weder Gesellschaft noch Gesetzgeber haben das Recht, ihr die Entscheidung abzunehmen.
4. Das nukleare Wettrüsten ist durch die aggressive Politik des nordamerikanischen Militärs vorangetrieben worden.
5. Um die Ausbreitung von AIDS zu verhindern, sollten Routineuntersuchungen der Bevölkerung und eine Meldepflicht eingeführt werden.
6. Kriminelle haben heutzutage in den westlichen Industriestaaten mehr Rechte als ihre Opfer.
7. Minderheiten, wie die Latinos, die Schwarzen und die Asiaten in den USA und die Gastarbeiter in der Bundesrepublik, bereichern die Kultur eines Landes.
8. Die Regierungen Europas sollten sich mehr für eine wirkungsvolle Bekämpfung des Terrorismus einsetzen.

Situation 7.   Umfrage zur Atomkraft

Junge Leute in der Bundesrepublik wurden zur Problematik der Atomkraft interviewt. Was halten Sie von den folgenden Aussagen? Stellen Sie eine Liste der Argumente dafür und dagegen auf.

1. Der Wald stirbt, die Flüsse sind schon tot. Die Luft ist bald so schlecht, daß man sie nicht mehr atmen kann. Wir brauchen Energie, also ist die umweltfreundliche Atomenergie einfach unumgänglich.
2. Ich bin gegen Atomkraft. Sie ist gefährlich. So ein Atomkraftwerk kann nie hundertprozentig sicher sein, weil menschliches Versagen immer möglich ist.
3. Die Sicherheit von Atomkraftwerken, insbesondere die der „Schnellen Brüter", kann nur in einem totalitären Staat gewährleistet werden. Deshalb bin ich dagegen, auch wenn die Atomkraft eine sogenannte saubere Energie ist. Wie „sauber" sie ist, haben ja vor ein paar Jahren die Russen gespürt.
4. Ich finde die Leute sind hysterisch. Die Atomkraftwerke sind nicht gefährlicher als irgendwelche Chemiewerke. Es ist genau wie bei der Erfindung der Lokomotive oder des Autos. Da haben auch erst alle protestiert und fanden es gefährlich. Jetzt lebt man mit den Gefahren, und es ist ganz normal.
5. Wir brauchen Atomkraftwerke für die Energieversorgung. Aber es ist wichtig, daß einige Leute sich Gedanken machen und protestieren. Sonst geht man zu leichtsinnig mit dieser Problematik um.
6. Die Verantwortungslosigkeit, mit der manche Politiker—selbst nach Tschernobyl—mit dem Problem der Atomkraft umgehen, ist unverständlich, wo doch jetzt Entscheidungen für Jahrhunderte, ja Jahrtausende getroffen werden.

Sit. 7. This situation provides a range of opinions of young people in the FRG. Discuss the individual positions in some detail in class and ask for an evaluation of each. Have students discuss why people take such positions. Ask them for their opinions on *Atomkraft(werke)/Atomenergie.* Encourage them to elaborate. This can be done in 3 or 4 large groups in class. Tell students about the rising awareness concerning ecological problems in the FRG. Mention *die Grünen;* ask students what they know about this political party. See too: *Kulturelle Notiz—Die Grünen,* later in the chapter following the reading *Unsere Straße: Eine Diskussion in der Eckkneipe.*

Sit. 8. Continuation of *Sit. 7.* Encourage students to try to react as a German rather than as a US citizen. Afterward let them discuss a similar crisis in the US. Ask questions such as: *Hat es ähnliche Krisen in den USA gegeben? Wann? Wer war beteiligt? Was ist passiert? usw.*

Situation 8.   Krisen

Sie und die anderen Studenten/Studentinnen in Ihrem Kurs sind Berater des Präsidenten/der Präsidentin eines Landes. Er/Sie beschäftigt sich mit der Lösung folgender Krisen und bittet Sie um Hilfe. Was schlagen Sie vor?

1. Das ungünstige Wetter hat dazu geführt, daß in einigen Großstädten Smogalarm gegeben werden mußte. Die öffentlichen Verkehrsmittel reichen nicht aus, um alle Leute zur Arbeit zu befördern.
2. In der Hauptstadt haben Terroristen einen Terroranschlag verübt, und sie fordern die Freilassung inhaftierter Genossen.
3. Einige führende Mitglieder des Kabinetts haben von einem bekannten Industriekonzern Geld bekommen, um ein Umweltschutzgesetz zu verhindern.
4. In einem Atomkraftwerk im Norden hat es einen Reaktorunfall gegeben. Radioaktives Wasser ist ausgetreten und in öffentliche Gewässer geflossen.
5. Die Arbeitslosigkeit unter Jugendlichen ist drastisch gestiegen. Es gibt zunehmend Demonstrationen, bei denen auch „Gewalt gegen Sachen" ausgeübt wird. Die Jugendlichen fordern mehr Geld für Maßnahmen zur Beseitigung der Arbeitslosigkeit, weniger Geld für Rüstung.

Situation 9.   Was würden Sie tun?

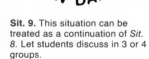

Sit. 9. This situation can be treated as a continuation of *Sit. 8.* Let students discuss in 3 or 4 groups.

Was würden Sie in den folgenden Situationen tun? Abwarten, was geschieht, oder versuchen, etwas zu tun? Was?

1. Terroristen haben ein Mitglied Ihrer Familie als Geisel genommen und wollen es gegen inhaftierte Genossen austauschen. Die Regierung zögert.
2. Sie dürfen ab nächster Woche nicht mehr mit dem Auto fahren, weil durch den sauren Regen der Wald stirbt.
3. In der Nähe Ihres Wohnorts soll ein Atomkraftwerk gebaut werden. Sie halten das für sehr gefährlich.
4. Sie sind schon längere Zeit arbeitslos, und die Situation auf dem Arbeitsmarkt verschlechtert sich noch mehr.

Sit. 10. Let students work in pairs.

Situation 10.   Interview

1. Welche Energiequellen gibt es in den USA?
2. Welche Art von Energie sollte in der Zukunft hauptsächlich genutzt werden?
3. Wie kann man Energie sparen?
4. Wie kann man sich „umweltfreundlich" verhalten?
5. Haben Sie ein Auto? Wenn ja, könnten Sie darauf verzichten?
6. Gibt es Atomkraftwerke in Ihrer Gegend? Wie reagieren die Menschen darauf, die dort wohnen?
7. Was halten Sie vom Wettrüsten?

8. Wie sollte die Regierung Terroristen behandeln?
9. Kennen Sie Leute, die arbeitslos sind? Warum sind sie arbeitslos? Wie lange schon? Glauben Sie, daß Arbeitslosigkeit in den USA ein Problem ist?
10. Haben Sie schon einmal Smog erlebt? Wo? Was war die Ursache?

PROBLEME EINER INDUSTRIEGESELLSCHAFT

Grammatik 14.3

Falls es einen Atomkrieg gibt, bleibt von unserer Zivilisation nichts übrig.

Je mehr Geld für Rüstung ausgegeben wird, desto weniger ist für soziale Ausgaben vorhanden.

Obwohl die Umweltverschmutzung weiter zunimmt, benutzen nur wenige Leute öffentliche Verkehrsmittel.

Ich könnte nicht auf dem Land leben, auch wenn das Leben dort weniger hektisch ist.

Obwohl es schon schwere Störfälle gegeben hat, werden immer noch mehr Atomkraftwerke gebaut.

Sit. 11. Encourage several different responses.

Situation 11.　Probleme

MODELL: Obwohl es schon genug Atomwaffen gibt, →
　　　　S1: Obwohl es schon genug Atomwaffen gibt, werden immer mehr und immer bessere gebaut.
　　　　S2: Obwohl es schon genug Atomwaffen gibt, . . .

1. Auch wenn die Luft in den Städten immer schlechter wird,
2. Obwohl die Gefängnisse überfüllt sind,
3. Wenn immer mehr Kinder von Computern unterrichtet werden,
4. Obwohl die Reichen immer reicher und die Armen immer ärmer werden,
5. Auch wenn man mittlerweile zum Mond fliegen kann,
6. Obwohl sich Frauen schon mehr emanzipiert haben,
7. Wenn die AIDS-Seuche noch weiter um sich greift,
8. Auch wenn die Arbeitslosigkeit steigt,

Sit. 12. Have students react to the news items with several of the given expressions. Extend their reactions whenever appropriate. Add news items and issues of immediate importance, local or global.

AA. Direct your students to write a list of the important political and social issues of the last two years. You can offer the following suggestions to get them started: social programs, the defense budget, minority participation, worker's unions, energy, and women's liberation.

Situation 12.　Reaktionen

Sie und Ihr Freund/Ihre Freundin sitzen im Auto. Sie hören Kurznachrichten. Reagieren Sie auf die folgenden Neuigkeiten.

Nützliche Ausdrücke: Ich finde gut/nicht gut/richtig/falsch, daß . . .
Ich bin der Meinung, daß . . .
Meiner Ansicht nach . . .
Ich habe den Eindruck/das Gefühl, daß . . .
Ich glaube . . .
Mir scheint . . .
Ich bin dafür/dagegen, daß . . .
Ich bin der gleichen Meinung/anderer Meinung.
Das ist Unsinn/Quatsch.
Was meinst du?

1. Erich Honecker erklärte kürzlich in einem Gespräch, daß in weniger als zehn Jahren die meisten Länder Europas eine kommunistische Regierung hätten.
2. Zwei amerikanische Wissenschaftler haben ein Medikament erfunden, das verjüngt.
3. Es ist nicht mehr verboten, Marihuana zu rauchen. Dieses Gesetz wurde abgeschafft.
4. Verschiedene russische Wissenschaftler haben erklärt, über Radio Nachrichten von außerirdischen Wesen empfangen zu haben. Die Sowjets gaben keine weiteren Einzelheiten bekannt.
5. Die Luftverschmutzung in Mexikos Hauptstadt hat ein so extremes Maß erreicht, daß man sich entschlossen hat, den Autoverkehr in der Innenstadt zu untersagen. Nur noch öffentliche Verkehrsmittel dürfen benutzt werden.

Sit. 13. These themes are suggestive. Discuss any others you feel appropriate.

Situation 13.   Diskussion: Die Umwelt

Sprechen Sie über die folgenden Probleme und ihre Konsequenzen. Versuchen Sie gemeinsam, Lösungen zu finden. Was sollte getan werden?

1. Atommüll
2. das Aussterben bestimmter Tierarten
3. die Zerstörung des Waldes
4. die Verschmutzung der Flüsse durch chemische Industrieabfälle
5. Überbevölkerung

VOKABELN

Geschichte und Erdkunde
History and Geography

der **Asiat, -en** (*wk.*)/ die **Asiatin, -nen**   Asian (*person*)
der **Hafen, ¨**   port
das **Heilbad, ¨er**   spa
die **Innenstadt, ¨e**   downtown, inner city
das **Jahrhundert, -e**   century
die **Mineralquelle, -en**   mineral spring
die **Ostsee**   Baltic Sea
der **Römer, -**   citizen of (ancient) Rome
der **Seehafen ¨**   seaport
das **Tor, -e**   gateway
das **Weinanbaugebiet, -e**   wine-growing area

Politik, Wirtschaft und Probleme
Politics, Economics, and Issues

grenzen an   to border
inhaftieren, inhaftiert   to imprison

die **Armen** (*pl.*)   the poor
die **Atomenergie**   nuclear energy

die **Atomkraft**   nuclear power
das **Atomkraftwerk, -e**   nuclear power plant
der **Atomkrieg, -e**   nuclear war
der **Atommüll**   nuclear waste
die **Atomwaffe, -n**   nuclear weapon
die **Ausbreitung**   spreading, expansion
die **Ausgabe, -n**   expense
der **Autoverkehr**   automobile traffic
das **Ballungsgebiet, -e**   overcrowded region
die **Bedingung, -en**   condition
die **Bedrohung, -en**   threat
der **Begriff, -e**   idea, notion
die **Bekämpfung**   fight
die **Beseitigung, -en**   disposal
die **Bevölkerung, -en**   population
die **Bevölkerungszahl, -en**   number of inhabitants
die **Botschaft, -en**   embassy
das **Bundesland, ¨er**   (West German) state
der **Einwohner, -** / die **Einwohnerin, -nen**   inhabitant
die **Energiequelle, -n**   source of energy
die **Energieversorgung, -en**   supply of energy
die **Erde**   earth
die **Freilassung, -en**   release

die **Gefahr**, -en	danger
das **Gefängnis**, -se	prison, jail
die **Geisel**, -n	hostage
der **Genosse**, -n	comrade
das **Gesetz**, -e	law
der **Gesetzgeber**, -	legislative power
das **Gewässer**, -	water(s)
die **Grenze**, -n	border, boundary
die **Hauptstadt**, ̈e	capital
die **Kurznachrichten** (*pl.*)	news brief
die **Landeshauptstadt**, ̈e	state capital
die **Landschaft**, -en	environment
die **Landwirtschaft**	agriculture, farming
die **Meldepflicht**	registration duty
die **Minderheit**, -en	minority
das **Mittel**, -	means; medication
die **Neuigkeit**, -en	news
das **Opfer**, -	victim
die **Pressefreiheit**	freedom of the press
das **Privateigentum**	private property
der **Raketenkon-strukteur**, -e	builder of rockets
der **Reaktorunfall**, ̈e	nuclear power plant accident
das **Recht**, -e	right
die **Regierungsgewalt**	executive power
das **Regierungssystem**, -e	political system
die **Rüstung**	armament, arms
der **saure Regen**	acid rain
die **Seuche**, -n	epidemic (*disease*)
der **Stadtstaat**, -en	city state
der (**nukleare**) **Störfall**, ̈e	(nuclear) accident
der **Terroranschlag**, ̈e	terrorist assault
die **Überbevölkerung**	overpopulation
die **Umwelt**	environment
die **Ursache**, -n	cause
die **Verfolgung**, -en	persecution, pursuit
die **Verschmutzung**	pollution
die **Versorgung**	supply
das **Waldsterben**	dying forests
das **Wettrüsten**	arms race
die **Zerstörung**	destruction
der **Zugang**, ̈e	access
die **freie Meinungs-äußerung**	freedom of speech
menschenreich	densely populated

Ähnliche Wörter: das **Argument**, -e / die **Demokratie**, -n / die **Demonstration**, -en / die **Diktatur**, -en / die **Energie**, -n / die **Energiereserve**, -n / der **Export**, -e / **exportieren**, exportiert / der **Ideologe**, -n / die **Ideologin**, -nen / die **Ideologie**, -n / der **Import**, -e /

das **Kabinett**, -e / der **Kapitalismus** / der **Kommu-nismus** / die **Konsequenz**, -en / die **Medien** (*pl.*) / die **Metropole**, -n / das **Militär**, -s / **nuklear** / die **Opposition**, -en / die **Pressezensur** / **protestieren**, protestiert / die **Reaktion**, -en / der **Sozialismus** / der **Terrorismus** / der **Terrorist**, -en (*wk.*) / die **Terrorist-in**, -nen / der **Totalitarismus** / die **Zivilisation**, -en

Industrie und Arbeit
Industry and Employment

herstellen, hergestellt	to manufacture, produce
der **Arbeitgeber**, -	employer
der **Arbeitnehmer**, -	employee
das **Arbeitsamt**, ̈er	unemployment office
der/die **Arbeitslose**, -n (ein **Arbeitsloser**)	unemployed person
die **Arbeitslosigkeit**	unemployment
der **Arbeitsmarkt**, ̈e	job market
der **Berater**, - / die **Beraterin**, -nen	consultant
der **Gastarbeiter**, - / die **Gastarbeiterin**, -nen	guest worker
die **Gewerkschaft**, -en	trade union
der **Industrieabfall**, ̈e	industrial waste
die **Industriege-sellschaft**	industrial society
der **Industriekonzern**, -e	company
die **Industriestadt**, ̈e	industrial city
der **Industriezweig**, -e	branch of industry
der **Leiter**, - / die **Leiterin**, -nen	director
der **Lohn**, ̈e	wages
die **Messe**, -n	fair (*industrial*)
die **Verarbeitung**	processing, manufacturing
das **Werk**, -e	factory, plant
arbeitslos	unemployed
hochindustrialisiert	highly industrialized

Ähnliche Wörter: der **Industriestaat**, -en / der **Streik**, -s

Verben
Verbs

ablehnen, abgelehnt	to reject, deny
abtreiben, trieb . . . ab, abgetrieben	to have an abortion
abwarten, abgewartet	to wait
abnehmen (nimmt . . . ab), nahm . . . ab, abgenommen	to decrease, diminish

anbauen, angebaut	to grow
angehen, ging . . . an, angegangen	to affect, concern
ausüben, ausgeübt	to exert
ausreichen, ausgereicht	to be enough
aussterben (stirbt . . . aus), starb . . . aus, ist ausgestorben	to die out, become extinct
austauschen, ausgetauscht	to exchange
austreten (tritt . . . aus), trat . . . aus, ist ausgetreten	to leave
befördern, befördert	to promote
bereichern, bereichert	to enrich
beruhen auf, beruht	to be based on
betreiben, betrieb, betrieben	to run, operate, pursue
einführen, eingeführt	to introduce
sich einsetzen für, eingesetzt	to stand up for
empfangen (empfängt), empfing, empfangen	to receive
entspringen, entsprang, ist entsprungen	to originate
erfinden, erfand, erfunden	to invent
ersetzen, ersetzt	to compensate, replace
fordern	to demand
führen	to guide, lead
geschehen (geschieht), geschah, ist geschehen	to happen
hinbauen, hingebaut	to build (*colloquial*)
sich erstrecken, erstreckt	to extend
sprengen	to blow up
sterben (stirbt), starb, ist gestorben	to die
untersagen, untersagt	to forbid
unterschätzen, unterschätzt	to underestimate
unterstützen, unterstützt	to support
verjüngen, verjüngt	to rejuvenate
versagen, versagt	to fail
verüben, verübt	to commit
vorantreiben, trieb . . . voran, vorangetrieben	to push forward
wahren	to preserve

Ähnliche Wörter: basieren auf, basiert / experimentieren, experimentiert / interviewen, inter- viewt / konzentrieren, konzentriert / proträtieren, porträtiert

Substantive / Nouns

der **Ausdruck**, ¨e	expression
die **Dinger** (*pl.*)	these things (*colloquial*)
die **Erfindung**, -en	invention
der **Gedanke**, -n	thought
die **Maßnahme**, -n	measure (ment)
der **Physiker**, - / die **Physikerin**, -nen	physicist
die **Tierart**, -en	species of animal
die **Zeitschrift**, -en	journal, magazine
der **Zweig**, -e	branch

Ähnliche Wörter: der Komponist, -en (*wk.*) / **die Komponistin, -nen / der Philosoph, -en** (*wk.*) / **die Philosophin, -nen / die Psychoanalyse**

Adjektive und Adverbien / Adjectives and Adverbs

abgesehen von	apart from
außerirdisch	extra-terrestrial
bedeutend	important
deutschsprachig	German-speaking
entschlossen	determined
führend	leading
gedreht	turned
gegenüber	opposite, facing
gesamt	entire
hauptsächlich	mainly
tot	dead
umsonst	in vain
vorhanden	present
zunehmend	increasing(ly)

Ähnliche Wörter: biologisch / chemisch / dramatisch / drastisch / emanzipiert / hektisch / hundertprozentig / hysterisch

Nützliche Wörter und Wendungen / Useful Words and Phrases

entweder . . . oder	either . . . or
falls	in case
je mehr . . . desto lustiger	the more . . . the merrier
am Rande	bordering on
obwohl	although
weder . . . noch	neither . . . nor

ZUSÄTZLICHE TEXTE

UNSERE STRASSE: Eine Diskussion in der Eckkneipe

Vor allem seit dem Reaktorunglück im Frühling 1986 im sowjetischen Tschernobyl hört man wieder mehr kritische Stimmen zur Atompolitik in der Bundesrepublik. Wie sicher sind Technik und Fortschritt wirklich?

© Peter Menzel

Herr Ruf und Herr Wagner sind in der Kneipe an der Ecke und diskutieren über Politik. Dabei sind sie zum Thema Atomkraft gekommen.

HERR WAGNER: Ohne Atomkraft können wir nicht existieren. Wir brauchen sie.

HERR RUF: Wozu, um uns alle in die Luft zu sprengen?[1] Denk doch an Tschernobyl und die Folgen.

HERR WAGNER: Was für Folgen? Das war doch alles nur Panikmache von den Grünen[2] und Leuten wie dir.

HERR RUF: Panikmache nennst du das? Warte nur ein paar Jahre, dann sehen wir die Folgen. Ich kann nicht verstehen, warum du so argumentierst, du hast doch Kinder.

HERR WAGNER: Ja eben! Gerade weil ich Kinder habe. Atomkraft schafft[3] Arbeitsplätze, und die brauchen wir. Du weißt ja nicht, was das heißt, arbeitslos zu sein. Ich war fast ein halbes Jahr arbeitslos, und ich möchte das nie wieder sein.

HERR RUF: Ich kann dich ja verstehen, aber es gibt doch auch andere Energiemöglichkeiten—die schaffen doch auch Arbeitsplätze. Und wir müssen von unserer Regierung verlangen,[4] daß man an diesen Möglichkeiten arbeitet. Atomkraft ist einfach zu gefährlich.

HERR WAGNER: Ja, ja, alternative Energien! Wenn du so sehr auf Umweltschutz[5] bedacht bist, dann mußt du doch sagen, daß Atomkraft die sauberste Lösung ist. Die Kohlekraftwerke machen doch unsere Umwelt kaputt. Und überhaupt, wenn du so engagiert wärst, dann würdest du nicht mehr Auto fahren.

HERR RUF: Ja, das stimmt, eigentlich sollte ich es verkaufen und zu Fuß gehen.

HERR WAGNER: Und schau dir die DDR an, die blasen den ganzen Dreck in den Himmel, und alles kommt zu uns herüber. Und die Franzosen, die haben direkt hinter der Grenze eine ganze Reihe von Reaktoren stehen. Selbst wenn wir keine Atomkraftwerke mehr hätten, haben die sie, und wenn eins davon in die Luft geht, dann gehen wir mit. Rede also mit den Franzosen und denen in der DDR.

HERR RUF: Aber irgendeiner muß doch anfangen.

HERR WAGNER: Ja sicher, aber nicht wir. Du bist Künstler und kannst leicht reden, aber ich muß an meine Arbeit denken und an meine Familie.

HERR RUF: Eben, ich auch.

[1]in . . . *to blow up* [2](siehe KN) [3]macht [4]fordern [5]*environmental protection*

Fragen

1. Was hält Herr Wagner von Tschernobyl?
2. Was ist Herrn Rufs Einstellung?
3. Warum ist Herr Wagner für Atomenergie?
4. Welche Gegenargumente hat Herr Ruf?

Diskussion

1. Was für alternative Energiequellen gibt es?
2. Würden Sie bei sich beginnen und Ihr Auto verkaufen?
3. Wie würde eine ähnliche Diskussion in den USA ablaufen?

KULTURELLE NOTIZ: Die Grünen

„Die Grünen" sind eine politische Partei, die sich ursprünglich besonders für Umweltschutz engagierte, daher auch der Name. Sie sind seit 1979 in den Länderparlamenten und seit 1983 auch im Bundestag vertreten.[1]

[1]*represented*

KULTURELLE BEGEGNUNGEN: Asylanten in der Bundesrepublik

Wartende deutsche und ausländische Arbeitslose auf dem Arbeitsamt. Zur Zeit gibt es in der Bundesrepublik über 9% Arbeitslose. Die Arbeitslosigkeit unter Ausländern beträgt allerdings 13,5%.

© Keystone / The Image Works

Text: Tell students to read the text for understanding, to guess meanings rather than look up words in a dictionary. Thematically this text ties in with the reading *Ausreise in den Westen: Marta und Sofie* in Chapter 12. Tell students that the situation has intensified with respect to hostility toward foreigners, especially with a growing economic instability. Do the *Diskussion* in groups.

Sharrif Sheihk ist 28 und kommt aus Asmara, der Hauptstadt Eritreas.[1] Wegen seiner politischen Arbeit in einer Studentenorganisation droht[2] ihm Verfolgung in seinem Land. Als er 1984 verhaftet[3] werden sollte, verließ er Eritrea. Nach einer Odyssee durch Ägypten, Zypern, Griechenland und Jugoslawien kam er 1988 schließlich über Ost-Berlin nach West-Berlin. Dort meldete[4] er sich bei den zuständigen Behörden[5] und bewarb sich[6] um politisches Asyl in der Bundesrepublik. Das Grundgesetz der Bundesrepublik garantiert allen politisch oder religiös Verfolgten Asylrecht. Wenn ein Asylbewerber einmal anerkannt[7] ist, kann er nicht mehr an sein Heimatland ausgeliefert[8] werden.

Sharrif Sheihks Fall war relativ klar, denn er konnte schnell beweisen,[9] daß er in Eritrea politisch verfolgt wurde. Er kam von West-Berlin nach Düsseldorf, wo ihm eine Wohnung und monatlich 900 Mark vom Sozialamt zur Verfügung gestellt wurden.[10] Seit einem Monat besucht er eine Schule, wo er sechs Stunden täglich Deutsch lernt. Der gesamte Kurs dauert neun Monate. Danach bekommt er eine Arbeits- und Aufenthaltserlaubnis[11] und kann sich legal in der Bundesrepublik niederlassen.[12]

Doch so einfach wie in Sharrifs Fall ist es oft nicht. Besonders in den letzten Jahren hat die Zahl der Asylbewerber in der Bundesrepublik ständig zugenommen. Tausende bewerben sich jedes Jahr um politisches Asyl. In vielen Fällen ist der Asylantrag nur ein Vorwand,[13] um in die Bundesrepublik einreisen zu können und eine Aufenthalts- oder Arbeitserlaubnis zu bekommen. Ökonomische und soziale Gründe spielen eher eine Rolle als politische oder religiöse. Asylbewerber, die ihren Status nicht nachweisen können und deren Antrag[14] abgelehnt wird, werden in ihr Heimatland abgeschoben.[15] Das kann für diejenigen, die doch politisch verfolgt wurden, tragische Folgen haben.

Hohe Arbeitslosenzahlen in der Bundesrepublik lassen immer mehr Stimmen laut werden, die eine Änderung[16] oder Verschärfung[17] des Asylgesetzes fordern. In den nächsten Jahren wird sich zeigen, ob die Bundesregierung eine so schwerwiegende Änderung des Grundgesetzes verantworten will oder nicht.

[1]*äthiopische Provinz am Roten Meer* [2]*threatens* [3]*arrested* [4]*registered* [5]*authorities* [6]*bewarb . . . applied* [7]*accepted* [8]*extradited* [9]*prove* [10]*zur . . . were made available* [11]*residence permit* [12]*settle* [13]*pretext* [14]*application* [15]*deported* [16]*change* [17]*tightening up*

Fragen

1. Woher kommt Sharrif Sheihk?
2. Warum mußte er sein Heimatland verlassen?
3. In welchen Ländern war er, bevor er in die Bundesrepublik kam?
4. Wo lebt er heute?
5. Wer gibt ihm Geld?
6. Was macht er an seinem neuen Wohnort?
7. Wie viele Asylbewerber kommen jedes Jahr in die Bundesrepublik?
8. Haben alle Asylbewerber politische oder religiöse Gründe? Welche anderen Gründe könnten sie haben?
9. Was geschieht mit Asylbewerbern, die nicht nachweisen können, daß sie in ihrem Heimatland politisch oder religiös verfolgt werden?
10. Warum fordern immer mehr Bundesbürger eine Verschärfung oder Änderung des Asylrechts?

Diskussion

1. Sollte das Asylgesetz verschärft werden?
2. Wie könnte eine solche Verschärfung aussehen?
3. Was sind die möglichen Konsequenzen einer Verschärfung?
4. Gibt es Asylbewerber in den USA? Wenn ja, woher kommen sie, und in welcher Situation befinden sie sich?

KULTURELLE BEGEGNUNGEN: Tempolimit in der Bundesrepublik?

Die Bundesrepublik ist das einzige Land in Europa, in dem es kein Tempolimit auf Autobahnen gibt. In allen anderen europäischen Ländern ist eine Höchstgeschwindigkeit[1] auf Landstraßen und Autobahnen festgesetzt.[2]

Im Jahre 1985 wurde von der Bundesregierung die Einführung eines Tempolimits auf bundesdeutschen Straßen diskutiert. Für Autobahnen sollte eine Höchstgeschwindigkeit von 130 und für Landstraßen von 80 Stundenkilometern festgesetzt werden. Vor allem die grüne Umweltpartei befürwortete[3] das Tempolimit. Das Waldsterben durch den sauren Regen wird durch Autoabgase mitver-

STOPPT DAS WALDSTERBEN — SOFORT!

ENTSCHWEFELUNG
BLEIFREIES BENZIN
Gewerkschaft Gartenbau, Land- und Forstwirtschaft

ursacht.[4] Je höher die Geschwindigkeit ist, desto mehr Schadstoffe werden mit den Abgasen freigesetzt. Durch ein Tempolimit könnte also ein wirkungsvoller Beitrag[5] zum Umweltschutz geleistet werden. Ein weiteres Argument für die Einführung eines Tempolimits ist natürlich die geringere[6] Unfallgefahr bei niedrigeren Geschwindigkeiten. Der hartnäckigste Widerstand gegen die Einführung des Tempolimits kam von der Autoindustrie. Vor allem die Hersteller[7] schneller Autos wie BMW, Porsche und Mercedes sahen ihren Absatzmarkt in Gefahr. Wenn bundesdeutsche Autofahrer sich ein schnelles Auto anschaffen,[8] wollen sie es natürlich auch benutzen. Die Fahrer schneller Autos waren überwiegend gegen ein Tempolimit, während die Besitzer von Autos, die sowieso nicht schneller als 130 Stundenkilometer fahren, dafür waren oder dem Problem gleichgültig gegenüberstanden.

Das Argument, das schließlich zum Scheitern[9] des Tempolimits führte, klingt vor allem für Umweltschützer wenig überzeugend:[10] Die Verminderung[11] der Schadstoffbelastung durch verringerte Geschwindigkeit sei vergleichsweise gering. Und im übrigen würden sich die Autofahrer sowieso nicht an die Höchstgeschwindigkeit halten, sondern schneller fahren. Letzteres gilt für Gegner des Tempolimits deshalb als erwiesen, weil auf einer Teststrecke die Richtgeschwindigkeit[12] von 130 Stundenkilometern häufig überschritten wurde. Eine Richtgeschwindigkeit ist allerdings auch keine gesetzlich vorgeschriebene Höchstgeschwindigkeit, sondern eine Empfehlung[13] für die Autofahrer, der sie entweder folgen oder nicht.

[1]*maximum speed* [2]*established* [3]*supported* [4]wird ... *is partially caused by auto emissions*
[5]*contribution* [6]kleinere [7]*manufacturers* [8]kaufen [9]*defeat* [10]*convincing* [11]*reduction*
[12]*recommended speed limit* [13]Vorschlag

Fragen

1. Gibt es in der Bundesrepublik ein Tempolimit auf Autobahnen?
2. Wann wurde die Einführung eines Tempolimits in der Bundesrepublik diskutiert?
3. Wie hoch sollte die Höchstgeschwindigkeit auf Autobahnen und Landstraßen sein?
4. Wer war für das Tempolimit?
5. Warum wäre ein Tempolimit ein wirkungsvoller Beitrag zum Umweltschutz?
6. Wer war gegen das Tempolimit und warum?
7. Waren alle Autofahrer in der Bundesrepublik gegen ein Tempolimit?
8. Warum ist schließlich kein Tempolimit eingeführt worden?
9. Warum wurde die Richtgeschwindigkeit von 130 auf der Teststrecke häufig überschritten?

STRUKTUREN UND ÜBUNGEN

14.1. Passive construction in the present tense is easily understood by students; however, passive construction in the perfect and other more complex tenses can be quite difficult. Practice by paraphrasing the passive construction whenever it appears in reading. The exercises that accompany this section stress passive uses that are relatively common in spoken as well as written German.

14.1 Passiv

When the focus is more on what is happening than on who is involved in making it happen, both German and English use passive constructions.

In vielen Ländern Lateinamerikas **wird** Kaffee **angebaut**.
Coffee is grown in many Latin American countries.

Die Psychoanalyse **wurde** in Österreich **entwickelt**.
Psychoanalysis was developed in Austria.

A. Präsens

Use a form of the verb **werden** plus a past participle to form the passive. Recall the irregular present-tense forms of **werden: du wirst, er/sie/es wird**. (See also Chapter 5.)

In der Nähe von Stuttgart **werden** Autos **hergestellt**.
Cars are made in the vicinity of Stuttgart.

Jedes Jahr **wird** ein neues Modell **entwickelt**.
A new model is developed every year.

B. Präteritum

For the simple past passive, use the simple past forms of **werden** (**ich wurde, du wurdest, er/sie/es wurde, wir wurden, ihr wurdet, sie/Sie wurden**) and a past participle.

1972 **wurde** einem deutschen Schriftsteller der Nobelpreis für Literatur **verliehen**.
In 1972 the Nobel prize in literature was given to a German author.

C. Perfekt und Plusquamperfekt

Recall that **werden** requires **sein** as the auxiliary in both the present perfect and past perfect tenses. This is true in passive as well as in active voice constructions. In passive constructions, however, the past participle of **werden** is **worden**.*

Herr Ruf rief alle seine Freunde an. Sein erstes Buch **war angenommen worden**.
Mr. Ruf called all his friends. His first book had been accepted.

---

*As you recall, when **werden** is used as the main verb in an active sentence, the past participle is **geworden**.

Und dann **ist** sie doch Lehrerin **geworden**.
And then she became a teacher after all.

D. Konjunktiv und Futur

Passive constructions that include subjunctive forms follow patterns similar to those for the perfect tenses. The only difference is that a form of **wäre** replaces the present or past form of **sein** as the auxiliary.

> Amerika **wäre** nicht **entdeckt worden**, wenn man nicht nach einem kürzeren Seeweg nach Indien gesucht hätte.
> *America wouldn't have been discovered if people hadn't looked for a shorter passage to India.*

Passive constructions in the future tense also follow a similar pattern. Note, however, that in the future tense two forms of **werden** are used: the conjugated form (as the future tense auxiliary) and the infinitive. The past participle of the main verb, which signals the passive, is followed by the infinitive **werden**.

> Ein Mittel, um den Prozeß des Alterns aufzuhalten, **wird** wohl nie **gefunden werden**.
> *A drug to stop the aging process will probably never be found.*

E. Werden

Since German uses **werden** as the auxiliary for both the passive voice and the future tense, these suggestions may be helpful when reading.

(1) When you see a form of **werden**, look to the end of the sentence. If you find an infinitive, it signals the future tense; if you find a past participle, it signals the passive.

> FUTUR   Nächstes Jahr **werden** wir Weizen **anbauen**.
>   *Next year we'll grow wheat.*
> PASSIV   Dieses Jahr **werden** Kartoffeln **angebaut**.
>   *Potatoes are being grown this year.*

(2) If a form of **sein** is followed by a past participle without **worden**, it usually signals the present perfect tense;* if **worden** is also present, then the construction is in the passive voice.

> PERFEKT   Der Zug **ist** nach Passau **gefahren**.
>   *The train has gone to Passau.*
> PASSIV   Der Zug **ist** nach Passau **gefahren worden**.
>   *The train has been taken to Passau.*

---

*Past participles can also be used as adjectives. In such cases, **sein** is the full verb of the sentence and not an auxiliary.

> Diese Kleider **sind** gebraucht.
> *These are second-hand clothes.*

(3) When you find neither an infinitive nor a past participle with **werden**, it is used as a full verb with the meaning *to become* or *to get.*

> Die Menschen **werden** immer größer.
> *People are getting taller and taller.*

F. Von + Dativ

When the agent (the person that is "doing" something) is expressed in a passive sentence, it is in the dative case following the preposition **von**.

> Amerika wurde **von Kolumbus** entdeckt.
> *America was discovered by Columbus.*

> **Von Doris Dörrie** wurden die Filme „Männer" und „Mitten ins Herz" gedreht.
> *The films* Men *and* Straight to the Heart *were directed by Doris Dörrie.*

Übung 1

Frühjahrsputz bei den Wagners: Was wird alles gemacht?

MODELL: Die Lampen werden abgestaubt.

1. die Fenster
2. das Silber
3. die Lampen
4. die Fußböden
5. die Schränke
6. die Gardinen
7. die Sessel
8. der Hof
9. die Teppiche

a. staubsaugen
b. fegen
c. putzen
d. polieren
e. waschen
f. aufräumen
g. aufwischen
h. reinigen
i. abstauben

Übung 2

Wer war es? Fragen Sie nach dem Täter.

MODELL: Paula / beißen → Von wem wurde Paula gebissen?

1. Ernst / schlagen
2. Herr Thelen / anrufen
3. Michael / auslachen
4. Hans / ausschimpfen (*to tell off*)
5. Jutta / abholen
6. Frau Gretter / einladen
7. Herr Siebert / beobachten
8. Andrea / erschrecken

Übung 3

Man kann es auch anders sagen. Bilden Sie das Passiv.

MODELL: In Norddeutschland spricht man eine andere Sprache. →
In Norddeutschland wird eine andere Sprache gesprochen.

1. Diese Sprache nennt man Plattdeutsch.
2. Die Kinder unterrichtet man nicht in dieser Sprache.
3. Aber auf dem flachen Land, dem „platten" Land, verwendet man sie oft.
4. In den Städten benutzt man diese Sprache nicht.
5. Dort sieht man das Plattdeutsche oft als „Bauernsprache" an.
6. Aber schon seit einiger Zeit hat man Bücher in diesem Dialekt geschrieben.
7. Man hat Gedichte und Erzählungen aus diesen norddeutschen Gegenden veröffentlicht.
8. Vor allem Leute, die mit Plattdeutsch vertraut sind, lesen diese Literatur gern.

14.2 Unbestimmte Zahladjektive und Zahlwörter

A. Zahladjektive

Words like **viele** (*many*), **wenige** (*few*), **andere** (*other*), and **weitere** (*further*) are adjectives and take adjective endings. When they are used without a determiner, they take determiner endings, i.e. the gender/number/case signals or markers.

Nur **wenige** Leute haben gewählt. **Viele** sind zu Hause geblieben.
Only a few people voted. Many stayed at home.

When they are preceded by determiners with gender/number/case markers, they take the **-e/-en** endings.

Die anderen Staaten haben noch mehr Arbeitslose.
The other countries have even more unemployed people.

Any other adjective that follows will take the same ending.

Viele europäische Staaten haben Probleme mit Terroristen.
Many European countries have problems with terrorists.

B. Zahlwörter

Alle (*all*), **einige** (*some*), and **mehrere** (*quite a few*) take determiner endings.

Terroristen haben **mehrere** Geiseln genommen.
Terrorists took several hostages.

However, when they are followed by adjectives, they behave differently. Only **alle** acts as a determiner, and the adjective following it shows the **-e/-en** distribution.*

> **Alle europäischen** Länder haben Umweltprobleme.
> *All European countries have environmental problems.*

Both **einige** and **mehrere** act as adjectives, and any adjectives that follow them have the same ending.

> **Einige junge** Leute wollen, daß die Bundesrepublik aus der NATO austritt.
> *A few young people want the Federal Republic to leave NATO.*

The following chart uses the nominative plural as an example for all combinations.

ADJ + ADJ   ALLE + ADJ
andere schöne   alle schönen
einige schöne
mehrere schöne
viele schöne
weitere schöne
wenige schöne

Übung 4

Text: Ergänzen Sie die Endungen.

Einig_____ Leute haben so viel Geld, daß sie sich alles leisten können. Manch_____ superreiche_____ Schauspieler und Schauspielerinnen zum Beispiel haben einig_____ Häuser an ihrem Wohnort, ein ander_____ in Monaco und vielleicht noch eine weiter_____ Wohnung in der Schweiz. Außerdem besitzen sie mehrer_____ schnell_____ Autos, eine weiß_____ Motorjacht und ein klein_____ Privatflugzeug. Superreich_____ Personen kaufen auch viel_____ kostbar_____ Juwelen. Sie tragen oft einig_____ groß_____ Ringe an den Fingern, mehrer_____ teur_____ Ketten um den Hals und eine weiter_____ ums Handgelenk. Aber Glück ist nicht identisch mit Reichtum, sonst würde es nur wenig_____ glücklich_____ Menschen geben. Viel_____ ander_____ haben kein Geld und sind trotzdem oder gerade deswegen glücklich. Einig_____ schön_____ und wichtig_____ Dinge im Leben kann man eben nicht kaufen.

---

*Alle is used primarily in the plural; so adjectives following it end in **-en**.

14.3. Emphasize the binding of meaning to these conjunctions.

14.3 Nebensätze 4: Konditionalsätze und Konzessivsätze

To combine your thoughts more effectively in discussions or in writing, use the following conjunctions.

wenn	*if*
falls	*in case*
je ... desto	*the (more) the (merrier)*
obwohl	*although*
auch wenn	*even if*

All these conjunctions introduce dependent clauses and form the **Satzklammer** with the conjugated verb at the end of the clause.

Wenn immer mehr Kinder von Computern unterrichtet werden,
sind Lehrer vielleicht schon bald überflüssig.

If more and more children are taught by computers, teachers may soon become superfluous.

A. Konditionalsätze

Wenn and **falls** name conditions that have to be fulfilled for the proposition in the main clause to come true.

> **Wenn** die USA and die UdSSR nicht über Atomwaffen verhandeln, wird es noch einen Atomkrieg geben.
> *If the USA and the USSR do not negotiate about nuclear weapons, there will be a nuclear war.*

> **Falls** es einen Atomkrieg gibt, bleibt von unserer Zivilisation nichts übrig.
> *If there should be a nuclear war, nothing of our civilization will be left behind.*

Je ... desto conveys the idea that, when two things or actions are changing at the same time, the relationship between the two remains the same.

> **Je** mehr Geld für Rüstung ausgegeben wird, **desto** weniger ist für gesellschaftliche Bedürfnisse vorhanden.
> *The more money is spent on arms, the less money there is for social needs.*

Note that **je** plus an adjective/adverb introduces the dependent clause with the conjugated verb at the end, and that in the main clause the conjugated verb follows the construction **desto** plus an adjective/adverb. Note also that both adjectives/adverbs are in the comparative form.

> **Je länger** er spricht, **desto verwirrter** werde ich.
> *The more he talks, the more confused I get.*

B. Konzessivsätze

Obwohl and **auch wenn** are used to concede a point or to admit that a counter argument has some validity.

> **Obwohl** die Atomkraft ja eine sogenannte saubere Energiequelle ist, bin ich dagegen.
> *Although nuclear power is a so-called clean source of energy, I am against it.*

> Ich bin für Atomkraft, **auch wenn** sie manche Risiken birgt, die andere Energiequellen nicht mit sich bringen.
> *I am for nuclear power, even though it involves some risks that are not presented by other sources of energy.*

Übung 5

Minidialoge. Ergänzen Sie die Konjunktionen obwohl, auch wenn, falls, wenn, je ... desto.

A: Du verdienst so viel Geld und bist doch immer pleite!
B: _____ mehr ich verdiene, _____ mehr gebe ich aus.

A: Du bist für Atomenergie, _____ du weißt, daß Atomkraftwerke gefährlich sind?
B: Du fährst ja auch mit dem Auto, _____ du weißt, daß es schädlich für die Umwelt ist!

A: Wann fliegst du nach Berlin?
B: _____ ich meine Arbeit beendet habe.
A: Und wenn du deine Arbeit nicht rechtzeitig beenden kannst?
B: Ich fliege auf jeden Fall, _____ ich meine Arbeit noch nicht fertig habe.

A: _____ es in einem Atomkraftwerk einen schweren Unfall geben sollte, kommt es in der Bundesrepublik zu einer Katastrophe.
B: _____ die Bevölkerung rechtzeitig informiert wird, kann das Schlimmste verhindert werden.
A: Hoffen wir das Beste!

A: Du hast das Auto gekauft, _____ es nicht fährt?
B: Ja, es war sehr billig. _____ ich genug Geld habe, lasse ich es reparieren.

A: Hast du dich erkältet?
B: Ja, ich habe Husten und Schnupfen, _____ ich Vitamintabletten nehme und mich warm angezogen habe.

Übung 6

Verbinden Sie die folgenden Sätze mit den Konjunktionen obwohl, auch wenn, falls, wenn, je . . . desto.

MODELL: Die Menschheit verzichtet auf Atomkraft. Trotzdem muß sie nicht zurück in die Steinzeit. →
Auch wenn die Menschheit auf Atomkraft verzichtet, muß sie nicht zurück in die Steinzeit.

1. Weniger Chemikalien werden in die Flüsse geleitet. Dann wird es auch wieder mehr Fische geben.
2. Die Bundesrepublik tritt aus der NATO aus. Trotzdem werden die Sowjets nicht einmarschieren.
3. Mehr Asylanten kommen in die Bundesrepublik. Dann wird der Fremdenhaß größer.
4. Im Jahr 2000 wird der Mensch vielleicht zum Mars fliegen. Trotzdem verhungern mehr Menschen als je zuvor.
5. Die Luft in den Städten wird immer schlechter. Trotzdem ziehen immer mehr Menschen dorthin.
6. Die Arbeitslosigkeit steigt weiter. Dann werden die Menschen konservativer.

APPENDIX 1

Principal Parts of Strong and Irregular Weak Verbs

INFINITIVE	(PRESENT)	PAST	AUXILIARY +	PAST PARTICIPLE
backen	(bäckt/backt)	backte	hat	gebacken
beginnen		begann	hat	begonnen
beißen		biß	hat	gebissen
bieten		bot	hat	geboten
bitten		bat	hat	gebeten
bleiben		blieb	ist	geblieben
brechen	(bricht)	brach	hat	gebrochen
brennen		brannte	hat	gebrannt
bringen		brachte	hat	gebracht
denken		dachte	hat	gedacht
dürfen	(darf)	durfte	hat	gedurft
einladen	(lädt ein)	lud ein	hat	eingeladen
empfangen	(empfängt)	empfing	hat	empfangen
empfehlen	(empfiehlt)	empfahl	hat	empfohlen
sich entscheiden		entschied	hat	entschieden
erziehen		erzog	hat	erzogen
essen	(ißt)	aß	hat	gegessen
fahren	(fährt)	fuhr	ist (hat)	gefahren
fallen	(fällt)	fiel	ist	gefallen
finden		fand	hat	gefunden
fliegen		flog	ist (hat)	geflogen
frieren		fror	hat	gefroren
geben	(gibt)	gab	hat	gegeben
gehen		ging	ist	gegangen
gelingen		gelang	ist	gelungen
genießen		genoß	hat	genossen
gewinnen		gewann	hat	gewonnen
gießen		goß	hat	gegossen
haben	(hat)	hatte	hat	gehabt
halten	(hält)	hielt	hat	gehalten
hängen		hing	hat	gehangen
heißen		hieß	hat	geheißen
helfen	(hilft)	half	hat	geholfen
kennen		kannte	hat	gekannt
kommen		kam	ist	gekommen
können	(kann)	konnte	hat	gekonnt
lassen	(läßt)	ließ	hat	gelassen
laufen	(läuft)	lief	ist (hat)	gelaufen
lesen	(liest)	las	hat	gelesen
liegen		lag	hat	gelegen
mögen	(mag)	mochte	hat	gemocht
müssen	(muß)	mußte	hat	gemußt
nehmen	(nimmt)	nahm	hat	genommen
nennen		nannte	hat	genannt
raten	(rät)	riet	hat	geraten
reißen		riß	hat	gerissen
reiten		ritt	ist (hat)	geritten
rennen		rannte	ist	gerannt
riechen		roch	hat	gerochen
rufen		rief	hat	gerufen
scheinen		schien	hat	geschienen

INFINITIVE	(PRESENT)	PAST	AUXILIARY + PAST PARTICIPLE	
schießen		schoß	hat	geschossen
schlafen	(schläft)	schlief	hat	geschlafen
schlagen	(schlägt)	schlug	hat	geschlagen
schließen		schloß	hat	geschlossen
schneiden		schnitt	hat	geschnitten
schreiben		schrieb	hat	geschrieben
schreien		schrie	hat	geschrie(e)n
schwimmen		schwamm	ist (hat)	geschwommen
sehen	(sieht)	sah	hat	gesehen
sein	(ist)	war	ist	gewesen
senden		sandte	hat	gesandt
singen		sang	hat	gesungen
sitzen		saß	hat	gesessen
sprechen	(spricht)	sprach	hat	gesprochen
springen		sprang	ist	gesprungen
stehen		stand	hat	gestanden
steigen		stieg	ist	gestiegen
sterben	(stirbt)	starb	ist	gestorben
stoßen	(stößt)	stieß	hat (ist)	gestoßen
streiten		stritt	hat	gestritten
tragen	(trägt)	trug	hat	getragen
treffen	(trifft)	traf	hat	getroffen
trinken		trank	hat	getrunken
tun		tat	hat	getan
verbinden		verband	hat	verbunden
vergessen	(vergißt)	vergaß	hat	vergessen
vergleichen		verglich	hat	verglichen
verlieren		verlor	hat	verloren
vertreten	(vertritt)	vertrat	hat	vertreten
verzeihen		verzieh	hat	verziehen
wachsen	(wächst)	wuchs	ist	gewachsen
waschen	(wäscht)	wusch	hat	gewaschen
werden	(wird)	wurde	ist	geworden
werfen	(wirft)	warf	hat	geworfen
wissen	(weiß)	wußte	hat	gewußt
wollen	(will)	wollte	hat	gewollt
ziehen		zog	hat (ist)	gezogen
zwingen		zwang	hat	gezwungen

CONJUGATION OF VERBS

A. Key Auxiliary Verbs

INFINITIVE: **haben** (to have)   PRINCIPAL PARTS: **haben** (**hat**), **hatte, hat gehabt**

INDICATIVE

PRESENT		PAST		FUTURE		PRESENT PERFECT		PAST PERFECT	
ich	habe	ich	hatte	ich	werde haben	ich	habe gehabt	ich	hatte gehabt
du	hast	du	hattest	du	wirst haben	du	hast gehabt	du	hattest gehabt
er		er		er		er		er	
sie	hat	sie	hatte	sie	wird haben	sie	hat gehabt	sie	hatte gehabt
es		es		es		es		es	
wir	haben	wir	hatten	wir	werden haben	wir	haben gehabt	wir	hatten gehabt
ihr	habt	ihr	hattet	ihr	werdet haben	ihr	habt gehabt	ihr	hattet gehabt
sie	haben	sie	hatten	sie	werden haben	sie	haben gehabt	sie	hatten gehabt
Sie		Sie		Sie		Sie		Sie	

SUBJUNCTIVE

PRESENT I		PRESENT II		FUTURE/ALTERNATE PRESENT I & II		PAST I		PAST II	
ich	[habe]*	ich	hätte	ich	{werde / würde} haben	ich	[habe] gehabt	ich	hätte gehabt
du	habest	du	hättest	du	{werdest / würdest} haben	du	habest gehabt	du	hättest gehabt
er		er		er		er		er	
sie	habe	sie	hätte	sie	{werde / würde} haben	sie	habe gehabt	sie	hätte gehabt
es		es		es		es		es	
wir	[haben]	wir	hätten	wir	{[werden] / würden} haben	wir	[haben] gehabt	wir	hätten gehabt
ihr	habet	ihr	hättet	ihr	{werdet / würdet} haben	ihr	habet gehabt	ihr	hättet gehabt
sie	[haben]	sie	hätten	sie	{[werden] / würden} haben	sie	[haben] gehabt	sie	hätten gehabt
Sie		Sie		Sie		Sie		Sie	

IMPERATIVE

FORMAL: Haben Sie . . .   INFORMAL SINGULAR: Hab(e) . . .   INFORMAL PLURAL: Habt . . .   FIRST-PERSON PLURAL: Haben wir . . .

INFINITIVE: **sein** (to be)   PRINCIPAL PARTS: **sein (ist), war, ist gewesen**

INDICATIVE

PRESENT		PAST		FUTURE		PRESENT PERFECT		PAST PERFECT	
ich	bin	ich	war	ich	werde sein	ich	bin gewesen	ich	war gewesen
du	bist	du	warst	du	wirst sein	du	bist gewesen	du	warst gewesen
er		er		er		er		er	
sie	ist	sie	war	sie	wird sein	sie	ist gewesen	sie	war gewesen
es		es		es		es		es	
wir	sind	wir	waren	wir	werden sein	wir	sind gewesen	wir	waren gewesen
ihr	seid	ihr	wart	ihr	werdet sein	ihr	seid gewesen	ihr	wart gewesen
sie	sind	sie	waren	sie	werden sein	sie	sind gewesen	sie	waren gewesen
Sie		Sie		Sie		Sie		Sie	

SUBJUNCTIVE

PRESENT I		PRESENT II		FUTURE/ALTERNATE PRESENT I & II		PAST I		PAST II	
ich	sei	ich	wäre	ich	{werde} {würde} sein	ich	sei gewesen	ich	wäre gewesen
du	sei(e)st	du	wär(e)st	du	{werdest} {würdest} sein	du	sei(e)st gewesen	du	wär(e)st gewesen
er		er		er		er		er	
sie	sei	sie	wäre	sie	{werde} {würde} sein	sie	sei gewesen	sie	wäre gewesen
es		es		es		es		es	
wir	seien	wir	wären	wir	{werden} {würden} sein	wir	seien gewesen	wir	wären gewesen
ihr	seiet	ihr	wäret	ihr	{werdet} {würdet} sein	ihr	seiet gewesen	ihr	wär(e)t gewesen
sie	seien	sie	wär(e)n	sie	{werden} {würden} sein	sie	seien gewesen	sie	wären gewesen
Sie		Sie		Sie		Sie		Sie	

IMPERATIVE

FORMAL: Seien Sie . . .   INFORMAL SINGULAR: Sei . . .   INFORMAL PLURAL: Seid . . .   FIRST-PERSON PLURAL: Seien wir . . .

---

*Brackets indicate that Subjunctive II forms are preferred here.

B. Regular Weak Verbs

INFINITIVE: **fragen** (to ask)   PRINCIPAL PARTS: **fragen, fragte, hat gefragt**

INDICATIVE

PRESENT		PAST		FUTURE		PRESENT PERFECT		PAST PERFECT	
ich	frage	ich	fragte	ich	werde fragen	ich	habe gefragt	ich	hatte gefragt
du	fragst	du	fragtest	du	wirst fragen	du	hast gefragt	du	hattest gefragt
er		er		er		er		er	
sie }	fragt	sie }	fragte	sie }	wird fragen	sie }	hat gefragt	sie }	hatte gefragt
es		es		es		es		es	
wir	fragen	wir	fragten	wir	werden fragen	wir	haben gefragt	wir	hatten gefragt
ihr	fragt	ihr	fragtet	ihr	werdet fragen	ihr	habt gefragt	ihr	hattet gefragt
sie }	fragen	sie }	fragten	sie }	werden fragen	sie }	haben gefragt	sie }	hatten gefragt
Sie		Sie		Sie		Sie		Sie	

SUBJUNCTIVE

PRESENT I		PRESENT II		FUTURE/ALTERNATE PRESENT I & II		PAST I		PAST II	
ich	[frage]	ich	fragte	ich	{[werde] / würde} fragen	ich	[habe] gefragt	ich	hätte gefragt
du	fragest	du	fragtest	du	{werdest / würdest} fragen	du	habest gefragt	du	hättest gefragt
er		er		er		er		er	
sie }	frage	sie }	fragte	sie }	{werde / würde} fragen	sie }	habe gefragt	sie }	hätte gefragt
es		es		es		es		es	
wir	[fragen]	wir	fragten	wir	{[werden] / würden} fragen	wir	[haben] gefragt	wir	hätten gefragt
ihr	fraget	ihr	fragtet	ihr	{[werdet] / würdet} fragen	ihr	habet gefragt	ihr	hättet gefragt
sie }	[fragen]	sie }	fragten	sie }	{[werden] / würden} fragen	sie }	[haben] gefragt	sie }	hätten gefragt
Sie		Sie		Sie		Sie		Sie	

IMPERATIVE

FORMAL: Fragen Sie . . .   INFORMAL SINGULAR: Frag(e) . . .   INFORMAL PLURAL: Fragt . . .   FIRST-PERSON PLURAL: Fragen wir . . .

C. Irregular Weak Verbs

INFINITIVE: **bringen** (to bring)   PRINCIPAL PARTS: **bringen, brachte, hat gebracht**

INDICATIVE

PRESENT		PAST		FUTURE		PRESENT PERFECT		PAST PERFECT	
ich	bringe	ich	brachte	ich	werde bringen	ich	habe gebracht	ich	hatte gebracht
du	bringst	du	brachtest	du	wirst bringen	du	hast gebracht	du	hattest gebracht
er		er		er		er		er	
sie	bringt	sie	brachte	sie	wird bringen	sie	hat gebracht	sie	hatte gebracht
es		es		es		es		es	
wir	bringen	wir	brachten	wir	werden bringen	wir	haben gebracht	wir	hatten gebracht
ihr	bringt	ihr	brachtet	ihr	werdet bringen	ihr	habt gebracht	ihr	hattet gebracht
sie	bringen	sie	brachten	sie	werden bringen	sie	haben gebracht	sie	hatten gebracht
Sie		Sie		Sie		Sie		Sie	

SUBJUNCTIVE

PRESENT I		PRESENT II		FUTURE/ALTERNATE PRESENT I & II		PAST I		PAST II	
ich	[bringe]	ich	brächte	ich	{werde / würde} bringen	ich	[habe] gebracht	ich	hätte gebracht
du	bringest	du	brächtest	du	{werdest / würdest} bringen	du	habest gebracht	du	hättest gebracht
er		er		er		er		er	
sie	bringe	sie	brächte	sie	{werde / würde} bringen	sie	habe gebracht	sie	hätte gebracht
es		es		es		es		es	
wir	[bringen]	wir	brächten	wir	{werden / würden} bringen	wir	[haben] gebracht	wir	hätten gebracht
ihr	bringet	ihr	brächtet	ihr	{werdet / würdet} bringen	ihr	habet gebracht	ihr	hättet gebracht
sie	[bringen]	sie	brächten	sie	{werden / würden} bringen	sie	[haben] gebracht	sie	hätten gebracht
Sie		Sie		Sie		Sie		Sie	

IMPERATIVE

FORMAL: Bringen Sie . . .   INFORMAL SINGULAR: Bring(e) . . .   INFORMAL PLURAL: Bringt . . .   FIRST-PERSON PLURAL: Bringen wir . . .

D. Strong Verbs

INFINITIVE: **sehen** (to see)   PRINCIPAL PARTS: **sehen (sieht), sah, hat gesehen**

INDICATIVE

PRESENT		PAST		FUTURE		PRESENT PERFECT		PAST PERFECT	
ich	sehe	ich	sah	ich	werde sehen	ich	habe gesehen	ich	hatte gesehen
du	siehst	du	sahst	du	wirst sehen	du	hast gesehen	du	hattest gesehen
er		er		er		er		er	
sie }	sieht	sie }	sah	sie }	wird sehen	sie }	hat gesehen	sie }	hatte gesehen
es		es		es		es		es	
wir	sehen	wir	sahen	wir	werden sehen	wir	haben gesehen	wir	hatten gesehen
ihr	seht	ihr	saht	ihr	werdet sehen	ihr	habt gesehen	ihr	hattet gesehen
sie }	sehen	sie }	sahen	sie }	werden sehen	sie }	haben gesehen	sie }	hatten gesehen
Sie		Sie		Sie		Sie		Sie	

SUBJUNCTIVE

PRESENT I		PRESENT II		FUTURE/ALTERNATE PRESENT I & II		PAST I		PAST II	
ich	[sehe]	ich	sähe	ich	{werde} {würde} sehen	ich	[habe] gesehen	ich	hätte gesehen
du	sehest	du	sähest	du	{werdest} {würdest} sehen	du	habest gesehen	du	hättest gesehen
er		er		er		er		er	
sie }	sehe	sie }	sähe	sie }	{werde} {würde} sehen	sie }	habe gesehen	sie }	hätte gesehen
es		es		es		es		es	
wir	[sehen]	wir	sähen	wir	{[werden]} {würden} sehen	wir	[haben] gesehen	wir	hätten gesehen
ihr	sehet	ihr	sähet	ihr	{[werdet]} {würdet} sehen	ihr	habet gesehen	ihr	hättet gesehen
sie }	[sehen]	sie }	sähen	sie }	{[werden]} {würden} sehen	sie }	[haben] gesehen	sie }	hätten gesehen
Sie		Sie		Sie		Sie		Sie	

IMPERATIVE

FORMAL: Sehen Sie . . .   INFORMAL SINGULAR: Sieh(e) . . .   INFORMAL PLURAL: Seht . . .   FIRST-PERSON PLURAL: Sehen wir . . .

APPENDIX 2

Answers to grammar exercises

Einführung A

Übung 1: 1. heißt, heiße, heiße 2. heißen, heiße 3. heiße, heißt **Übung 2:** 1. ist 2. bin 3. sind 4. ist 5. sind **Übung 3:** 1. Nein, Heidi ist nicht dick! 2. Nein, Alberts Schuhe sind nicht alt! 3. Nein, Peter ist nicht alt! 4. Nein, Noras Auto ist nicht gelb! 5. Nein, Frau Schulz ist nicht klein! 6. Nein, Alberts Jacke ist nicht weiß! **Übung 4:** 1. a. Wie heißen Sie bitte? 2. b. Wie alt bist du? 3. b. Wie heißt du? 4. a. Sind Sie neu hier? 5. b. Du bist intelligent.

Einführung B

Übung 1: 1. Die 2. Der 3. Das 4. Der 5. Das 6. Das 7. Die 8. Der 9. Die 10. Der **Übung 2:** 1. Nein, das ist ein Tisch. 2. Nein, das ist eine Tafel. 3. Nein, das ist ein Student. 4. Nein, das ist eine Lampe. 5. Nein, das ist eine Tür. 6. Nein, das ist ein Stift. **Übung 3:** 1. Welche Farbe hat die Apfelsine? Sie ist orange. 2. Welche Farbe hat das Papier? Es ist rosa. 3. Welche Farbe hat die Decke? Sie ist grau. 4. Welche Farbe hat das Heft? Es ist rot. 5. Welche Farbe hat die Wand? Sie ist grün. 6. Welche Farbe hat die Kreide? Sie ist weiß. 7. Welche Farbe hat das Buch? Es ist blau. 8. Welche Farbe hat der Tisch? Er ist braun. 9. Welche Farbe hat der Apfel? Er ist rot. 10. Welche Farbe hat das Schwein? Es ist rosa. **Übung 4:** Bleistifte, Kugelschreiber, Freundinnen, Hefte, Uhren, Hüte, Äpfel, Kleider, Hemden, Hosen **Übung 5:** 1. Lach bitte! 2. Geh bitte! 3. Spring bitte! 4. Schau bitte nach oben! 5. Sag bitte „Guten Tag". **Übung 6:** 1. hat 2. hat 3. habe 4. haben 5. Hast 6. habe 7. hat 8. Habt 9. haben **Übung 7:** 1. Hier sind keine Lampen. 2. Hier ist keine Tafel. 3. Hier ist kein Fenster. 4. Hier ist keine Kreide. 5. Hier ist kein Schwamm. 6. Hier ist kein Tisch. **Übung 8:** 1. Frau Schulz hat ein Auto. 2. Peter hat ein Hemd. 3. Nora hat einen Schwamm. 4. Frau Wagner hat eine

Brille. 5. Herr Wagner hat einen Anzug. 6. Ernst hat einen Bleistift. **Übung 9:** 1. keinen, einen Schnurrbart 2. keine, einen Hut 3. keinen, einen Stuhl 4. keine, eine Uhr 5. keinen, einen Apfel 6. kein, ein Telefon 7. keine, Schuhe 8. kein, einen Pullover

Einführung C

Übung 1: 1. Es ist halb acht. 2. Es ist elf Uhr. 3. Es ist Viertel vor fünf. 4. Es ist halb eins. 5. Es ist zehn vor sieben. 6. Es ist Viertel nach zwei. 7. Es ist fünf vor halb sechs. 8. Es ist halb elf. **Übung 2:** 1. kommst, komme 2. kommen, aus 3. woher, kommen 4. Berkeley 5. Sofie 6. Melanie und Josef, kommen 7. ihr **Übung 3:** im, im; —, am; am, um; im, am **Übung 4:** 1. Rolf hat am fünfzehnten Oktober Geburtstag. 2. Oma Schmitz hat am achten Juli Geburtstag. 3. Willi hat am dreißigsten Mai Geburtstag. 4. Marta hat am ersten Oktober Geburtstag. 5. Melanie hat am vierten April Geburtstag. 6. Andrea hat am dritten August Geburtstag. 7. Richard hat am zwölften Oktober Geburtstag. 8. Mehmet hat am einunddreißigsten Juli Geburtstag. 9. Veronika hat am siebenundzwanzigsten April Geburtstag. 10. Hans hat am siebten Januar Geburtstag.

Kapitel 1

Übung 1: Ich trage gern Hosen. Herr Thelen (Richard, Melanie, Mehmet) hört gern Musik. Jutta und Jens (Jürgen und Silvia) liegen in der Sonne. Du spielst gut Tennis. Melanie studiert in Regensburg. Ich lese ein Buch. Mehmet (du) reist in die Türkei. Richard (Mehmet, Melanie, Herr Thelen) geht ins Kino. Jürgen und Silvia kochen Spaghetti. **Übung 2:** sie; Sie, ich; du, ich; ihr, wir; ich, ihr, wir **Übung 3:** (tanz)t, (tanz)e, (tanz)t, (wander)t, (mach)en, (reis)t, (arbeit)et; (koch)en, (komm)t, (komm)en **Übung 4:** 1. Woher

kommst du? 2. Wie heißen deine Freunde? 3. Wo wohnen deine Freunde? 4. Wo wohnst du? 5. Gehst du gern ins Kino? 6. Hast du einen Freund? 7. Geht er auch gern ins Kino? 8. Arbeitest du in Dresden? 9. Wann bist du geboren? **Übung 5:** 1. Wie heißt du? 2. Kommst du aus München? 3. Woher kommst du? 4. Was studierst du? 5. Wie heißt dein Freund? 6. Wo wohnt er? 7. Spielst du Tennis? 8. Tanzt du gern? 9. Trinkst du Bier? 10. Trinkt Willi Bier? **Übung 6:** 1. kommt 2. Im Moment 3. wohnt 4. Samstags 5. er 6. treibt 7. Im Winter 8. Er **Übung 7:** 1. Ich studiere . . . 2. Im Moment wohne ich in . . . 3. Heute koche ich . . . 4. Manchmal esse ich . . . 5. Ich spiele . . . 6. Meine Freunde heißen . . . und . . . 7. Sie studieren . . . 8. Manchmal spielen wir . . . **Übung 8:** 1. Was machen Monika und Albert gern? Monika und Albert spielen gern Tennis. 2. Was macht Heidi gern? Heidi joggt gern im Park. 3. Was macht Stefan gern? Stefan fährt gern Auto. 4. Was macht Nora gern? Nora geht gern ins Kino. 5. Was macht Hans gern? Hans hört gern Musik. 6. Was macht Richard gern? Richard zeltet gern in den Bergen. 7. Was macht Monika gern? Monika macht gern Fotos. 8. Was macht Albert gern? Albert trinkt gern Tee. **Übung 9:** Jens reitet gern. Ernst reitet auch gern, aber Jutta reitet nicht gern. Jens kocht gern. Jutta kocht auch gern, aber Andrea kocht nicht gern. Michael und Maria spielen gern Karten. Die Rufs spielen auch gern Karten, aber die Wagners spielen nicht gern Karten. **Übung 10:** 1. Wir reiten lieber/spielen lieber Tennis. 2. Jens fährt lieber Moped/Fahrrad. 3. Melanie spielt lieber Gitarre/Tennis. 4. Ich schlafe/arbeite lieber. 5. Renate fährt lieber in die Türkei/nach Frankreich. 6. Die Rufs gehen lieber spazieren/segeln lieber. 7. Ich lese lieber ein Buch/eine Zeitung. 8. Silvia trinkt lieber Bier/Cola. **Übung**

529

11: Ich fahre gern Auto (fahre gern Ski, sehe gern fern). Silvia trägt gern Hosen (läuft gern Ski, schläft gern im Zelt). Jutta und Jens essen gern Eis (lesen gern Bücher). Jürgen läuft gern Ski (schläft gern im Zelt). Wir lesen gern Bücher (essen gern Eis). Peter schläft gern im Zelt (läuft gern Ski). **Übung 12:** ihr, wir; Sie, Ich; sie, Er; du, Ich, ihr, Wir **Übung 13:** machen, fährt, sieht, essen, ißt, ißt, macht, lese, schläft, fahren **Übung 14:** 1. (packt) ein 2. (ruft) an 3. (füllt) aus 4. (holt) ab 5. (kommt) zurück 6. (schaut) an **Übung 15:** 1. auf 2. mit 3. ein 4. an 5. auf 6. heim

Kapitel 2
Übung 1: Heidi hat einen Computer, aber sie hat keinen Fernseher. Sie hat eine Gitarre, aber kein Fahrrad. Sie hat ein Telefon, aber keine Bilder. Sie hat einen Teppich. Stefan hat einen Computer, aber er hat keinen Fernseher und auch keine Gitarre. Er hat ein Fahrrad und ein Telefon, aber keine Bilder. Er hat einen Teppich. Monika hat keinen Computer, keinen Fernseher und auch keine Gitarre. Sie hat ein Fahrrad und ein Telefon, Bilder und einen Teppich. **Übung 2:** Ernst: Ich kaufe die Tasche und die Trompete. Margret: Ich kaufe die Tasche und das Regal. Jutta: Ich kaufe den Pullover, die Kette und den Videorecorder. **Übung 3:** 1. Ich möchte ihn (nicht). 2. Ich esse es (nicht). 3. Ich verkaufe sie (nicht). 4. Ich trinke es (nicht). 5. Ich kaufe es (nicht). 6. Ich möchte sie (nicht). 7. Ich esse es (nicht). 8. Ich verkaufe ihn (nicht). 9. Ich trinke es (nicht). 10. Ich kaufe ihn (nicht). **Übung 4:** *The sequence will vary.* ein Auto, eine Brille, einen Computer, einen Hund, eine Kette, einen Koffer, ein Paar Ski, eine Schlange **Übung 5:** (ohne) dich; (für) sie; (gegen) mich, (gegen) dich; (um) den, (durch) den; (ohne) euch **Übung 6:** mein (Bett), Ihre (Gitarre); meine (Gitarre); meine (Gitarre); mein (Schreibtisch); Ihr (Schreibtisch) **Übung 7:** Nein, das ist nicht meine Tochter. Das ist nicht mein Rolls Royce. Das sind nicht meine Diamanten. Das ist nicht mein Picasso. Das sind nicht meine Hunde. Das ist nicht mein Gold. **Übung 8:** Seine (Augen)/Ihre (Augen); Seine (Kette)/Ihre (Kette ist) kurz. Seine (Schuhe)/Ihre Schuhe sind sauber. Seine (Gitarre)/Ihre Gitarre ist neu. Sein (Zimmer)/Ihr Zimmer ist klein. Sein (Fenster)/Ihr Fenster ist groß.

Übung 9: 1. Wo 2. Wohin 3. Wo 4. Wo 5. Woher 6. Wohin 7. Wohin

Kapitel 3
Übung 1: *Predicates will vary.* 1. Mein Freund/Meine Freundin kann . . . 2. Mein Vater kann . . . 3. Du kannst . . . 4. Wir können . . . 5. Ihr könnt . . . 6. Sie können . . . 7. Mein Bruder/Meine Schwester kann . . . **Übung 2:** 1. Kann ich hier anrufen? 2. Kann man hier Kaffee bekommen? 3. Kann man hier Bier trinken? 4. Kann ich meinen Hund mitbringen? 5. Könnt ihr das Fenster öffnen? 6. Kannst du die Tür schließen? **Übung 3:** 1. Du hast doch schon einen. 2. Du kannst doch nicht Trompete spielen. 3. Du ißt/wir essen doch bald zu Mittag. 4. Du hast doch schon einen Hund. 5. Du kannst doch nicht kochen. 6. Du gehst/wir gehen doch jetzt nach Hause. **Übung 4:** *Subjects will vary.* 1. Doch, sie kommt aus Kalifornien. 2. Doch, sie möchten nach Europa fliegen. 3. Doch, er/sie kommt heute aus dem Deutschkurs. 4. Doch, er/sie hat schwarzes Haar. 5. Doch, er/sie ist Amerikaner/in. 6. Doch, er/sie sieht sehr gern fern. 7. Doch, er/sie ist sehr hübsch. 8. Doch, er/sie kann Deutsch. **Übung 5:** 1. Sie will nach England fahren. 2. Sie will Biologie studieren. 3. Sie will einen Plattenspieler kaufen. 4. Sie will in einen Sportclub gehen. 5. Sie will einen Tanzkurs machen. 6. Sie will einen Pullover für Hans stricken. **Übung 6:** 1. Nein, leider darf ich keine Zigarette/n mehr rauchen 2. Nein, leider darf ich keine Pizza mehr essen. 3. Nein, leider darf ich keinen Kaffee mehr trinken. 4. Nein, leider darf ich kein Eis mehr essen. 5. Nein, leider darf ich keine Zigarre/n mehr rauchen. 6. Nein, leider darf ich keinen Schnaps mehr trinken. **Übung 7:** 1. darf 2. muß 3. muß 4. darf 5. darf 6. darf **Übung 8:** 1. Man soll (nicht) mehr als acht Stunden schlafen. 2. Man soll (nicht) viel Kaffee trinken. 3. Man soll (nicht) viel arbeiten. 4. Man soll (nicht) früh ins Bett gehen und (oder) früh aufstehen. 5. Man soll (nicht) viel Eis und Schokolade essen. 6. Man soll (nicht) nur zwei Bier am Wochenende trinken. **Übung 9:** *Combinations may vary. Check for male names / er and female names / sie.* 1. Wenn Heidi Hunger hat, kauft sie einen Hamburger. 2. Wenn Mehmet müde ist, geht er nach Hause. 3. Wenn Frau Schulz Ferien hat, fährt sie nach Deutschland. 4. Wenn Ernst Durst hat, trinkt er eine Limo. 5. Wenn Nora

traurig ist, geht sie in einen lustigen Film. 6. Wenn Rolf wütend ist, geht er zwei Stunden joggen. 7. Wenn Hans Angst hat, ruft er seine Mutter. 8. Wenn Michael betrunken ist, fährt er mit dem Taxi nach Hause. 9. Wenn Stefan krank ist, geht er zum Arzt. 10. Wenn Jutta viel Geld hat, geht sie einkaufen. **Übung 10:** 1. Wenn Peter Hunger hat, geht er in die Mensa. 2. Wenn sie Michael trifft, ist Maria froh. 3. Wenn Hans Langeweile hat, sieht er fern. 4. Wenn Herr Ruf Durst hat, trinkt er eine Cola. 5. Wenn Frau Wagner in Eile ist, fährt sie mit dem Bus. 6. Wenn sie müde ist, trinkt Nora Kaffee. **Übung 11:** 1. Weil sie keine Zeit hat. 2. Weil er betrunken ist. 3. Weil wir Hunger haben. 4. Weil ich meinen Deutschkurs habe. 5. Weil sie Langeweile hat. 6. Weil ich deprimiert bin. 7. Weil sie Durst haben. 8. Weil ich Angst habe. 9. Weil er froh ist. 10. Weil ich beschäftigt bin.

Kapitel 4
Übung 1: hat (geschlafen), ist (aufgestanden), hat (gefrühstückt), hat (genommen), ist (gegangen), sind (gegangen), ist (dageblieben), hat (begrüßt), hat (geschrieben) **Übung 2:** 1. haben 2. sind 3. haben 4. sind 5. sind 6. haben 7. haben 8. sind **Übung 3:** 1. aufgestanden 2. geduscht, gefrühstückt, gegangen 3. gehört 4. getroffen, getrunken 5. gearbeitet, gegessen **Übung 4:** 2. Hast . . . geduscht? 3. Hast . . . gefrühstückt? 4. Hast . . . geschlafen? 5. Hast . . . gespielt? 6. Bist . . . ins Bett gegangen? 7. Hast . . . eingekauft? 8. Hast . . . Geschirr gespült? 9. Hast . . . den Brief geschrieben? 10. Bist . . . aufgestanden? **Übung 5:** ist, angekommen; hat, begrüßt, getrunken; ist, gegangen, hat, ausgepackt; hat, geschlafen, ist, gegangen; haben, gefragt, hat, erzählt; haben getrunken, sind gegangen. **Übung 6: mit ge-:** aufstehen, hören, gehen, kochen, fahren, parken, zurückkommen, (fahren), bleiben, **ohne ge-:** verlassen, begrüßen, bekommen, bezahlen, verabschieden **Übung 7:** 1. Haben Sie gestern die Zeitung studiert? —Ja, ich habe sie studiert./—Nein, ich habe gestern die Zeitung nicht studiert. 2. Haben Sie gestern eine Kirche besichtigt? —Ja, ich habe eine Kirche besichtigt./—Nein, ich habe gestern keine Kirche besichtigt. 3. Haben Sie gestern eine Tante besucht? —Ja, ich habe meine Tante X besucht./—Nein, ich habe gestern keine Tante besucht. 4. Haben Sie gestern eine Klausur korrigiert? —Ja,

ich habe eine Klausur korrigiert./—Nein, ich habe gestern keine Klausur korrigiert. 5. Haben Sie gestern Ihre Schulden bezahlt? —Ja, ich habe sie gestern bezahlt./—Nein, ich habe sie gestern nicht bezahlt. (Ich habe keine Schulden!) 6. Haben Sie gestern Ihr Fahrrad (Auto) repariert? —Ja, ich habe es repariert./—Nein, ich habe es nicht repariert. **Übung 8:** 1. Seit wann fährt Herr Thelen Auto? —Seit 30 Jahren. 2. Seit wann lernt Rolf Englisch? —Seit 11 Jahren. 3. Seit wann arbeitet Herr Wagner? —Seit 22 Jahren. 4. Seit wann spielt Hans Fußball? —Seit 6 Wochen. 5. Seit wann geht Jutta zur Schule? —Seit 10 Jahren. 6. Seit wann ist Frau Ruf verheiratet? —Seit 17 Jahren. 7. Seit wann wohnt Frau Gretter in der Isabellastraße? —Seit 3 Jahren. 8. Seit wann geht Michael mit Maria aus? —Seit 3 Monaten.

Kapitel 5
Übung 1: 1. Die mag ich nicht. 2. Den mag ich nicht. 3. Die mag ich nicht. 4. Das mag ich nicht. 5. Die mag ich nicht. 6. Die mag ich nicht. 7. Den mag ich nicht. 8. Den mag ich nicht. **Übung 2:** 1. Danke, es geht ihr gut. 2. Danke, es geht ihm/ihr gut. 3. Danke, es geht mir gut. 4. Danke, es geht ihm gut. 5. Danke, es geht uns gut. 6. Danke, es geht ihm/ihr gut. 7. Danke, es geht ihnen gut. 8. Danke, es geht ihm gut. 9. Danke, es geht ihnen gut. **Übung 3:** 1. Schmeckt uns prima. 2. Paßt mir prima. 3. Steht Ihnen/dir prima. 4. Gefällt mir prima. 5. Gefallen uns prima. 6. Paßt ihm prima. 7. Schmeckt mir prima. 8. Stehen ihr prima. 9. Gefällt mir prima. **Übung 4:** 1. Nein, meiner Schwester. 2. Nein, meiner Nachbarin. 3. Nein, meiner Kusine. 4. Nein, meiner Freundin. 5. Nein, meinem Sekretär. 6. Nein, meinem Vater. 7. Nein, meinem Vetter. 8. Nein, meiner Oma. **Übung 5:** 1. Vielleicht der Präsidentin des Deutschklubs. 2. Vielleicht deinem Onkel. 3. Vielleicht einem Mathematiker. 4. Vielleicht deinen Eltern. 5. Vielleicht deiner Tante. 6. Vielleicht dem Taxifahrer. 7. Vielleicht deinem Hund. 8. Vielleicht deinen Geschwistern. **Übung 6:** 1. Mir. 2. Einen Brief. 3. Meiner Freundin in Japan. 4. Eine Schallplatte. 5. Deinem Bruder. 6. Unserer Mutter. 7. Die Zeitung. 8. Unsere Freunde. 9. Den Professor. 10. Mit unseren Eltern. **Übung 7:** 1. Heidi schenkt ihrem Freund Blumen. 2. Claire macht ihrer Freundin Kaffee. 3. Josie erzählt ihren Kindern eine Geschichte. 4. Peter erklärt seinem

Freund die Hausaufgaben. 5. Nora leiht ihrer Schwester ihr Zelt. 6. Frau Gretter empfiehlt Herrn Thelen einen Arzt. 7. Michael kauft Maria eine Sonnenbrille. 8. Herr Ruf kocht seiner Familie eine Suppe. **Übung 8:** 1. Ja, kannst du es mir holen? 2. Ja, kannst du sie mir holen? 3. Ja, kannst du sie mir holen? 4. Ja, kannst du es mir holen? 5. Ja, kannst du sie mir holen? 6. Ja, kannst du es mir holen? 7. Ja, kannst du ihn mir holen? **Übung 9:** 1. Kein Problem! Ich wasche es dir. 2. Kein Problem! Ich repariere ihn dir. 3. Kein Problem! Ich putze sie euch. 4. Kein Problem! Ich repariere es dir. 5. Kein Problem! Ich repariere ihn ihm. 6. Kein Problem! Ich wasche sie ihr. 7. Kein Problem! Ich repariere ihn euch. 8. Kein Problem! Ich putze sie ihm. **Übung 10:** 1. Richard ist in der Stadt. 2. Heidi ist in der Mensa. 3. Frau Schulz ist im Büro. 4. Frau Gretter ist im Kaufhaus. 5. Der Kaffee ist auf dem Tisch. 6. Die Studenten sind in der Klasse. 7. Die Frischs sind auf dem Markt. 8. Das Geld ist auf der Bank. **Übung 11:** 1. Wo schwimmst du? —Ich schwimme im Meer. 2. Wo arbeitest du fürs Studium? —Ich arbeite in der Bibliothek fürs Studium. 3. Wo ißt du? —Ich esse im Restaurant. 4. Wo kaufst du deine Kleidung? —Ich kaufe sie in einer Boutique. 5. Wo tanzt du? —Ich tanze in der Disco. 6. Wo siehst du einen Film? —Ich sehe ihn im Kino. 7. Wo spielst du Volleyball? —Ich spiele Volleyball am Strand. 8. Wo joggst du? —Ich jogge im Park. **Übung 12:** 1. Mit meinem Vater 2. Mit meinem Onkel 3. Mit meinen Geschwistern 4. Mit meiner Freundin 5. Mit meinen Freunden **Übung 13:** 1. mit 2. mit 3. bei 4. Seit 5. Außer 6. Nach 7. zum 8. von **Übung 14:** 1. Sie will Köchin werden. 2. Sie will Apothekerin werden. 3. Er will Pilot werden. 4. Er will Lehrer werden. 5. Sie will Architektin werden. 6. Sie will Bibliothekarin werden. 7. Er will Arzt/Krankenpfleger werden.

Kapitel 6
Übung 1: 1. New York ist größer als Boston. 2. Regensburg ist älter als München. 3. Der Mount Everest ist höher als das Matterhorn. 4. Herr Wagner ist jünger als Herr Ruf. 5. Monika ist netter als Petra. 6. Maria ist schöner als Frau Körner. 7. Michael ist arroganter als Herr Ruf. 8. Andrea ist intelligenter als Lydia. **Übung 2:** 1. Der Mississippi ist länger als der Rhein. 2. Herr Thelen ist freundlicher als Michael Pusch. 3. Ein Fahrrad ist

billiger als ein Motorrad. 4. Ein Mercedes ist teurer als ein Volkswagen. 5. Ein Sofa ist schwerer als ein Stuhl. 6. Ein Stift ist leichter als ein Tisch. 7. Hans ist kleiner als Jutta. 8. Natalie ist jünger als Lydia. **Übung 3:** 1c, 2a, 3b, 4j, 5i, 6e, 7h, 8g, 9f, 10d **Übung 4:** (neben) dem (Haus); (auf) dem (Baum); (auf) den (Baum), (neben) sie; (auf) der (Straße); (unter) dem (Baum); (in) den (Garten), (in)s (Haus); (über) die (Stadt); (auf) den (Boden) **Übung 5:** 1. hat 2. hatte 3. war 4. sind 5. hatten 6. war 7. waren 8. hatten **Übung 6:** 1. Ich war schon (noch nicht) in Paris. 2. Ich habe noch einen Teddybär (keinen Teddybär mehr). 3. Ich habe ihn schon (noch nicht) gesehen. 4. Ich habe es noch (nicht mehr). 5. Ich gehe noch (nicht mehr) zur Schule. 6. Ich habe schon (noch nicht) zu Mittag gegessen. 7. Ich habe schon Kinder (noch keine Kinder). 8. Ich spreche schon (noch nicht) gut Deutsch. 9. Ich bin schon einmal (noch nie) geflogen. 10. Ich treibe noch Sport (keinen Sport mehr). **Übung 7:** 1. Kennst, kenne, Kann, kann, kann; Kennst, Weißt, können, Weißt, Kann. **Übung 8:** *Introductory phrases will vary.* 1. . . . , daß die Flasche leer ist. 2. . . . , daß Claire morgen wegfährt. 3. . . . , daß ich den Kuchen gegessen habe. 4. . . . , daß Peter sein Auto verkauft hat. 5. . . . , daß das Essen kalt ist. 6. . . . , daß die Milch sauer ist. 7. . . . , daß mein Bruder ins Bett will. 8. . . . , daß das Geschäft zu ist. **Übung 9:** *Introductory clauses will vary.* 1. . . . , ob Affen sprechen lernen können. 2. . . . , ob die ersten Menschen in Asien gelebt haben. 3. . . . , ob es im Jahr 2000 noch Bäume geben wird. 4. . . . , ob Tiere wie Menschen denken können. 5. . . . , ob das Wetter immer schlechter wird. 6. . . . , ob die Deutschen mehr als die Schweizer arbeiten.

Kapitel 7
Übung 1: 1. . . . von den Leuten, die du kennengelernt hast. 2. . . . von dem Job, den du gehabt hast. 3. . . . von dem Wein, den du getrunken hast. 4. . . . von den Büchern, die du gelesen hast. 5. . . . von dem Auto, das du gekauft hast. 6. . . . von den Museen, die du besucht hast. 7. . . . von dem Essen, das du gegessen hast. 8. . . . von den Filmen, die du gesehen hast. 9. . . . von den Restaurants, in die du gegangen bist. **Übung 2:** *Answers will vary.* 1. Ein Tisch ist ein Möbelstück, auf dem man ißt. 2. Ein Auto ist ein Transportmittel, in dem wenig Leute sitzen. 3.

Ein Bügeleisen ist ein Gerät, mit dem man Hemden bügelt. 4. Das Bad ist das Zimmer, in dem man duscht/badet. 5. Das Schlafzimmer ist das Zimmer, in dem man schläft. 6. Ein Bett ist ein Möbelstück, in dem man schläft. 7. Ein Flugzeug ist ein Transportmittel, mit dem man in der Luft fliegt. 8. Ein Herd ist ein Möbelstück, auf dem man kocht. 9. Ein Besen ist ein Gerät, mit dem man fegt. 10. Die Küche ist das Zimmer, in dem man kocht. 11. Ein Sofa ist ein Möbelstück, auf dem man sitzt. 12. Ein Schiff ist ein Transportmittel, mit dem man auf dem Wasser fährt.   **Übung 3:** (die Reise), die; (das Hotel), in dem; (das Zimmer), das; (das Restaurant), das; (das Essen), das; (das Restaurant, in) dem; (der selben Straße, in) der; (der Strand), der; (einen Strand), der; (den Büchern), die; (einen Berg), der; (die Schuhe), die; (das Foto), das; (das Hotel, in) dem   **Übung 4:** 1. Ich bin am intelligentesten. 2. Ich bin am größten. 3. Ich kann am meisten essen. 4. Ich springe am höchsten. 5. Ich koche am besten. 6. Ich schwimme am liebsten. 7. Ich bin am klügsten. 8. Ich arbeite am meisten.   **Übung 5:** 1. In der Wüste ist es heißer. 2. Am Nordpol ist es kälter. 3. Inländer Rum ist stärker. 4. Gutes Essen ist gesünder. 5. Thailänder essen schärfer. 6. Der Nil ist länger. 7. Tomatensuppe schmeckt mir besser. 8. Am Abend ist es höher. 9. Rolf wohnt näher.   **Übung 6:** (das) schnellste (Auto); (fährt) schneller (als), weniger (Benzin); (das) billigste (Auto); (ist) billiger (als); (unser) größtes (Modell); (der) stärkste; (die) meisten (Leute), lieber; (Ihrem) nächsten (Turbo-Händler)   **Übung 7:** (denke) an, (träume) von, (bitte) um, (warte) auf, (denke) an, (habe) an (teilgenommen), (hing) von (ab), (haben) über (gelacht), (wartet) auf   **Übung 9:** 1. Wovon hat sie gesprochen? 2. Womit seid ihr gefahren? 3. Worunter habt ihr geschlafen? 4. Worauf seid ihr geklettert? 5. Wodurch seid ihr gewandert? 6. Worauf seid ihr gegangen? 7. Woraus war der Gipfel? 8. Woran habt ihr teilgenommen? 9. Womit hast du gespielt? 10. Woran hast du nie gedacht? 11. Wovon träumst du?   **Übung 9:** Ja, ich bin damit gefahren. —Nein, denen habe ich noch nicht davon erzählt. —Morgen fange ich damit an. —Ja, ich habe darüber schon nachgedacht. —Nein, ich fahre nicht oft damit. —Natürlich bin ich dagegen.   **Übung 10:** Wir sind mit dem Schlauchboot die Donau hinuntergefahren. —Ja, wir sind

jeden Tag um sechs Uhr aufgestanden. —Willst du nächstes Wochenende mit uns eine Radtour machen? —Ja gern. Wollt ihr den ganzen Tag auf dem Rad sitzen? —Nein. Wir fahren am Samstag nach Landshut. Wir bleiben ein paar Stunden in Landshut. Wir wollen abends um acht zurück in Regensburg sein. —Ich will am Samstagabend mit Michael noch ins Kino gehen.

Kapitel 8
Übung 1: 1. Verben mit haben: basteln, wissen, denken, arbeiten, fahren (+ *Akk. Obj.*), reden, warten, machen 2. Verben mit sein: aufstehen, hinuntergehen, rennen, gehen 3. Verben mit trennbarem Präfix: aufstehen, hinuntergehen, anhalten 4. Verben mit untrennbarem Präfix: verletzen, verbinden, verlieren 5. Verben auf -ieren: interessieren, reparieren   **Übung 2:** 1. bin 2. habe, 3. bin 4. haben 5. bin 6. hat 7. bin 8. habe   **Übung 3:** 1. Ich habe schon Frühstück gemacht. 2. Ich habe meine Milch schon getrunken. 3. Ich habe den Tisch schon saubergemacht. 4. Ich bin schon zum Bäcker gelaufen. 5. Ich habe schon Brötchen mitgebracht. 6. Ich habe schon Geld mitgenommen. 7. Ich habe meine Jacke schon angezogen. 8. Ich habe die Tür schon aufgemacht.   **Übung 4:** 1. Nie, ich durfte es nicht. 2. Immer, er mußte es. 3. Nie, sie konnten es nicht. 4. Nie, sie durfte es nicht. 5. Nie, wir wollten es nicht. 6. Selten, ich durfte es nicht. 7. Selten, sie durften es nicht. 8. Nie, er konnte es nicht.   **Übung 5:** 1. Ich durfte nicht. 2. Sie wollte nicht. 3. Das wußte ich nicht. 4. Ich wollte eine. 5. Ich sollte das nicht.   **Übung 6:** A. Wann B. Wenn C. wann D. wann E. als H. als I. Wann J. Wenn K. Wann L. Als   **Übung 7:** wollten/wollen, waren/sein, mußten/müssen, konnten/können, standen . . . auf/aufstehen, gingen/gehen, waren/sein, machten/machen, waren/sein, frühstückten/frühstücken, fuhren . . . ab/abfahren, kamen/kommen, hielten . . . an/anhalten, setzten/setzen, hatte/haben, waren/sein, aßen/essen, schwammen/schwimmen, legten/legen, schliefen/schlafen, badeten/baden, radelten/radeln, dauerte/dauern   **Übung 8:** 1. Nachdem ich das Geld verloren hatte, ging ich zur Polizei. 2. Nachdem ich das Rad repariert hatte, machte ich eine Radtour. 3. Ich schrieb den Brief, nachdem ich Papier gekauft hatte. 4. Ich kaufte das Auto, nachdem ich den Führerschein gemacht hatte. 5. Nachdem ich geduscht

hatte, ging ich aus. 6. Nachdem ich das Visum besorgt hatte, flog ich in die DDR. 7. Ich trank eine Flasche Champagner, nachdem ich das Examen gemacht hatte. 8. Ich kochte die Spaghetti, nachdem ich eingekauft hatte. 9. Ich ging ins Bett und schlief, nachdem ich ferngesehen hatte. 10. Nachdem ich zum Zahnarzt gegangen war, hatte ich Schmerzen (*or the other way around*).

Kapitel 9
Übung 1: 1. Wir brauchen noch nicht zu gehen. 2. Er braucht nicht mehr in die Uni zu gehen. 3. Ich brauche nicht mehr zum Zahnarzt zu gehen. 4. Sie braucht sonntags nicht mehr zu arbeiten. 5. Er braucht kein Fieber mehr zu messen. 6. Ich brauche keine Prüfung mehr zu machen.   **Übung 2:** *Some answers may vary.* 1. Die braucht man zum Sehen. 2. Das braucht man zum Fahren. 3. Die braucht man zum Schreiben. 4. Die braucht man zum Riechen. 5. Die braucht man zum Hören. 6. Den braucht man zum Sprechen. 7. Den braucht man zum Fahren. 8. Das braucht man zum Schneiden.   **Übung 3:** 1. Maria möchte sich ein neues Kleid kaufen. 2. Ich möchte mir einen neuen Kassettenrecorder kaufen. 3. Ernst und Hans möchten sich neue Fahrräder kaufen. 4. Meine Familie möchte sich ein neues Haus kaufen. 5. Melanie möchte sich einen neuen Pullover kaufen. 6. Die Rufs möchten sich einen neuen Fernseher kaufen. 7. Ich möchte mir ein interessantes Buch kaufen. 8. Wir möchten uns neue Möbel kaufen. 9. Die Wagners möchten sich eine neue Stereoanlage kaufen. 10. Willi möchte sich eine neue Waschmaschine kaufen.   **Übung 4:** *Time expressions will vary.* 1. Ich putzte mir . . . die Zähne. 2. Ich rasiere mich . . . 3. Ich ziehe mich . . . an. 4. Ich kämme mir . . . das Haar. 5. Ich wasche mir . . . das Gesicht. 6. Ich ziehe mich . . . aus. 7. Ich wasche mir . . . die Hände. 8. Ich lege mich . . . ins Bett. 9. Ich trockne mir . . . das Haar. 10. Ich unterhalte mich . . . mit Freunden.   **Übung 5:** Wir beeilen uns ja schon. —Ich habe mich gut mit ihnen unterhalten. —Nein, ich habe mich nicht dafür interessiert. —Ja, und ich habe mich wahnsinnig darüber gefreut. —Ach, ich habe mir gestern das Bein gebrochen. —Ja, leider habe ich mich schon wieder erkältet. —Ich habe mich nur ein bißchen geschminkt.   **Übung 6:** 1. Du solltest frisches Gemüse essen. 2. Es ist schlecht, eine Packung Zigaret-

ten zu rauchen. 3. Es ist wichtig, heißen Tee zu trinken. 4. Du solltest dich ins Bett legen. 5. Es ist gesund, Vitamintabletten zu nehmen. 6. Du solltest dich warm anziehen. 7. Es ist ungesund, lange aufzubleiben. 8. Du solltest früh ins Bett gehen. 9. Es ist schlecht, viel Alkohol zu trinken. 10. Es ist gesund, einen langen Spaziergang zu machen. **Übung 7:** Diesen (Montag), (In) diesem (Jahr), (An) diesem (Strand), (In) jenem (Jahr), (in) diesem (Jahr), dieses (Mal), Dieses (Auto), (auf) diese (Ferien) **Übung 8:** 1. Ich schneide die Haare selbst/lasse mir die Haare schneiden. 2. Ich repariere das Auto selbst/lasse mir das Auto reparieren. 3. Ich lasse mich im Krankenhaus untersuchen. 4. Ich wasche die Wäsche selbst/lasse mir die Wäsche waschen. 5. Ich koche das Essen selbst/lasse mir das Essen kochen. 6. Ich putze das Haus selbst/lasse mir das Haus putzen. 7. Ich mähe den Rasen selbst/lasse mir den Rasen mähen. 8. Ich lasse mir das Rezept verschreiben. 9. Ich lasse mir die Lunge röntgen. **Übung 9:** *Some answers may vary.* 1. Ihr ist kalt. 2. Ihnen ist langweilig. 3. Ihm ist schlecht. 4. Uns ist kalt. 5. Mir ist heiß. 6. Uns ist schlecht. 7. Ihr ist warm. 8. Uns ist langweilig. 9. Ihm ist kalt. 10. Ihnen ist heiß.

Kapitel 10
Übung 1: 1. Ist es englische Marmelade? 2. Ist es türkischer Tabak? 3. Ist es holländischer Salat? 4. Ist es dänischer Kuchen? 5. Sind es griechische Pfirsiche? 6. Sind es spanische Orangen? 7. Sind es italienische Tomaten? 8. Ist es französisches Weißbrot? 9. Ist es portugiesischer Rotwein? 10. Ist es bayrische Weißwurst? **Übung 2:** 1. Aber nur amerikanisches! 2. Aber nur russischen! 3. Aber nur französischen! 4. Aber nur italienische! 5. Aber nur chinesischen! 6. Aber nur japanischen! 7. Aber nur deutschen! 8. Aber nur spanische! **Übung 3:** japanischer (Tee), Japanischen (Tee), japanischem (Porzellan), japanischen (Tee), englischen (Tee), schwarzen (Tee), englischer (Tee), süßer (Sahne), heißer (Tee), echtem westindischem (Rum) **Übung 4:** A. (Schön)e, (rot)e B. (frisch)e C. (weiß)em, (normal)em E. (Bayrisch)er F. (deutsch)en H. (Russisch)er, (russisch)em I. (Frisch)es, (Frisch)es J. (kalifornisch)e K. (Gut)e (deutsch)e L. (holländisch)en **Übung 5:** 1. Die schwarze Hose . . . —Nein, die schwarze Hose ist . . . 2. Die grünen Schuhe . . . —Nein, die grünen Schuhe sind . . . 3. Die

gelbe Baseballmütze . . . —Nein, die gelbe Baseballmütze ist . . . 4. Die leichten Sandalen . . . Nein, die leichten Sandalen . . . 5. Das schicke Hemd . . . —Nein, das schicke Hemd ist . . . 6. Die modische Unterhose . . . Nein, die modische Unterhose ist . . . 7. Den rosa Schlafanzug ist . . . —Nein, der rosa Schlafanzug ist . . . 8. Den grauen Bademantel ist . . . —Nein, der graue Bademantel ist . . . 9. Die roten Socken . . . —Nein, die roten Socken sind . . . 10. Die hellbraunen Handschuhe . . . Nein, die hellbraunen Handschuhe sind . . . **Übung 6:** 1. Gefällt Ihnen die karierte Bluse? — . . . die gestreifte. 2. Gefällt Ihnen das blaue Hemd? — . . . die grüne. 3. Gefallen Ihnen die braunen Stiefel? —. . . die grauen. 4. Gefallen Ihnen die schwarzen Schuhe? — . . . die blauen. 5. Gefällt Ihnen der dicke Mantel? — . . . den dünnen. 6. Gefällt Ihnen die lange Hose? — . . . die kurze. **Übung 7:** 1. . . . die kleinsten Handschuhe? —Ja, kleinere . . . 2. . . . die dicksten Socken? —Ja, dickere . . . 3. . . . die größten Unterhosen? —Ja, größere . . . 4. . . . die höchsten Absätze? —Ja, höhere . . . 5. . . . die dünnsten Strumpfhosen? —Ja, dünnere . . . 6. . . . leichtesten Sandalen? —Ja, leichtere . . . **Übung 8:** 1. . . . eine schönere Stadt . . . 2. . . . sind süßere Früchte . . . 3. . . . ein schnelleres Auto . . . 4. . . . ein höherer Berg . . . 5. . . . ein heißerer Monat . . . 6. . . . ein längerer Fluß . . . **Übung 9:** 1. längste 2. größte 3. beste/älteste 4. meisten 5. älteste 6. schnellste **Übung 10:** 1. Am vierzehnten Zwölften . . . 2. Am sechsten Zwölften . . . 3. Den ersten Fünften . . . 4. Der sechsundzwanzigste Zwölfte . . . 5. Der dreißigste Vierte . . . 6. Am achtzehnten Elften . . . 7. Den vierten Siebten . . . 8. Am fünfzehnten Sechsten . . . 9. Am vierzehnten Siebten . . . **Übung 11:** Was für eine Zeitung . . . ? —Eine Abendzeitung. Welche Zeitung . . . ? —„Die Frankfurter Allgemeine". Von welchem Mädchen . . . ? —Von Nora. Von was für einem Mädchen . . . ? —Von einem zwölfjährigen. Was für ein Bier . . . ? —Ein gutes. Welches Bier . . . ? —Das bayrische. Was für ein Buch . . . ? —Ein gutes. Welches Buch . . . ? —„Stiller" von Max Frisch. Welche Platte . . . ? —Beethovens Neunte. Was für Musik . . . ? —Klassische Musik. **Übung 12:** 1. Er steht schon neben dem Tisch. 2. Es liegt schon auf dem Tisch. 3. Sie stehen schon auf dem Tisch. 4. Sie liegen schon auf dem Tisch. 5. Sie liegen schon neben den Tellern. 6. Sie liegen schon auf den Ser-

vietten. 7. Sie stehen schon hinter den Tellern. 8. Sie stehen schon neben den Weingläsern. **Übung 13:** B. den C. den D. dem E. das F. dem H. deiner I. im J. dem, den L. ins K. im L. (mein)em M. den N. auf dem P. deiner

Kapitel 11
Übung 1: 1. Ach, könntest du nicht heute kommen? 2. Ach, könntest du nicht später üben? 3. Ach, könntet ihr (könnten wir) nicht schwimmen gehen? 4. Ach, könntest du nicht Tee kochen? 5. Ach, könntest du nicht aufbleiben? 6. Ach, könntest du nicht nach Italien fahren? 7. Ach, könntet ihr (könnten wir) nicht im Hotel übernachten? 8. Ach, könntest du nicht mit dem Auto fahren? **Übung 2:** 1. Müßtest du nicht noch tanken? 2. Sollten wir Jens nicht noch abholen? 3. Könnten zwei andere Freunde von mir auch mitfahren? 4. Dürfte ich das Autoradio anmachen? 5. Könntet ihr etwas zusammenrutschen? 6. Sollten wir nicht in die Stadt fahren? 7. Ich müßte noch zur Bank, Geld holen. 8. Dürfte ich das Fenster aufmachen? **Übung 3:** (den Blond)en; (der Dunkelhaarig)e; (die Sportlich)e, (der Klein)e; (Sportlich)e; (den Neu)en; (den Groß)en; (den Schwarzhaarig)en **Übung 4:** hin(auf), her(unter), hin(aufklettern), hin (aufklettern), her(unterholen), her, hin (auf), hin(über), hin(auf), her(aufkommen), hin(auf), her(unter), hin (unter), hin(ein), her(untergeklettert) **Übung 5:** . . . viel tun müssen. Mein Auto war kaputt, und ich habe es von meinem Mechaniker reparieren lassen. Dann habe ich es an meiner Tankstelle waschen und polieren lassen. Ich habe auch gleich das Öl wechseln und die Reifen aufpumpen lassen. In der Zwischenzeit habe ich mir die Haare schneiden lassen. Als ich zurückkam, habe ich nur noch bezahlen müssen, und dann war das Auto fertig für unsere Reise. **Übung 6:** mich . . . an . . . (gewöhnt); sich . . . (einzustellen); (freut) sich . . . auf; uns um . . . (beworben); sich für . . . (entscheidet); (interessieren) sich . . . für; (unterhält) sich . . . über; mich . . . über . . . (informiert); mich . . . mit . . . (beschäftigen)

Kapitel 12
Übung 1: 1. Ja, üb doch jetzt Klavier. 2. Ja, schalte den Fernseher doch ein. 3. Ja, iß doch jetzt Schokolade. 4. Ja, mach doch das Fenster auf. 5. Ja, gib mir doch einen Kuß. 6. Ja, rede doch mit mir. 7. Ja,

komm doch zu mir. 8. Ja, wasch doch das Geschirr ab. 9. Ja, näh mir doch den Knopf an. 10. Ja, geh doch in den Garten. **Übung 2:** 1. Jens und Ernst, seid nicht so laut. 2. Michael und Maria, seid pünktlich. 3. Uli, rauch nicht so viel. 4. Josie, iß mehr Obst. 5. Herr Wagner, fahren Sie nicht so schnell. 6. Frau Körner, warten Sie an der Ecke. 7. Natalie und Rosemarie, seid nicht so ungeduldig. 8. Andrea und Paula, grüßt Vater von mir. 9. Hans, wasch dich und putz dir die Zähne. 10. Helga und Sigrid, lest jeden Tag ein Kapitel. **Übung 3:** B. mach D. steigt (ein) F. haben Sie G. sprechen Sie J. warten Sie L. kommt M. schreib P. vergiß Q. helft S. kaufen Sie **Übung 4:** B. bis C. wenn (sobald) E. solange G. während I. damit J. bevor K. solange L. bevor **Übung 5:** 1. ..., würde ich im Bett bleiben. 2. ..., würde ich den Film anschauen. 3. ..., würde ich eine Reise machen. 4. ..., würde ich das Examen bestehen. 5. ..., würde ich nach Rom fahren. 6. ..., würde ich Romane schreiben. 7. ..., würde ich viel schlafen. 8. ..., würde ich Tennis spielen. 9. ..., würde ich eine große Party geben. 10. ..., würde ich mehr lesen. **Übung 6:** 1. Ich wäre nicht nur mit ihm in Urlaub gefahren. 2. Ich hätte sie ihm nicht gegeben. 3. Ich wäre nicht mit ihm ins Kino gegangen. 4. Ich hätte ihn nicht gepflegt. 5. Ich wäre nicht nur mit ihm spazierengegangen. 6. Ich hätte ihm keine gekauft. 7. Ich wäre nicht für ihn einkaufen gegangen. 8. Ich hätte sie ihm nicht gewaschen. 9. Ich wäre nicht nur mit ihm auf Parties gegangen. 10. Ich hätte nicht jeden Tag für ihn gekocht. **Übung 7:** 1. Weißt du, wie lange die Bibliothek offen ist? 2. Weißt du, warum Albert nicht auf die Party kommt? 3. Weißt du, wie man das Fenster zumacht? 4. Weißt du, wer das Examen bestanden hat? 5. Weißt du, was wir Nora zum Geburtstag schenken? 6. Weißt du, wann die Klausur anfängt? 7. Weißt du, warum Stefan seine Hausaufgaben nicht hat? 8. Weißt du, wie schwer dieser Text ist? **Übung 8:** (ein)em (Monat), (ein)em (Klassenfest), (ein)en (jungen Mann), (ih)n; (jen)em (Abend), (ein)e (Jeansjacke), (sein)e (Jacke), (ein)e (uralte Hose); (d)ie (ganze Zeit), (d)er (Tür); (sein)e (blauen Augen); (ih)r, (ih)n; (ih)m; (ih)m, (d)en (Park), (d)ie (Stadt); (d)ie (Eltern); (ih)m, (ein)en (Brief), (sein)e (Adresse); (sein)en (Vor-

namen); (D)en (Namen); (d)er (Schule), (ih)n, (d)em (Weg), (d)en (Hausaufgaben), (d)em (Fernseher), (d)er (Disco); (ih)n; (ih)m, (ih)n

Kapitel 13
Übung 1: trotz; wegen; während; trotz; während; wegen; statt; trotz **Übung 2:** (mein)es (Aufenthalt)s, (mein)er (Krankheit); (mein)er (Eltern), (d)es (Tag)es; (d)er (Krankheit); (mein)er (Schwester); (mein)es (Studium)s; (ihr)es (Haus)es; (d)es (Tag)es; (mein)es (Vater)s, (mein)er (Mutter); (d)er (letzten Woche) (mein)er (Zeit); (mein)es (Abflug)s **Übung 3:** (neu)es (Auto), (alt)e (Mercedes), (neu)en (Wagen), (italienisch)e (Wein), (weiter)e (Flasche); (kaputt)es (Fahrrad), (blöd)en (Kassettenrecorder), (frei)es (Wochenende); (groß)en (Hund), (lieb)e (Hündchen), (riesig)en (Vieh), (lieb)es (Hündchen) **Übung 4:** (klein)e, (schlank)e (Frau), (nett)e (interessant)e (Anzeige), (Süddeutsch)en (Zeitung); (lebensfroh)er, (ausgeglichen)er, (optimistisch)er, (einsam)er (Lehrer), (schön)en (Niederbayern); (gesucht)e (Mann); (weit)en, (interessant)en (Reisen); (groß)e (Lust); (langweilig)es (Leben); (eng)en (Welt); (groß)es (Interesse), (kulturell)en (Dingen); (neu)es (Foto), (alt)e; (bayrisch)en (Landschaft); (dreiundvierzigjährig)er (Lehrer) **Übung 5:** 1. Es wird wohl ziemlich neurotisch sein. 2. Es wird wohl wieder kaputt sein. 3. Sie wird wohl beschäftigt sein. 4. Sie wird wohl verreist sein. 5. Sie wird wohl im August zurückkommen. 6. Er wird wohl zu Hause sein. 7. Sie wird wohl bald fertig sein. 8. Sie werden wohl bald heiraten. 9. Er wird es wohl bald verkaufen. 10. Er wird wohl zu seiner Tochter fahren. **Übung 6:** 1. Aber er benimmt sich so, als ob er berühmt wäre. 2. Aber er tut so, als ob er nur gute Noten hätte. 3. Aber er redet so, als ob er der emanzipierte Hausmann wäre. 4. Aber sie tun so, als ob sie alles schon erlebt hätten. 5. Aber er tut so, als ob er ein Playboy wäre. 6. Aber er redet so, als ob er kein Geld hätte. 7. Aber er tut so, als ob er Antialkoholiker wäre. 8. Aber sie benimmt sich so, als ob sie eine Zwanzigjährige wäre.

Kapitel 14
Übung 1: 1. Die Fenster werden geputzt. 2. Das Silber wird poliert. 3. Die

Lampen werden abgestaubt. 4. Die Fußböden werden aufgewischt. 5. Die Schränke werden aufgeräumt. 6. Die Gardinen werden gewaschen. 7. Die Sessel werden gereinigt. 8. Der Hof wird gefegt. 9. Die Teppiche werden staubgesaugt. **Übung 2:** 1. Von wem wurde Ernst geschlagen? 2. Von wem wurde Herr Thelen angerufen? 3. Von wem wurde Michael ausgelacht? 4. Von wem wurde Hans ausgeschimpft? 5. Von wem wurde Jutta abgeholt? 6. Von wem wurde Frau Gretter eingeladen? 7. Von wem wurde Herr Siebert beobachtet? 8. Von wem wurde Andrea erschreckt? **Übung 3:** 1. Diese Sprache wird Plattdeutsch genannt. 2. Die Kinder werden nicht in dieser Sprache unterrichtet. 3. Aber auf dem flachen Land, dem „platten" Land, wird sie oft verwendet. 4. In den Städten wird diese Sprache nicht benutzt. 5. Dort wird das Plattdeutsche oft als „Bauernsprache" angesehen. 6. Aber schon seit einiger Zeit werden Bücher in diesem Dialekt geschrieben. 7. Gedichte und Erzählungen aus diesen norddeutschen Gegenden werden veröffentlicht. 8. Vor allem von Leuten, die mit Plattdeutsch vertraut sind, wird diese Literatur gelesen. **Übung 4:** (einig)e (Leute); (manch)e (superreich)en (Schauspieler), (einig)e (Häuser), (ander)es, (weiter)e (Wohnung); (mehrer)e (schnell)e (Autos), (weiß)e (Motorjacht), (klein)es (Privatflugzeug); (superreich)e (Personen), (viel)e (kostbar)e (Juwelen); (einig)e (groß)e (Ringe), (mehrer)e (teur)e (Ketten); (weiter)e; (wenig)e (glücklich)e (Menschen); (viel)e (ander)e; (einig)e (schön)e, (wichtig)e (Dinge) **Übung 5:** Je ... desto; obwohl, obwohl; Wenn, auch wenn; Falls, Wenn; obwohl, wenn; obwohl **Übung 6:** 1. Wenn weniger Chemikalien in die Flüsse geleitet werden, wird es auch wieder mehr Fische geben. 2. Auch wenn die Bundesrepublik aus der NATO austritt, werden die Sowjets nicht einmarschieren. 3. Wenn (Falls) mehr Asylanten in die Bundesrepublik kommen, wird der Fremdenhaß größer. 4. Auch wenn der Mensch im Jahr 2000 vielleicht zum Mars fliegen wird, verhungern mehr Menschen als je zuvor. 5. Obwohl die Luft in den Städten immer schlechter wird, ziehen immer mehr Menschen dorthin. 6. Je mehr die Arbeitslosigkeit steigt, desto konservativer werden die Menschen.

VOKABELN

ABBREVIATIONS

acc.	accusative	*gen.*	genitive
adj.	adjective	*inf.*	infinitive
adv.	adverb	*infor. pl.*	informal plural
astr.	astrological	*infor. sg.*	informal singular
coll.	colloquial	*interj.*	interjection
coord. conj.	coordinating	*o.s.*	oneself
	conjunction	*pl.*	plural
dat.	dative	*sg.*	singular
def. art.	definite article	*s.o.*	someone
dem. pron.	demonstrative	*s. th.*	something
	pronoun	*subord. conj.*	subordinate
fig.	figuratively		conjunction
for. pl.	formal plural	*wk.*	weak masculine noun
for. sg.	formal singular		

A

ab April from April on; **ab und zu** on and off

der **Abend, -e** evening; **Guten Abend!** Good evening!; **heute abend** this evening, tonight

der **Abendanzug, ⁻e** evening suit

das **Abendbrot, -e** supper

das **Abendessen, -** dinner

das **Abendkleid, -er** evening dress

die **Abendkleidung** evening wear

abends evenings, in the evening

die **Abendschule, -en** night school

die **Abendzeitung, -en** evening (news)paper

das **Abenteuer, -** adventure

aber but

abfahren (fährt . . . ab), fuhr . . . ab, ist abgefahren to leave, depart

der **Abfall, ⁻e** garbage

abfliegen (fliegt . . . ab), flog . . . ab, ist abgeflogen to take off

der **Abflug, ⁻e** departure by plane

das **Abgas, -e** exhaust fumes

abgehen, ging . . . ab, ist abgegangen to depart

abhängen, hing . . . ab, abgehängt to depend; **das hängt (davon) ab** that depends (on) . . .

abholen, abgeholt to pick up

das **Abitur** *examination at the end of secondary school* (Gymnasium)

der **Abiturient, -en** (*wk.*)/die **Abiturientin, -nen** *graduate from secondary school* (Gymnasium)

die **Abkürzung, -en** abbreviation

ablaufen (läuft . . . ab), lief . . . ab, ist abgelaufen to turn out; to come to an end; expire

ablehnen, abgelehnt to reject

abmachen, abgemacht to detach

abnehmen (nimmt . . . ab), nahm . . . ab, abgenommen to decrease; to lose weight; to take away

abreisen, ist abgereist to depart, leave

absagen, abgesagt to cancel

der **Absatz, ⁻e** heel

der **Absatzmarkt, ⁻e** outlet (store)

abschaffen, abgeschafft to abolish, do away with

der **Abschied, -e** farewell

die **Abschlußfeier, -n** end of school party

die **Abschlußprüfung, -en** final exam

abschmecken, abgeschmeckt to taste

absolut absolute

abstauben, abgestaubt to dust off

der **Abstecher, -** excursion, trip

abstoßend repulsive

die **Absurdität, -en** absurdity

abtasten, abgetastet to palpate; to scan

abtreiben, abgetrieben to have an abortion

die **Abtreibung, -en** abortion

abtrocknen, abgetrocknet to dry

abtropfen, ist abgetropft to drop down, drop off

abwarten, abgewartet to wait

abwaschen (wäscht . . . ab), wusch . . . ab, abgewaschen to wash (up)

die **Abwechslung, -en** change, variation

abwischen, abgewischt to wipe off

ach oh; **ach so** I see

die **Achse, -n** axle; axis

acht eight

achten (auf + *acc.*) to respect; to pay attention (to)

Achtung! Attention! Look out!

achtzehn eighteen

achtzig eighty

das **Adjektiv, -e** adjective

die **Adjektivendung** adjective ending

der **Adler, -** eagle

die **Adresse, -n** address

der **Advent** Advent

das **Adverb, -ien** adverb

der **Affe, -n** (*wk.*) ape, monkey

die **Agentur, -en** agency

aggressiv aggressive

Ägypten Egypt

ähnlich similar(ly)

die **Ahnung, -en** hunch; **keine Ahnung** no idea

der **Akademiker, -/die Akademikerin, -nen** *person with a university education;* academician; graduate

akademisch academic(ally)

der **Aktionskünstler,-/die Aktionskünstlerin, -nen** action artist

aktiv active(ly)

die **Aktivität, -en** activity

aktuell current, up-to-date

akut acute, urgent

akzentfrei accent free

der **Alkohol** alcohol

der **Alkoholiker, -/die Alkoholikerin, -nen** alcoholic

der **Alkoholismus** alcoholism

alle all

aller of all

alles everything

allein(e) alone

allerdings nevertheless, indeed

die **Allergie, -n** allergy

allergisch allergic

allgemein general(ly)

die **Alpen** (*pl.*) alps

als as; **als** (**Student**) as (a student); (*subord. conj.*) when, then; **als ob** as if

also well then, now; therefore

der **Altbau, -ten** *building built before 1948*

die **Altbauwohnung, -en** *apartment in a building built before 1948*

das **Altbier, -e** dark beer

das **Altenheim, -e** old-age home

das **Alter, -** age

altern to age

die **Alternative, -n** alternative

altmodisch old-fashioned

die **Altstadt, ⁝e** old part of town

das **Amerikabild, -er** image of America

der **Amerikaner, -/die Amerikanerin, -nen** American (*person*)

amerikanisch (*adj.*) American

die **Ampel, -n** traffic light

sich amüsieren, amüsiert to amuse o.s.; to enjoy o.s.

an (+ *acc./dat.*) at, by, on, upon, up to, to

der **Analphabet, -en** (*wk.*)/die **Analphabetin, -nen** illiterate (*person*)

die **Ananas, -** pineapple

anbauen, angebaut to cultivate; to grow

anbieten (bietet . . . an), bot . . . an, angeboten to offer

ander- other; different; second

der/die **Andere, -n** (ein **Anderer**) another (*person*); *pl.* others

andererseits on the other hand

ändern to change

die **Änderung, -en** change

die **Anekdote, -n** anecdote

anekeln (+ *acc.*), **angeekelt** to disgust; **das ekelt mich an** that disgusts me

anerkennen, erkannte . . . an, anerkannt to recognize

anerkannt recognized

der **Anfang, ⁝e** beginning

anfangen (fängt . . . an), fing . . . an, angefangen to begin

der **Anfänger, -/die Anfängerin, -nen** beginner

die **Anfangszeit, -en** start(ing time)

anfordern, angefordert to demand

die **Anforderung, -en** demand

angeblich alleged(ly)

das **Angebot, -e** offer

angebracht well-timed, opportune

angehen, ging . . . an, ist angegangen to begin; **Das geht mich an.** That is my business. **Das geht dich nichts an.** That is none of your business.

angeln to fish

angenehm! delighted!

angesichts (+ *gen.*) considering, in view of

der/die **Angestellte, -n** (ein **Angestellter**) employee

die **Angst, ⁝e** fear, anxiety; **Angst haben** to be afraid

anhalten (hält . . . an), hielt . . . an, angehalten to stop

der **Anhalter, -/die Anhalterin, -nen** hitchhiker; **per Anhalter fahren** to hitchhike

der **Anhang, ⁝e** appendix (*in a book*); (family) dependents

anhören, angehört to listen

der **Anker, -** anchor

die **Ankleidekabine, -n** dressing room

ankommen, kam . . . an, ist angekommen to arrive

die **Ankunft, ⁝e** arrival

anlaufen (läuft . . . an), lief . . . an, ist angelaufen to start; **Der Film läuft an.** The film is starting.

anmachen, angemacht to turn on

anmelden, angemeldet to register

annähen, angenäht to sew on

die **Anordnung, -en** order

anpassen, angepaßt to adapt

anprobieren, anprobiert to try on (clothes)

anquasseln, angequasselt to blabber to s.o.; to pick s.o. up

die **Anrichte, -n** sideboard

anrufen, rief . . . an, angerufen to telephone

anschaffen, angeschafft to buy, acquire

anschauen, angeschaut to view, watch

der **Anschein** appearance

anscheinend apparent(ly)

ansehen (sieht . . . an), sah . . . an, angesehen to watch, view

die **Ansicht, -en** viewpoint, opinion

ansprechen (spricht . . . an), sprach . . . an, angesprochen to speak to, address; to appeal to

anstatt (+ *gen.*) instead of

anstecken, angesteckt to stick on,

pin on; to infect
ansteckend contagious
anstelle (von + dat.) in place of
anstellen, angestellt to employ;
  sich anstellen (als ob) to
  pretend to be, act (as if)
sich anstrengen, angestrengt to
  exert
der Antrag, ⁻e offer, proposal
**antreten (tritt . . . an), trat . . .
  an, angetreten** to kick off; to
  start (a job)
die Antwort, -en answer
antworten (+ dat.) to answer
der Anwalt, ⁻e/die Anwältin, -nen
  lawyer
die Anzeige, -n advertisement,
  announcement
**sich anziehen (zieht . . . an), zog
  . . . an, angezogen** to dress; to
  attract
der Anzug, ⁻e suit
der Apfel, ⁻ apple
der Apfelbaum, ⁻e apple tree
das Apfelmus applesauce
der Apfelsaft, ⁻e apple juice
die Apfelsine, -n orange
die Apfeltorte, -n apple cake
die Apotheke, -n pharmacy
**der Apotheker, -/die
  Apothekerin, -nen** druggist,
  pharmacist
das Äquivalent, -e equivalent
äquivalent equivalent
die Arbeit, -en work
arbeiten to work
**der Arbeitgeber, -/die
  Arbeitgeberin, -nen** employer
**der Arbeitnehmer, -/die
  Arbeitnehmerin, -nen**
  employee
arbeitsam industrious
das Arbeitsamt, ⁻er employment
  office
das Arbeitsbuch, ⁻er workbook
die Arbeitserlaubnis work permit
arbeitslos unemployed
**der/die Arbeitslose, -n (ein
  Arbeitsloser)** unemployed
  person
das Arbeitslosengeld, -er
  unemployment compensation
die Arbeitslosenquote, -n
  unemployment quota; dividend
die Arbeitslosenzahl, -en number

of unemployed persons
die Arbeitslosigkeit unemployment
der Arbeitsmarkt, ⁻e job market
der Arbeitsplatz, ⁻e work place
das Arbeitszimmer, - study, den
**der Architekt, -en (wk.)/die
  Architektin, -nen** architect
ärgerlich annoying
(sich) ärgern to tease; to annoy
das Argument, -e argument
argumentieren, argumentiert to
  argue (a point)
der Arm, -e arm
arm poor
die Armbanduhr, -en wristwatch
arrogant arrogant
die Art, -en kind, sort, species
der Artikel, - article
**der Artist, -en (wk.)/die Artistin,
  -nen** variety artist; circus
  performer
der Arzt, ⁻e/die Ärztin, -nen
  (medical) doctor
der Aschermittwoch Ash
  Wednesday
**der Asiat, -en (wk.)/die Asiatin,
  -nen** Asian (person)
asiatisch (adj.) Asian
Asien Asia
der Asphalt asphalt
das Aspirin aspirin
**der Assistent, -en (wk.)/die
  Assistentin, -nen** assistant
assoziieren, assoziiert to associate
das Asyl (political) asylum
**der Asylant, -en (wk.)/die
  Asylantin, -nen** person applying
  for (political) asylum
der Asylantrag, ⁻e asylum request,
  petition
**der Asylbewerber, -/die
  Asylbewerberin, -nen** asylum
  applicant/candidate
das Asylgesetz, -e asylum law
das Asylrecht, -e right of sanctuary
der Atlantik Atlantic Ocean
atmen to breathe
die Atmosphäre atmosphere
die Atomenergie nuclear energy
die Atomkraft atomic power
das Atomkraftwerk, -e atomic
  power plant
der Atomkrieg, -e nuclear war
der Atommüll nuclear waste
die Atomwaffe, -n atomic weapon

die Attraktion, -en attraction
attraktiv attractive
auch also, too; likewise, even
auf (+ dat./acc.) on, upon, onto
der Aufbau, -ten building,
  construction
aufbauen, aufgebaut to build
aufbekommen, aufbekommen to
  be able to open
**aufbewahren, bekam . . . auf,
  aufbewahrt** to keep
**aufbleiben, blieb . . . auf, ist
  aufgeblieben** to stay up
der Aufenthalt, -e stay;
  whereabouts
die Aufenthaltserlaubnis
  residence permit
**aufessen (ißt . . . auf), aß . . . auf,
  aufgegessen** to eat up
**auffallen (fällt . . . auf), fiel . . .
  auf, ist aufgefallen** to strike s.o.;
  to be conspicuous
auffordern, aufgefordert to ask,
  invite
die Aufforderung, -en invitation,
  summons
die Aufgabe, -n task, job, business
**aufgeben (gibt . . . auf), gab . . .
  auf, aufgegeben** to assign; to
  give up, abandon
**aufgehen, ging . . . auf, ist
  aufgegangen** to open up
aufhören, aufgehört to stop
sich auflösen, aufgelöst to break
  up; to undo, untie; to dissolve
aufmachen, aufgemacht to open
aufmerksam attentive
**aufnehmen (nimmt . . . auf),
  nahm . . . auf, aufgenommen**
  to take, pick up; to take in; to list
aufpumpen, aufgepumpt to pump
  up
sich aufraffen, aufgerafft to pull
  o.s. together
aufräumen, aufgeräumt to tidy up
sich aufregen, aufgeregt to excite
  o.s.
aufregend exciting
**aufstehen, stand . . . auf, ist
  aufgestanden** to get up, rise
der Auftrag, ⁻e commission, charge
aufwachen, ist aufgewacht to
  wake up
**aufwachsen (wächst . . . auf),
  wuchs . . . auf, ist**

aufgewachsen to grow up

aufwischen, aufgewischt to clean up

aufzeigen, aufgezeigt to demonstrate, point out

das **Auge, -n** eye

der **Augenblick, -e** moment, instant

die **Augenbraue, -n** eyebrow

die **Aula, -s** assembly hall (*at a school*)

aus (+ *dat.*) out of; from (*origin*)

ausbilden, ausgebildet to educate

die **Ausbildung, -en** education

(**sich**) **ausbreiten, ausgebreitet** to spread

ausdauernd persevering

sich (**etwas**) **ausdenken, dachte . . . aus, ausgedacht** to think (s.th.) up

der **Ausdruck, ⁻e** expression

der **Ausflug, ⁻e** excursion

das **Ausflugslokal, -e** *restaurant in the country for Sunday hikers*

ausfüllen, ausgefüllt to fill in/out

die **Ausgabe, -n** distribution; expenditure

ausgeben (**gibt . . . aus**), **gab . . . aus, ausgegeben** to give out, distribute; to spend (money)

ausgebucht booked up

ausgeglichen well-balanced

ausgehen, ging . . . aus, ist ausgegangen to go out

der **Ausgehtag, -e** day out

die **Ausgrabung, -en** excavation, exhumation

auslachen, ausgelacht to laugh at, deride

das **Ausland** abroad, foreign countries

der **Ausländer, -/**die **Ausländerin, -nen** foreigner

ausländisch foreign, exotic

ausleihen, lieh . . . aus, ausgeliehen to lend (out)

ausliefern, ausgeliefert to give up; to extradite

ausmachen, ausgemacht to put out; to turn off

die **Ausnahme, -n** exception

auspacken, ausgepackt to unpack

ausplaudern, ausgeplaudert to let (it) out, blab

der **Auspuff, -s** exhaust

ausrauben, ausgeraubt to rob

ausreichen, ausgereicht to suffice

die **Ausreise, -n** departure

der **Ausreiseantrag, ⁻e** departure application/request/petition

ausreisen, ist ausgereist to leave, depart

sich ausruhen, ausgeruht to rest

die **Aussage, -n** declaration, statement

aussagen, ausgesagt to state, declare

ausschimpfen, ausgeschimpft to scold s.o.; to call s.o. names

aussehen (**sieht . . . aus**), **sah . . . aus, ausgesehen** to look like, appear

außer (+ *dat.*) except, besides

außerdem anyway, besides

außerirdisch extraterrestrial

die **Aussicht, -en** view, prospect

ausspannen, ausgespannt to relax, rest

der **Ausspruch, ⁻e** utterance, saying

ausstatten, ausgestattet to fit out, equip

aussteigen, stieg . . . aus, ist ausgestiegen to get out

die **Ausstellung, -en** exhibition, show

aussterben (**stirbt . . . aus**), **starb . . . aus, ist ausgestorben** to die out, become extinct

austauschen, ausgetauscht to exchange

der **Austauschstudent, -en** (*wk.*)/ die **Austauschstudentin, -nen** exchange student

austreten (**tritt . . . aus**), **trat . . . aus, ist ausgetreten** to secede; to retire; to leave

der **Austritt, -e** withdrawal, retirement

ausüben, ausgeübt to practice (*one's profession*); to exercise (*authority*)

die **Auswahl, -en** selection

die **Auswahlkommission, -en** selection committee

der **Ausweis, -e** ID card

sich ausweisen, wies . . . aus, ausgewiesen to identify o.s.

die **Auswertung, -en** evaluation

die **Auswirkung, -en** consequence, effect

sich ausziehen, zog . . . aus, ausgezogen to undress

das **Auto, -s** car

das **Autoabgas, -e** car exhaust fumes

die **Autobahn, -en** freeway

der **Autobus, -se** bus

die **Automatik, -en** automatic

automatisch automatic

der **Automechaniker, -/**die **Automechanikerin, -nen** car mechanic

der **Automobilklub, -s** motor club

der **Autor, -en/**die **Autorin, -nen** author

das **Autoradio, -s** car radio

der **Autoschlüssel, -** car key

der **Autotyp, -en** car model

der **Autounfall, ⁻e** car accident

der **Autoverkehr** traffic

die **Autowerkstatt, ⁻en** car repair

avantgardistisch avant-garde

B

backen (**bäckt**), **backte, gebacken** to bake

der **Bäcker, -/**die **Bäckerin, -nen** baker

die **Bäckerei, -en** bakery

der **Backofen, ⁻** oven

die **Backwaren** (*pl.*) baked goods: cakes, bread, etc.

die **Backwarenabteilung, -en** baked goods section

das **Bad, ⁻er** bath

das **Badezimmer, -** bathroom

die **Badbenutzung, -en** use of the bathroom

die **Badeanstalt, -en** public bath

der **Badeanzug, ⁻e** bathing suit

die **Badehose, -n** bathing trunks

der **Bademantel, ⁻** bathrobe

die **Badewanne, -n** bathtub

der **Baggersee, -n** man-made lake

der **Bahnbeamte, -n** (*wk.*)/die **Bahnbeamtin, -nen** railway official

die **Bahnfahrt, -en** ride on a train/ tram/trolley

der **Bahnhof, ⁻e** train/railroad station

die **Bahnstation, -en** tram/trolley stop

der **Bahnsteig, -e** platform at railroad station

die **Bahnstrecke, -n** section line

bairisch Bavarian (dialect)

bald soon

der **Balkon, -e** balcony

der **Ball, ⁻e** ball

das **Ballungsgebiet, -e** densely populated area

die **Bank, -en** bank

das **Bankett, -e** banquet

der **Bankräuber, -** bank robber

die **Bar, -s** bar

der **Bär, -en** (*wk.*) bear

der **Bart, ⁻e** beard

basieren (auf), ist basiert to be based (on)

die **Batterie, -n** battery

der **Bauch, ⁻e** belly

der **Bauchschmerz, -en** stomach ache

bauen to build

der **Bauer, -n** (*wk.*)/die **Bäuerin, -nen** farmer

der **Bauernhof, ⁻e** farm

die **Bauernsprache, -n** (*pejorative*) language of farmers

das **Baujahr, -e** year of construction

der **Baum, ⁻e** tree

die **Baumwolle** cotton

der **Bayer, -n** (*wk.*)/die **Bayerin, -nen** Bavarian (*person*)

bayrisch Bavarian (*adj.*)

beachten, beachtet to take notice of

der **Beamte, -n** (ein **Beamter**)/die **Beamtin, -nen** civil servant

beanstanden, beanstandet to object to; to appeal

beantragen, beantragt to propose

beantworten, beantwortet to answer

bearbeiten, bearbeitet to work on; to cultivate (land)

sich bedanken, bedankt to thank

bedenken, bedachte, bedacht to consider, think (over); **Bedenken** (*pl.*) **haben** to have misgivings, worries

bedeuten, bedeutet to signify, mean

bedeutend famous, important

die **Bedeutung, -en** meaning

bedienen, bedient to serve; to handle

die **Bedienung, -en** service (*waiter/waitress*)

die **Bedrohung, -en** threat

das **Bedürfnis, -se** need

beeindrucken, beeindruckt to impress

beeinflussen, beeinflußt to influence

beenden, beendet to end

der **Befehl, -e** order

befehlen (befiehlt), befahl, befohlen to order

befolgen, befolgt to follow (*rules/orders*)

befördern, befördert to transport; to promote

befragen, befragt to ask, question

der/die **Befragte, -n** (ein **Befragter**) the person asked

befreien, befreit to free

die **Befriedigung, -en** satisfaction

befürworten, befürwortet to support, advocate

begabt gifted, talented

begegnen (+ *dat.*), **ist begegnet** to meet, encounter

die **Begegnung, -en** encounter, meeting

begeistert enthusiastic(ally)

beginnen, begann, begonnen to start, begin

begrenzt limited

der **Begriff, -e** concept, idea, notion

begründen, begründet to prove, substantiate

begrüßen, begrüßt to greet

die **Begrüßung, -en** greeting

die **Begrüßungsformel, -n** forms of greeting

behalten (behält), behielt, behalten to keep; to memorize

behandeln, behandelt to treat, deal with

die **Behörde, -n** administrative authority

bei (+ *dat.*) with; near; at the place of

beide (*pl.*) both

beieinander (*adv.*) together

beige beige

das **Bein, -e** leg

das **Beispiel, -e** example; **zum Beispiel** for example

der **Beitrag, ⁻e** contribution

die **Bekämpfung, -en** fight

bekannt known, famous

der/die **Bekannte, -n** (ein **Bekannter**) acquaintance

bekommen, bekam, bekommen to get

belegt covered; **belegtes Brot** sandwich

beleuchtet illuminated

bellen to bark

bemerken, bemerkt to notice

sich benehmen (benimmt), benahm, benommen to behave

der **Bengel, -** rascal

benutzen, benutzt to use

das **Benzin** gasoline

beobachten, beobachtet to observe

bequem comfortable

die **Bequemlichkeit, -en** comfort

beraten (berät), beriet, beraten to advise

der **Berater, -/** die **Beraterin, -nen** adviser

die **Beratung, -en** advice

bereichern, bereichert to enrich

bereit willing; ready

bereiten, bereitet to prepare

der **Berg, -e** mountain

bergen (birgt), barg, geborgen to incorporate

bergsteigen, stieg . . . berg, ist berggestiegen to climb mountains

der **Bericht, -e** report

berichten, berichtet to report, inform

berieseln, berieselt to drool; to spray; (*fig.*) to be exposed to a constant stream of (information/entertainment)

berücksichtigen, berücksichtigt to consider, bear in mind

der **Beruf, -e** profession

die **Berufsausbildung, -en** professional training

die **Berufserfahrung, -en** professional experience

die **Berufsmöglichkeit, -en** professional opportunity

die **Berufsschule, -n** trade school

berufstätig employed, working

beruhen auf (+ *dat.*), **beruht** to be based on

berühmt famous

sich beschäftigen mit (+ *dat.*), **beschäftigt** to be busy with, occupy o.s. with

bescheiden modest

beschenken, beschenkt to present with

beschreiben, beschrieb, beschrieben to describe

die **Beschreibung, -en** description

der **Beschützer, -**/die **Beschützerin, -nen** protector

die **Beschwerde, -n** complaint

die **Beseitigung, -en** elimination, removal

der **Besen, -** broom

besetzt occupied

besichtigen, besichtigt to inspect; to view

der **Besitz** property

besitzen, besaß, besessen to own

der **Besitzer, -**/die **Besitzerin, -nen** owner

besonder- particular, special

die **Besonderheit, -en** specialty

besorgen, besorgt to take care of; to see to s.th.

besorgt worried

besprechen (bespricht), besprach, besprochen to discuss, talk over

besser better

best- best

beständig steady, constant

bestehen, bestand, bestanden to pass (*an exam*)

bestellen, bestellt to order

bestimmt- particular, special; **bestimmt** (*adv.*) certainly

der **Besuch, -e** visit

besuchen, besucht to visit

beteiligen, beteiligt to give a share

die **Beteiligung, -en** share, interest

der **Beton** concrete

betoniert built with concrete

die **Betonzelle, -n** concrete cubicle

betrachten, betrachtet to watch

betreiben, betrieb, betrieben to pursue; to carry on

betreten (betritt), betrat, betreten to enter

der **Betrieb, -e** operation, management; trade, industry

das **Betriebsgeheimnis, -se**

industrial secrets

die **Betriebsleitung** management

sich betrinken, betrank, betrunken to get drunk

betrunken drunk

das **Bett, -en** bed

der **Bettler, -**/die **Bettlerin, -nen** beggar

(sich) beugen to bend; to bow

beurteilen, beurteilt to judge, evaluate

der **Beutel, -** bag

die **Bevölkerung, -en** population

die **Bevölkerungszahl, -en** population (*number of people*)

bevor (*subord. conj.*) before

bewachen, bewacht to watch over, guard

bewachsen (*adj.*) overgrown

(sich) bewegen, bewegt to move

beweisen, bewies, bewiesen to prove

sich bewerben (um + *acc.)* **(bewirbt), bewarb, beworben** to apply (for)

der **Bewerber, -**/die **Bewerberin, -nen** applicant

bewußtlos unconscious

bezahlen, bezahlt to pay

die **Bezahlung, -en** payment

bezeichnen, bezeichnet to name, label

die **Beziehung, -en** relation

die **Bibliothek, -en** library

der **Bibliothekar, -e**/die **Bibliothekarin, -nen** librarian

das **Bier, -e** beer

der **Bierbauch, ̈-e** beer belly

das **Bierfest, -e** beer fest (*celebration*)

bieten, bot, geboten to offer

der **Bikini, -s** bikini

das **Bild, -er** picture

bilden to form

billig cheap

binden, band, gebunden to bind, tie

biographisch biographic(al)

die **Biologie** biology

biologisch biological

die **Birne, -n** pear

die **Birnenhälfte, -n** pear half

der **Birnensaft** pear juice

bis (+ *acc.*) until; up to

bisher up until now

bißchen bit; **ein bißchen** a little bit

die **Bitte, -n** request

bitte please; you're welcome

bitten (+ *acc.*), **bat, gebeten** to ask for, request

blasen (bläst), blies, geblasen to blow

blau blue; (*coll.*) drunk

das **Blaukraut** red cabbage

das **Blech, -e** sheet metal; (metal) sheet

die **Blechtrommel, -n** tin drum

bleiben, blieb, ist geblieben to stay

der **Bleistift, -e** pencil

der **Blick, -e** gaze, look, glance

die **Blinddarmentzündung, -en** appendicitis

der **Block, ̈-e** block, log

blöd(e) stupid

blond blond

die **Blume, -n** flower

der **Blumenkohl** cauliflower

der **Blumenkübel, -** flowerpot

die **Bluse, -n** blouse

das **Blut** blood; der **Blutdruck** blood pressure; die **Blutprobe, -n** blood test

der **Boden, ̈** ground; floor

die **Bohne, -n** bean; das **Bohnengemüse** beans; das **Bohnenkraut** savory

die **Bombe, -n** bomb

das **Bonbon, -s** candy, sweet

das **Boot, -e** boat

der **Bord, -e** shipboard; **an Bord gehen** to go on board (*a ship*)

der **Bordservice** service on board

die **Botschaft, -en** embassy; message

die **Boutique, -n** boutique

boxen to box

das **Boxen** boxing

braten (brät), briet, gebraten to roast; to grill; to bake

die **Bratkartoffel, -n** fried potatoes, chips

brauchen to need, require; to want; to use

braun brown

brechen (bricht), brach, gebrochen to break, fracture

breit broad, wide, flat

die **Bremse, -n** brake

bremsen to brake, put on the brakes; to slow down

brennen, brannte, gebrannt to burn

der **Brief, -e** letter

der **Brieffreund, -e**/die **Brieffreundin, -nen** pen pal

die **Brille, -n** (eye)glasses, spectacles

bringen, brachte, gebracht to bring; to fetch

das **Brot, -e** bread

das **Brötchen, -** breakfast roll

das **Brotstückchen** little piece of bread

die **Brücke, -n** bridge

der **Bruder, ⁻** brother

brünett brunette

der **Brunnen, -** spring; fountain

die **Brust, ⁻e** breast, chest, thorax

brutal brutal

der **Bub, -en** boy

das **Buch, ⁻er** book

das **Bücherregal, -e** bookshelf, book rack

der **Buchhalter, -**/die **Buchhalterin, -nen** bookkeeper, accountant

die **Buchhandlung, -en** bookstore

das **Büchlein** little book

die **Bucht, -en** bay; creek

die **Buchung, -en** booking; entry

der **Buckel, -** hump, humpback; bump

das **Bügeleisen, -** flatiron

bügeln to iron, press

der **Bund, ⁻e** union, federation

die **Bundesbahn** Federal Railway in the Federal Republic

der **Bundesbürger, -**/die **Bundesbürgerin, -nen** citizen of the Federal Republic

bundesdeutsch (*adj.*) West German

die **Bundesebene** federal level

der **Bundeskanzler, -**/die **Bundeskanzlerin, -nen** Chancellor

das **Bundesland, ⁻er** federal state

die **Bundesregierung, -en** federal government

die **Bundesrepublik Deutschland (BRD)** Federal Republic of Germany (FRG)

der **Bundesstaat, -en** federal state

der **Bundestag** Parliament of West Germany

bunt colorful

die **Burg, -en** castle

der **Bürger, -**/die **Bürgerin, -nen** citizen

der **Bürgermeister, -**/die **Bürgermeisterin, -nen** mayor

das **Büro, -s** office, bureau

das **Bürohaus, ⁻er** office building

der **Bus, -se** bus

buseigen owned by the bus company

der **Busfahrer, -**/die **Busfahrerin, -nen** bus driver

die **Busfahrt, -en** bus ride

die **Butter** butter

die **Butterbohnen** (*pl.*) butter beans

die **Buttermilch** buttermilk

der **Butterreis** buttered rice

die **Buttersauce, -n (-sosse, -n)** butter sauce

der **Buttertoast, -e** buttered toast

C

das **Café, -s** café

der **Camembert, -s** French brie

der **Campingbus, -se** camper

der **Champignon, -s** mushroom

die **Chance, -n** opportunity

der **Charakter, -e** character

die **Charaktereigenschaft, -en** character trait

der **Chauffeur, -e** chauffeur

der **Chef, -s**/die **Chefin, -nen** boss; director

die **Chemie** chemistry

die **Chemieprüfung, -en** chemistry exam

das **Chemiewerk, -e** chemical plant

die **Chemikalie, -n** chemical

das **Chinagewürz, -e** Chinese spice

der **Chinese, -n** (*wk.*)/die **Chinesin, -nen** Chinese (*person*)

das **Chinesisch** Chinese (*language*)

der **Chirurg, -en** (*wk.*)/die **Chirurgin, -nen** surgeon

chirurgisch surgical(ly)

chronologisch chronological(ly)

der **Computer, -** computer

die **Computerfirma, -firmen** computer company

die **Computertechnologie, -n** computer technology

D

da there; (*subord. conj.*) since, because

dabei thereby, in so doing

dabeihaben (hat ... dabei), hatte ... dabei, dabeigehabt to carry, have s.th. with o.s.

das **Dach, ⁻er** roof

dafür on behalf of it; instead of it

dagegen in comparison with; on the other hand

daheim (*adv.*) at home

daher from there; thus, so

dahin to that place, time, or state; away

dahinter behind it

dahinvegetieren, dahinvegetiert to live a miserable life, vegetate

damals then

die **Dame, -n** lady

damit with it; (*subord. conj.*) so that

danach after it

Dänemark Denmark

dänisch (*adj.*) Danish

der **Dank** gratitude

danke thank you; **vielen Dank** thank you very much

danken to thank

daran thereon

darauf thereupon; afterward, then

daraufhin then

daraus therefrom

darin therein, in there

darüber thereon, on that point; besides

darum therefore, on that account

darunter there; less

das (*def. art.*) the; (*dem. pron.*) this, that

dasitzen, saß ... da, dagesessen to sit there

dasselbe the same

das **Datum,** *pl.* **Daten** date; die **Daten** (*pl.*) data

dauern to last

dauernd continuously

davon therefrom; of, by; hence

davonfahren (fährt ... davon), fuhr ... davon, ist

davongefahren to drive away
dazu for that purpose; moreover
die **Decke, -n** blanket; ceiling
decken to cover
definieren, definiert to define
die **Definition, -en** definition
deftig hearty, strong
dehnen to stretch, extend
dein (*infor. sg.*) your
deinetwegen on your account, for
　your sake
die **Dekoration, -en** decoration,
　adornment
die **Demokratie, -n** democracy
demokratisch democratic
die **Demonstration, -en**
　demonstration
die **Demoskopie** opinion poll
denken (**an** + *acc.*), **dachte,**
　gedacht to think (of); to reflect
denn (*coord. conj.*) for, because
dennoch yet, still, however,
　nevertheless
das **Deodorant, -s** deodorant
deppert (*Bavarian dialect*) stupid,
　silly, idiotic
deprimieren, deprimiert to
　depress
der (*def. art.*) the; (*dem. pron.*)
　this, that
deshalb therefore, for that reason
desinfizieren, desinfiziert to
　disinfect
desto the, so much; **je mehr, desto**
　besser the more, the better
deswegen for that very reason,
　therefore
das **Detail, -s** detail
deutlich distinct, clear, evident
deutsch (*adj.*) German
(das) **Deutsch** German (*language*);
　auf deutsch in German
der/die **Deutsche, -n** (**ein**
　Deutscher) German (*person*)
der **Deutschkurs** German course
(das) **Deutschland** Germany
der **Deutschprofessor, -en**/die
　Deutschprofessorin, -nen
　German teacher, German
　professor
die **Deutschprüfung, -en** German
　test
deutschsprachig German-speaking
deutschstämmig of German
　descent

der **Deutschtest, -s** German test
der **Deutschunterricht** German
　lesson
der **Dezember, -** December
der **Dialekt, -e** dialect
der **Dialog, -e** dialogue
der **Diamant, -en** (*wk.*) diamond
die **Diät, -en** diet
dicht thick, dense
der **Dichter, -**/die **Dichterin, -nen**
　poet
die **Dichterlesung, -en** poetry
　reading
dick fat, thick
didaktisch didactic, instructional
die (*def. art.*) the; (*dem. pron.*)
　this, that
diejenige those
der **Dienstag, -e** Tuesday
dieser this, that
diesmal this time
die **Diktatur, -en** dictatorship
das **Ding, -e** thing
direkt direct(ly)
die **Direktion, -en** management
der **Direktor, -en**/die **Direktorin,**
　-nen director
die **Diskussion, -en** discussion
der **Diskussionspunkt, -e** focus of
　(a) discussion
diskutieren, diskutiert to discuss
diszipliniert disciplined
die **D-Mark (deutsche Mark)**
　German mark
doch oh yes, of course
dogmatisch dogmatic(ally)
der **Dollar, -s** dollar
der **Dom, -e** cathedral
dominieren, dominiert to
　dominate
dominierend dominant,
　dominating
die **Donau** Danube (River)
der **Donnerstag, -e** Thursday
doof stupid; simple
das **Doppelbett, -en** double bed
das **Doppelzimmer, -** double room
　(*in a hotel*)
dorthin there (to)
die **Dose, -n** can
der **Dosenöffner, -** can opener
die **Dosis,** *pl.* **Dosen** dose
der **Drachen, -** dragon
der **Dramatiker, -**/die
　Dramatikerin, -en playwright

dramatisch dramatic
dran see: **daran**
drastisch drastic
draußen outside
der **Dreck** dirt
dreckig dirty
drehen to turn; to twist
drei three
dreihundert three hundred
dreijährig for three years
dreimal three times
dreißig thirty
dreizehn thirteen
drin see: **darin**
dringend urgent(ly)
das **Drittel-** third
die **Droge, -n** drug
die **Drogerie, -n** drugstore
der **Drogerieartikel, -** item sold in
　a drugstore
drohen to threaten
drüben over there; on the other
　side
der **Dschungel, -** jungle
dumm stupid
dunkel dark
dünn thin
durch (+ *acc.*) through
durcheinander in confusion
durchorganisieren,
　durchorganisiert to organize
der **Durchschnitt** average
die **Durchschnittsnote, -n** grade
　point average (GPA)
durchschwimmen,
　durchschwamm,
　durchschwommen to swim
　through
dürfen (darf), durfte, gedurft to
　be allowed to, may
der **Durst** thirst
durstig thirsty
die **Dusche, -n** shower
duschen to (take a) shower

E

eben simply; just now; flat
die **Ebene, -n** plain
ebenfalls likewise, also
ebenso just as
echt original
die **Ecke, -n** corner
die **Eckkneipe, -n** corner bar
egal equal; all the same; **Das ist**

mir egal. I don't care.
egoistisch egotistical
die Ehe, -n marriage
der Ehebruch, ̈-e adultery
der Ehemann, ̈-er husband
**der Ehepartner, -/die
Ehepartnerin, -nen** husband/
wife, spouse
eher rather; earlier
ehrlich honest(ly)
das Ei, -er egg
eifersüchtig jealous
eifrig eager
eigen own
eigentlich actually; really
eigenwillig self-willed
die Eile hurry
eilig hurried, rushed; **es eilig
haben** to be in a hurry
der Eimer, - bucket
ein a(n); one
die Einbahnstraße, -n one-way
street
**eindringen, drang . . . ein, ist
eingedrungen** to break in, enter
by force
der Eindruck, ̈-e impression
einerseits on the one hand
einfach simple
das Einfamilienhaus, ̈-er one-
family house
einführen, eingeführt to
introduce
die Einführung, -en introduction
die Eingangshalle, -n entry hall
eingebildet arrogant
**eingehen, ging . . . ein, ist
eingegangen** to agree; to go in
einige (*pl.*) a few, several
sich einigen to agree
einkaufen, eingekauft to buy
der Einkaufsbummel, - shopping
stroll
die Einkaufsgewohnheit, -en
shopping habit
die Einkaufsliste, -n shopping list
das Einkaufszentrum, -zentren
shopping mall
**einladen (lädt . . . ein), lud . . .
ein, eingeladen** to invite
die Einladung, -en invitation
einmal once; a single order; **auf
einmal** all at once; **noch einmal**
once again
einmarschieren, ist ein-

marschiert to march in; to
occupy
einpacken, eingepackt to pack
die Einreise, -n entry
einreisen, ist eingereist to enter
(*a country*)
die Einrichtung, -en arrangement;
furniture
eins one
einsam lonely
**einschlafen (schläft . . .
ein), schlief . . . ein, ist
eingeschlafen** to fall asleep
einschließlich including
**einschreiben, schrieb . . . ein,
eingeschrieben** to inscribe; to
enroll
einsetzen, eingesetzt to put in,
insert
**einsteigen, stieg . . . ein, ist
eingestiegen** to enter; to board
**(sich) einstellen (auf + *acc.*),
eingestellt** to adjust (o.s. to)
einstöckig single story (*house*)
einteilig consisting of one part
**eintreten (in + *acc.*) (tritt . . .
ein), trat . . . ein, ist
eingetreten** to enter; to join (*a
club*)
der Eintritt, -e entry
einwechseln, eingewechselt to
change
**einwerfen (wirft . . . ein), warf
. . . ein, eingeworfen** to throw
in; break by throwing
**der Einwohner, -/die Ein-
wohnerin, -nen** inhabitant
**der Einzelgänger, -/die
Einzelgängerin, -nen**
individualist, lone wolf
das Einzelhandelsgeschäft, -e
retail shop
die Einzelheit, -en detail
das Einzelzimmer, - single room
(*in a hotel*)
**einziehen, zog . . . ein, ist
eingezogen** to move in
einzig single, only
das Eis ice(cream)
der Eisbecher, - ice cream sundae
das Eishockey ice hockey
der Eiskaffee, -s iced coffee
eiskalt ice-cold
die Elbe Elbe (River)
elegant elegant

elektrisch electric
der Ellbogen, ̈- elbow
die Eltern (*pl.*) parents
**sich emanzipieren (von + *dat.*),
emanzipiert** to emancipate
(from)
die Emanzipierung, -en
emancipation
der Empfang, ̈-e reception
**empfangen (empfängt),
empfing, empfangen** to receive
**der Empfangschef, -s/die
Empfangschefin, -nen**
receptionist (*in a hotel*)
**empfehlen (empfiehlt), empfahl,
empfohlen** to recommend
die Empfehlung, -en
recommendation
**empfinden, empfand,
empfunden** to feel
die Empfindung, -en feeling,
sentiment
empört sein to be upset
das Ende, -n end
enden to end
der Endiviensalat, -e endive salad
endlich finally
die Endstation, -en terminal; end
of the line
die Endung, -en ending
die Energie, -n energy
die Energiemöglichkeit, -en
possibility of generating energy
die Energiequelle, -n source of
energy
die Energiereserve, -n energy
reserve
die Energieversorgung, -en
energy supply
energisch energetic(ally)
eng tight; narrow
(sich) engagieren, engagiert to
engage; to take an interest in
(das) England England
**der Engländer, -/die Engländerin,
-nen** Englishman/Englishwoman
(das) Englisch English (*language*);
auf englisch in English
**der Englischlehrer, -/die
Englischlehrerin, -nen** English
teacher
der Enkel, -/die Enkelin, -nen
grandson/granddaughter
das Enkelkind, -er grandchild
enorm enormous

entbinden, entband, entbunden
to give birth
entdecken, entdeckt to discover
die **Entfernung, -en** distance
entfernt distant
**entgegennehmen (nimmt . . .
entgegen), nahm . . . entgegen,
entgegengenommen** to accept;
to receive
**enthalten (enthält), enthielt,
enthalten** to contain
enthusiastisch enthusiastic
entlang along
**entlanggehen, ging . . . entlang,
ist entlanggegangen** to walk
along(side)
**entlassen (entläßt), entließ,
entlassen** to dismiss, discharge
die **Entlassung, -en** dismissal;
release
**entnehmen (entnimmt),
entnahm, entnommen** to take
from
**sich entscheiden, entschied,
entschieden** to decide
die **Entscheidung, -en** decision
**(sich) entschließen, entschloß,
entschlossen** to decide
sich entschuldigen, entschuldigt
to excuse o.s.
die **Entschuldigung, -en** excuse,
apology; **Entschuldigung** excuse
me
**entspringen, entsprang, ist
entsprungen** to originate in
**entstehen, entstand, ist
entstanden** to emerge; to
originate
entweder . . . oder (*coord. conj.*)
either . . . or
entwickeln, entwickelt to develop
er he; it
**sich erbrechen (erbricht),
erbrach, erbrechen** to vomit
die **Erbse, -n** pea
die **Erdbeere, -n** strawberry
die **Erde** earth
das **Erdgeschoß, -geschosse**
ground floor
die **Erdkunde** geography
das **Ereignis, -se** event
erfahren, erfuhr, erfahren to
find out; to experience
erfahren experienced
die **Erfahrung, -en** experience

erfinden, erfand, erfunden to
invent, discover
die **Erfindung, -en** invention
der **Erfolg, -e** success
erfolgreich successful
erfragen, erfragt to ask, inquire
erfüllen, erfüllt to fulfill
ergänzen, ergänzt to complete
die **Ergänzung, -en** completion
die **Erhebung, -en** elevation
erhitzen, erhitzt to heat up
sich erholen, erholt to relax
sich erinnern, erinnert to
remember
die **Erinnerung, -en** memory,
recollection
sich erkälten, erkältet to catch a
cold
die **Erkältung, -en** cold
erkennen, erkannte, erkannt to
recognize
erklären, erklärt to explain
sich erkundigen, erkundigt to
inquire
erlauben, erlaubt to allow
erläutern, erläutert to explain
erleben, erlebt to experience
das **Erlebnis, -se** experience
erlernen, erlernt to learn
erleuchtet illuminated
ermöglichen, ermöglicht to
render; to make possible
(sich) ernähren, ernährt to feed
(o.s.); to support
die **Ernährung** nourishment, food
erneuern, erneuert to renew
erobern, erobert to conquer
eröffnen, eröffnet to open
erreichen, erreicht to reach
**(sich) erschrecken, erschrak,
erschrocken** to be frightened; to
frighten
ersetzen, ersetzt to replace
die **Ersparnisse** (*pl.*) savings
erst only; first
erstmal at first
erstaunlich astonishing(ly)
erstaunt amazed
sich erstrecken, erstreckt to
extend, stretch; to run
erteilen, erteilt to give, grant
**erwachsen, erwuchs, ist
erwachsen** to grow; to amount to
der/die **Erwachsene, -n** (ein
Erwachsener) adult

erwarten, erwartet to expect
erwecken, erweckt to rouse, wake
sich erweisen, erwies, erwiesen
to prove
erwischen, erwischt to catch
erwünscht desired
erzählen, erzählt to tell
die **Erzählung, -en** story, narrative
erziehen, erzog, erzogen to
educate
es it
essen (ißt), aß, gegessen to eat
das **Essen, -** food
die **Essenskasse, -n** food money
der **Essig** vinegar
der **Eßlöffel, -** spoon
das **Eßzimmer, -** dining room
die **Etage, -n** floor, story, tier
das **Etagenbett, -en** bunk bed
etwa perhaps
etwas a little
euer (*infor. pl.*) your
euretwegen on your behalf,
because of you
(das) **Europa** Europe
der **Europäer, -**/die **Europäerin,
-nen** European (*person*)
europäisch (*adj.*) European
die **Euthanasie** euthanasia
ewig forever
das **Examen, -** exam
existieren, existiert to exist
exklusiv exclusive
experimentell experimental
**experimentieren,
experimentiert** to experiment
der **Export** export
exportieren, exportiert to export
das **Extra, -s** special addition; **extra**
some (additional); extra; (*coll.*)
specially
extrem extreme(ly)
exzentrisch eccentric
exzessiv excessive(ly)

F

die **Fabel, -n** fable, story
die **Fabrik, -en** factory
der **Fabrikarbeiter, -**/die
Fabrikarbeiterin, -nen factory
worker
das **Fach, ̈er** subject
die **Fachbetreuung, -en** advising
on a subject

der **Gehweg, -e** sidewalk
die **Geisel, -n** hostage
geistig spiritual
geizig tight, stingy
gekocht boiled
gelangweilt bored
gelb yellow
das **Geld** money
die **Geldbörse, -n** money bag
der **Geldwechsel** currency exchange
das **Gelee, -s** jelly
die **Gelegenheit, -en** opportunity
der/die **Gelehrte, -n** (ein **Gelehrter**) scholar
gell? (*dialect*) right?
das **Gemälde, -** painting
die **Gemeinde, -n** community; municipality
gemeinsam together
die **Gemeinschaftsküche, -n** shared kitchen
gemischt mixed
das **Gemüse, -** vegetable
die **Gemüsebrühe, -n** vegetable broth
gemütlich comfortable, cozy
die **Gemütlichkeit** comfort, coziness
genau exact(ly); **genauso wie** exactly as
die **Generation, -en** generation
der **Generationskonflikt, -e** generation conflict
genießen, genoß, genossen to enjoy
der **Genosse, -n** comrade
genug enough, sufficient
genügen, genügt to be sufficient
das **Gepäck** baggage, luggage
der **Gepäckschalter, -** luggage window
der **Gepard, -e** hunting leopard
gepflastert paved
gerade right now
geradeaus straight ahead
das **Gerät, -e** appliance
geräuchert smoked (*food*)
geräumig spacious
das **Geräusch, -e** sound
das **Gericht, -e** dish, course; courthouse
gering slight, minimal
die **Germanistik** German philology

gern(e) *with verb:* to like to, enjoy
der **Geruch, -̈e** smell
das **Gesäß, -e** bottom; seat
gesamt entire
geschädigt damaged
das **Geschäft, -e** shop, store
geschäftlich businesslike, commercial
die **Geschäftsabwicklung, -en** way to do business
die **Geschäftsfrau, -en**/der **Geschäftsmann** *pl.* die **Geschäftsleute** businesswoman/businessman
die **Geschäftsreise, -n** business trip
der **Geschäftsschluß** store closing time
die **Geschäftszeit, -en** business hours
das **Geschenk, -e** present
die **Geschichte, -n** story; history
das **Geschick** skill
geschickt skilled; capable
das **Geschirr** dishes
die **Geschirrspülmaschine, -n** dishwasher
das **Geschlecht, -er** gender
geschlechtsspezifisch gender specific
der **Geschmack, -̈er** taste
geschmacklos tasteless
die **Geschmacksache** matter of taste
die **Geschmacksfrage, -n** question of taste
geschmackvoll tasteful; stylish
geschmolzen melted
geschnetzelt cut; sliced; shredded
die **Geschwindigkeit, -en** speed
die **Geschwister** (*pl.*) brother(s) and sister(s), siblings
geschwollen swollen
das **Geschwür, -e** ulcer; abscess
die **Gesellschaft, -en** society
das **Gesetz, -e** law
der **Gesetzgeber, -** legislator
gesetzlich by law
das **Gesicht, -er** face
das **Gespräch, -e** conversation
das **Geständnis, -se** confession
gestern yesterday
gestreift striped
das **Gesuch, -e** petition
gesund healthy

die **Gesundheit** health
gesundheitsgefährdend damaging to (one's) health
das **Getränk, -e** drink
das **Gewässer, -** body of water
die **Gewerkschaft, -en** union
das **Gewissen** conscience
sich gewöhnen (**an** + *acc.*), **gewöhnt** to get used (to), accustomed (to)
das **Gewürz, -e** spice
gießen, goß, gegossen to pour; to spill; to sprinkle
der **Gipfel, -** summit, top, peak
der **Gips, -e** gypsum; stucco
der **Gipsverband, -̈e** cast
die **Gitarre, -n** guitar
der **Gitarrist, -en** (*wk.*)/die **Gitarristin, -nen** guitar player
das **Gitter, -** lattice; fence
der **Glanz** brightness, gloss, polish, shine
glänzen to shine, glitter, sparkle
glänzend shiny; splendid
das **Glas, -̈er** glass; drinking glass
der **Glaspalast, -̈e** glass palace
der **Glaube, -n** faith, belief
glauben to believe
gleich (*adj.*) same, like, equal; (*adv.*) alike, exactly, just, immediately
gleichgültig indifferent to, unconcerned about s.th.
gleichnamig of the same name
gleichzeitig contemporary, simultaneous
das **Gleis, -e** (railroad/tram/trolley) track, rail, line
das **Glied, -er** limb; member
das **Glück** luck, fortune
glücklich lucky, happy
die **Glücksfarbe, -n** lucky color
gnädig merciful, kind, favorable
das **Gold** gold
golden gold, golden
der **Goldfisch, -e** goldfish
der **Golf** (**VW**) VW Rabbit
(das) **Golf** golf (*game*)
der **Gott, -̈er**/die **Göttin, -nen** goddess
das **Grab, -̈er** grave, tomb
graben (**gräbt**), **grub, gegraben** to dig
die **Grammatik, -en** grammar

das **Gras, ⸚er** grass
gräßlich terrible, shocking, horrible
die **Gratulation, -en** congratulations
gratulieren, gratuliert to congratulate
grau gray
das **Graubrot, -e** brown bread
greifen, griff, gegriffin to grab; to seize
die **Grenze, -n** border, frontier
grenzen (an + acc.) to border, to limit
die **Grenzlinie, -n** border line
der **Grenzübergang, ⸚e** border crossing, checkpoint
(das) **Griechenland** Greece
griechisch (adj.) Greek
der **Grill, -s** grill
grillen to grill
die **Grippe** influenza, flu
groß big, large, tall
(das) **Großbritannien** Great Britain
die **Großeltern** (pl.) grandparents
die **Großmutter, ⸚** grandmother
die **Großstadt, ⸚e** large city (over 100,000)
der **Großvater, ⸚** grandfather
großwerden (wird ... groß), wurde ... groß, ist groß- geworden to grow up
großzügig generous
die **Grube, -n** mine, pit, hole
Gruezi! (Swiss dialect) Good day!
grün green; **im Grünen** in the countryside
der **Grund, ⸚e** reason
das **Grundgesetz, -e** statute, constitution of West Germany
die **Grundlage, -n** basis, foundation
gründlich thorough(ly)
grundsätzlich fundamental(ly)
die **Grundschule, -n** elementary school
die **Grünen** Greens (political party in West Germany that is especially concerned about environmental issues)
die **Gruppe, -n** group
der **Gruß, ⸚e** greeting
grüßen to greet
das **Gummi, -s** rubber, gum

der **Gummibaum, ⸚e** rubber tree
günstig advantageous; kind, gracious
gurgeln to gargle
das **Gürkchen, -** small pickled gherkin
die **Gurke, -n** cucumber, gherkin
der **Gürtel, -** belt
gut good; **Guten Tag!** Good day!
der **Gymnasiallehrer, -/die Gymnasiallehrerin, -nen** high school teacher
das **Gymnasium** pl. **Gymnasien** high school
die **Gymnastik, -en** gymnastics

H

das **Haar, -e** hair
die **Haaresbreite** hair's breadth; **um Haaresbreite** nearly
haben (hat), hatte, gehabt to have; **gern haben** to like (s.o. or s.th.)
hacken to chop, to hash
das **Hackfleisch** minced meat; hamburger meat
der **Hafen, ⸚** harbor
die **Haferflocke, -n** oatmeal
das **Hähnchen, -** grilled chicken
halb half; **halb sieben** 6:30
die **Halbinsel, -n** peninsula
die **Hälfte, -n** half
die **Halle, -n** hall
die **Hallig, -en** small islands in the north of Germany
der **Hals, ⸚e** neck; throat
der **Halsschmerz, -en** throat pain
halten (hält), hielt, gehalten to hold; to stop; **Halt!** Stop!
das **Halteverbot, -e** no parking (zone)
die **Haltung, -en** bearing; attitude
die **Hand, ⸚e** hand
handeln to act; to deal
das **Handgelenk, -e** wrist
der **Händler, -** dealer
der **Handschuh, -e** glove
das **Handtuch, ⸚er** towel
das **Handwerk, -e** trade; **handwerkliches Geschick haben** to be skilled with one's hands
der **Hang, ⸚e** slope; **einen Hang zu etwas haben** to be inclined to s.th.

die **Hansestadt, ⸚e** the West German cities of Bremen, Hamburg, and Lübeck; historically a union of European trade cities founded in the 11th century
hart hard
hartgekocht hard-boiled
hartnäckig stubborn
die **Haselnuß** pl. **Haselnüsse** hazelnut
die **Hasenkeule, -n** leg of rabbit
die **Haube, -n** cap, bonnet; hood (of a car)
häufig often
die **Häufigkeit, -en** frequency
das **Hauptgericht, -e** main course
die **Hauptrolle, -n** lead role
hauptsächlich mainly
der **Hauptsatz, ⸚e** main clause
die **Hauptschule, -n** intermediate school
die **Hauptstadt, ⸚e** capital city
das **Haus, ⸚er** house
die **Hausarbeit, -en** housework
der **Hausarzt, ⸚e/die Hausärztin, -nen** personal care physician
die **Hausaufgabe, -n** homework
der **Hausbesitzer, -** homeowner
das **Hausboot, -e** houseboat
der **Hausdiener, -** servant
die **Hausfrau, -en** housewife, homemaker
hausgemacht homemade
der **Haushalt, -e** household
der **Haushaltsgegenstand, ⸚e** kitchen utensil
das **Haushaltsgerät, -e** household appliance
die **Haushaltshilfe, -n** maid
der **Hausmann, ⸚er** houseman, husband who stays home and takes care of the household
die **Hausmarke, -n** trademark
der **Hausmeister, -** janitor
das **Hausmittel, -** homemade remedy
der **Hausschlüssel, -** house key
hautnah very close (physically)
das **Heft, -e** notebook
das **Heilbad, ⸚er** spa
heilen to heal
heilig holy
der/die **Heilige, -n** (ein **Heiliger**) saint

die **Heimat** home

das **Heimatland, ̈-er** homeland

heimgehen, ging . . . heim, ist heimgegangen to go home

heimlich secretive(ly)

die **Heirat, -en** marriage

heiraten to marry

die **Heiratsanzeige, -n** marriage announcement

heiß hot

heißen, hieß, geheißen to be named, called; **das heißt (d.h.)** that is

die **Heizung, -en** heating

hektisch hectic

helfen (hilft), half, geholfen to help

Helgoland island in the North Sea

hell light, bright

hellblond light blond

das **Hemd, -en** shirt

her *direction toward;* **hin und her** to and fro

heraus out of

herausfinden, fand . . . heraus, herausgefunden to find out

der **Herbst** fall, autumn

der **Herd, -e** stove

die **Herde, -n** flock

das **Herdentier, -e** gregarious animal (*pejoratively used for people with lack of individuality*)

herein in; **Herein!** Come in!

der **Heringssalat, -e** *fish cocktail*

die **Herkunft, ̈-e** descent, origin

der **Herr, -en** (*wk.*) Mr.; gentleman

das **Herrchen, -** *diminutive term used by pet owners when talking about themselves to their animals*

herstellen, hergestellt to produce

herüber over, to this side

herum around, round about

herumlaufen (läuft . . . herum), lief . . . herum, ist herumgelaufen to run around s.th.

herumliegen, lag . . . herum, herumgelegen to lie around

sich herumschlagen mit (+ *dat.*), (**schlägt . . . herum**), **schlug . . . herum, herumgeschlagen** to deal with (*s.th. that one does not want to deal with*)

herumstehen (steht . . . herum), stand . . . herum, herumgestanden to stand around

herunter down

das **Herz, -en** heart

herzlich hearty; cordial

heuer (*Bavarian dialect*) today; this year

heute today; **heute abend** this evening, tonight

heutzutage nowadays

hier here

die **Hilfe, -n** help

hilfsbereit helpful

das **Hilfsverb, -en** auxiliary verb

der **Himmel, -** sky; heaven

die **Himmelsrichtung, -en** point of the compass

himmlisch heavenly

hin *direction away from;* **hin und zurück** round trip, to and from

hinauf up to/toward

hinauffahren (fährt . . . hinauf), fuhr . . . hinauf, ist hinaufgefahren to drive/ride up to

hinaus out

hinbauen, hingebaut to build (*s.th. at a specific place*)

das **Hindernis, -se** barrier, obstacle

hinein in

hineingehen, ging . . . hinein, ist hineingegangen to go in

hineingießen, goß hinein, hineingegossen to pour (*s.th.*) out

hinfahren (fährt . . . hin), fuhr . . . hin, ist hingefahren to drive to

hingehen to go to; to die

die **Hinfahrt, -en** the drive there (*to a place*)

hinken to limp; to go lame

sich hinsetzen, hingesetzt to sit down

hinter (+ *dat./acc.*) behind

hinüber over there, across, beyond

hinübergehen, ging . . . hinüber, ist hinübergegangen to walk across

hinunter down, downward

hinunterfahren (fährt . . . hinunter), fuhr . . . hinunter, ist hinuntergefahren to drive down(ward)

hinzu to, toward; in addition to

das **Hirschragout, -s** venison stew

historisch historic(al)

die **Hitze** heat

das **Hobbie, -s** hobby

hoch/hoh- (+ *ending that begins with* **e**) tall; high(ly)

(das) **Hochdeutsch** standard German

hochindustrialisiert highly industrialized

höchstens at the most

die **Höchstgeschwindigkeit, -en** maximum speed

der **Hochzeit, -en** wedding

der **Hof, ̈-e** courtyard; farm

hoffen to hope

hoffentlich hopefully

höflich polite

holen to go get, fetch

der **Holländer, -/**die **Holländerin, -nen** Dutch (*person*)

(das) **Holländisch** Dutch (*language*)

holländisch (*adj.*) Dutch

das **Holz, ̈-er** wood

die **Homosexualität** homosexuality

der **Honig** honey

hören to listen

das **Horoskop, -e** horoscope

der **Hörsaal, ̈-e** lecture room, auditorium

die **Hose, -n** pants, trousers

das **Hotel, -s** hotel

die **Hotelleitung, -en** hotel management

hübsch cute, pretty

die **Hüfte, -n** hip

der **Hügel, -** hill

der **Hummer, -** lobster

der **Humor** sense of humor

der **Hund, -e** dog

das **Hündchen, -** little dog

das **Hundefutter, -** dog food

hundert hundred

hundertprozentig one hundred percent

der **Hunger** hunger

hungrig hungry

die **Hupe, -n** horn (*of a car*); siren

hupen to honk, sound a horn

husten to cough

der **Husten** cough

der **Hustensaft, ̈-e** cough syrup

der **Hut, ̈-e** hat

hüten to watch
der **Hüttenkäse, -** cottage cheese
der **Hypochonder, -** hypochondriac
hypochondrisch hypochondriac(al)
hysterisch hysterical

I

ich I
das **Ideal, -e** ideal
ideal ideal
idealistisch idealistic(ally)
die **Idee, -n** idea
identisch identical
der **Ideologe, -n** (*wk.*)/die **Ideologin, -nen** ideologist
die **Ideologie, -n** ideology
das **Idol, -e** idol
das **Idyll, -e** idyll
idyllisch idyllic, pastoral
ignorieren, ignoriert to ignore
ihr (*infor. pl.*) your; her, its, their
ihretwegen on her (its, their) account
die **Illusion, -en** illusion
immer always, ever
immerhin still, nevertheless, after all
der **Imperativ, -e** imperative mood
impfen to vaccinate
die **Impfung, -en** vaccination
imponieren, imponiert to impress
der **Import, -e** import
impulsiv impulsive
in (+ *acc./dat.*) in, on (*street*), into
inbegriffen including
Indien India
indirekt indirect
indiskret indiscreet, tactless
die **Indiskretion, -en** indiscretion
die **Individualität, -en** individuality
individuell individual, personal
die **Industrie, -n** industry
der **Industrieabfall, -̈e** industrial garbage
das **Industriegebiet, -e** industrial district
die **Industriegesellschaft, -en** industrial society
der **Industriekonzern, -e** industrial company

industriell industrial
der **Industriestaat, -en** industrial country
die **Industriestadt, -̈e** industrial city
der **Industriezweig, -e** branch of an industry
die **Infektion, -en** infection
die **Informatik** computer science
die **Information, -en** information
das **Informationsmaterial, -ien** informative material
informell informal(ly)
informieren, informiert to inform
informiert informed
der **Ingenieur, -e**/die **Ingenieurin, -nen** engineer
inhaftieren, inhaftiert to arrest
inklusive including
das **Inland** inland, interior
die **Inlingua** *name of a language school*
die **Innenstadt, -̈e** center of the city
das **Innere** interior, inside
innerhalb within, inside
insbesondere especially, in particular
die **Insel, -n** island
insgesamt all together
der **Inspektor, -en**/die **Inspektorin, -nen** inspector, supervisor
das **Institut, -e** institute, academy
das **Instrument, -e** instrument
intakt intact
intelligent intelligent
die **Intelligenz** intelligence
die **Interaktion, -en** interaction
der **Intercity** *fast train of the West German railroad system*
interessant interesting
das **Interesse, -n** interest
der **Interessent, -en** (*wk.*) interested party
interessieren, interessiert to interest; **sich interessieren (für** + *acc.*) to be interested (in s.th.)
international international
das **Interview, -s** interview
interviewen, interviewt to interview
intuitiv intuitive(ly)
investieren, investiert to invest

die **Investition, -en** investment
inwieweit to what extent
inzwischen in the meantime, meanwhile
irgendein- someone, anybody
irgendetwas, irgendwas something, anything
irgendwelche some, any
irgendwie anyhow, somehow
irgendwo anywhere, somewhere
der **Irokesenschnitt, -e** Mohawk (*haircut*)
irrelevant irrelevant
isoliert isolated
Italien Italy
der **Italiener, -**/die **Italienerin, -nen** Italian (*person*)
(das) **Italienisch** Italian (*language*)
italienisch (*adj.*) Italian

J

ja yes
die **Jacht, -en** yacht
die **Jacke, -n** jacket
die **Jagd, -en** chase, hunt, pursuit
jagen to chase, pursue
das **Jahr, -e** year
der **Jahresbeitrag, -̈e** annual subscription
die **Jahreszahl, -en** date, year
die **Jahreszeit, -en** season
das **Jahrhundert, -e** century
(**ein**)**jährig** one-year-old
der **Jahrmarkt, -̈e** market, fair
das **Jahrtausend, -e** millenium
der **Januar** January
Japan Japan
der **Japaner**/die **Japanerin, -nen** Japanese (*person*)
(das) **Japanisch** Japanese (*language*)
japanisch (*adj.*) Japanese
der **Jazz** jazz
die **Jazzgymnastik** jazz exercise/gymnastics
der **Jazztanz** jazz dance
je ever, always, each; **je (mehr) desto (lustiger)** the (more) the (merrier)
die **Jeans** (*pl.*) jeans
die **Jeansjacke, -en** jeans jacket
jedenfalls however, in any case
jeder each, every, any

jedesmal every time, always
jedoch however, nevertheless
jemals ever, at any time
jemand somebody, someone
jener that, that one; those who
jetzt now, at present
jeweils actual, at the moment
der **Job, -s** job
joggen to jog
das/der **Joghurt, -e** yogurt
die **Johannisbeeren** (*pl.*) red currants
der **Johannisbeergelee, -s** red currant jelly
der **Journalist, -en** (*wk.*)/die **Journalistin, -nen** journalist
die **Jugend** youth, young people
die **Jugendherberge, -n** youth hostel
die **Jugendkriminalität** juvenile crime
der/die **Jugendliche, -n** (ein **Jugendlicher**) young adult
Jugoslawien Yugoslavia
der **Juli** July
jung young
der **Junge, -n** boy
die **Jungfrau, -en** virgin, maid
der **Junggeselle, -n** bachelor
der **Juni** June
das **Juwel, -en** jewel

K

das **Kabarett, -e/-s** cabaret
die **Kabine, -n** cabin
das **Kabinett, -e/-s** cabinet, body of ministers
der **Kaffee, -s** coffee
das **Kaffeehaus, -̈er** café
die **Kaffeekanne, -n** coffeepot
die **Kaffeemaschine, -n** coffee maker
die **Kaffeetasse, -n** coffee cup
der **Käfig, -e** cage
kahl bare, naked; bold
der **Kakao, -s** cocoa
das **Kalb, -̈er** calf
der **Kalender, -** calendar
die **Kalendergeschichte, -n** calendar story
(das) **Kalifornien** California
kalt cold
die **Kälte** cold, chill; frigidity
das **Kamel, -e** camel

der **Kamillentee, -s** chamomile tea
der **Kamin, -e** chimney; fireplace
der **Kamm, -̈e** comb
kämmen to comb
(das) **Kanada** Canada
der **Kanadier, -**/die **Kanadierin, -nen** Canadian (*person*)
kanadisch (*adj.*) Canadian
der **Kanake, -n** insult (*swear word*)
die **Kanne, -n** can
die **Kantine, -n** canteen, mess
das **Kanton, -e** (Swiss) canton, district, province
die **Kantonalwahl, -en** *election for the parliament of a canton*
der **Kapitalismus** capitalism
das **Kapitel, -** chapter
kaputt broken; exhausted
kaputtschlagen (**schlägt... kaputt**), **schlug... kaputt, kaputtgeschlagen** to break
der **Karfreitag, -e** Good Friday
die **Karibik** Caribbean Sea
kariert checkered
der **Karneval, -s** carnival
die **Karosserie, -n** body (*of a car*)
die **Karriere, -n** career
die **Karte, -n** map; playing card; ticket
die **Kartenvorbestellung, -en** box office
die **Kartoffel, -n** potato
der **Käse, -** cheese
das **Käsebrot, -e** cheese sandwich
die **Kasse, -n** cashier, cash box; cash counter
der **Kassettenrecorder, -** cassette recorder
der **Kassierer, -**/die **Kassiererin, -nen** cashier
der **Kasus, -** case
der **Katarrh, -e** head cold, catarrh
die **Katastrophe, -n** catastrophe
der **Kater, -** tomcat; hangover
katholisch Catholic
die **Katze, -n** cat
das **Kauderwelsch** gibberish
kauen to chew
der **Kauf, -̈e** purchase
kaufen to buy
der **Käufer, -**/die **Käuferin, -nen** buyer, client
die **Kauffrau, -en**/der **Kaufmann, -̈er** merchant, shopkeeper
das **Kaugummi, -s** chewing gum

kaum hardly
die **Kaution, -en** deposit (*rent*)
der **Kaviar** caviar
kegeln to bowl
die **Kehle, -n** throat
kein no, not a, not any
der **Keller, -** cellar
der **Kellner, -**/die **Kellnerin, -nen** waiter/waitress
kennen, kannte, gekannt to know
kennenlernen, kennengelernt to come to know, get acquainted
die **Kenntnis, -se** knowledge
das **Kennwort, -e** password
das **Kennzeichen, -** distinguishing mark
kerngesund thoroughly healthy
die **Kerze, -n** candle
die **Kette, -n** chain
das **Kilo, -s** kilogram
der **Kilometer, -** kilometer
das **Kind, -er** child
der **Kindergarten, -̈** kindergarten
das **Kinderspiel, -e** child's play; **das ist ein Kinderspiel** that's easy
das **Kinderzimmer, -** child's room
die **Kindesmißhandlung, -en** child abuse
die **Kindheit, -en** childhood
das **Kino, -s** movie theater, cinema
der **Kiosk, -e** kiosk, newsstand
der **Kioskbesitzer, -**/die **Kioskbesitzerin, -nen** newsstand owner
die **Kirche, -n** church
die **Kirsche, -n** cherry
das **Kirschwasser, -** cherry brandy
das **Kissen, -** pillow
die **Kiste, -n** box, chest
die **Klammer, -n** parenthesis
klar clear; **Alles klar?/!** Everything OK?/Everything's OK!
klarkommen, kam... klar, ist klargekommen to get along, manage
klarmachen, klargemacht to explain
die **Klasse, -n** class; classroom
die **Klassenfahrt, -en** class trip
das **Klassenfest, -e** class party
der **Klassenverband, -̈e** class (union)
das **Klassenzimmer, -** classroom

klassisch classical
die **Klausur, -en** exam, test
das **Klavier, -e** piano
kleben to glue
das **Kleid, -er** dress
der **Kleiderkauf, ⸚e** shopping for clothes
die **Kleidung** clothing
das **Kleidungsstück, -e** article of clothing
klein small, little
die **Kleinanzeige, -n** classified ad
das **Kleingeld** small change
die **Kleinstadt, ⸚e** small city (under 100,000)
klettern, ist geklettert to climb
klingeln to ring
klingen, klang, geklungen to sound
das **Klischee, -s** cliché, stereotype
klopfen to knock
klug sharp, intelligent
das **Knäckebrot, -e** wheat cracker
knallen to burst, explode; die **Türe zuknallen** to close the door with a bang
die **Kneipe, -n** tavern, pub
der **Knoblauch** garlic
der **Knödel, -** dumpling
der **Knopf, ⸚e** button
knusprig crunchy
der **Koch, ⸚e**/die **Köchin, -nen** cook, chef
kochen to cook; to boil
die **Kochnische, -n** kitchenette
der **Koffer, -** suitcase
der **Kofferraum, ⸚e** trunk (of a car)
der **Kognak, -s** cognac, brandy
der **Kohl** cabbage
die **Kohle, -n** coal; (coll.) money
das **Kohlekraftwerk, -e** coal power plant
der **Kollege, -n** (wk.)/die **Kollegin, -nen** colleague
(das) **Kolumbien** Colombia
die **Kombination, -en** combination
der **Komfort** comfort
komfortabel comfortable; luxurious
komisch comical, funny; strange
kommen, kam, ist gekommen to come; **aus (Köln) kommen** to come from (Cologne)

die **Kommission, -en** committee
die **Kommode, -n** chest of drawers
der **Kommunismus** communism
kommunistisch communist
die **Komödie, -n** comedy
komplett complete(ly)
kompliziert complicated
der **Komponist, -en** (wk.)/die **Komponistin, -nen** composer
der **Konflikt, -e** conflict
der **Kongreß,** pl. die **Kongresse** conference
der **König, -e**/die **Königin, -nen** king/queen
der **Konjunktiv, -e** subjunctive (mood)
konkret concrete, real
konkurrenzfähig able to compete
können (kann), konnte, gekonnt to be able to, can; to know how to
die **Konsequenz, -en** consequence
konservativ conservative
der **Kontakt, -e** contact
die **Kontaktanzeige, -n** personal ad
der **Kontinent, -e** continent
kontra against, contra
der **Kontrast, -e** contrast
der **Kontrolleur, -e**/die **Kontrolleurin, -nen** controller
(sich) **konzentrieren, konzentriert** to concentrate
das **Konzert, -e** concert
der **Kopf, ⸚e** head
das **Kopfkissen, -** pillow
der **Kopfschmerz, -en** headache
die **Kopfschmerztablette, -n** headache pill
der **Körper, -** body
körperlich physical
das/der **Körperteil, -e** part of the body
der **Korridor, -e** corridor
korrigieren, korrigiert to correct
kostbar precious, valuable
kosten to cost; to taste
kostenlos free of charge
köstlich tasty, delicious
die **Krabbe, -n** shrimp
der **Krabbencocktail, -s** shrimp cocktail
das **Kraftfahrzeug, -e** vehicle
der **Kraftraum, ⸚e** weight room
der **Krampf, ⸚e** cramp, spasm

krank ill, sick
der/die **Kranke, -n** (ein **Kranker**) sick person, patient
der **Krankengymnast, -en** (wk.)/die **Krankengymnastin, -nen** physical therapist
das **Krankenhaus, ⸚er** hospital
der **Krankenpfleger, -**/die **Krankenpflegerin, -nen** nurse
die **Krankenschwester, -n** nurse
der **Krankenwagen, -** ambulance
die **Krankheit, -en** illness
krankschreiben, schrieb . . . krank, krankgeschrieben to declare ill
krankgeschrieben declared ill by a physician (so patient does not have to go back to work)
die **Kräuterbutter** herb butter
die **Krawatte, -n** tie
kreativ creative
der **Krebs** cancer
die **Kreditkarte, -n** credit card
die **Kreide** chalk
die **Kreuzfahrt, -en** cruise
die **Kreuzung, -en** intersection
das **Kreuzworträtsel, -** crossword puzzle
der **Krieg, -e** war
die **Kriegsgefangenschaft, -en** captivity as prisoner of war
die **Kriminalgeschichte, -n** mystery story
der **Kriminalroman, -e** mystery novel
kriminell criminal
der/die **Kriminelle, -n** (wk.)/(ein **Krimineller**) criminal (person)
die **Krimiserie, -n** crime series (on TV)
die **Krise, -n** crisis
die **Kritik, -en** criticism; review
kritisch critical
die **Krokette, -n** fried potato balls
das **Krokodil, -e** crocodile
die **Krücke, -n** crutch
der **Kubaner, -**/die **Kubanerin, -nen** Cuban (person)
die **Küche, -n** kitchen
der **Küchenschrank, ⸚e** kitchen cabinet
die **Kugel, -n** ball
der **Kugelschreiber, -** ballpoint pen
kühl cool

der **Kühlschrank, ⸚e** refrigerator
kultiviert cultured
die **Kultur, -en** culture
kulturell cultural(ly)
die **Kulturszene, -n** cultural scene
sich **kümmern (um + *acc.*),
gekümmert** to care (for); to
grieve
der **Kunde, -n** (*wk.*)/die **Kundin,
-nen** client
die **Kunst, ⸚e** art
die **Kunstakademie, -n** art school
die **Kunstfaser, -n** synthetic fiber
die **Kunstgeschichte, -n** art
history
die **Kunsthalle, -n** museum
der **Künstler, -/die Künstlerin,
-nen** artist
künstlerisch artistical(ly)
künstlich artificial
das **Kunstwerk, -e** work of art
der **Kurs, -e** (academic) course;
exchange rate of currency
das **Kurssystem, -** *courses in the
last three years of secondary
school*
kurz short(ly); **vor kurzem** a little
while ago; **seit kurzem** recently
die **Kurzarbeit, -en** reduction of
working time
kürzlich lately, recently
die **Kurznachrichten** (*pl.*) news in
brief
der **Kurzurlaub** short vacation
die **Kusine, -n** (*female*) cousin
der **Kuß,** *pl.* die **Küsse** kiss
küssen to kiss
die **Küste, -n** coast
die **Kutsche, -n** carriage, coach
der **Kutter, -** cutter (*ship*)

L

lachen to laugh
das **Lachen** laugh, laughter
der **Laden, ⸚** shop, store
das **Ladenschlußgesetz, -e** *law
regulating the closing time of
shops*
die **Lage, -n** situation; position,
location
die **Lampe, -n** lamp
das **Land, ⸚er** land, country
landen, ist (hat) gelandet to land
das **Länderfeature, -s** feature of a
country or state
das **Länderparlament, -e**
provincial/state parliament
die **Landeshauptstadt, ⸚e** capital
city, provincial capital
das **Landgasthaus, ⸚er** country inn
die **Landschaft, -en** landscape
landschaftlich scenic
die **Landstraße, -n** main road,
highway
die **Landwirtschaft, -** farming,
agriculture
lang long; tall; high; lengthy
die **Länge, -n** length; size
die **Langeweile** boredom
langsam slow
längst long ago, long since
langweilig boring
der **Lärm** noise
lassen (läßt), ließ, gelassen to let;
to leave alone
der **Lastwagen, -** truck, van
das **Latein** Latin
das **Lateinamerika** Latin America
die **Latinos** (*pl.*) Latinos
laufen (läuft), lief, ist gelaufen to
run
die **Laune, -n** mood, temper
laut loud, noisy
der **Lautsprecher, -** loudspeaker
die **Lautsprecherbox, -en** speaker
(*sound equipment*)
die **Lava** lava
leben to live
das **Leben, -** life
lebendig living, alive
lebensfroh light-hearted, vivacious
das **Lebensjahr, -e** year (of one's
life)
der **Lebenslauf, ⸚e** personal record,
curriculum vitae
die **Lebensmittel** (*pl.*) food,
groceries
das **Lebensmittelgeschäft, -e**
grocery store
die **Leber, -n** liver
die **Leblosigkeit** lifeless, dull,
spiritless
lecker delicious, tasty
das **Leder, -** leather
die **Lederjacke, -n** leather jacket
ledig unmarried, single
leer empty, vacant
legal legal
legen to lay, put down, place

die **Lehre, -n** apprenticeship
der **Lehrer, -/die Lehrerin, -nen**
teacher
die **Lehrstelle, -n** apprenticeship
der **Leib, -er** body
die **Leiche, -n** dead body, corpse
leicht easy, easily, lightly
leichtsinnig thoughtless, careless
leid: es tut mir leid I'm sorry
leiden, litt, gelitten to suffer, bear
das **Leiden, -** suffering
leidend suffering
leider unfortunately
leihen, lieh, geliehen to lend; to
borrow; to hire
die **Leine, -n** line, rope
leise low, soft, gentle
leisten to do, fulfill, produce; **sich
leisten** to afford
die **Leistung, -en** performance;
achievement, accomplishment
der **Leiter, -/die Leiterin, -nen**
leader, guide, director
die **Lektion, -en** lesson
lenken to lead, guide, direct
das **Lenkrad, ⸚er** steering wheel
lernen to learn; to study
lesen (liest), las, gelesen to read
das **Lesecafé, -s** café where
readings are given
der **Leser, -/die Leserin, -nen**
reader
das **Lesestück, -e** selection for
reading
die **Lesung, -en** reading
letzt- last
die **Leute** (*pl.*) people
das **Lexikon,** *pl.* die **Lexika**
dictionary, encyclopedia
liberal liberal
das **Licht, -er** light
die **Lichtanlage, -n** lighting system
lieb dear, beloved; kind
die **Liebe, -n** love
lieben to love
lieber rather, preferably
der **Liebesroman, -e** love story;
erotic novel
der **Liebhaber, -/die Liebhaberin,
-nen** lover
das **Lieblingsbuch, ⸚er** favorite
book
das **Lieblingsessen, -** favorite food
das **Lieblingsgetränk, -e** favorite
drink

der **Lieblingskurs, -e** favorite course

das **Lieblingslied, -er** favorite song

das **Lieblingsrestaurant, -s** favorite restaurant

die **Lieblingssendung, -en** favorite (TV) show

die **Lieblingsserie, -n** favorite (TV) series

das **Lied, -er** song

liegen, lag, gelegen to lie, recline, rest

liegenlassen (läßt ... liegen), ließ ... liegen, liegengelassen to leave (s.th.)

der **Lift, -e** elevator

der **Likör, -e** liqueur

die **Limonade, -n** lemonade, soft drink

die **Linde, -n** linden tree

der **Linguist, -en** (*wk.*)/die **Linguistin, -nen** linguist

die **Linguistik** linguistics

links left

die **Lippe, -n** lip

der **Lippenstift, -e** lipstick

die **Liste, -n** list, register

die **Literatur, -en** literature

das **Live-Konzert, -e** live concert

die **Live-Musikbegleitung, -en** live musical accompaniment

locken to attract, entice, coax

der **Löffel, -** spoon

logisch logical

der **Lohn, -̈e** payment, salary, reward

die **Lohnbedingungen** (*pl.*) salary conditions

sich lohnen to be worth; to pay; to reward

das **Lokal, -e** restaurant; bar

die **Lokomotive, -n** locomotive

das **Los, -e** lottery ticket; fate, destiny

los loose, slack; free; away

los: Was ist los? What's happening?

losen to bet

lösen to break off; to untie; to relax; to solve

losfahren (fährt ... los), fuhr ... los, ist losgefahren to drive away

die **Lösung, -en** solution, explanation

die **Lotterie, -n** lottery

(das) **Lotto, -s** lotto

der **Löwe, -n** (*wk.*) lion

die **Loyalität, -en** loyalty

die **Luft, -̈e** air

die **Luftverschmutzung, -en** air pollution

die **Lüge, -n** lie

lügen, log, gelogen to (tell a) lie

die **Lunge, -n** lung

die **Lust, -̈e** pleasure, joy, desire; **Hast du Lust?** Would you like to? **Ich habe keine Lust.** I don't feel like it.

lustig merry, funny

lustlos dull, inactive

luxeriös luxurious

der **Luxus** luxury

der **Luxustourismus** luxury-class tourism

M

machen to make; to do

die **Macht, -̈e** power, force

das **Mädchen, -** girl

der **Magen, -̈** stomach

die **Magenschmerzen** (*pl.*) stomach ache

mager skinny

mähen to mow, cut (grass)

die **Mahlzeit, -en** mealtime, lunch; **Mahlzeit!** Enjoy your meal!

der **Mai** May

das **Mal, -e** point of time; **zum (ersten) Mal** for the ... time

mal (*emphatic word*) just; **(drei)mal** (three) times

malen to paint; to portray

die **Mama, -s** mama

man one, people, they

der **Manager, -**/die **Managerin, -nen** manager

mancher some

manchmal sometimes

die **Mandel, -n** almond

der **Mann, -̈er** man

die **Mannschaft, -en** team

der **Mantel, -̈** coat

die **Margarine, -n** margarine

die **Mark** German mark (*currency*)

die **Markenbutter** real butter

der **Markt, -̈e** market

der **Marktplatz, -̈e** marketplace

die **Marmelade, -n** jam

der **Marokkaner, -**/die

Marokkanerin, -nen Moroccan (*person*)

(das) **Marokko** Morocco

marschieren, ist marschiert to march

der **Marxismus** Marxism

der **März** March

die **Maschine, -n** machine

der **Maschinenbau** mechanical engineering

die **Maschinenpistole, -n** machine gun

das **Maß, -e** measurement

die **Massage, -n** massage

die **Maßangabe, -n** measurement

die **Mathematik** mathematics

die **Matheprüfung, -en** math test

die **Matrikelnummer, -n** student registration number

die **Matura, -s** *examination at the end of secondary school in Austria*

die **Mauer, -n** wall

die **Maus, -̈e** mouse

maximal maximum

die **Mayonnaise, -n** mayonnaise

der **Mechaniker, -**/die **Mechanikerin, -nen** mechanic

das **Medikament, -e** medicine, drug

das **Medium,** *pl.* die **Medien** medium, *pl.* media

die **Medizin** (science of) medicine

medizinisch medical

das **Meer, -e** sea, ocean

mehr more

mehrere (*pl.*) several

die **Mehrheit, -en** majority

mehrmals again and again, several times

die **Meile, -n** mile

mein my

meinen to mean

meinetwegen for my sake; as far as I'm concerned

die **Meinung, -en** opinion

die **Meinungsäußerung, -en** expression of opinion

meist most

meistens mostly, usually

der **Meister, -** master

melden to register

die **Meldepflicht, -en** obligation to report/register

die **Melodie, -n** melody

die **Menge, -n** amount; crowd
die **Mengenangabe, -n** quantity, indication of quantity
die **Mensa,** *pl.* die **Mensen** student cafeteria at a university
der **Mensch, -en** (*wk.*) human being, person
menschenreich populous
die **Menschheit** humanity
menschlich human
das **Menschsein** being human
merken to realize; to remember
merkwürdig strange
die **Messe, -n** fair
messen (mißt), maß, gemessen to measure
das **Messer, -** knife
das **Metall, -e** metal
die **Metallfabrik, -en** metal factory
die **Metallplakette, -n** metal sticker
der **Meter, -** meter
die **Metropole, -n** metropolis
der **Metzger, -** butcher
die **Metzgerei, -en** butcher shop
der **Mexikaner, -/die Mexikanerin, -nen** Mexican (*person*)
mexikanisch (*adj.*) Mexican
(das) **Mexiko** Mexico
miauen to meow
die **Miene, -n** look, air
die **Miete, -n** rent
mieten to rent
der **Mietpreis, -e** rent
der **Mikrowellenherd, -e** microwave oven
die **Milch** milk
das **Militär** military
der **Militärdienst, -e** military service
die **Milliarde, -n** billion
das **Milligramm** milligram
die **Million, -en** million
das **Minarett, -e** minaret
die **Minderheit, -en** minority
minderwertig inferior
mindestens at least
die **Mineralquelle, -n** mineral spring
das **Mineralwasser, -** mineral water
die **Minorität, -en** minority
die **Minute, -n** minute
mißtrauen, mißtraut to mistrust
das **Mißtrauen** mistrust
der **Mist** dung, manure; trash
mit (+ *dat.*) with; in the company of; by (*means of transportation*)
die **Mitarbeit, -en** participation
der **Mitarbeiter, -/die Mitarbeiterin, -nen** co-worker, colleague
mitbringen, brachte . . . mit, mitgebracht to bring (along)
miteinander with one another, with each other
mitfahren (fährt . . . mit), fuhr . . . mit, ist mitgefahren to come along for a ride
das **Mitglied, -er** member
mitkommen, kam . . . mit, ist mitgekommen to come along
mitnehmen (nimmt . . . mit), nahm . . . mit, mitgenommen to take with one
der **Mitstudent, -en** (*wk.*)/die **Mitstudentin, -nen** fellow student
der **Mittag, -e** midday
das **Mittagessen, -** lunch
mittags at noon, middays
die **Mittagspause, -n** lunch break
der **Mittagsschlaf** siesta, nap
die **Mittagszeit** noon, midday, lunch time
die **Mitte** middle
das **Mittel, -** remedy
(das) **Mitteleuropa** Central Europe
das **Mittelgebirge, -** low mountain range
das **Mittelmeer** Mediterranean Sea
mitten midway
die **Mitternacht, ̈e** midnight
mittlerweile in the meantime
(der) **Mittwoch** Wednesday
der **Mittwochabend, -e** Wednesday night
mitverursachen, mitverursacht to be partially responsible
Möbel (*pl.*) furniture; das **Möbelstück, -e** piece of furniture
möbliert furnished
das **Modell, -e** model
der **Modellversuch, -e** attempt at modeling
modern modern
modernisieren, modernisert to modernize
mögen (mag), mochte, gemocht to like; **ich möchte** I would like to
möglich possible; **möglichst** as (much) as possible
die **Möglichkeit, -en** possibility
die **Möhre, -n** carrot
der **Moment, -e** moment
der **Monat, -e** month
monatelang for months
monatlich monthly
die **Monatsfahrkarte, -n** monthly pass (*for public transportation*)
der **Mond, -e** moon
(der) **Montag** Monday
montags Mondays
das **Moped, -s** moped
der **Morgen, -** morning; **Guten Morgen!** Good morning!
morgens in the mornings
morgen tomorrow; **morgen früh** tomorrow morning
Mosel-Saar-Ruwer *names of three rivers in West Germany; famous wine area*
der **Motor, -en** motor
die **Motorjacht, -en** motor yacht
das **Motoröl, -e** motor oil
das **Motorrad, ̈er** motorcycle
das **Motorradrennen, -** motorcycle race
müde tired
mühelos effortless
der **Müller, -/die Müllerin, -nen** miller
der **Multivitaminsaft, ̈e** multivitamin juice
der **Mumps** mumps
München Munich
der **Münchner, -/die Münchnerin, -nen** *person from Munich*
der **Mund, ̈er** mouth
die **Muschel, -n** shell; mussel
das **Museum,** *pl.* die **Museen** museum
die **Musik** music
musikalisch musically gifted
der **Musikant, -en** (*wk.*)/die **Musikantin, -nen** musician
die **Musikbegleitung, -en** musical accompaniment
der **Muskel, -n** muscle
müssen (muß), mußte, gemußt to have to, must
die **Mutmaßung, -en** guess, supposition
die **Mutter, ̈** mother
die **Muttersprache, -n** native language, mother tongue

Mutti mommy
die **Mütze, -n** cap

N

na (*interj.*) well
nach (+ *dat.*) after; according to;
  to (*with name of geographical
  place*)
nachahmen, nachgeahmt to
  imitate
der **Nachbar, -n** (*wk.*)/die
  Nachbarin, -nen neighbor
der **Nachbartisch, -e** neighboring
  table
nachdem (*subord. conj.*) after
nachdenken (**über** + *acc.*),
  dachte . . . nach, nachgedacht
  to reflect, think
der **Nachfahre, -n** descendant
nachfolgend following,
  consecutive
nachher afterward
der **Nachmittag, -e** afternoon
nachmittags in the afternoons
die **Nachmittagsvorstellung, -en**
  afternoon show
die **Nachricht, -en** notification;
  (*pl.*) news report
nachschauen, nachgeschaut to
  look up
nachsehen (**sieht . . . nach**), **sah
  . . . nach, nachgesehen** to look
  up
nächst- next; nearest; **nächste
  Woche** next week
die **Nacht, ⁻e** night; **Gute Nacht!**
  Good night!; **bei Nacht** at night
der **Nachteil, -e** disadvantage
der **Nachtisch, -e** dessert
das **Nachtleben** nightlife
die **Nachtlizenz, -en** night permit
  (*for bars*)
nachts nights, at night
der **Nachtschrank, ⁻e** bedside
  closet
der **Nachttisch, -e** bedside table
**nachweisen, wies . . . nach,
  nachgewiesen** to detect; to
  point out
der **Nacken, -** neck
nah near
die **Nähe, -n** proximity, nearness;
  in der Nähe close by
naja (*interj.*) well

der **Name, -n** (*wk.*) name
nämlich namely
die **Narbe, -n** scar
die **Nase, -n** nose
die **Nasentropfen** (*pl.*) nose drops
die **Nationalität, -en** nationality
die **Nationalmannschaft, -en**
  national team
nationalsozialistisch national
  socialist
der **Nationalspieler, -**/die
  Nationalspielerin, -nen athlete
  for the national team
die **Natur** nature
natürlich natural(ly), of course
die **Naturwissenschaft, -en**
  natural science
neben (+ *dat./acc.*) next to, beside
nebenan next door
nebenbei moreover, by the by; on
  the side
die **Nebenkosten** (*pl.*) extras,
  incidental expenses
der **Nebensatz, ⁻e** subordinate
  clause
nee (*coll.*) no
der **Neffe, -n** (*wk.*) nephew
die **Negation, -en** negation
nehmen (**nimmt**), **nahm,
  genommen** to take
nein no
nennen, nannte, genannt to
  name
der **Nerv, -en** nerve; **Das geht mir
  auf die Nerven.** That gets on my
  nerves.
nervös nervous
nett nice
das **Netz, -e** net
neu new
der **Neubau, -ten** *building erected
  after 1948*
die **Neubauwohnung, -en**
  *apartment in a building erected
  after 1948*
die **Neuerung, -en** innovation
die **Neugier** curiosity
neugierig curious, nosy
die **Neuigkeit, -en** news, piece of
  news
das **Neujahr** New Year
neumodisch fashionable, novel
neun nine
neunzehn nineteen
neunzig ninety

neurotisch neurotic
nicht not; **nicht mehr** no longer;
  nicht (wahr)? isn't that right?
die **Nichte, -n** niece
der **Nichtraucher, -**/die
  Nichtraucherin, -nen
  nonsmoker
nichts nothing
nie never
nieder low
(das) **Niederbayern** Lower Bavaria
die **Niederlage, -n** defeat
die **Niederlande** the Netherlands,
  Holland
sich **niederlassen** (**läßt . . .
  nieder**), **ließ . . . nieder,
  niedergelassen** to settle down
Niedersachsen Lower Saxony
  (*state in West Germany*)
die **Niederung, -en** lowlands
niemals never
niemand no one
der **Nikolaustag, -e** St. Nikolas Day
der **Nikotin** nicotine
der **Nil** Nile (River)
der **Nobelpreis, -e** Nobel Prize
noch yet; else; still; **noch einmal
  (nochmal)** once again; **noch
  nicht** not yet; **nochmals** once
  again; **wer noch?** who else?
(das) **Nordamerika** North America
nordamerikanisch (*adj.*) North
  American
(das) **Norddeutsch** northern
  German (*language*)
norddeutsch (*adj.*) northern
  German
der **Norddeutsche, -n** (**ein
  Norddeutscher**)/die
  Norddeutsche, -e northern
  German (*person*)
(das) **Norddeutschland** northern
  Germany
der **Norden** the North
nördlich (to the) north
der **Nordpol** North Pole
die **Nordsee** North Sea
die **Nordseeinsel, -n** island in the
  North Sea
normal normal(ly)
normalerweise normally
normiert standardized
die **Not, ⁻e** need; **zur Not** at the
  worst
der **Notarztwagen, -** ambulance

die **Note, -n** grade; musical note
der **Notfall, ̈e** emergency
nötig necessary
die **Notiz, -en** note
der **November** November
die **Nudel, -n** noodle
nuklear nuclear
null zero
die **Nummer, -n** number
das **Nummernschild, -er** license
  plate
nun now
nur only
nützlich useful

O

ob whether, if
oben above
ober situated above, upper, higher
der **Ober, -** waiter
der **Oberarm, -e** upper arm
das **Oberbayern** Upper Bavaria
oberhalb above, at the upper part of
oberst top, highest
das **Obst** fruit
obwohl (*subord. conj.*) even
  though
öde barren
oder (*subord. conj.*) or
die **Odyssee, -n** odyssey
offen open
öffnen to open
die **Öffnung, -en** opening
die **Öffnungszeit, -en** opening
  time (*for a shop or business*)
oft often
ohne (+ *acc.*) without
ohnmächtig unconscious
das **Ohr, -en** ear; der **Ohrring, -e**
  earring
ökonomisch economical(ly)
(der) **Oktober** October
das **Öl, -e** oil
der **Ölfilter, -** oil filter
die **Olive, -n** olive
der **Ölofen, ̈** oil heater
die **Ölsardine, -n** sardines packed
  in oil
olympisch olympic
die **Oma, -s** grandmother, granny
der **Omnibus, -e** bus
der **Onkel, -** uncle
der **Opel-Kadett** name (*make*) *of a*
  car

die **Oper, -n** opera
operieren, operiert to operate
das **Opfer, -** victim
die **Opposition, -en** opposition
optimistisch optimistic(ally)
orange orange (*color*)
die **Orange, -n** orange (*fruit*)
der **Orangensaft, ̈e** orange juice
ordnen to arrange, order
die **Ordnung, -en** order,
  orderliness
die **Ordnungszahl, -en** ordinal
  number
das **Organ, -e** organ
der **Organisator, -en**/die
  Organisatorin, -nen organizer
organisieren, organisiert to
  organize
sich orientieren, orientiert to
  orientate o.s.
die **Orientierungsstufe, -n**
  orientation course (*in a high
  school*)
der **Ort, -e** place
der **Ostblock** Eastern Bloc
das **Ostblockland, ̈er** country in
  the Eastern Bloc
der **Osten** the East
die **Ostern** (*pl.*) Easter; der
  Ostermontag Easter Monday; der
  Ostersonntag Easter Sunday
(das) **Österreich** Austria
der **Österreicher, -**/die
  Österreicherin, -nen Austrian
  (*person*)
(das) **Österreichisch** Austrian
  (*language*)
österreichisch (*adj.*) Austrian
(das) **Ostfriesland** East Frisia
  (*northern part of West Germany*)
das **Ostgebiet, -e** eastern territories
  (*now in East Germany*)
die **Ostsee** Baltic Sea
der **Ozeanriese, -n** ocean liner

P

das **Paar, -e** pair; **ein Paar** a few
ein **paar** a few
packen to pack
die **Packung, -en** packing, wrapping
die **Pädagogik** pedagogy
das **Paket, -e** package
paletti: Alles paletti! Everything's
  okay!

die **Palme, -n** palm tree
die **Pampelmuse, -n** grapefruit
die **Panikmache** creation of an
  atmosphere of panic
die **Panne, -n** puncture, breakdown
  (*car*)
die **Pannenhilfe, -n** car service
das **Papier, -e** paper
der **Paprika, -s** bell pepper
parallel parallel
das **Parfum, -s** perfume
der **Park, -s** park
parken to park (a car)
der **Parkettboden, ̈** hardwood
  floor
der **Parkplatz, ̈e** parking, carpark
das **Parlament, -e** parliament
die **Parole, -n** slogan
die **Partei, -en** (political) party
der **Partner, -**/die **Partnerin, -nen**
  partner
die **Partnerschaft, -en** partnership
die **Party,** *pl.* die **Parties** party
der **Paß,** *pl.* die **Pässe** passport
der **Passagier, -e** passenger
das **Paßamt, ̈er** passport office
der **Passant, -en** (*wk.*)/die
  Passantin, -nen passer-by
die **Paßkontrolle, -n** passport
  inspection
passen to fit; to be convenient
passend appropriate
passieren, ist passiert to happen
der **Patient, -en** (*wk.*)/die
  Patientin, -nen patient
die **Pauschale, -n** lump sum
die **Pauschalreise, -n** package-deal
  tour
die **Pause, -n** pause, intermission
der **Pavillion, -s** pavilion
der **Pazifik** Pacific (Ocean)
das **Pech** bad luck
der **Pelz, -e** fur (coat)
der **Penner, -** tramp
pensioniert on a pension
per: per Anhalter hitchhiking
perfekt perfect(ly)
die **Person, -en** person
die **Personalien** (*pl.*) particulars of
  a person
der **Personenwagen, -** passenger
  car
persönlich personal(ly)
die **Persönlichkeit, -en**
  personality

pervers perverted
pessimistisch pessimistic(ally)
die **Petersilie** parsley
die **Petersilienbutter** parsley
butter
die **Pfanne, -n** pan
der **Pfeffer** pepper
die **Pferdestärke (PS)** horsepower
pfiffig sly, cunning
der **Pfirsich, -e** peach
die **Pflanze, -n** plant
das **Pflaster, -** bandage
die **Pflaume, -n** plum
der **Pflaumenschnaps, ⁼e** plum
brandy
pflegen to tend, nurse
die **Pflicht, -en** duty
pflücken to pluck
das **Pfund, -e** pound
die **Phantasie, -n** fantasy
die **Phase, -n** phase
der **Philosoph, -en** (*wk.*)/die
Philosophin, -nen philosopher
die **Physik** physical science
der **Physiker, -/die Physikerin,
-nen** physicist
das **Picknick, -s/-e** picnic
der **Pilot, -en** (*wk.*)/die **Pilotin,
-nen** pilot
das **Pils** kind of beer
der **Pilz, -e** mushroom
die **Pizza, -s** pizza
die **Pizzeria, -s** pizza parlor
die **Plakette, -n** sticker
der **Plan, ⁼e** plan
planen to plan
die **Planung, -en** planning
das **Plastik** plastic; **aus Plastik**
made of plastic
die **Plastik, -en** sculpture
der **Plastiker, -/die Plastikerin,
-nen** sculptor
das **Plastikerzeugnis, -se** product
made of plastic
das **Plattdeutsch** Low German,
North German dialect
die **Platte, -n** (phonograph) record
der **Plattenspieler, -** turntable
der **Platz, ⁼e** place, seat; square
das **Plätzchen, -** favorite seat
pleite broke, out of money
plötzlich suddenly
der **Poet, -en** (*wk.*)/die **Poetin,
-nen** poet
pokern to play poker

(das) **Polen** Poland
polieren to polish
die **Politik** politics
der **Politiker, -/die Politikerin,
-nen** politician
politisch political(ly)
die **Polizei** police
die **Polizeistunde** curfew
der **Polizist, -en** (*wk.*)/die
Polizistin, -nen policeman/
policewoman
die **Pommes frites** (*pl.*) French
fries
porträtieren, porträtiert to
portray, paint a portrait
(das) **Portugal** Portugal
(das) **Portugiesisch** Portuguese
(*language*)
das **Porzellan** chinaware
die **Postkarte, -n** postcard
die **Präferenz, -en** preference
praktisch practical
präsentieren, präsentiert to
present
der **Präsident, -en** (*wk.*)/die
Präsidentin, -nen president
der **Prater** *fairground in Vienna*
die **Praxis,** *pl.* die **Praxen** practice;
doctor's office
der **Preis, -e** price
preiswert inexpensive, good buy
die **Pressefreiheit** freedom of the
press
die **Pressezensur** censorship of the
press
pressieren: es pressiert
(*Bavarian dialect*) hurry up
das **Prestige** prestige
prima! very good!
das **Prinzip,** *pl.* die **Prinzipien**
principle; **im Prinzip** in principle
privat private
der **Privatdetektiv, -e** private
investigator
die **Privatdetektivtätigkeit, -en**
work of a private investigator
das **Privateigentum, ⁼er** private
property
das **Privatflugzeug, -e** private
plane
pro: pro Woche per week
die **Probe, -n** sample
proben to rehearse
die **Probestunde, -n** practice hour
probieren, probiert to try; to taste

das **Problem, -e** problem
die **Problematik** difficulty
problemlos without problems
das **Produkt, -e** product
der **Professor, -en/die Professorin**
professor
das **Profil, -e** profile
das **Programm, -e** program
progressiv progressive
prominent famous
der/die **Prominente, -n** (ein
Prominenter) famous person,
celebrity
protestieren, protestiert to protest
das **Prozent, -e** percent(age)
der **Prozeß,** *pl.* die **Prozesse**
process, procedure; lawsuit
prüfen to test
die **Prüfung, -en** exam, test
der **Psychiater, -/die Psychiaterin,
-nen** psychiatrist
psychisch psychic
die **Psychoanalyse, -n**
psychoanalysis
der **Psychologe, -n** (*wk.*)/die
Psychologin, -nen psychologist
die **Psychologie** psychology
der **Pulli, -s** sweater
der **Pullover, -** sweater
der **Puls, -e** pulse
der **Punkt, -e** point
pünktlich punctual, on time
die **Pünktlichkeit, -en** punctuality
die **Puppe, -n** doll, puppet
putzen to clean, polish; die **Zähne
putzen** to brush (one's) teeth
die **Putzfrau, -en** cleaning woman
der **Putzjob, -s** cleaning job

Q

das **Quadrat, -e** square
quadratisch square
der **Quadratkilometer, -** square
kilometer
der **Quark** soft curd cheese
das **Quartett, -s** quartet
der **Quatsch** rubbish
quietschen to squeak
die **Quittung, -en** receipt

R

das **Rad, ⁼er** wheel, bicycle
radeln, ist geradelt to cycle

**radfahren (fährt . . . Rad), fuhr
. . . Rad, ist radgefahren** to
cycle, ride a bicycle
**der Radfahrer, -/die Radfahrerin,
-nen** cyclist
das Radio, -s radio
radioaktiv radioactive
der Radiowecker, - radio alarm
clock
die Radtour, -en bicycle tour
der Radweg, -e bicycle path
der Rahm cream; soot
die Rakete, -n rocket
der Raketenkonstrukteur, -e
rocket designer
der Rand, ̈er edge, border
der Rasen, - lawn, grass
der Rasenmäher, - lawn mower
rasieren, rasiert to shave
die Rasierklinge, -n razor blade
der Rassehund, -e pedigreed dog
der Rat counsel, advice, suggestion
raten (rät), riet, geraten to advise,
counsel, recommend; to solve (*a
riddle*)
das Ratespiel, -e riddle, guessing
game
das Rathaus, ̈er city hall
ratlos perplexed, helpless
der Ratschlag, ̈e counsel, advice,
suggestion
die Ratte, -n rat
der Rattenfänger, - rat catcher
die Rattenplage, -n rat plague
der Rauch smoke
rauchen to smoke
**der Raucher, -/die Raucherin,
-nen** smoker
der Raum, ̈e room, space; area;
capacity
räumen to clear away, remove
raus (*adv.*) out
reagieren, reagiert to react
die Reaktion, -en reaction
der Reaktor, -en reactor
der Reaktorunfall, ̈e reactor
malfunction
realistisch realistic(ally)
der Realschulabschluß, *pl.* **die
Realschulabschlüsse** secondary
school examination (*for
graduation*)
die Realschule, -n *secondary
school specializing in science*
rechnen to count, calculate

die Rechnung, -en calculation,
account, bill
das Recht, -e right
recht proper, correct, agreeable
rechts (to the) right
rechtzeitig prompt, timely,
punctually
die Rede, -n talk, discourse, speech
reden to speak, talk
das Referat, -e lecture, talk, report
das Regal, -e bookshelf
rege astir, in motion, moving
regelmäßig regular
der Regen rain
der Regenmantel, ̈ raincoat
der Regenschirm, -e umbrella
(der) Reggae reggae
regieren, regiert to rule
die Regierung, -en government
die Regierungsgewalt, -en
executive power (of the
government)
das Regierungssystem, -e
government system
die Region, -en region
regional regional
**der Regisseur, -e/die Regisseurin,
-nen** stage/film director
reglos still, motionless
regnen to rain
regnerisch rainy
reich rich
der/die Reiche, -n (ein Reicher)
wealthy person
reichen to reach; to extend; to last
reichhaltig copious, plentiful
reichlich ample, copious, plentiful
der Reichtum, ̈er wealth
reif ripe, mature
der Reifen, - tire
der Reifendruck tire pressure
die Reifenpanne, -n flat tire
die Reihe, -n row, line
die Reihenfolge, -n order,
sequence
reinigen to clean
der Reis rice
die Reise, -n trip, travel
das Reisebüro, -s travel agency
der Reisecheck, -s traveler's check
das Reiseerlebnis, -se travel
experience
die Reisegesellschaft, -en
(tourist) party
der Reiseladen, ̈ travel agency

das Reisen traveling
reisen, ist gereist to travel
der Reisepaß, *pl.* **die Reisepässe**
passport
die Reiseprobleme (*pl.*) traveling
problems
die Reisestrapazen (*pl.*) travel
stress/hardships
das Reißbrett, -er drawing board
reißen, riß, gerissen to tear, rip;
to pull
reiten, ritt, ist geritten to ride
(horseback)
das Reiten riding
das Reitpferd, -e saddle horse
relativ relative(ly)
die Religion, -en religion
religiös religious(ly)
die Remoulade salad dressing,
mayonnaise
rennen, rannte, ist gerannt to
run
der Renner, - runner
renovieren, renoviert to renovate,
redecorate
die Reparatur, -en repair
reparieren, repariert to repair
**der Reporter, -/die Reporterin,
-nen** journalist
repräsentieren, repräsentiert to
represent
die Republik, -en republic
reservieren, reserviert to reserve
der Rest, -e rest, remainder
das Restaurant, -s restaurant
**der Restaurator, -en/die
Restauratorin, -nen** restorer (*of
pictures/antiques*)
restaurieren, restauriert to
restore
die Revolution, -en revolution
das Rezept, -e recipe
die Rezeption, -en reception desk
der Rhein Rhine (River)
der Rheindampfer, - Rhine
steamer
der Rheinfall, ̈e waterfall in the
Rhine
Rheinhessen, Rheinpfalz *wine
regions in West Germany*
rheinisch (*adj.*) from the
Rhineland
**der Rheinländer, -/die
Rheinländerin, -nen** *person
from the Rhineland*

der **Richter**, -/die **Richterin**, -nen judge

die **Richtgeschwindigkeit**, -en recommended speed (*on freeways*)

richtig right, correct

die **Richtung**, -en direction

riechen, **roch**, **gerochen** to smell

der **Riese**, -n/die **Riesin**, -nen giant

riesig gigantic

riesiggroß extremely big

die **Rinderkraftbrühe**, -n beef stock, beef broth

das **Rindfleisch** beef

der **Ring**, -e ring

die **Rippe**, -n rib

das **Risiko**, *pl.* die **Risiken** risk

der **Rock**, ⸚e skirt

die **Rolle**, -n role, part

rollen, **ist gerollt** to roll

das **Rollenspiel**, -e role-play

der **Rollentausch** role (ex)change

die **Rollenverteilung**, -en role distribution

der **Rollmops**, ⸚e rolled herring

der **Roman**, -e novel

romantisch romantic(ally)

der **Römer**, -/die **Römerin** Roman (*person*)

die **Römermauer**, -n Roman wall

die **Römerstadt**, ⸚e Roman city

die **Römerzeit** Roman era

römisch (*adj.*) Roman

röntgen to X-ray

rosa pink

die **Rose**, -n rose

der **Rosenkohl** Brussels sprouts

der **Rost** rust, corrosion

rosten, **ist gerostet** to rust

das **Rostloch**, ⸚er hole caused by corrosion

rot red

der **Rotkohl** red cabbage

der **Rotwein**, -e red wine

die **Routineuntersuchung**, -en routine checkup/physical

der **Rücken**, - back

die **Rückfahrt**, -en return trip

der **Rucksack**, ⸚e backpack

rufen, **rief**, **gerufen** to call

die **Ruhe** silence

ruhen to relax, rest

ruhig quiet, silent

das **Rührei**, -er scrambled egg

der **Rum** rum

das **Rumpsteak**, -s sirloin steak

rund round

die **Rundreise**, -n round trip

der **Russe**, -n (*wk.*)/die **Russin**, -nen Russian (*person*)

(das) **Russisch** Russian (*language*)

russisch (*adj.*) Russian

die **Rüstung**, -en armaments; armor

rutschen, **ist gerutscht** to slide

S

die **Sache**, -n thing, object

sachlich essential, material

der **Saft**, ⸚e juice

saftig juicy

die **Sage**, -n legend, fable

sagen to say

die **Sahne** cream

das **Sakko**, -s sports coat

der **Salat**, -e salad

die **Salatsoße**, -n salad dressing

das **Salz** salt

die **Salzkartoffel**, -n boiled potato

das **Salzwasser** salt water

der **Samstag** Saturday

das **Sanatorium**, *pl.* die **Sanatorien** spa, clinic

der **Sand** sand

die **Sandale**, -n sandal

die **Sandburg**, -en sand castle

sandig sandy

der **Sandsturm**, ⸚e sandstorm

der **Sänger**, -/die **Sängerin**, -nen singer

die **Satellitenstadt**, ⸚e newly constructed suburb

der **Satz**, ⸚e sentence

sauber clean

sauberhalten (**hält ... sauber**), **hielt ... sauber**, **saubergehalten** to keep clean

säuberlich clean

saubermachen, **saubergemacht** to clean

sauer sour

der **Sauerbraten** stewed, pickled beef

das **Sauerkraut** pickled (white) cabbage

saugen to suck

die **S-Bahn**, -en tram, trolley

die **S-Bahnstation**, -en tram/ trolley station

(das) **Schach** chess

die **Schachtel**, -n box

der **Schachwettkampf**, ⸚e chess contest

schade! pity! too bad!

schaden to harm, hurt

schädlich harmful, detrimental

der **Schadstoff**, -e hazardous material

die **Schadstoffbelastung**, -en pollution caused by harmful materials

schaffen to create, produce

der **Schal**, -s shawl

die **Schallplatte**, -n record

der **Schalter**, - counter

der/die **Schalterangestellte**, -n (ein **Schalterangestellter**) clerk at a counter or window

scharf sharp, biting, cutting

der **Schatten**, - shadow

schauen to gaze, look

die **Schaufel**, -n shovel

das **Schaufenster**, - shop window

der **Schaufensterbummel**, - window shopping

schaukeln, **ist geschaukelt** to swing

der **Schauspieler**, -/die **Schauspielerin**, -nen actor/ actress

die **Schauspielschule**, -n drama school

der **Scheck**, -s check

die **Scheibe**, -n slice; pane (of glass)

der **Scheibenwischer**, - windshield wiper

scheiden, **schied**, **geschieden** to separate; **sich scheiden** (**lassen**) to (get a) divorce

die **Scheidung**, -en divorce

scheinen, **schien**, **geschienen** to shine; **es scheint** it seems

der **Scheinwerfer**, - headlight; searchlight

scheitern, **ist gescheitert** to fail

schenken to give, bestow

die **Schere**, -n scissors

schick smart, chic

schicken to send

das **Schiebedach**, ⸚er sunroof

schieben, **schob**, **geschoben** to push

die **Speditionsfirma**, *pl.* die **Speditionsfirmen** delivery company

die **Speisekarte**, -n menu

spezialisiert specialized

der **Spezialist**, -en (*wk.*)/die **Spezialistin**, -nen specialist

die **Spezialität**, -en specialty

das **Spezialitätengeschäft**, -e specialty shop

speziell special

der **Spiegel**, - mirror

das **Spiel**, -e game, match

das **Spielcasino**, -s gambling casino

spielen to play; to gamble

der **Spieler**, -/die **Spielerin**, -nen player; gambler

der **Spielplan**, "e repertoire, program

der **Spielplatz**, "e playground

die **Spielsachen** (*pl.*) toys

die **Spielzeugfabrik**, -en toy company

die **Spielzeugfirma**, *pl.* die **Spielzeugfirmen** toy company

der **Spitzel**, - informer

splittern, ist gesplittert to splinter, shatter

spontan spontaneous(ly)

der **Sport** sport; **Sport treiben** to go in for sports

die **Sportanlage**, -e sports arena

das **Sportinstitut**, -e institute for the study of sports (*at a university*)

der **Sportklub**, -s sports club

sportlich sporty

die **Sportschau** *sport program on TV*

die **Sprache**, -n language

der **Sprachgebrauch**, "e use of language

sprachlich linguistic

die **Sprachschule**, -n language school

sprechen (spricht), sprach, gesprochen to speak; (**über** + *acc.*) to talk about

die **Sprechstundenhilfe**, -n receptionist

das **Sprechzimmer**, - consulting room

sprengen to blow up, blast

das **Sprichwort**, "er proverb, saying

springen, sprang, ist gesprungen to jump

das **Spülbecken**, - sink

spülen to wash (dishes)

der **Staat**, -en state, nation

staatlich national, public

die **Staatsangehörigkeit**, -en citizenship

stabil stable

die **Stabilität**, -en stability

die **Stadt**, "e town

die **Stadtbücherei**, -en public library

der **Stadtkern**, -e center (of town)

die **Stadtmitte**, -n center (of town)

der **Stadtpark**, -s city park

der **Stadtplan**, "e city map

der **Stadtstaat**, -en *nation or state that consists only of one town* (*Monaco, St. Marino, Hamburg, etc.*)

der **Stadtteil**, -e district

das **Stadtzentrum**, *pl.* die **Stadtzentren** center (of town)

der **Stahl** steel; **aus Stahl** made of steel

stammen (von + *dat.*) to originate (from)

die **Standardsprache** standard language

ständig constant, permanent, fixed

der **Standpunkt**, -e point of view, standpoint

stark strong

die **Statistik**, -en statistics

statt (+ *gen.*) instead of

stattdessen instead of that

stattfinden, fand ... statt, stattgefunden to take place

der **Status** status

der **Staub** dust

stauben to dust

staubsaugen, staubgesaugt to vacuum

der **Staubsauger**, - vacuum cleaner

staubwischen, staubgewischt to dust

staunen to be astonished

der **Stausee**, -n reservoir

stecken to stick

stehen, stand, gestanden to stand

steigen, stieg, ist gestiegen to climb

der **Steinbock**, "e (*astr.*) Capricorn

steinern of stone, stony

die **Steinzeit** Stone Age

die **Stelle**, -n place, position

stellen to place, put

das **Stellenangebot**, -e job offer

die **Stellung**, -en position

sterben (stirbt), starb, ist gestorben to die

die **Stereoanlage**, -n stereo sound system

der **Stereotyp**, -e stereotype, cliché

der **Stern**, -e star

das **Sternzeichen**, - astrological sign

das **Steuer**, -/das **Steuerrad**, "er steering wheel

der **Steward**, -s/die **Stewardeß**, *pl.* die **Stewardessen** steward/stewardess, flight attendant

der **Stiefel**, - boot

der **Stier**, -e (*astr.*) Taurus; bull

der **Stift**, -e pencil, pen

der **Stil**, -e style

die **Stimme**, -n voice; vote

stimmen to agree with; to tune (an instrument); **Das stimmt!** That's correct.

die **Stimmung**, -en mood

das **Stipendium**, *pl.* die **Stipendien** scholarship

die **Stirn**, -en forehead

der **Stock**, "e stick

der **Stoff**, -e cloth, fabric; subject matter, theme

stöhnen to sigh

der **Stollen**, - *type of Christmas bread*

stolz proud

stören to interrupt, disrupt

der **Störfall**, "e malfunction

der **Stoßdämpfer**, - shock absorber

die **Strafe**, -n penalty, fine, punishment

der **Strafzettel**, - traffic ticket

der **Strand**, "e beach

die **Strapaze**, -n hardship

die **Straße**, -n street, road

die **Straßenbahn**, -en trolley, tram

das **Straßencafé**, -s sidewalk café

die **Straßenecke**, -n street corner

die **Strecke**, -n distance; section (*of railroad or highway*)

Streife: auf Streife gehen to walk the beat (*policeperson*)

der **Streifen**, - stripe

der **Streik**, -s strike

der **Streit** fight, argument
streiten, stritt, gestritten to quarrel, fight, argue
streng severe
stricken to knit
strikt strict(ly)
die **Stromschnelle, -n** rapids (*in a river*)
die **Struktur, -en** structure
die **Strumpfhose, -n** pantyhose
das **Stück, -e** piece, slice
der **Student, -en** (*wk.*)/die **Studentin, -nen** student
der **Studentenausweis, -e** registration card, student ID
das **Studentendorf, ̈-er** student housing community
das **Studenten(wohn)heim, -e** dormitory
das **Studienfach, ̈-er** subject
die **Studienfahrt, -en** educational trip
studieren, studiert to study
das **Studium,** *pl.* die **Studien** study, college education
der **Stuhl, ̈-e** chair
die **Stunde, -n** hour; lesson
der **Stundenkilometer, -** kilometers per hour
stundenlang for hours
der **Stundenlohn, ̈-e** payment by the hour
stürmisch stormy
stürzen, ist gestürzt to fall
suchen (nach + *dat.*) to seek, look for
(das) **Südamerika** South America
südamerikanisch (*adj.*) South American
(das) **Süddeutsch** southern German (*dialect/language*)
süddeutsch (*adj.*) southern German
der/die **Süddeutsche, -n** (ein **Süddeutscher**) southern German (*person*)
(das) **Süddeutschland** southern Germany
der **Süden** south
südlich southern
der **Südpol** South Pole
summa summarum all in all, sum total
der **Supermarkt, ̈-e** supermarket
die **Suppe, -n** soup

das **Surfbrett, -er** surfboard
surfen, ist gesurft to surf
der **Surflehrer, -**/die **Surflehrerin, -nen** surfing instructor
süß sweet
die **Süßigkeit, -en** sweets
das **Süßwasser** fresh water (*not salt water*)
sympathisch congenial, likable
das **Symptom, -e** symptom
die **Szene, -n** scene

T

die **Tabelle, -n** table, list, index
die **Tablette, -n** tablet
die **Tafel, -n** blackboard
der **Tag, -e** day
der **Tagesablauf, ̈-e** daily routine
der **Tagesausflug, ̈-e** day trip
die **Tageszeit, -en** time of day
die **Tageszeitung, -en** daily paper
täglich daily
tagsüber during the day
das **Tal, ̈-er** valley
das **Talent, -e** talent
der **Tank, -s** tank
tanken to fill (the gas tank)
die **Tankstelle, -n** gas station
die **Tante, -n** aunt
tanzen to dance
der **Tanzkurs, -e** dancing lessons
der **Tanzsaal,** *pl.* die **Tanzsäle** ballroom
die **Tanzstunde, -n** dancing lesson
die **Tanzveranstaltung, -en** ball, dance
die **Tasche, -n** pocket, purse, wallet
der **Taschenrechner, -** pocket calculator
die **Tasse, -n** cup
tasten to touch, feel
der **Täter, -**/die **Täterin, -nen** culprit, wrongdoer
tätowieren, tätowiert to tattoo
tatsächlich really, indeed
tauchen to dive
tausend thousand
das **Taxi, -s** taxi, cab
der **Taxifahrer, -**/die **Taxifahrerin, -nen** taxi driver
der **Techniker, -**/die **Technikerin, -nen** technician, engineer
technisch technical

der **Teddy, -s**/der **Teddybär, -en** (*wk.*) teddy bear
der **Tee, -s** tea
die **Teekanne, -n** teapot
der **Teelöffel, -** teaspoon
der **Teil, -e** part, portion
teilen to divide, share
teilnehmen (an + *dat.*) (**nimmt . . . teil**), **nahm . . . teil, teilgenommen** to take part (in s.th) interest o.s. (in s.th.)
teilweise partial, fractional
das **Telefon, -e** telephone
der **Telefonanruf, -e** telephone call
telefonieren, telefoniert to telephone, call
die **Telefonnummer, -n** telephone number
das **Telefontischchen, -** small telephone table
der **Teller, -** plate, dish
das **Temperament, -e** temperament, character
das **Tempolimit, -s** speed limit
die **Tendenz, -en** tendency
(das) **Tennis** tennis
die **Tennisanlage, -n** tennis installation
der **Tennisplatz, ̈-e** tennis court
der **Tennisschläger, -** tennis racket
der **Tennisschuh, -e** tennis shoe
das **Tennisturnier, -e** tennis tournament
der **Teppich, -e** carpet, rug
der **Termin, -e** appointment; appointed time
die **Terrasse, -n** terrace, platform, deck
der **Terroranschlag, ̈-e** terrorist assault
der **Terrorismus** terrorism
der **Terrorist, -en** (*wk.*) die **Terroristin, -nen** terrorist
der **Test, -s** test
die **Teststrecke, -n** test course
der **Tetanus** tetanus
teuer expensive; valuable
der **Text, -e** text
der **Texter, -**/die **Texterin, -nen** copywriter
der **Thailänder, -**/die **Thailänderin, -nen** Thai (*person*)
das **Theater, -** theater
das **Thema,** *pl.* die **Themen** theme, topic, subject

die **Theorie, -n** theory
der **Thunfisch, -e** tuna
tief deep
tiefblau dark blue
tiefgefroren deep frozen
die **Tiefkühltruhe, -n** freezer
das **Tier, -e** animal, beast
die **Tierart, -en** animals species
der **Tierarzt, ⁻e**/die **Tierärztin,
    -nen** veterinarian
der **Tisch, -e** table
das **Tischchen, -** small table
(das) **Tischtennis** table tennis
das **Tischtuch, ⁻er** tablecloth
der **Titel, -** title
der **Toast, -e** toast
der **Toaster, -** toaster
toben to storm, rage
die **Tochter, ⁻** daughter
der **Tod** death
tödlich deadly, fatal
die **Toilette, -n** toilet, lavatory
tolerant tolerant
toll great, super; mad, wild,
    extravagant
die **Tomate, -n** tomato
der **Tomatenketchup** ketchup
der **Tomatensaft, ⁻e** tomato juice
die **Tomatensuppe, -n** tomato soup
der **Ton, ⁻e** sound, note
der **Topf, ⁻e** pot
topfit in top shape
das **Tor, -e** gate, goal
tot dead
total totally
totalitär totalitarian
der **Totalitarismus** totalitarianism
der/die **Tote, -n** (ein **Toter**) dead
    person, corpse
der **Totenkopf, ⁻e** skull
totmüde dead tired
totschick dressed to kill
die **Tour, -en** tour, trip
der **Tourismus** tourism
der **Tourist, -en** (*wk.*)/die
    Touristin, -nen tourist
die **Touristenklasse, -n** tourist
    class
traditionell traditional
die **Trage, -n** carrier, stretcher
tragen (trägt), trug, getragen to
    carry; to wear
tragisch tragic(al)
der **Trainer, -/**die **Trainerin, -nen**
    trainer, coach

der **Trainingsanzug, ⁻e** sports
    outfit, sweat suit
die **Tram(bahn), -nen** (*Swiss
    dialect*) tram, trolley
trampen, ist getrampt to
    hitchhike
transportieren, transportiert to
    transport, carry
das **Transportmittel, -** means of
    transportation
tratschen to chatter
die **Traube, -n** grape
der **Traubensaft, ⁻e** grape juice
trauen to trust; **sich trauen** to
    risk, dare
der **Traum, ⁻e** dream
träumen to dream
der **Träumer, -/**die **Träumerin,
    -nen** dreamer
die **Traumfrau, -en** ideal woman
der **Traummann, ⁻er** ideal man
die **Traumwohnung, -en** ideal
    apartment
traurig sad(ly)
treffen (trifft), traf, getroffen to
    meet; to affect; to hit; **sich
    treffen** to meet with (s.o.)
der **Treffpunkt, -e** meeting place
treiben, trieb, getrieben (Sport)
    to go in for sports
der **Trend, -s** trend
trennbar separable
die **Treppe, -n** stairs, staircase
der **Tresen, -** bar, counter
**treten (tritt), trat, ist/hat
    getreten** to step; to kick
treu faithful, loyal
treulos faithless
die **Tribüne, -n** platform, tribune
trinken, trank, getrunken to
    drink
das **Trinken** drinking
das **Trinkgeld, -er** tip
der **Trinkjoghurt, -e/-s** yogurt
    drink
trocken dry
die **Trompete, -n** trumpet
trotz (+ *gen.*) in spite of
trotzdem (*sub. conj.*) nevertheless
trotzig defiant, obstinate
die **Tschechoslowakei**
    Czechoslovakia
(das) **Tschernobyl** Chernobyl
tschüß bye-bye, so long
das **T-Shirt, -s** T-shirt

tun (tut), tat, getan to do; **weh
    tun** to hurt
die **Tür, -en** door
der **Turbo, -s** turbo
der **Turbo-Händler, -** turbo dealer
das **Türchen, -** small door
der **Türke, -n** (*wk.*)/die **Türkin,
    -nen** Turk (*person*)
die **Türkei** Turkey
türkisch (*adj.*) Turkish
turnen to do gymnastics
der **Turnschuh, -e** gym shoe
der **TÜV = Technischer Über-
    wachungs-Verein** (*German
    institution that checks vehicle
    safety*)
der **Typ, -en** type; guy, fellow
typisch typical(ly)

U

die **U-Bahn, -en** metro, subway,
    underground train
übel evil, bad, ill; **Mir wird übel.**
    I'm going to be sick.
üben to exercise; to train; to practice
über (+ *dat./acc.*) over, above;
    across; (+ *acc.*) about, by way of
überall everywhere
sich überarbeiten, überarbeitet
    to overwork o.s.
überbacken, überbacken *to bake
    or broil s.th. with a topping*
die **Überbevölkerung**
    overpopulation
übereinstimmen (mit + *dat.*),
    übereingestimmt to agree
    (with s.o.)
überflüssig superfluous
überfüllt overcrowded
das **Übergewicht** overweight,
    excess weight
überhaupt at all
**überlassen: Sie sind sich selbst
    überlassen.** They are left to
    themselves.
der/die **Überlebende, -n** (ein
    Überlebender) survivor
überlegen, überlegt to think,
    contemplate
übernachten, übernachtet to stay
    overnight
**übernehmen (übernimmt),
    übernahm, übernommen** to
    take over

überprüfen, überprüft to examine, check, test

die Überprüfung, -en examination

die Überraschung, -en surprise

überreden, überredet to persuade

überreichen, überreicht to hand over, present

überschreiten, überschritt, überschritten to overstep; to cross

der Überwachungsverein, -e control board

überwiegend predominant(ly)

überzeugend convincing

üblich usual, customary

übrig remaining

übrigbleiben, ist übriggeblieben to remain

übrigens by the way; moreover: **im übrigen** besides, moreover

die Übung, -en exercise

die UDSSR USSR (*Union of Soviet Socialist Republics*)

das Ufer, - bank, beach, shore

die Uhr, -en watch, clock; **um sieben Uhr** at seven o'clock; **Wieviel Uhr ist es?** What time is it?

die Uhrzeit, -en time

ultramodern ultramodern

um (+ *acc.*) around; **um (sieben)** at (seven); **erst um** not until; **um . . . zu** (+ *inf.*) in order to

umarmen, umarmt to embrace

umeinander for one another

die Umfrage, -n poll, inquiry

umgeben: von Wasser umgeben to be surrounded by water

die Umgebung, -en surroundings

umgehen, umging, umgangen to avoid

der Umsatz, ⁼e turnover, sale

umsonst free of charge

umsteigen, ist umgestiegen to change (trains, etc.)

die Umwelt world around us, environment

umweltfreundlich friendly to the environment; ecologically good

die Umweltpartei, -en ecological party (*political*)

das Umweltproblem, -e ecological problem

der Umweltschutz environmental protection

der Umweltschützer, -/die Umweltschützerin, -nen ecologist

das Umweltschutzgesetz, -e environmental law

die Umweltverschmutzung, -en pollution

umwerfend amazing(ly)

umziehen, zog . . . um, umgezogen to change (s.o.'s) clothes; **sich umziehen** to change (one's) clothes; to move

der Umzug, ⁼e parade; change of dwelling

unabhängig independent(ly)

die Unabhängigkeit, -en independence

der Unabhängigkeitstag Independence Day

unauffällig unobtrusive

unbedingt unconditional

unbegabt not gifted, untalented

unbestimmt indefinite

und (*coord. conj.*) and

uneingeschränkt unrestricted

unerwünscht undesirable

der Unfall, ⁼e accident

die Unfallgefahr, -en danger of accidents

unfreundlich unfriendly

ungeduldig impatient

ungefähr approximately, about

ungefährlich not dangerous

die Ungeschicklichkeit, -en clumsiness

unglücklich unhappy; unfortunate

unglücklicherweise unfortunately

ungünstig unfavorable

unheimlich sinister, uncanny; *intensifier:* **unheimlich interessant** incredibly interesting

die Uni, -s, die Universität, -en university

unkultiviert without culture

unmittelbar immediate, direct

unmöglich impossible

unpraktisch impractical

unregelmäßig irregular

unrhythmisch unrhythmical(ly)

unser our

unseretwegen as far as we are concerned

unsichtbar invisible

der Unsinn nonsense

unten below, down; **da unten** down below; **nach unten** downward

unter (+ *dat./acc.*) under, beneath; among

unterbinden, unterband, unterbunden to prevent

unterbrechen, unterbrach, unterbrochen to interrupt

die Unterbringung, -en accommodation

die Unterdrückung, -en suppression

unterhalb (+ *gen.*) below, at the lower end of

unterhalten (unterhält), unterhielt, unterhalten to entertain; to support; **sich unterhalten** to converse

das Unterhemd, -en vest, T-shirt, undershirt

die Unterhose, -n underpants, shorts

die Unterkunft, ⁼e shelter, lodging

unternehmen (unternimmt), unternahm, unternommen to undertake, attempt

unterpriviligiert underprivileged

der Unterricht instruction

unterrichten, unterrichtet to instruct, teach

unterrichtet informed

untersagen, untersagt to forbid

der Untersatz, ⁼e support, base; **der fahrbare Untersatz** transportation

unterschätzen, unterschätzt to underrate, underestimate

der Unterschied, -e difference

unterschiedlich different(ly)

unterschreiben, unterschrieb, unterschrieben to sign

die Unterschrift, -en signature

unterstreichen, unterstrich, unterstrichen to underline

unterstützen, unterstützt to support

untersuchen, untersucht to examine

die Unterwäsche underwear

unterwegs en route, on the way

untrennbar inseparable

unumgänglich indispensable

unverständlich incomprehensible

unwiderstehlich irresistible
unzufrieden dissatisfied
uralt very old, ancient
der **Urlaub** vacation
das **Urlaubsland, ⸚er** vacation spot
  (*country*)
die **Ursache, -n** cause, reason
ursprünglich original(ly)
die **USA** USA

V

die **Vase, -n** vase
der **Vater, ⸚** father; **Vati** daddy
die **Vene, -n** vein
der **Ventilator, -en** fan
verabschieden, verabschiedet
  to dismiss; **sich
  verabschieden**
  (**von** + *dat.*) to say goodbye
  to (s.o.)
(**sich**) **verändern, verändert** to
  change
die **Veranstaltung, -en**
  performance, entertainment
verantworten, verantwortet to
  take responsibility
die **Verantwortung, -en**
  responsibility
die **Verantwortungslosigkeit, -en**
  irresponsibility
die **Verarbeitung, -en**
  manufacturing, processing
verärgert annoyed, angry
das **Verb, -en** verb
der **Verband, ⸚e** bandage
verbessern, verbessert to improve
verbieten, verbot, verboten to
  prohibit
verbinden, verband, verbunden
  to connect; to dress (wounds)
die **Verbindung, -en** connection
das **Verbot, -e** prohibition
verbreiten, verbreitet to spread
**verbringen, verbrachte,
  verbracht** to spend
der/die **Verdächtige, -n** (ein
  Verdächtiger) suspect
die **Verdauung** digestion
verdienen, verdient to earn
verdreckt dirty
die **Verfassung, -en** constitution
verfehlen, verfehlt to miss
verfolgen, verfolgt to pursue; to
  persecute; to shadow

die **Verfolgung, -en** persecution
die **Verfügung, -en** disposal; **zur
  Verfügung stehen** to be at s.o.'s
  disposal
verführen, verführt to seduce
die **Vergangenheit, -en** past
vergehen, verging, ist vergangen
  to elapse, pass
vergessen, vergaß, vergessen to
  forget
die **Vergewaltigung, -en** rape
der **Vergleich, -e** comparison
vergleichen, verglich, verglichen
  to compare
vergleichsweise comparatively
das **Vergnügen, -** entertainment,
  fun
der **Vergnügungspark, -s**
  fairground
die **Vergrößerung, -en**
  enlargement
verhaften, verhaftet to arrest
**sich verhalten (verhält), verhielt,
  verhalten** to act, behave; to be
  the case
verhandeln, verhandelt to
  negotiate
die **Verhandlungsbasis,** *pl.* die
  Verhandlungsbasen basis for
  negotiation
verheiratet married
verhindern, verhindert to
  prevent
verhungern, ist verhungert to
  die of starvation
verjüngen, hat/ist verjüngt to
  make/get younger
der **Verkauf, ⸚e** sale
verkaufen, verkauft to sell
der **Verkäufer, -/die Verkäuferin,
  -nen** salesperson
der **Verkehr** traffic
das **Verkehrsmittel, -** passenger
  vehicle, means of transportation
das **Verkehrsschild, -er** traffic sign
das **Verkehrszeichen, -** traffic sign
(**sich**) **verkleiden, verkleidet** to
  dress up
verlangen, verlangt to demand
**verlassen (verläßt), verließ,
  verlassen** to leave
**sich verlaufen (verläuft), verlief,
  verlaufen** to get lost; to go astray
verleihen, verlieh, verliehen to
  lend

verletzen, verletzt to hurt, injure
  (s.o.); **sich verletzen** to hurt
  (o.s.)
sich verlieben, verliebt to fall in
  love
verlieren, verlor, verloren to lose
sich verloben, verlobt to become
  engaged
der/die **Verlobte, -n** (ein
  Verlobter) fiancé/fiancée
vermeiden, vermied, vermieden
  to avoid
vermieten, vermietet, vermieten
  to rent (out)
die **Verminderung, -en** decrease,
  lessening
vermischen, vermischt to mix
vernachlässigen, vernachlässigt
  to neglect
vernünftig reasonable
veröffentlichen, veröffentlicht
  to publish
verpassen, verpaßt to miss
verprassen, verpraßt to dissipate
verreisen, ist verreist to travel
verrichten, verrichtet to perform
verringern, verringert to
  diminish
verrückt crazy
versagen, versagt to fail; to deny
das **Versagen** failure
versäumen, versäumt to omit,
  neglect
verschärfen, verschärft to
  heighten, intensify
die **Verschärfung, -en** increase,
  intensification
verschieden different(ly)
verschlechtern, verschlechtert to
  make worse
die **Verschmutzung, -en** dirtying,
  soiling
**verschreiben, verschrieb,
  verschrieben** to prescribe; to
  miswrite a word
verschrotten, verschrottet to scrap
verschütten, verschüttet to spill
**verschwinden, verschwand, ist
  verschwunden** to disappear
**versehen (versieht), versah,
  versehen** to equip
die **Versorgung, -en** supply,
  maintenance
verständlich understandable,
  understandably

das **Verständnis, -se** understanding
verstauen, verstaut to stow away
verstecken, versteckt to hide
verstehen, verstand, verstanden
 to understand
verstellen, verstellt to block (the
 way)
verstohlen stealthy, stealthily
der **Versuch, -e** attempt, test,
 experiment
versuchen, versucht to try
der **Vertrag, ̈e** contract; treaty
vertraut sein mit (+ *dat.*) to be
 acquainted with
vertreten (vertritt), vertrat,
 vertreten to represent
der **Vertreter, -/die Vertreterin,**
 -nen agent; representative
verüben, verübt to commit (a
 crime)
verwahrlost unkempt, neglected
der/die **Verwandte, -n** (ein
 Verwandter) relative
verwehen, verweht to blow away
verwenden, verwendet to use,
 make use of
verwirren, verwirrt to confuse
verwüsten, verwüstet to lay waste
verzeihen, verzieh, verziehen
 (+ *dat.*) to pardon (s.o.)
Verzeihung pardon me
verzichten, verzichtet to waive; to
 renounce
verzollen, verzollt to pay duty on
verzweifeln, ist verzweifelt to
 despair
der **Vetter, -** cousin (*male*)
das **Video, -s** video
der **Videorecorder, -** video
 recorder
das **Vieh** (*pl.*) livestock, cattle
viel (*sg.*) much, a lot; **viele** (*pl.*)
 many
vielleicht maybe
vier four
viereckig rectangular
vierjährig (of) four years
viermal four times
das **Viertel** fourth; **Viertel nach elf**
 quarter past eleven
vierzehn fourteen
vierzig forty
das **Visum**, *pl.* die **Visa** visa
das **Vitamin, -e** vitamin

die **Vitamintablette, -n** vitamin
 tablet
der **Vogel, ̈** bird
die **Vokabel, -n** word, vocable
der **Vokalwechsel, -** vowel change
voll full; (*coll.*) drunk
sich vollaufen lassen (läßt . . .
 vollaufen), ließ . . . vollaufen,
 vollaufen lassen to get drunk
der **Vollbart, ̈e** beard
völlig completely, fully
vollkommen absolutely
das **Vollkornbrot, -e** whole grain
 bread
von (+ *dat.*) from (*departure*
 point); of (about); by
 (*authorship*); **von (eins) bis**
 (zwei) from (one) until (two)
voneinander apart, separate
vor (+ *acc./dat.*) in front of; before
vorantreiben, trieb . . . voran,
 vorangetrieben to press,
 enforce
die **Voraussetzung, -en**
 supposition, assumption
vorbei over, done (with); past,
 along
vorbeikommen, kam . . . vorbei,
 ist vorbeigekommen to come
 by
das **Vorbild, -er** model, original
vorbildlich typical, ideal
vorder- front, anterior
die **Vorfahrt** right of way
vorgeben (gibt . . . vor), gab . . .
 vor, vorgegeben to assert; to
 allow points
vorgeschrieben prescribed,
 ordered
vorhanden to be available
der **Vorhang, ̈e** curtain
vorher beforehand
vorlesen (liest . . . vor), las . . .
 vor, vorgelesen to read to s.o.
 aloud
die **Vorliebe, -n** preference
der **Vormittag, -e** morning
vormittags in the morning
vorn in front, in the front of
der **Vorname, -n** first name
sich vornehmen (nimmt . . .
 vor), nahm . . . vor,
 vorgenommen to undertake,
 intend to do s.th.

der **Vorort, -e** suburb
der **Vorschlag, ̈e** suggestion
vorschreiben, schrieb . . . vor,
 vorgeschrieben to dictate (to),
 command, prescribe
die **Vorschrift, -en** regulation,
 order
vorsichtig careful(ly)
die **Vorspeise, -n** appetizer
vorstellen, vorgestellt to
 introduce; **sich vorstellen** to
 introduce o.s.; (+ *dat.*) to
 imagine
die **Vorstellung, -en** performance;
 introduction
das **Vorstellungsgespräch, -e** job
 interview
der **Vorteil, -e** advantage
der **Vortrag, ̈e** lecture, talk
das **Vorurteil, -e** prejudice
der **Vorwand, ̈e** pretext, pretense
der **Vorzeigtürke, -n** (*wk.*)/die
 Vorzeigtürkin, -nen token Turk
der **VW-Bus** VW van

W

die **Waage, -n** scale; (*astr.*) Libra
wach awake
wachsen (wächst), wuchs, ist
 gewachsen to grow
wagen to dare, venture
der **Wagen, -** vehicle, car
der **Waggon, -s** railroad car
die **Wahl, -en** election
wählen to choose; to elect
das **Wahlrecht** right to vote
wahnsinnig lunatic; *intensifier:*
 wahnsinnig gut extremely good
wahr true
wahren to maintain (*a secret*); to
 watch over
während (+ *gen.*) during, in the
 course of; (*subord. conj.*) while,
 whereas
die **Wahrheit, -en** truth
wahrscheinlich probable,
 probably
die **Währung, -en** currency
das **Wahrzeichen, -** landmark
der **Wald, ̈er** forest
das **Waldsterben** death of the forest
 (*due to acid rain*)
die **Walnuß**, *pl.* die **Walnüsse** walnut

die **Wand, ⁻e** wall (*of a room*)
wandern, ist gewandert to hike
die **Wange, -n** cheek
wann when
der **Wannsee** *name of a lake in Berlin*
warm warm
die **Warnblinkanlage, -n** hazard light
warnen to warn
die **Warnung, -en** warning
die **Wartehalle, -n** waiting room
warten to wait
warum why
was what; **was für** what kind(s); **Was ist los?** What's happening? What's the matter?
das **Waschbecken, -** sink (*in bathroom*)
waschen (wäscht), wusch, gewaschen to wash
die **Wäscherei, -en** laundry
die **Waschmaschine, -n** washing machine
der **Waschraum, ⁻e** wash/laundry room
das **Wasser** water
der **Wasserfall, ⁻e** waterfall
der **Wassermann** (*astr.*) Aquarius
wechseln to change; to exchange
die **Wechselpräposition, -en** two-way preposition
wecken to wake up
der **Wecker, -** alarm clock
weder ... noch neither ... nor
weg distant, away
der **Weg, -e** way
wegbleiben, blieb ... weg, ist weggeblieben to stay away
wegen (+ *gen.*) on account of, because of
wegfahren (fährt ... weg), fuhr ... weg, ist weggefahren to drive off
weggehen, ging ... weg, ist weggegangen to go away
wegkommen, kam ... weg, ist weggekommen to get away from, be able to do without
weglaufen (läuft ... weg), lief ... weg, ist weggelaufen to run away
wehtun, tat ... weh, wehgetan to hurt

das **Wehwehchen, -** ache, pain
weichgekocht soft-boiled
sich **weigern** to refuse; to deny
die **Weihnacht, -en** Christmas
weil (*subord. conj.*) because
der **Wein, -e** wine
das **Weinanbaugebiet, -e** wine-growing area
weinen to cry
das **Weinglas, ⁻er** wine glass
das **Weinlokal, -e** wine bar
die **Weinregion, -en** wine-growing area
die **Weintraube, -n** grape
die **Weise** manner
weiß white
der **Weißwein, -e** white wine
weit (weg) far (away); **weiter** farther
weiterfahren (fährt ... weiter), fuhr ... weiter, ist weitergefahren to travel farther
weitergehen, ging ... weiter, ist weitergegangen to go/walk farther
weitermachen (macht ... weiter), weitergemacht to continue (*doing s.th.*)
weiterreisen, ist weitergereist to travel farther, continue traveling
weitersagen, weitergesagt to tell; to gossip
der **Weizen** wheat
welcher- which
der **Wellensittich, -e** parakeet
die **Welt, -en** world
weltberühmt world famous
der **Weltdurchschnitt** world average
die **Weltkarte, -n** map of the world
der **Weltkrieg, -e** world war
weltweit worldwide
die **Wendung, -en** change; expression
wenig (*sg.*) little; **wenige** (*pl.*) few; **weniger** less, fewer; **wenigstens** at least
wer who; **wen** (*acc.*) whom; **wem** (*dat.*) whom; **wessen** (*gen.*) whose
die **Werbeagentur, -en** advertisement agency
der **Werbetexter,-/die Werbetexterin, -nen** copy writer

die **Werbung, -en** advertisement
werden (wird), wurde, ist geworden to become
werfen (wirft), warf, geworfen to throw
das **Werk, -e** work, opus
die **Werkstatt, ⁻en** workshop
der **Wert, -e** value
wertvoll valuable
das **Wesen, -** being, creature; character
die **Weser** *name of river in the northern part of West Germany*
der **Westen** west
das **Westfernsehen** *TV of West Germany (referred to as W. by citizens of East Germany)*
westlich (to the) west
das **Wetter** weather
wetterfest weatherproof
das **Wettrüsten** arms race
die **WG (Wohngemeinschaft, -en)** house-sharing community/group
der **Whiskey** whiskey
wichtig important
der **Widder** (*astr.*) Aries
widerlich repulsive, loathsome
der **Widerstand, ⁻e** resistance
wie how; **Wie bitte?** What's that?; **wie widerlich** how repulsive; **wie schön** how nice
wieder again
die **Wiederholung, -en** repetition, review
das **Wiedersehen** reunion; **Auf Wiedersehen!** Goodbye!
wiegen, wog, gewogen to weigh
Wien Vienna
das **Wienerschnitzel, -** Viennese-style veal cutlet
die **Wiese, -n** lawn, meadow
wieso why, how come
wieviel (*sg.*) how much; **wie viele** (*pl.*) how many
willkommen (in Frankfurt) welcome (to Frankfurt)
wimmeln to swarm
die **Wimper, -n** eyelash
der **Wind, -e** wind
windig windy
die **Windpocken** (*pl.*) chickenpox
das **Windsurfen** windsurfing
der **Winter** winter

der **Wintergarten, -** conservatory
der **Wintersport** winter sports
wir we
wirken (**auf** + *acc.*) to have an effect (on)
wirklich real(ly)
die **Wirkung, -en** effect; reaction
wirkungsvoll effective(ly)
wirr confused; disheveled
der **Wirt, -e**/die **Wirtin, -nen** host/hostess; landlord/lady; innkeeper
die **Wirtschaft, -en** economy
wirtschaftlich economical(ly)
das **Wirtschaftswunder** economic miracle (*refers to the economic recovery of West Germany in the '50s and '60s*)
das **Wirtshaus, -er** inn
wischen to wipe
wissen (**weiß**), **wußte, gewußt** to know (*as a fact*)
der **Wissenschaftler, -**/die **Wissenschaftlerin, -nen** scientist
der **Witz, -e** joke
wo where
woanders somewhere, elsewhere
die **Woche, -n** week
das **Wochenende, -n** weekend
der **Wodka** vodka
wofür wherefore; for which/what
woher from where, whence
wohin (to) where, whither
wohl probably
wohlverdient well-earned
wohnen to live, reside; **in** (**München**) **wohnen** to live in (Munich)
die **Wohngegend, -en** residential area
das **Wohnhaus, -er** apartment house
das **Wohnheim, -e** dormitory
der **Wohnort, -e** place of residence
die **Wohnung, -en** apartment, flat
die **Wohnungsanzeige, -n** classified ad for apartments
das **Wohnungsgesuch, -e** classified ad for those seeking apartments
die **Wohnungssuche** search for an apartment
das **Wohnzimmer, -** living room
wollen (**will**), **wollte, gewollt** to want

womit by what means, wherewith
wonach whereafter; according to which
woran whereon; whereat; **Woran arbeitest du?** What are you working on?
worauf whereupon
woraus from which/what
das **Wort, -e** word, expression, saying
das **Wort, -er** (vocabulary) word
das **Wörterbuch, -er** dictionary
die **Wortgruppe, -n** group of words
der **Wortschatz, -e** vocabulary
die **Wortstellung, -en** word order
worüber about which/what
wovon whereof, concerning which/what
wozu to what purpose
die **Wunde, -n** wound
das **Wunder, -** wonder; miracle; **Es ist kein Wunder.** It's no wonder.
wunderbar wonderful
wunderschön very beautiful, exquisite
der **Wunsch, -e** wish
wünschen to wish
der **Wurm, -er** worm
das **Wurmei, -er** worm egg
die **Wurst, -e** sausage
das **Würstchen, -** little sausage
der **Würstchenstand, -e** sausage stand
die **Wurstküche, -n** sausage kitchen
die **Wurstwaren** (*pl.*) sausages, types of sausages
würzen to spice, season; (*fig.*) to give zest (*to something*)
die **Wüste, -n** desert
wütend furious, raging

Z

die **Zahl, -en** number
zahlen to pay; **Miete zahlen** to pay rent
das **Zahlwort, -er** numeral, number
der **Zahn, -e** tooth
der **Zahnarzt, -e**/die **Zahnärztin, -nen** dentist
die **Zahnbürste, -n** toothbrush
der **Zahnschmerz, -en** toothache
die **Zange, -n** pliers

zart delicate, fragile
der **Zaun, -e** fence
zehn ten
zehnjährig (of) ten years
das **Zehntel-** tenth
zeichnen to draw
der **Zeichner, -**/die **Zeichnerin, -nen** graphic artist
zeigen to show
die **Zeit, -en** time
zeitkritisch critical of the times
der **Zeitpunkt, -e** moment, point of time
die **Zeitschrift, -en** magazine
die **Zeitung, -en** newspaper
der **Zeitungsladen, -** newspaper shop
das **Zelt, -e** tent
zelten to camp
zensieren, zensiert to censure
der **Zentimeter, -** centimeter
die **Zentrale, -n** head office
die **Zentralheizung, -en** central heating
das **Zentrum,** *pl.* die **Zentren** center
der **Zenturio, -s** (Roman) centurion
zerreißen, zerriß, zerrissen to tear
zerstören, zerstört to destroy
die **Zerstörung, -en** destruction
der **Zeuge, -n** (*wk.*)/die **Zeugin, -nen** witness
das **Zeugnis, -se** school report; certificate; testimony
ziehen, zog, gezogen to pull
das **Ziel, -e** goal, objective; target, aim
ziemlich rather, pretty; (*coll.*) considerable
die **Zigarette, -n** cigarette
der **Zigarettenkonsum** consumption of cigarettes
die **Zigarettenwerbung, -en** cigarette ad
der **Zigarillo, -s** small cigar
die **Zigarre, -n** cigar
das **Zimmer, -** room
die **Zimmersuche** search for a room (to rent)
der **Zimmerwirt, -e**/die **Zimmerwirtin, -nen** landlord/lady
der **Zimmerwunsch, -e** choice of

a room (in a hotel)
zinsfrei without interest
(*financial*)
zirka about, approximately
zitieren, zitiert to cite, quote
die **Zitrone, -n** lemon
die **Zivilisation, -en** civilization
zögern to hesitate
der **Zoll** duty; customs
der **Zollbeamte, -n** (ein
Zollbeamter)/die **Zoll-**
beamtin, -nen customs official
zollfrei duty-free
der **Zorn** rage, fury
zu closed; **zu** (+ *dat.*) to (*persons,*
things); for; **zu Hause** at home
die **Zubereitung, -en** preparation (*of meals, food*)
die **Zubereitungszeit, -en** time
of preparation
zubetoniert filled/closed up with
concrete
der **Zucker** sugar
zudem besides, in addition,
moreover
zuerst first
zufrieden content
der **Zug, ⁻e** train
der **Zugang, ⁻e** entry
zugeben (gibt . . . zu), gab . . . zu,
zugegeben to admit, confess
zugleich at the same time
die **Zugreise, -n** train trip
die **Zugspitze** *name of highest*
mountain in West Germany
das **Zuhause** home
zuhören, zugehört to listen

die **Zukunft** future
der **Zukunftsplan, ⁻e** plan for the
future
zumachen, zugemacht to close
zumindest at least
zunächst first (of all), above all
zünden to light
zunehmen (nimmt . . . zu),
nahm . . . zu, zugenommen to
gain weight
zunehmend increasing(ly)
die **Zunge, -n** tongue
zurück back; **hin und zurück**
there and back
zurückfahren (fährt . . . zurück),
fuhr . . . zurück, ist zurück-
gefahren to drive back
zurückgeben (gibt . . . zurück),
gab . . . zurück, zurückgeben
to give back, return
zurückgehen, ging . . . zurück,
ist zurückgegangen to walk/go
back
zurückkommen, kam . . .
zurück, ist zurückgekommen
to come back, return
zusammen together
zusammenkommen, kam . . .
zusammen, ist
zusammengekommen to get
together, meet
sich zusammenreißen, riß . . .
zusammen, zusammen-
gerissen to make a desperate
effort; **Reiß dich zusammen!**
Pull yourself together!
zusammenrutschen, ist

zusammengerutscht to move
closer together
die **Zusammensetzung, -en**
combination; compound
zusammenstellen,
zusammengestellt to put
together; to compile
zusätzlich additional
der **Zustand, ⁻e** condition
zuständig authorized
die **Zutat, -en** ingredient
zuverlässig reliable, dependable
zuviel too much
zuvor beforehand, previously
zwanzig twenty
zwar indeed, certainly, of course
zwei two
zweieinhalb two and a half
der **Zweifel, -** doubt
der **Zweig, -e** branch
zweimal twice
zweitgrößter second largest
die **Zwiebel, -n** onion
die **Zwiebelsuppe, -n** onion soup
der **Zwilling, -e** twin; *pl.* (*astr.*)
Gemini
zwingen, zwang, gezwungen to
force, compel
zwischen (+ *dat./acc.*) between
die **Zwischenlandung, -en**
stopover
die **Zwischenzeit, -en** interval,
interim; **in der Zwischenzeit** in
the meantime
zwölf twelve
(das) **Zypern** Cyprus

INDEX

A reference list of vocabulary items by category can be found under *vocabulary*.

574 Index

ABOUT THE AUTHORS

Tracy D. Terrell is Professor of Linguistics in the Department of Linguistics at the University of California, San Diego. He received his Ph.D. in Spanish Linguistics from the University of Texas at Austin and has published extensively in the area of Spanish dialectology, specializing in the sociolinguistics of Caribbean Spanish. Professor Terrell's publications on second-language acquisition and on Natural Approach are widely known in the United States and abroad.

Herbert Genzmer teaches German and Teaching Methodology at the University of California, Berkeley, where he received his Ph.D. in Germanic Linguistics. He received his M.A. in General Linguistics from the Universities of Düsseldorf and Cologne. He also studied at the Free University of Berlin. A native of West Germany, Mr. Genzmer has published three works of fiction—*Cockroach Hotel, Manhattan Bridge,* and *Freitagabend*—with Suhrkamp Frankfurt a.M.

Brigitte Nikolai completed her *1. Staatsexamen* in German and English at the University of Göttingen and her *2. Staatsexamen* at the Studienseminar at Fulda. As a Fulbright scholar, she has taught German at Mills College in Oakland, California. Currently, she is completing her Ph.D. in *Deutsch als Fremdsprache* from the University of Hamburg, with an emphasis on reading strategies and teaching reading in German as a foreign language.

Erwin Tschirner teaches German Linguistics and Teaching Methodology at the University of Michigan, Ann Arbor. He received his M.A. in German Literature and Linguistics from the University of Colorado at Boulder and his Ph.D. in Germanic Linguistics from the University of California at Berkeley. His main areas of expertise include second-language-acquisition research and contemporary German morphology and syntax.

Instructor's Manual

CONTENTS

INTRODUCTION TO THE NATURAL APPROACH

This Instructor's Manual and the marginal glosses (Instructor's Notes) in the Instructor's Edition were written to help you use **Kontakte** most effectively. Natural Approach (NA) materials are designed for a course in which the students, interacting with you and with each other, develop the ability to communicate their thoughts and ideas in spoken and written German.

In this manual we describe each component of **Kontakte** and suggest how and when to use a specific type of activity or exercise. However, we firmly believe that the ultimate success of the course and of the students depends on the instructor. Although these materials are provided to facilitate your efforts to create communicative experiences for your students, the materials will not create the experience; only you and the students interacting in natural, relatively spontaneous interchanges in German can do that. You will decide how to weave these activities and materials into a coherent experience that will ultimately result in communicative proficiency in German. We will not give lesson plans, per se, but will make suggestions and propose guidelines. In most cases, the oral and written activities are to be used as starting points for communication. It is our hope that you will not be confined by these materials but, rather, will feel free to interact with your students in the sorts of communication activities that are the basis of the Natural Approach.

Overview of the Materials

There are two student texts: **Kontakte: A Communicative Approach** (the main text) and **Kontakte: Arbeitsbuch** (the workbook, which is both a laboratory and writing manual). In both the main text and the workbook there are three preliminary chapters (**Einführungen A–C**) and fourteen regular chapters (**Kapitel 1–14**).

Each chapter of the main student text contains three sections: the oral activities (**Situationen**) with the chapter vocabulary (**Vokabeln**), the additional readings (**Zusätzliche Texte**), and the grammar explanations and exercises (**Strukturen und Übungen**). The oral activities, the main focus of the course, consist of various kinds of readings and exchanges. The chapter vocabulary is a reference list of the new vocabulary introduced in the oral activities. The supplementary readings offer the opportunity for more written input. The grammar/exercises section includes explanations of grammar and word usage, each one followed by a few short "verification" exercises.

Each chapter of **Kontakte: Arbeitsbuch** consists of four sections: listening comprehension activities, pronunciation exercises, orthography exercises, and writing/composition activities. The first three sections of each chapter are used in conjunction with the tape program. The **Arbeitsbuch** is perforated so that the homework exercises can be torn out and handed in.

The workbook's listening comprehension activities are accompanied by a tape program for students, and a complete tapescript is available to instructors. Included with the tapescript are the answers to the listening comprehension activities. The **Kontakte** package is accompanied by a complete testing package, which includes a vocabulary exam, a reading exam, and a listening comprehension exam for each chapter as well as suggested final exams for both semester and quarter systems. Also included are suggestions for final oral and written (composition) exams.

The materials in **Kontakte** provide the basis for a full academic year (30 weeks) at the college level (two years at the high school level). Approximately one week should be spent on each of the preliminary chapters; each regular chapter (1–14) can be covered in one and one-half to two weeks, depending on the specific content of each chapter and on your own preferences. For courses meeting four or five times per week, this will still allow time for supplementary activities and periodic testing. Do not hesitate to eliminate the last two chapters in the text (**Kapitel 13–14**), especially if your beginning-language class meets only three times per week and/or meets less than 30 weeks per year.

■ *Using* Kontakte *in Quarter and Semester Systems*

The **Kontakte** package may be used in different academic environments with different academic calendars. However, the amount of material presented should be adjusted. **Kontakte** was written for approximately 150 hours of classroom instruction. In some cases in which the number of hours of classroom contact per academic year is considerably less than 150, some departments have opted to use **Kontakte** for three quarters. Others have opted to omit certain parts of the text. In this latter case there are two viable possibilities: (a) cover all chapters, but omit parts of each chapter; (b) omit the last two to three chapters. Here are some possibilities. Note that classroom contact means that there is interaction between instructor and student; lab hours are NOT included since they are considered to be part of the homework.

1. Quarter system (150 hours of classroom contact, 5 hours per week, 30 weeks)

   Quarter 1: Einführungen A–C, Kapitel 1–4
   Quarter 2: Kapitel 5–9
   Quarter 3: Kapitel 10–14

2. Semester system (150 hours of classroom contact, 5 hours per week, 30 weeks)

   Semester 1: Einführungen A–C, Kapitel 1–6
   Semester 2: Kapitel 7–14

3. Quarter system (120 hours of classroom contact, 4 hours per week, 30 weeks)

   Quarter 1: Einführungen A–C, Kapitel 1–3
   Quarter 2: Kapitel 4–7
   Quarter 3: Kapitel 8–12

4. Semester system (120 hours of classroom contact, 4 hours per week, 30 weeks)

   Semester 1: Einführungen A–C, Kapitel 1–4
   Semester 2: Kapitel 5–12

5. Quarter system (90 hours of classroom contact, 3 hours per week, 30 weeks)

   Quarter 1: Einführungen A–C, Kapitel 1
   Quarter 2: Kapitel 2–5
   Quarter 3: Kapitel 6–10
   Quarter 4: Kapitel 11–14

6. Semester system (90 hours of classroom contact, 3 hours per week, 30 weeks)
    Semester 1: Einführungen A–C, Kapitel 1–2
    Semester 2: Kapitel 3–9
    Semester 3: Kapitel 10–14

An Outline of Second-Language Acquisition Theory

The second-language acquisition theory developed by Professor Stephen D. Krashen of the University of Southern California, Los Angeles, is based on a considerable amount of experimental as well as classroom-oriented research. The theory consists of five interrelated hypotheses. We will describe each briefly, then draw various methodological conclusions.* Keep in mind throughout the discussion that, as Krashen himself emphasizes, we do not claim that these hypotheses represent some ultimate "truth" about second-language acquisition, but rather that they represent our "best guesses" about how the process takes place based on the evidence of both formal and informal research. As research in second-language acquisition—as well as in psychology and linguistics in general—advances, we will have to revise our hypotheses and, in turn, our approach to language teaching.

The Acquisition-Learning Hypothesis

Krashen hypothesizes that there are two sorts of knowledge that may be used in developing an ability to communicate in a second language: acquired and learned knowledge. We are able to use our acquired knowledge subconsciously and automatically to understand and produce sentences. Acquired knowledge is the basis for what we often refer to as a "feel" for how to say things or how to understand what someone has said. For the most part we acquire our first language through normal childhood experiences. In contrast, learned knowledge, as defined within Krashen's model, does not result from experiences with language use in a communicative context.

For Krashen, learned knowledge is knowledge ABOUT language and the way it functions. In this view, for example, the sort of knowledge obtained through rote grammatical exercises is different from knowledge of grammar obtained through communicative experiences. First of all, knowledge about grammar is rarely usable in any meaningful way: it must be applied consciously and laboriously. Second, if we study and learn a rule, we can usually verbalize the rule and state why we have said something in one way or another, but, as we all know, this is no guarantee that we can use the rule when trying to express some idea in the target language. In comparison, vocabulary and grammatical forms and structures acquired through communicative experiences will eventually become available for more automatic processing. In addition we are not always able to explain what we know after we have acquired it.

Neither we nor Krashen has any way of knowing whether this hypothesized distinction in types of knowledge actually corresponds to any real differences in the way this knowledge is stored and processed by the brain. Many researchers who work with lan-

---

*For more detailed information consult S. D. Krashen and T. D. Terrell, *The Natural Approach: Language Acquisition in the Classroom,* Alemany/Janus Press, 2501 Industrial Pkwy. West, Dept. F, Hayward, California 95545.

guage acquisition do not use the terminological distinction between acquisition and learning, claiming that there are various sorts of learning, not just two.

APPLICATIONS: In spite of possible doubts about the validity of a two-way distinction between types of learning, the terms "acquisition" and "learning," as defined by Krashen, are very helpful to the instructor in thinking about the organization and distribution of class activities. For example NA provides materials for both acquisition and learning. The correct amount of communication-oriented activities (acquisition) and form/grammar-focused exercises (learning) will necessarily vary according to the student's particular learning style, background, motivation, and so forth. In general, communication-oriented activities are basic and necessary for the development of communicative proficiency and, for this reason, occupy the central portion of this text. Form/grammar-focused explanations and exercises are helpful but secondary to the communication activities, and for this reason we have set them off in a separate section.

The Monitor Hypothesis

The Monitor Hypothesis explains the function in normal conversation of what Krashen calls acquired and learned knowledge. It claims that target language skill acquired in a communication-rich environment is knowledge basic to linguistic proficiency and that it is the primary source of the ability to understand and create utterances. Formal knowledge about language and the way it functions, on the other hand, can be used as an editor, or monitor, to make minor corrections before we produce the sentence. For example, some foreign language students are capable of monitoring rules of verb-subject agreement and thereby avoiding some verb form errors. The most important research finding is that monitoring speech, with grammar rules that have been learned with no communicative experience, is usually limited to situations in which we have time to think about what we have studied. Some students can monitor relatively well, for example, on grammar exams and in written grammar exercises. Research shows that extensive monitoring is quite difficult for most people during normal conversation and some students are very poor at monitoring in all situations.

APPLICATIONS: Because monitoring with formal knowledge learned through drills and exercises is so difficult to use in real communicative contexts, acquisition-oriented activities play the central role in the materials of **Kontakte**. Grammar exercises, in which the students are asked to pay close attention to correct application of grammar rules, are mainly done in a written mode and outside of class in order to give adequate time for reflection and use of grammar rules. In addition, students in the NA are evaluated primarily on their proficiency—that is, on their ability to communicate specific messages in particular situations and not just on the grammatical correctness of their spontaneous speech. According to this view, grammatical errors produced during spontaneous speech are a natural part of the acquisition process. In addition, the Monitor Hypothesis reminds us that the ability to produce forms on a written exam should never be equated with the ability to use those forms in natural, spontaneous speech.

The Input Hypothesis

The Input Hypothesis attempts to describe the conditions under which acquisition takes place. According to this hypothesis, acquisition occurs when the acquirer comprehends utterances in a communicative context. These utterances contain the vocabulary and grammatical forms and structures to be acquired. Acquisition takes place when the acquirer's focus is on the meaning expressed during communication; that is, acquisition occurs when acquirers try to understand and convey messages. Some researchers have suggested a minor modification of the Input Hypothesis, claiming that acquisition begins during interaction with input and continues as the acquirer begins to produce parts of that input.

APPLICATIONS: In our view this is the most important of the five hypotheses. It says that what learners will produce depends crucially on what they are able to understand from the input. It is because of the Input Hypothesis that we have developed the concept of "stages of acquisition," which we will discuss in more detail in the next section. The Input Hypothesis also tells us that during the acquisition activities in class, students' attention should be on the interchange of ideas and information, rather than on the learning of specific grammatical forms and structures. Acquisition depends on comprehensible input, first hearing new words and grammatical forms and structures used in communicative contexts, and then later using these words and grammatical forms and structures themselves. This means that teacher-talk input is indispensable, and, furthermore, that no amount of explanation and practice can substitute for real communication experiences. Since this concept of comprehensible input and teacher-talk plays such an important role in NA, we will return to it in more detail shortly.

The Natural Order Hypothesis

Considerable research shows that grammatical forms tend to be acquired in a predictable, invariant order. For example, students of English acquire the progressive form (speaking) before the present tense (speaks). Unfortunately, research does not yet tell us the overall natural order for the acquisition of all rules of grammar. However, the Natural Order Hypothesis implies that the order of acquisition and the order of learning may be different. For example, all students of languages such as German, Spanish, and French study and learn the rule of gender agreement for nouns and their modifiers quite early in their course of study; but the acquisition of gender agreement, as evidenced by the students' ability to produce correct forms without conscious monitoring, takes much longer, several years for most adults. Most students are only beginning to acquire gender agreement by the end of their first year of study, although they learn the rule and the concept of gender agreement quite early in the course. Thus it appears that although some rules are learned early and relatively quickly, the ability to use these forms occurs only after long periods of communicative contact.

APPLICATIONS: The basic syllabus for a NA course is semantic (topical-situational in our case). We choose the situations students are most likely to encounter and the topics they are most likely to talk about. Given a particular situation and topic, we can specify the linguistic tools necessary for communication; that is, we can choose the important vocabulary and grammatical forms and structures the students will need to understand and express themselves on a particular topic in a given situation. We use a grammatical syllabus as the basis for the grammar/exercise section. However, we do not expect acquisition and learning to coincide perfectly. For example, students may study and do exercises on the past-tense forms in a particular grammar section, but the activities to encourage the acquisition of these forms must be spread out over a longer period of time. On the other hand, in many cases acquisition seems to occur without any conscious learning at all. This appears to be especially true with syntax. For example, given good input and enough communicative experience, most students acquire some of the rules of word order without any explicit study of it or exercises. In other cases, an explicit rule followed by a short "verification" exercise seems to be helpful.

The Affective Filter Hypothesis

Acquisition will take place only in "affectively" positive situations, according to the Affective Filter Hypothesis. While rote learning can take place under relatively poor circumstances, language acquisition requires that students attend to the input. This means that poorly motivated students and those with low self-images will experience problems in an acquisition activity.

APPLICATIONS: It is of utmost importance that the students be relaxed and interested in the activities in which they participate and that they feel comfortable with their classmates. Classroom interaction should be carried out in a supportive, rather than a competitive, environment. Interest in other students and good instructor-student relationships are absolute requirements for NA to function correctly. If the student does not attend to the input, for whatever reason, acquisition will not take place.

Guidelines for Using the Natural Approach

Here are six guiding principles of the Natural Approach, all of which we have incorporated in this text.

Comprehension Precedes Production

This principle follows from the Input Hypothesis. The classroom activities have been designed to introduce most new vocabulary and grammatical forms and structures in communicative contexts before students are expected to produce these words in speech. Our goal was to provide introductory comprehension activities for all major semantic word groups and grammatical forms and structures before requiring the students to produce speech containing these words, forms, and structures. See in particular the "pretext activities" section of the Instructor's Notes at the beginning of each chapter as well as the Instructor's Notes that accompany each grammar and vocabulary display at the beginning of each section of the oral activities. Ultimately, however, it is your responsibility to ensure that new words and grammatical forms and structures are introduced for comprehension before students are expected to use them.

Speech Emerges in Stages

This principle also follows from the Input Hypothesis. Beginners in NA are allowed to pass naturally through three stages:

> Stage I. Comprehension (**Einführung A**)
> Stage II. Early Speech (**Einführungen B–C**)
> Stage III. Speech Emergence (**Kapitel 1–14**)

Stage I activities from the first preliminary lesson provide opportunities for developing comprehension skills without having to respond in the target language. During the activities of Stage I, you will ask questions in such a manner that the students will not be forced to respond in the target language (at most they will answer with **ja** or **nein**). The activities from the other two preliminary lessons are designed to encourage the transition from Stage I to Stage II, from comprehension only to responses with single words. In Stage II students respond with single words, or they may begin to string words together into short phrases. Stage III begins with Chapter 1 and is characterized by the emergence of more complete speech patterns. From responses with single words and short phrases, students are encouraged to develop the ability to produce longer phrases, then complete sentences, and finally to engage in dialogue and to produce connected narration.

Speech Emergence (Stage III) Is Characterized by Grammatical Errors

This principle follows from the Monitor Hypothesis. When students do start putting words together into sentences, they make many errors. This is to be expected, since it is impossible to do much monitoring in spontaneous speech. Indeed, we do not encourage monitoring of speech, especially in early stages of acquisition. Early speech errors that occur during the communication activities do not necessarily become permanent, nor do they affect the students' future language development. During the communication activities you should pay attention primarily to factual errors. If there are no factual errors, expand and rephrase the students' responses in grammatically correct sentences.

The production of speech with low levels of errors depends on a number of factors that cannot always be controlled by the instructor or the students. Some grammatical forms and structures require a large number of communicative experiences before acquisition is complete, and no amount of direct correction of speech errors can speed up the acquisition process. For this reason we have commented extensively in the Instructor's Notes on what we can expect of beginning students in the way of grammatical accuracy. Although we do not expect students to speak the target language without errors, especially early in the course, we do expect steady improvement in their speech throughout the course. We do not expect our students to fossilize—that is, to allow their mistakes to become habits. Fossilization has not been a problem in NA classes; it appears to be a phenomenon present more often among second-language acquirers who live and work in the environment of the new language. It usually takes several years of daily language use for mistakes to become so ingrained that true fossilization occurs.

Group Work Encourages Speech

As soon as the students can produce utterances in the target language, begin work in pairs and small groups. We suggest beginning some group work very early on, starting at the end of the first preliminary lesson, and using it extensively thereafter. There are several reasons for doing group work. First of all, it allows many more students to speak the target language during the class period. If the interaction is restricted to instructor-student exchanges, only a few students will have time to express themselves using the target language in a single class period. Second, most students enjoy interacting with each other on a personal basis and feel much freer to express themselves in small groups. It also gives you the opportunity to move quickly from group to group, making sure the activity is going well and answering any questions the students might have. This is also an opportunity to give individual students help with pronunciation, grammar, and usage. Work in small groups should increase throughout the course, so that toward the end of the course, the students themselves are the source of much of the communicative interaction.

Students Acquire Language in a Low-Anxiety Environment

This principle follows from the Affective Filter Hypothesis. Students should not be put on the defensive in a NA class. There are a wide variety of techniques for relaxing the students. You will develop your own style of teaching with NA and your classes will differ from other NA classes; but you will be most successful when the students are interacting in communicative activities that they enjoy. Students must always feel that they can express their ideas in the target language without fear of grammatical correction or reprimand. The goal is for them to express themselves as best they can and to enjoy and develop a positive attitude toward their second language experience.

The Goal of Natural Approach Is Proficiency in Communication Skills

Proficiency does not refer only to grammatical correctness. Proficiency is defined as the ability to convey information and/or feelings in a particular situation for a particular purpose. In NA we do not ask if the students can speak the target language; rather we ask, for example, if the student is able to ask a native speaker for directions to get from a particular location to another and is able to understand those directions given by the native speaker.

There are at least four components of proficiency: discourse proficiency, sociolinguistic proficiency, strategic proficiency, and linguistic proficiency. Discourse proficiency is the ability to interact with native speakers using a variety of discourse types: social interaction, conversation, narration, asking questions to obtain information, giving commands, and so on. Sociolinguistic proficiency is the ability to interact in different social situations using language appropriate for that situation. Strategic proficiency is the ability to make use of limited linguistic resources to express one's ideas and to understand the input. Linguistic proficiency is the ability to choose the correct grammatical form and structure to express a given meaning. Grammatical correctness is a part of proficiency, but in no sense is it the goal of a NA course or even a prerequisite for the development of communicative proficiency.

In any particular course, there may be additional goals such as reading and writing, for example. For this reason, and because they also provide input, we have included comments on the use of various sorts of materials for developing reading and writing skills in addition to the oral communication activities. In the materials you will use, there will always be more oral and written activities than you need to use in a single year-long college level course. How much of these materials you use depends on the goals you and your students have for the course. The most important point, however, is that proficiency develops from communication experience and not from covering a certain amount of material in a particular textbook.

Teaching Comprehension and Speaking

Your class activities should contain both comprehensible input and interactional activities that allow the students to progress through the natural stages of acquisition, comprehension, early speech, and speech emergence. The purpose of this section is to clarify the relationships among the acquisition process, comprehension, and speaking, with emphasis on particular teaching techniques that aid in the development of communicative proficiency.

Comprehension

Students who begin a NA course concentrate first on the development of listening skills. It is important, then, to understand how beginning students interpret the utterances they hear in the instructor's speech. The immediate goal is to develop the students' ability to use comprehension strategies. Students are able to comprehend an utterance if they recognize the meaning of key words in the utterance and are able to use context to derive the meaning of the utterance itself.

Comprehension = key words + context

Looking at comprehension in this way implies that students need several kinds of experiences in the classroom. First, input must consist of utterances in a context. That is, the instructor must provide input that is logically and coherently connected. (Most grammatical exercises do not fulfill either condition.) Second, students must understand the meaning of key words in the utterance. Finally, the instructor must use body language, gestures, intonation, and other aspects of paralanguage, as well as visuals, props, and anything else available in order to convey the meaning of the utterance.

Students will pay attention to the words emphasized by the instructor, and there are several techniques for drawing attention to the most important parts of an utterance:

- A key word may be spoken louder than other words that surround it: **Die Frau in diesem Bild trägt eine blaue Bluse.** Emphasize the word **Bluse** by pronouncing it louder, perhaps drawing it out longer, and while pointing to the blouse in the picture (or to one a student in the class is wearing).

- The instructor may pause slightly before saying the key word. Pointing to a picture: **Was trägt der Junge in diesem Bild? Er trägt eine . . . Badehose.**

- Repetition and reentry of the key word also draw the students' attention to the word. Point to what one student is wearing: **Susan trägt einen gelben Rock. Ihr Rock ist gelb. Das ist ein gelber Rock.** (Note that in context the various inflected forms will not cause comprehension difficulties for the students.) The task of the student is to attend to the input in such a way that the meaning of the key word is linked to its form(s) in German.

We will use the term "binding" to refer to the process of linking a meaning to a form in the target language. The goal is an automatic reaction: a word has been bound when the students hear that word in a communicative context and react automatically by retrieving its meaning; that is, a word is bound when it sounds like what it means. For example, the word **Hund** is bound when the instructor can use it in an utterance and students react to its meaning without having consciously to think of its equivalent in English (or their native language).

In the process of binding itself, how do students come to associate meaning with the new word in the target language? There are many association techniques, and the success of these techniques varies among individual students during the binding process. What does NOT seem to be very helpful is rote memorization. Simply looking at a list of words in the foreign language with their English equivalents does not normally result in binding. Nor does simply repeating lists of words aloud do much good. The key element in binding appears to be communicative experiences. We bind words to meaning by hearing them used in contexts. The vividness of the experience and the context in which a word has been used will determine both the rapidity and strength of the binding process. Students report that the following techniques help them to associate and remember meaning and forms:

1. The use of visuals such as pictures, posters, and so on.
2. The use of real objects.
3. The use of movement (such as acting out words and situations).
4. The association of words with particular classmates (that is, the fact that a particular

student has blond hair and blue eyes helps to associate meaning with the words blond, hair, blue, and eyes).

5. The unusualness of something in a picture or other visual.
6. The use of humor to draw attention to certain words.
7. Interest (that is, the fact that students may be particularly interested in a certain topic).
8. Affective factors (that is, the association of new words with the interests of classmates; for example, the binding of **Motorrad fahren** with its meaning is easier if there is someone in the class who rides a motorcycle).
9. Linguistic factors (that is, words with particular sounds, length, rhythm, and so on).
10. Similarities with the native language (that is, cognates, borrowings, and so on).
11. Cultural factors (that is, words may be bound during cultural experiences: discussions, slides, movies, videotapes, games, parties, skits, readings, and so on).

The important point is that the binding of meaning to form is not automatic. The responsibility of the NA instructor is to create experiences so vivid that students will form strong associations quickly. The responsibility of the student is to attend carefully to the input and to participate enthusiastically in the class activities.

To summarize, the development of proficiency in comprehension includes the acquisition of contextual strategies based on the strong binding of meaning and form. Both result through communication experiences.

Speaking

Let us turn now to the other part of acquisition: speaking. In NA, proficiency in speaking emerges in stages. Students are first encouraged to respond with single words or short phrases. It is important that the instructor formulate questions in such a way that students can respond with words that they have had ample opportunities to bind. The idea is to avoid translation searches in which the students go through a thought process—such as "Dog, how do you say dog in German?"—for each word and grammatical form they wish to produce. For this reason we begin speech production with either/or questions: **Trägt die Frau in diesem Bild eine grüne oder blaue Bluse? Hat Tom einen Schnurrbart oder einen (Voll)bart?** Even simple interrogatives such as **Was ist das?** or **Wo sind die Blumen?** should be attempted only when we are relatively sure that the students will be able to access the correct word without an over-reliance on conscious translation from English. The following is a sequence of question types from simple to more complex that provide opportunities for speaking:

1. Yes/no questions
2. Either/or questions
3. Simple interrogatives (**wer? wo? wann? was?**)
4. Open sentences (**Der Mann trägt . . .**)
5. Lists of words (**Was siehst du in diesem Bild?**)

The transition from the access and production of single words to longer phrases and more complete sentences is facilitated by the use of dialogues and interviews, which will be discussed in detail later in this manual. In the dialogues we use the key words in short complete sentences. The open dialogues are particularly effective because they provide the grammatical context and the students only have to access words that have already been bound.

The transition from controlled contexts to more open activities is somewhat difficult, because it is impossible to know what the students will want to say. Invariably there will be situations in which students will be unable to access a word in the target language, either because it has not been encountered enough to be bound or because they have not yet heard the necessary word in previous input. In either case it is natural that they access the English word first and ask: **Wie sagt man das auf Deutsch?** Such spot translations are not damaging, per se, but we want to avoid putting the students into situations in which the entire utterance is new and must be translated word by word. There is no evidence that such translations have any positive effect at all on acquisition. We believe that binding and access will not be successful until meaning and forms in the target language are linked directly without reliance on English as an intermediary.

In summary, acquisition in a NA course is seen as the ability to comprehend and to produce utterances in the target language in a communicative context. The activities must be designed to give the instructor and students ample opportunities to listen to and to talk about a wide range of topics in a variety of situations.

Selecting Class Activities

A normal NA instructional hour includes three to seven acquisition activities. These may be oral activities, discussions of readings, and/or activities based on a variety of other audio/video input. Some class activities may be as short as one minute; others may last up to thirty minutes. You must determine both the selection and order of presentation of activities for any given class period. In most cases there should be enough flexibility to allow for change; indeed, it is somewhat boring to proceed simply from one activity to another with no variation. In general the grammar and exercises should be assigned as homework. However, on occasion there may be some reason for doing these learning activities in class or for at least providing some sort of check or follow-up.

We have tried to provide more than enough activities for each topic. However, for some topics you may wish to add supplementary activities, and for other topics you may wish to omit several activities. If a particular topic (or activity) is not relevant to your students' needs, simply omit it. (If you use the exams from the Testing Package, you will need to check that the relevant vocabulary and structures have been included in your chosen activities so that students will be successful on the exams.)

Homework

Homework assignments should vary, depending on the students, their goals in the course, and the time available for outside study. In most foreign language classes in the United States, the class hour is the only time students have to interact in the target language. For this reason class hours should be reserved almost entirely for communication activities. Other activities that take more time, such as reading long passages, listening to recorded materials, doing written exercises, and reading explanations of grammar, should be done outside of class whenever possible. Sometimes this is not possible: students may not have access to tape recorders, and working adults may not have time to read and study outside of class. In some cases students may not have the background to read and study grammar on their own. In such situations you will include some of these activities during the class hour. However, do not lose sight of the basic principle of NA: communication skills are acquired through comprehensible input and through the communication of meaning with other students. Classroom interaction can be an ideal situation for acquisition to take place.

During Stage I (Comprehension) students are not able to do much homework other than to review new words introduced in the oral activities in class. As they advance to Stage II (Early Speech), however, they can do the grammar exercises and the sorts of activities recorded on audiotape.

Evaluation

Exams in a NA course should aim at measuring the four basic skills: comprehension, speaking, reading, and writing. The emphasis on each of these skills will vary from class to class. In some classes, for example, you may want to test only comprehension and speaking. In others, you might emphasize development of reading skills and feel that your students need not be tested on writing skills. The comprehension, speaking, reading, and writing tests should make use of both acquired and learned knowledge. Grammar tests, as such, are of less importance since they only test learning, and unfortunately often only memorization. In a later section we will discuss testing and evaluation in more detail and illustrate various sorts of quizzes, tests, and exams.

A complete set of exams is available for **Kontakte**. Please see the accompanying instructions for complete details on how to modify and to use the exams in your class.

CLASSROOM MANAGEMENT

Modes of Address

Some instructors prefer to use first names only; others prefer last names only. We leave it to the individual instructor to decide how to address students and how students should address him/her. We recommend that you address students with **Sie** for at least the first part of the course and that the students also use **Sie** to address you. The informal mode of address should be used in all cases when students talk to each other. There are many opportunities in the interviews and dialogues and other student-oriented activities to practice the use of familiar forms. If the instructor uses only familiar forms with the students, it will be difficult for them to acquire the formal forms of address.

Sequence of Class Activities

You will choose the number and sequence of activities to be used in a particular class hour. The most important principle to keep in mind is that each activity is important only to the degree that it stimulates the real, spontaneous interchange of information through the use of German. Thus not all activities need to be done, nor is it necessary to complete every part of each activity. It is not necessary to adhere strictly to the sequence of activities in the text. However, in most cases we suggest ordering comprehension activities before those that require students to produce new words or structures.

In any class hour you should do from three to seven activities. These include oral activities based on a text, a reading or a discussion of a reading, a comprehension activity (or follow-up to one previously assigned), a grammar exercise (or follow-up to one previously assigned), and so on. In addition you will frequently use cultural activities (slides, games, discussions, presentations, skits) as well as special events (language fairs, plays, movies, and so on). Do not feel that you must cover certain materials. There are two main goals of NA: (1) that the students think about and communicate ideas in the target language and (2) that they enjoy the experience. Planning a variety of activities and staying with an activity only as long as it continues to be interesting to your students are two techniques that facilitate those goals.

Vocabulary

During the oral activities you will write key vocabulary items on the chalkboard and have the students copy these words in a vocabulary notebook. Students will be required only to recognize the meaning of these words when used in context. (Students often include an English translation in their vocabulary notebooks for reference.) In early stages they are not responsible for anything other than recognition of meaning; that is, they need not be able to produce or spell the words correctly. Aim to introduce, for recognition, from 20 to 50 new key vocabulary items per classroom hour. Remember that students can make very fast progress in the early stages of NA because they only have to recognize the meaning of the words. Give frequent vocabulary quizzes that include all words in the students' vocabulary notebooks, not just those introduced by the text. Hint: You can keep track of vocabulary you introduce by giving one of your responsible students a piece of carbon paper and asking him/her to make you a copy of each day's vocabulary along with his/her own. Because your topics of conversation will not correspond exactly to the text and because students have widely varying interests, the vocabulary in their notebooks will not match the text exactly. This is an advantage, since many of these common words will then be familiar when they finally appear in an oral activity in the text.

INPUT TECHNIQUES

Teacher-Talk

Since second-language acquisition theory posits that input plays the major role in acquisition, the most important part of NA instruction is the input the instructor supplies to the students in the form of teacher-talk. The purpose of the oral activities is to stimulate an interchange of information and ideas between the instructor and students (and later among the students themselves). This teacher-talk input has certain characteristics:

1. It is focused on meaning. Everything in the input is aimed at getting across meaning, that is, information about some topic or situation being addressed.
2. It is comprehensible. Students are able to follow the main ideas contained in the input.
3. It is slightly above the students' current level of competence. This means that the students understand enough of the key words and enough of the structure to be able to interpret new vocabulary and structure by using what they already understand and the context (by being familiar with the topic under discussion, looking at visual aids, attending to gestures, and so on).
4. It contains vocabulary and structure the students are not able to interpret. The input contains just enough unknown material so that the students are still able to follow the main ideas, but are unable to understand every word. This kind of input both encourages the development of good listening strategies and provides new material for acquisition.
5. It is interesting and relates to the students' experiences. The instructor must use information about the students themselves to personalize the discussion arising from the oral activities and then orient it toward topics of personal interest.
6. It allows for spontaneous and innovative student responses without being threatening. The attitude of the instructor during the give and take of the input must be one of attention to meaning. Any attempt the students make to communicate is accepted in a positive fashion.
7. It is simplified input. All language acquirers, including children acquiring a first language, must have access to simplified input. In this context, simplified means many things. The speed of the input is somewhat slower than regular adult-to-adult native speaker input. It is more clearly enunciated. The focus is usually maintained on a single topic longer than normal and the information may be given in several forms and repeated several times. The range of vocabulary and structure used in the input is limited without being artificial.
8. It is varied and natural. Since the focus is always on the message, the instructor reacts naturally to the students' responses, thereby creating new situations and additional information in the input. In this way, frequently used vocabulary and structures are reentered many, many times without having to plan a specific review. Good teacher-talk is essential for the success of NA. If the interaction during the class is artificial and overly controlled, students will not acquire German.

Picture File

A good picture file (PF) is essential for use with **Kontakte**. It is created with real pictures from magazines and newspapers. Such a PF is much more useful to the needs of a specific class than are pictures from commercial publishers. Cut pictures from magazines or newspapers. Trim them to eliminate English and other distracting elements. Paste or tape them to heavy construction paper. If possible, laminate to protect them while they are handled. Most NA instructors request that their students bring one picture per week as a part of a show-and-tell session. In this way a large picture file is built up quickly and without too much work or expense.

The pictures in your PF will be more useful if they fulfill certain requirements:

- Each picture should focus on a particular thing or event, but also contain enough other items to lend interest. Pictures with a single item (for example, a picture of a banana) are less useful, since they do not lend themselves to much more than a flashcard drill.

- Each picture should be interesting or eye-catching. The picture should contain something that will invite the students to want to pay attention to it as you talk about it.

- Each picture should be large enough to be easily seen. Attention wanders quickly if the input cannot be related to the visual, and therefore the input becomes incomprehensible.

We recommend that in making a PF you save all pictures that students bring in and group them for use later. Searching for a particular item or category is too time consuming.

The PF is useful in various ways at different levels. In Stages I and II the pictures have two main functions. First, they serve to make the input comprehensible. They can be used to introduce words that we do not wish to associate with students in the class (for example, derogatory adjectives such as fat, thin, ugly). They can also be used to illustrate words or ideas that are difficult to show in other ways (for example, activities such as cooking, sailing, cleaning). The second function is one of association. Often particular characteristics of a picture (the background, the people, or some type of action or activity that draws one's attention) will aid the students in associating the meaning of a new word or structure in the target language. In Stage III pictures are used to stimulate responses or as a starting point for a discussion. They may also be used to stimulate creative writing. Finally, pictures are used extensively in NA in quizzes, especially in the initial stages of language acquisition.

Affective Filter

We have described acquisition as a somewhat delicate process that will not take place unless certain requirements are met. One of these is that students be exposed to high-quality comprehensible input. The other is that they be able to interact with one another, using the target language in a low-anxiety environment. How you go about lowering affective filters will be a part of your own teaching style, since each instructor is different. Here are some general guidelines that seem to work for most instructors in creating an affectively positive environment in the classroom:

- Each student should feel that the instructor takes a personal interest in his/her progress. Learn the students' names immediately and begin to accumulate personal information about each student. Use this information to make comments during the oral activities to link the information in the activity to the students' own interests and experiences.

- Encourage all attempts to communicate. Direct error correction should be limited to the grammar exercises and should not occur during the oral activities or during any conversation in which the focus is on meaning rather than structure. Praise attempts at guessing and risk-taking in both comprehension and speech production. Encourage creativity and stress that taking risks is more important than avoiding possible errors.

- Encourage a positive attitude toward eventual success. The goal is to communicate with native speakers successfully, not to be able to understand and speak the target language as fluently as native speakers.

- Set realistic, useful, and attainable goals. Most students will not be able to develop perfect accents, nor will they be able to monitor extensively enough to correct all errors in their speech. On the other hand, all students can be proficient and successful communicators in a new language.

- Make the class enjoyable. Smile, laugh, react, reveal, explain, but most of all, enjoy yourself. Language acquisition does not need to be a chore.

- Appeal to the students' desire to learn. Add cultural information (in the target language) in all activities. Recount your own experiences, your travels, your encounters. Show slides, movies, videotapes. Bring newspapers and magazines to class. Play games. Make the course a cultural as well as a linguistic experience.

Spiraling of Vocabulary and Grammar

Spiraling must be built into the class activities. There is no single activity in which the students should master a particular set of new words or a grammar point. Instead, there are many activities in which new items are introduced or reentered within the same class hour or in later sessions. Spiraling also takes into consideration that individuals acquire language at different rates. Some students will acquire a particular word or grammatical item shortly after it is introduced; others will not acquire it until much later during one of the subsequent reentries.

For more details on spiraling in **Kontakte**, see the Scope and Sequence Chart at the end of this manual.

HOW TO TEACH WITH *KONTAKTE*

In the following sections we will describe in detail the components of the two **Kontakte** texts and their use in a NA class.

Topics (*Themen*)

The main text contains the activities that stimulate the acquisition of vocabulary and grammar. They are organized by topic: for example, in **Kapitel 1** there are three **Themen: Freizeit, Vergnügen**, and **Tagesablauf**. Each **Thema** contains a variety of acquisition activities designed for communicative interaction on that particular topic. At the beginning of each topic section there is a vocabulary and/or grammar display to signal the language "tools" that will be used in the section. There is also a reference to the corresponding section of the **Grammatik und Übungen**.

Stages of Language Acquisition in *Kontakte*

We will describe teaching techniques and materials for each of the three stages of acquisition:

Stage I: Comprehension (**Einführung A**)
Stage II: Early Speech (**Einführungen B–C**)
Stage III: Speech Emergence (**Kapitel 1–14**)

■ Stage I: Comprehension (Einführung A)

The activities for Stage I, Comprehension, provide the opportunity for students to develop good listening skills. They are not expected to speak the target language during Stage I activities, although some activities that provide a vehicle for practice with formulaic expressions of greeting and farewell are recommended. Students are asked, however, to verify their comprehension of what the instructor says in a variety of ways.

Input Techniques in Stage I

For Stage I we will describe these three techniques used to give comprehensible input:

1. Total Physical Response (TPR)
2. Student-centered input with names as responses
3. Picture-centered input with names as responses

Total Physical Response (TPR)

TPR is adapted here from the methodology developed by Dr. James Asher, Professor of Psychology at San Jose State University, San Jose, California.* During Stage I, TPR in its simplest form consists of commands that you give to the students to act out. (In Stage II and particularly in Stage III, students may also give commands to each other and/or to you.)

The first time TPR is introduced, briefly explain in English what you are going to do and what you expect of the students. Tell the class that you are going to teach them to follow instructions. Assure them that they will learn to recognize the meaning of the commands gradually during the next few class periods. Introduce each new command one at a time, reviewing each one frequently. Have the students listen first and watch you do the action. For example, begin: **Stehen Sie bitte auf.** Say the command clearly and stand up while saying it. Then say: **Setzen Sie sich bitte.** Execute the command yourself. Repeat several times and then have the students do the command with you. Then give the command and have the students execute the action by themselves. All TPR activities should follow this same pattern: introduce the command; practice it with the class; test comprehension by giving the command and having the class perform it alone.

Here is a simple TPR sequence: **Stehen Sie bitte auf. Nehmen Sie das Buch. Öffnen Sie das Buch. Schließen Sie das Buch. Setzen Sie sich.** An average TPR activity lasts from three to seven minutes and introduces from five to fifteen new commands.

Student-Centered Input with Names as Responses

This particular technique is used to introduce new words or grammatical forms and structures in the comprehension mode. Students indicate comprehension by answering with their classmates' names or, in some cases, with **ja/nein**. Several vocabulary topics appear for comprehension in **Einführung A**. We will describe each separately; however, they should be mixed in your speech.

- Color and length of hair. A cue that helps students remember names consists of drawing their attention to each other's physical characteristics (use only positive characteristics). For example, Lisa might have **blondes Haar** and Jim, **braunes Haar.** Introduce **kurz, mittellang, lang.** As you speak, write key words on the board; students should copy these words in a vocabulary notebook. Some of the key words in these examples are: **Haar, blond, braun, kurz.** Either write adjectives in their predicate adjective form (**blond**) or write the entire adjective/noun phrase (**blondes Haar**). Pick characteristics that seem especially positive and are easy to remember.

- Facial characteristics. A beard (**Bart**) or a moustache (**Schnurrbart**) will provide identification cues. Eye color (**blau, grau, braun, schwarz**) and glasses (**Brille**) are also distinguishing features.

- Clothes. Articles of clothing plus color words are an easy identification tool. For example, **Judy trägt einen braunen Pullover.** Use key words like **Pullover, Hemd, Hose, Kleid, Rock** plus a few colors such as **rot, gelb, blau, weiß, grün,** and so forth. Form changes due to gender and case agreement do not normally interfere with comprehension. During the pre-text activities write the noun on the board with no accompanying article and write the adjective in its basic form, that is, without an ending. However, after you begin the text and especially during **Einführung B**, you may wish to write nouns with the definite article.

---

*For details see J. Asher, *Learning Another Language Through Actions: The Complete Teacher's Guide*, Sky Oaks Publications, Los Gatos, California, 1977.

Here are several techniques for introducing these topics:

- Ask a student his/her name directly: **Wie heißen Sie?** (Use mime and repeat several times: **Wie heißen Sie? Ich heiße** . . . [give your name]. **Wie heißen Sie?**) Then make some comment about an identifying feature: hair color, clothing, or whatever. For example: **Wie heißen Sie? (Linda.) Linda. Sie heißen Linda. Darf ich vorstellen** (use mime), **das ist Linda. Linda ist eine Studentin.** (Point to Linda's skirt.) **Linda trägt einen roten Rock.** (Point to other red things.) **Rot. Das ist auch rot. Das ist ein roter Pulli** (and so on). **Wer trägt** (use mime to illustrate meaning of **trägt**) **einen roten Rock?** Students answer with the student's name: **Linda.** Expand each response: **Ja. Linda trägt einen roten Rock.**

- Ask the class to find a student with the characteristics you suggest. **Wer hat blondes Haar?** The students point to or name students with blond hair (there may be several). The instructor picks one of them and asks the student's name. Then the procedure continues as in the preceding paragraph.

Use both procedures and switch back and forth from one to the other. Suppose, for example, that we already know that **Linda Smith trägt einen roten Rock.** You can then ask if there is another student in the class who is wearing a red skirt. If there is, then that student's name is learned along with some other characteristic. The second student who is wearing a red skirt may also be wearing a white sweater, for example.

With this technique you can usually introduce about 20 new words in a 20-minute activity. Make sure the class understands what you are saying by using frequent review questions that require only the student's name as an answer: **Wer** (use mime to illustrate the meaning) **trägt einen weißen Pulli? Und wer trägt einen roten Rock? Wer hat braunes Haar und trägt eine braune Hose?** and so on. Remember that the goal of the activities during Stage I is to give students the opportunity to interpret meaning by using key words and context: Comprehension = key words + context.

Picture-Centered Input with Names as Responses

In most activities that introduce new vocabulary or grammatical forms and structures, you will make extensive use of your Picture File (PF). For Stage I the techniques are essentially the same as in student-centered input with names as responses. (See the preceding section.) Instead of using characteristics of the students themselves, however, use pictures of people. Look for people of different ages and physical characteristics. Describe a picture: **Hier ist ein junger Mann mit großen blauen Augen.** Then give the picture to a student and say: **Jetzt hat Robert das Foto von dem jungen Mann mit den blauen Augen.** Or: **In Roberts Foto ist der junge Mann mit blauen Augen.** Or: **In Roberts Foto ist ein junger Mann. Er hat blaue Augen.** Keep in mind that the adjective inflection changes will not confuse the student if the focus is maintained on meaning. Follow your initial statements with a question: **Wer hat das Foto von dem jungen Mann mit den blauen Augen?** Continue introducing new key words with each picture until about half of the students are holding a picture.

Mix questions about the pictures with questions about the students themselves: **Wer hat das Foto von der alten Frau? (Paul.) Wer trägt eine blaue Bluse? (Karin.)**, and so forth.

The use of a PF allows you to introduce words for items not readily available in class. Often the pictures themselves spark interest among the students. This interest hastens the binding process and is helpful to the acquisition process in general.

Expansion Techniques in Stage I

In all activities of Stage I, it is important to supply good comprehensible input during the instructional period. Much of the input is made comprehensible because it is given in a clear context. For example, the commands are comprehensible because they are modeled first by the instructor, then performed many times by the students. The student-centered input is contextual by definition, as the instructor points to the referent: blond hair, brown eyes, green shirt. The input based on pictures is also contextual, since the students have a visual representation of each of the new key words.

In other cases, the input is comprehensible because of the discourse structure. Particularly important in this regard are the expansions of the students' responses. For example, the instructor asks: **Wer hat schwarzes Haar?** The students answer: **Marge**; the logical expansion is **Ja, Marge** (or **Margit** if the students prefer German versions of their names) **hat schwarzes Haar**. The expansion is easily understood because of its discourse position. This expansion is then followed by another question related to the first: **Ist Margits Haar kurz?** (**Ja.**) The expansion is: **Ja, Margits Haar ist kurz, es ist nicht lang, sondern kurz.**

Here are some other examples of expansion to be used in Stage I:

- **Wer trägt einen blauen Pulli?** (**Paula.**) **Ja, heute trägt Paula einen blauen Pulli. Wer noch trägt auch einen Pulli?** (**Richard.**) **Richtig, Richard trägt auch einen Pulli. Aber Richards Pullover ist nicht blau, sondern gelb. Ist Paulas Pullover auch gelb?** (**Nein.**) **Nein, er ist blau.**

- **Drei Männer in unserer Klasse haben einen Bart, richtig?** (Hold up three fingers using the thumb as Germans would.) (**Ja.**) **Wie heißen sie?** (**Michael, Fred, Paul.**) **Ja, Michael hat einen Bart, Fred hat einen Bart und Paul hat einen Bart. Drei Studenten in der Klasse haben einen Bart. Haben wir auch Frauen mit Bart?** (**Nein.**) (Students usually laugh.)

- **In unserer Klasse sind 27 Studenten und Studentinnen, richtig?** (**Ja.**) **Wie heißt der Mann mit dem langen schwarzen Haar und der kurzen Hose?**

Note that before you begin **Einführung A** you will have introduced in context important function words such as: **heute**, **auch**, **und**, **aber**, **sondern**, and the interrogative **wer**.

Dialogues in Stage I

In Stage I we recommend that you include a few simple dialogues composed mostly of stock phrases. Most of these phrases can be introduced via TPR with the **Sagen Sie** command: **Sagen Sie Guten Tag**. By the end of Stage I most students should be able to participate in short interchanges of formulaic material. (Note, however, that most dialogue material in NA is not meant to be memorized.) Read the dialogue and have the students repeat the lines. Then take parts: the instructor is the first person and the class answers with the second line. Finally, the students work in pairs for a few minutes while the instructor moves from pair to pair helping with pronunciation. (The use of dialogues in Stages II and III will be examined in more detail in those sections.)

■ Stage II: Early Speech (Einführungen B–C)

In Stage II students are expected to make the transition from responses with only names and **ja/nein** to the use of single words and short phrases in German. In addition, most of the different types of oral activities that will be used in the text are introduced first in Stage II, so that the students can learn to interact using these materials without having to produce complex responses.

Input Techniques in Stage II

Either/Or Questions

The most important question technique for making the transition from Stage I to Stage II is the choice question. The pre-text oral activities of **Einführung B** are designed to use the vocabulary introduced in **Einführung A**, but with the possibility of students producing a word or phrase in German.

- Numbers. Numbers have been introduced for comprehension in Stage I. Use the following activity to make the transition to Stage II. Begin by including the numbers from one to ten in your input. Count the students, by walking around the room, pointing to each one, and counting aloud slowly. Students should mostly listen, but some will want to count along, and some will want to repeat aloud. Repeat several times, going forward and backward, but always giving the same student the same number. Hold up fingers and count to 10 slowly. Continue until most of the students have voluntarily joined in. Hold up fingers and ask either/or questions such as: **Sind das zwei oder drei? Und jetzt? Fünf oder sieben?** Always expand answers: **Ja, richtig, das sind drei.** Continue until all numbers through ten are easily recognized by most students. Ask either/or questions so that each time they respond, the response is simply a repetition of what you have just said: **Sind das sieben oder zehn?**

- Colors and clothes. Talk about the students and their clothing, as you did in **Einführung A**, by mixing questions that take the student's name as a response: **Wer trägt eine blaue Jacke?** Include yes/no questions: **Trägt Thomas einen gelben Pullover?** Every fifth question or so use an either/or question: **Ist Annas Bluse blau oder rot?** Students respond with a single word and you expand the answer. Attend to the errors in grammar and pronunciation in the students' answers simply by expanding the responses into grammatically correct statements. (**Rot.**) **Richtig, Annas Bluse ist rot. Und Roberts Schuhe, sind sie blau oder schwarz?** (**Schwarz.**) **Korrekt, sie sind schwarz. Roberts Schuhe sind schwarz. Ist Luises Rock weiß oder gelb?** (**Gelb.**) **Ja, Luises Rock ist gelb.**

Open Sentences

Use the descriptive adjectives introduced in **Einführung A** and your PF to encourage production: **Auf diesem Foto ist eine Frau. Sie ist sehr _____.** According to the picture students might say: **jung/alt, schön/häßlich, dick/dünn.** Expand the responses: **Dieser Mann ist (dick). Ja, er ist dick und ziemlich häßlich, oder?**

Lists

Ask for a volunteer to stand up. Direct attention to the clothes the student is wearing: **Was trägt Michael? (Hose.) Ja, er trägt eine Hose. Welche Farbe hat Michaels Hose? (Blau.) Richtig, sie ist blau. Er trägt eine blaue Hose. Was trägt er noch? (Hemd.) Ja, er trägt ein Hemd. Ist Michaels Hemd gelb? (Nein, weiß.) Richtig, das Hemd ist nicht gelb, sondern weiß.**

Interrogatives (*Was? Wieviel? Wer?*)

Use your PF to describe and talk about people. Include photos of famous people. **Wer ist das? (Richard Gere.) Ist das ein Mann oder eine Frau? (Mann.) Natürlich, er ist ein Mann. Er ist Amerikaner, oder? (Ja.) Was trägt Richard Gere hier auf dem Foto? (Pullover.) Ja, er trägt einen Pullover. Beschreiben Sie den Pullover, den er trägt. (Blau.) Ja, er ist blau. Ist er neu? (Nein.) Na gut, er ist nicht neu. Wie ist der Pullover? (Alt.) Richtig, er ist nicht neu, sondern alt. Trägt er Schuhe? (Ja.) Wie viele? (Zwei.) Richtig, er trägt zwei Schuhe. Wie viele Schuhe tragen Sie? (Zwei.) Natürlich, sie tragen auch zwei Schuhe. Welche Farbe haben Richard Geres Schuhe? (Schwarz.) Gut, sie sind schwarz. Richard Geres Schuhe sind schwarz.**

All the question techniques that encourage transition to speaking should be mixed in the input naturally. Note that whenever a student gives a response that is correct but that contains an error in grammar or pronunciation the instructor attends to the correctness of the response and gives the appropriate grammatical form or the correct pronunciation in the expansion and follow-up.

Types of Oral Activities in Stage II

Most of the types of oral activities that will be used in **Kontakte** will be introduced in Stage II (**Einführungen B–C**). In this section we will describe how each one is used in Stage II. The **Sprechsituationen** include:

1. Pre-text Activities
2. Vocabulary and Grammar Displays
3. Additional Activities (AAs)
4. Dialogues
5. Matching
6. Interactions
7. Interviews
8. Affective Activities
9. Association Activities
10. Autograph Activities

Pre-Text Activities

The oral pre-text activities focus on new vocabulary or grammatical form and structure before these items are encountered in the oral activities from the text. The goal is to use the new words in a communicative context, so that the students hear the new words but are not themselves forced to produce these words. Remember that in Stage I, the entire pre-text activity is done with little or no production of German by the students. Beginning in **Einführung B**, the emphasis of the pre-text activities is still the introduction of new words for comprehension; but now the students can produce German words that they have PREVIOUSLY encountered in the input. For example, pre-text **Situationen 1** and **2** of **Einführung B** include questions that require students to respond with words that were introduced in **Einführung A**. In pre-text **Situation 3**, the instructor introduces words for classroom items (**Heft, Stift**); the students are not asked to produce these words, although they may respond with words from previous activities. (Most of the pre-text activities in all three stages require extensive use of your PF.)

Vocabulary and Grammar Displays

As in Stage I (**Einführung A**), the vocabulary displays include the core vocabulary of a particular section; the grammar displays include condensed charts that highlight those forms and structures that are necessary to the activities. Usually the Instructor's Notes will include suggestions for introducing this vocabulary and/or grammar. Keep in mind that still in Stage II the input for the vocabulary and grammar display should contain examples of the new words, but the students should not be forced to produce them in their own speech.

Additional Activities (AAs)

Beginning in **Einführung B**, there will be a number of AAs in the margins of the Instructor's Edition. The AAs consist of oral interaction between the instructor and students with no reference to a text. New words introduced in these AAs are not included in the **Vokabeln**.

Dialogues

There are three sorts of dialogues used in the **Sprechsituationen** of Stage II (**Einführungen B–C**): model dialogues, open dialogues, and scrambled dialogues.

- Model dialogues. These are standard pre-written dialogues that serve as models for conversation. They often introduce new vocabulary and phrases that are difficult to introduce in classroom conversation. Read the dialogues aloud to the students and explain in German any new vocabulary, grammar, or relevant cultural points. Then have the students practice reading the dialogues aloud in pairs. Ask for volunteers to perform the dialogue for the class. The model dialogues are not intended for memorization.

- Open dialogues. These are patterns used to create dialogues. Read through the entire pattern aloud, asking students for possible fill-ins. Explain any new vocabulary, grammar, or cultural points. Have the students practice the dialogue in pairs creating their own version. Encourage them to change the dialogue in any way they wish. Then have volunteers perform the dialogue for the class.

- Scrambled dialogues. These are pre-written dialogues with the lines in mixed order. Read each line aloud checking for comprehension. Explain any new words, grammar, or cultural points. Have the students work in pairs to reorder the lines logically. Then ask for volunteers to perform the dialogue for the class.

Matching

In matching activities, students only need to match items on one side with words or items on the other. Often more than one choice or match is appropriate; encourage students to supply options not included in the list. Follow up each match with appropriate person-alized comments. In the matching activities of **Einführungen B–C**, the match can be indicated with a single word or short phrase.

Interactions

These are usually tables of information that students scan for particular information. The first interactions are found in **Einführung B**, **Situationen 4–5**. In this interaction the students use the adjectives in the table to describe their classmates. The important point is that they understand how to substitute words using the three sentence patterns. First, ask students to scan the information in the table, in this case adjectives, most of which are cognates. Use the first pattern and ask questions, substituting the names of the students in the class: **Ist Stefan nervös? Ist Susanne emotional?** Then have the students work in pairs using the same structure. In other interactions the students are able to choose the questions they will ask. For example, in **Einführung C**, **Situation 13** the students ask each other questions about the place and date of birth of several of the characters in the text. Student 1 chooses either the place or the date and student 2 must understand the question and then find the answer in the table.

Interviews

In **Einführungen B–C**, the interviews consist of questions and patterns for the answers. Have the students work in pairs: one asks the questions; the other answers. The interview-er takes notes on the interviewee's answers. The students then switch roles and continue the same procedure. In the follow-up ask students to share information on the persons they interviewed. Pose questions about the persons in such a way that students can answer with either a full sentence or a short phrase or even a single word. After each answer, extend the discussion by comparing that answer with others that have been given.

Affective Activities

These are various sorts of activities in which students are asked to express a personal opinion or to describe something, someone, or some experience from their own lives and personal experiences. Follow up by comparing answers and by making comments on your own experiences. Try to remember as much information as possible about each student—likes and dislikes, favorite activities, experiences and so forth—in order to recall this information whenever a relevant situation comes up. In affective activities, stress positive attributes. Some students enjoy participating in affective activities; others do not. For this reason, it is best to use volunteers for affective activities.

Association Activities

These are activities in which some information is associated with a particular student. The instructor and the students try to remember which information pertains to which student. In Stage II, the information for association is relatively simple: birthplace, place of current residence, classes, major, and so on. In most association activities in Stage II, students are asked only to supply a name or at most a single word answer.

For example, suppose that the goal is to identify the birthplace of each student (as in pre-text **Situation 4** of **Einführung C**). First write on the board: **Woher kommt** _____? and **Er/Sie kommt aus** _____. Give your own birthplace: **Ich komme aus Texas, aus Austin, Texas. Woher kommen Sie, Mark? (New York.) Aus New York? (Ja.)**

Interessant, Mark kommt aus New York. Then add some comment about the location to promote the association. **New York ist sehr groß, nicht? (Ja.) Wer kommt aus New York? (Mark.)** Then proceed to the next student: **Woher kommen Sie, Anna? (Trenton.) Aus Trenton in New Jersey? (Ja.) Anna kommt aus Trenton, und Mark kommt aus New York. Und Sie Bill, woher kommen Sie? (Long Island.) Aus Long Island. Und wer kommt aus New York? (Mark.) Und Anna, woher kommt sie? (Trenton.) Richtig, aus Trenton. Und wer kommt aus Long Island? (Bill.)** Continue until the class has associated new information with fifteen or so students. During the following class period, review this information, then complete the association for the rest of the students.

Association activities have three goals: the introduction of new vocabulary and/or grammar, the association of the new vocabulary and grammar with individual students, and the lowering of affective filters by getting to know personal information about each other. Association activities are used extensively in Stage III to introduce new verb forms.

Reading in Stage II

Formal readings appear in the **Zusätzliche Texte** section at the end of **Einführungen A–C.** In addition to the formal readings, a number of the **Sprechsituationen** present reading material of many kinds.

There are four main reading skills: skimming, scanning, intensive reading, and extensive reading. Students skim a reading to get the main ideas. They scan for specific information. Intensive reading is a close reading: students attempt to understand each utterance (and even each word) of the text. Extensive reading is usually pleasure reading. Students read for content and supporting material but not for detail. In Stage II, we concentrate on scanning and intensive reading. Skimming and extensive reading are skills that should be introduced in the first **Zusätzliche Texte** section at the end of **Einführungen A–C**, but they should be emphasized in Chapters 1–14.

- Scanning. Students are asked to scan charts of information and commercial advertisements. The goal is not to read everything, but rather to search the chart or ad for particular information. In the charts and ads for the Stage II (**Einführungen B–C**) activities, most of the vocabulary will be recognized by the students. (This will not be the case for materials in the ads of the Stage III activities.)

- Intensive reading. Students read instructions, dialogues, interviews, and other material in the **Sprechsituationen** intensively; that is, they should understand each word they read. By the time they are ready to read the first narration, we expect that most of the sound-letter correspondences will be strong and that the students will be accustomed to reading and understanding sentences in German without translating them to English.

Introduce the first reading. Begin by asking the students to scan the first reading in **Zusätzliche Texte, Unsere Straße: Ernst stellt sich vor.** Explain that if we can anticipate the general topic of the reading, we will be able to make better guesses at the contents. For example: **Wer stellt sich vor? (Ernst.) Richtig, ein Junge, der Ernst heißt, stellt sich vor.** Read the passage aloud, with the students following along. Read slowly using as many gestures as possible and using intonation to aid comprehension. Pause and add comments or ask questions that will aid comprehension. For example, read: **Ich heiße Ernst Wagner und gehe in die Maximilian-Grundschule in der Schloßstraße in München.** Pause to ask: **Wissen Sie, wo München ist?**

After you have read the text aloud, ask the students to reread the passage themselves silently; stress that they should avoid translation. Then ask the questions in the text. Finally, ask the class to reconstruct a short summary with you. Use the incomplete sentence technique: **Dieser Junge heißt . . . (Ernst) . . . und wohnt in . . . (München). Geht er auf die Schule oder auf die Universität? (Schule.) Er beschreibt sein Klassenzimmer, nicht? (Ja.)**

In the readings of **Einführungen A–C** you may use the saturation question technique in which you comment on or ask a question about every fact in the narrative. (Note that in Stage III you will NOT want to do this, since it tends to promote reading for detail rather than for general ideas and events.)

It is impossible to know how often you will need to spend class time going through subsequent readings with your students before they establish good reading habits. However, we suggest you remind them from time to time to focus on meaning and to avoid translation into English. In addition continue to stress the importance of guessing the meaning of new words through context.

Use the readings of the **Einführungen** in class to develop two skills:

1. The use of context to guess at the meaning of unknown words
2. The ability to distinguish between key, important words, which must be looked up in the glossary, and words that represent unimportant detail and may be safely omitted.

For the readings within a chapter, key words not introduced in previous activities are glossed in the margin or mentioned in the Instructor's Notes. If a new word is not glossed, it is because it is easily understood in context or is unimportant to the main idea of the sentence. New words introduced only in the readings are not included in the chapter vocabulary list but are included in the glossary at the end of the text.

Also see the Instructor's Notes in the margins of the Instructor's Edition for suggestions on the use of the readings in the supplementary readings.

■ Stage III: Speech Emergence (Kapitel 1–14)

Stage III is characterized by activities in which students are encouraged to express themselves with longer phrases and complete sentences. It is in Stage III that students also develop the ability to engage in conversation, to narrate events, and to express opinions.

Sprechsituationen

Although many of the various types of oral activities were used in Stage II (**Einführungen B–C**) **Sprechsituationen**, the focus in these activities changes somewhat in Stage III, since there is increased emphasis on the development of speaking skills. For this reason we will discuss each type of oral activity, offering both general suggestions and specific techniques the first time it is used in **Kapitel 1–14**.

Affective Activities

Affective activities are those in which students describe themselves and their family and friends. They may include personal experiences, opinions, hopes, and so forth. Although the students were introduced to affective activities in Stage II, the range of responses was limited. The purpose of the affective activities in Stage III is to provide the opportunity for students to express themselves on topics of interest. Thus the activity itself is secondary to the conversation and to the interchanges it generates. The emphasis is not on the answer itself but rather on why the student chose that response. In the early chapters, affective activities ask for students' opinions, plans, desires, and so on. In later chapters they include discussions, skits, and panels. We will comment on each type of affective activity separately.

- Opinion. In these activities students are given a statement and three or more ways to complete the statement. For example, a statement might be: **Am Wochenende spiele ich gern . . .** followed by choices such as **Tennis**, **Schach**, **Fußball**, and sometimes a blank space that students complete with an item of their own choice. Normally students need only answer **ja** or **nein** to each choice. However, in the follow-up ask them to explain their choices and to compare their choices with others (similarities and differences). In some cases you may want to ask the students to rank their answers.

- Open sentences. Encourage students to complete these in imaginative ways. They don't always have to tell the truth!

- Discussion. Usually these are sets of guideline questions on a particular topic. The instructor asks the questions and students volunteer their opinions. Make comments and ask other questions that will encourage students to elaborate on each response. Allow students to comment on one another's responses.

- Drama. These are skits to be performed for the rest of the class members. Give the students class time to practice their skits in small groups. Advise them NOT to memorize lines, but rather to "ad lib" as much as possible.

- Panels. We give suggestions for panel discussions in the more advanced chapters. Two students should present the pros and two the cons. Allow class time for preparation.

Interviews

Beginning in **Kapitel 1** the pattern for answers in the interviews is no longer supplied by the text. In Stage III students should elaborate on the information from the interviews. They should present the information in narrative form with the instructor intervening only to specify and clarify.

Dialogues

In Stage III the model dialogues are longer and more complex, both in content and in language usage. Allow more time for students to practice the dialogues in pairs or small groups. Go from group to group encouraging good pronunciation and above all meaningful intonation. Call on those who demonstrated proficiency during the pair work to read the dialogue aloud for the class.

The open dialogues are meant as guidelines only. Encourage innovation and permit even radical changes if the students desire. Ask for volunteers to perform the dialogues for the class. Open dialogues are used through **Kapitel 6**.

The situational dialogues, beginning in **Kapitel 7**, consist of a description of a particular situation followed by several introductory lines that suggest a possible dialogue within that situation. These dialogues allow students more flexibility in language use and role playing. Read over the situation with students to make sure they understand it. Then divide the students into pairs and ask them to create their own dialogues. Remind them to keep the dialogues short and interesting. They should use vocabulary they know and avoid looking up new words in the dictionary, since new words will simply confuse the other students when the dialogues are performed for the class. Let volunteers perform their dialogues. Students should not write out the dialogues nor try to memorize them; this will make it more difficult for the other students to follow the presentation. Students may use notes, however, if they wish.

Interactions

In Stage III, the charts of information for the interactions are more complex and the interactions themselves allow for more freedom of selection by the students. However, you should restrict the time spent on the tables and personalize the interaction as quickly as possible.

Definitions

In definition activities, the definition is usually given and the student only needs to supply a word. However, in most activities the words to be supplied are often new, as are many of the words used in the definitions. Therefore you must preview each definition activity, usually making use of your PF to highlight the key new words. The definition activity can be done with the entire class interacting with the instructor or first in pairs and then followed up with the whole class. As students match definitions with words, ask them to try to define in German some of the important terms in the definitions themselves.

Newspaper Ads

Various sorts of advertisements appear in the text. All are adapted from ads from German-language newspapers or magazines. The ads serve to develop scanning skills and, particularly in Stage III, provide a point of departure for comprehensible input and oral interaction. Introduce each ad by asking simple questions that require students to scan the ad for information: **Was ist die Adresse? Die Telefonnummer? Die Geschäftszeit?** Comment on and explain new key words. Then have the students do the interaction or answer the questions in the text in pairs. In the follow-up, ask personalized questions.

Autograph Activities

These are activities in which students must get up and ask questions of several other students until they find someone who fits a particular description. The first appears in **Situation 5** of **Kapitel 1**. In this activity the object is to find a student with a particular hobby or favorite activity. First have the students write their hobby or activity in German in a column on a separate piece of paper. They should leave room for a signature beside each hobby or activity. Then show them how to carry out the dialogue indicated in the text. Rules: If they ask a student a question (**Hörst du gern Musik?**) and the answer is **nein**, then they must ask another student before asking the first student another question. This encourages them to ask the questions many more times and to move around the room to interact with a larger number of students.

Association Activities

Association activities are used more extensively in Stage III than in Stage II. Their principal use in Stage III is to create a situation in which large numbers of new verb forms can be featured more or less naturally in the input. For example, association activities can be used to introduce all new verb tenses or periphrastic constructions such as modal plus infinitive.

The purpose of an association activity is to provide the opportunity to hear a single form-meaning correspondence repeated many times in a single activity. If, for example, we want the students to be able to comprehend and talk about daily activities, they will have to understand and use the various person/number forms of the German present-tense conjugation (including irregular forms) and the structure of separable prefix verbs (**aufstehen; stehe auf**). The technique is to associate a single piece of information with each student. In this case, Dan may be the student who gets up at 6:30 AM while Judy is the student who sleeps until 9:00 on Saturdays. If the semantic focus is recreation activities, then Bob might be the student who spends his Saturday afternoons playing tennis and Susan the student who goes horseback riding on Sunday.

Here we will exemplify in some detail a possible association activity sequence for the introduction of the present tense in **Kapitel 1**. This particular association is part of the pre-text activities and concerns itself with recreation. (The rest of the association activities will be described in the Instructor's Notes as needed.)

Recall that the present-tense forms have been introduced in the preliminary chapters with the verbs **sein**, **haben**, **heißen**, and **kommen**. However, to talk about the topics in Chapter 1, students need to understand and use present-tense forms more extensively than previously. Note that the regular present-tense forms are introduced and exemplified in grammar section 1.1, the umlaut verbs in 1.6, and verbs with separable prefixes and associated nouns in 1.7. It is likely, however, that in an association activity you will not be able to separate these types of verbs, since the focus will be on your particular students' recreational activities. Most students have no trouble with the present-tense endings in German, and by now are quite used to understanding sentences with various present-tense verb forms. However, for those students with no prior language experience, the concept of verb endings may take some time to grasp. In any case students will not be able to use the various verb forms easily until they have had multiple opportunities to hear these forms used in communicative contexts. In this first association activity, concentrate on recognizing the meanings of a relatively large number of new verbs in the third-person singular form. In subsequent activities, after students can understand the meaning of a large number of verbs used in sentences with third-person singular forms, give students the opportunity to hear and produce the other present-tense forms.

Ask students to think of a single activity they like to do on the weekends and name that activity in English. Write the German equivalent on the board using the student's name. For example: **Jim spielt am Wochenende Basketball**. After you have written several activities on the board, review by asking: **Wer geht an den Strand? Wer spielt Eishockey?** Associate two or three activities with students, and then review and comment on the activities: **Wer fährt Ski? (Amy.) Wo fahren Sie/fährst du Ski?** (Student replies with the name of a place.) Follow up with comments on the place. After you have introduced an association for each student in the class, erase the names so that the students have to remember which activity is associated with a particular student. In all association activities, encourage complete predicates: **Jason geht in die Disco, Heather liegt in der Sonne, Amy fährt Ski.** The main idea of an association activity is to include enough details to help the other students remember the person with whom the activity is associated.

In subsequent activities, concentrate on input that contains many examples of the first-person singular forms. Here is one possible technique. First review the daily activities associated with each student. Write at least fifteen verb forms on the board. Then look at four or five forms and react to them personally: **Jane spielt Tennis**, for example. **Ich spiele auch Tennis.** Or: **Ich spiele nicht Tennis.** Continue reacting truthfully to the first few sentences on the board writing the first-person singular forms beside the third-person singular verb forms already on the chalkboard.

Finally, include input in which there are many examples of the other person/number forms. There are many suggestions in the Instructor's Notes in the margins of this Instructor's Edition.

Narration Series

The narration series consists of a set of sketches that form a connected narrative. They are included to give the students opportunities to hear and use verb forms and tenses. Each series has a particular focus. As an example we will illustrate the teaching techniques in some detail for the first series, which appears in **Situation 14** of **Kapitel 1: "Ein Vormittag in Sofies Leben"**. In this series the focus may be either on habitual actions (they are the sorts of things she does every day) or on actions in progress (the things she is doing right now).

Begin with Picture One: **Sehen Sie Bild eins an. Diese Frau heißt Sofie und wir beobachten sie bei den Aktivitäten des Tages. In Bild eins schläft sie, es ist Morgen und Sofie schläft.** Personalize with questions such as: **Wer hier in der Klasse schläft gern morgens? Sehr lange? Bis neun oder zehn? Wer steht gern sehr früh auf? Im Bild Nummer eins schläft Sofie bis . . .** (Pause and give students a chance to finish the sentence: **neun Uhr**). **Ja, sie schläft bis neun Uhr.**

Sehen Sie Bild zwei an. Sofie duscht warm. Wer in der Klasse duscht gern kalt? Niemand? Continue to introduce a drawing, one at a time, as you review previous ones. As you introduce the German sentence for each drawing, write the verb form on the board (some instructors prefer to write the entire sentence) and have the students copy it in their vocabulary notebooks. The idea is not to memorize the exact sentences given by the instructor, but rather to learn to narrate using the set of drawings. Divide this activity into several parts to be done in different class hours. After sufficient practice with you, have the students work in pairs to produce the narrative in its entirety. The final goal is to be able to narrate the whole series using only the drawings as a guide.

In subsequent class sessions, use the series to provide the opportunity to narrate with other person/number forms in addition to the main pattern. For example, in the series we have used as a model, you might ask students to pretend that these are events that will happen in their lives tomorrow. This will require narration in the first-person singular. For additional person/number forms change the situation; for example, students pretend they will do these things with friends (**wir**), or that their friends will do these things (**sie**), and so forth. Another variation is to have one student ask a question and the other answer. For example, **Was macht Sofie in Nummer 5? Sie verläßt das Haus.**

Reading in Stage III

Reading appears in two places in **Kapitel 1–14**: scattered within the oral activities under an appropriate topic and in the supplementary readings section at the end of the oral activities. As we have already said, there are four basic reading skills taught in **Kontakte**: scanning, skimming, intensive, and extensive reading. Scanning is used to search for specific information. It is a very helpful skill for travelers who often need to scan advertisements, signs, menus, and so forth for pertinent information even though they are not able to read everything. Skimming is used to get the main idea of a reading passage. Students should be taught to skim all readings before they read. Intensive reading is reading for detail. We use it in studying material carefully—in reading a contract, for example, or in analyzing literature. In **Kontakte** we expect the students to read the instructions and most of the **Sprechsituationen** intensively—that is, they should understand almost every word they read. Most of the time, however, we read for main ideas: we do extensive reading. Too often in a language course students read only intensively, and sometimes only translate. If the students never learn to read extensively, it is doubtful that they will ever read much in German after this course, since intensive reading is often not very enjoyable.

We have chosen a wide range of readings. If students are to learn to read well, they will have to read more on their own. If they are taught to read for the main ideas without concentrating on details, it is our belief that they can read a great deal more than students who are required to read everything intensively or who are required to translate. We hope that students will want to read all of the readings in this text simply because they are interesting and because they will enjoy reading extensively in German. The readings fall into the following categories:

- German friends. These are short sketches of German speakers from various countries. The readings usually focus on some aspect of their lives and are related to the topics in the chapters. In the early chapters they function mainly to teach the student good reading skills—that is, to read without translating and to use context to guess at the meaning of new words. In later chapters the readings are more complex and have more cultural content.

- Newspaper articles. These are short articles of current interest. As with German friends, students should read these for main ideas, not translate them into English or try to understand every word.

- Cultural notes. These are usually descriptive narratives (sometimes in dialogue form) that deal with aspects of German culture. Students should read these as essays, paying somewhat more attention to detail here than in other readings.

- Soap opera. These are narratives or dialogues that include events from the lives of our characters in the imaginary German soap opera. Students should read these texts quickly, concentrating on the main ideas in the reading.

- Fiction. These are narratives in short story form. They are to be read for pleasure— the focus should be on plot, not detail.

Usually the readings will be assigned for work outside of class; class time will be used to follow up and to discuss the ideas contained in the readings. However, at first you will want to make sure that students have grasped basic second-language reading strategies by verifying reading practices in class. The goal of the reading activities is to develop the ability to read for main ideas without translating into English. Place emphasis on guessing at the meaning of new words from context. Specific suggestions for each reading are found in the Instructor's Notes in the margins of the Instructor's Edition.

VOKABELN

The chapter vocabulary list contains the words that the students should be able to recognize when used in context. We do NOT expect students to be able to produce all of these words in their speech. Usually students begin to use words in their speech much after they are introduced in a particular chapter, and, in fact, words that are only recognized in a particular chapter are produced spontaneously during an activity of a subsequent chapter. The chapter vocabulary list includes all new words from the oral activities including some specifically mentioned only in the Instructor's Notes. The examples and exercises of the **Strukturen und Übungen** section are based mainly on these vocabulary lists. New vocabulary from the readings and the workbook is listed only in the glossary at the end of the text and is not included in the chapter vocabulary lists nor on the quizzes or exams. We have repeated some words in chapter vocabulary lists in the review section (**Erinnern Sie sich**) when they fit in well with the thematic categories of a particular chapter or when they will be useful to students in the activities for a particular topic. The idea is to provide a body of words that students can use to talk about certain topics. Cognates are listed under the heading **Ähnliche Wörter**.

STRUKTUREN UND ÜBUNGEN

The grammar and exercise section presents the grammar rules that the students will use to monitor their written work and, for some students, their speech. We have limited the discussion to grammatical patterns that lend themselves to the formulation of relatively simple "rules." There are short explanations of the rules of morphology (word formation), syntax (sentence formation), and word usage (lexical sets). (Orthographic and pronunciation rules and practices are found in the **Arbeitsbuch**.) We have included much less on German semantics or discourse patterns, since we feel that these are areas that are not really very amenable to simple rule formulation; they are, rather, patterns that must be acquired, perhaps subconsciously, by the student directly from experience in oral and written discourse. We have tried to reduce the explanation and detail even for form and structure, since we believe that excessive study and memorization of grammar rules is not very helpful to beginning students.

We have also attempted to reduce the amount of grammar that is normally presented in a first-year foreign language course. In spite of our efforts we feel that even the reduced grammar in this text is too much: our suggestion is that you omit any sections you feel are not necessary for beginners. We particularly recommend that the last two chapters be omitted in regular beginning college level classes with fewer than 150 class contact hours. Above all students should not get the impression that the material presented in the grammar is to be memorized. The grammar explanations and exercises serve as guidelines and reference tools. The exercises are not meant to teach the grammar, but rather to verify comprehension of the explanation. Only real communication experiences will result in the ability to use grammatical structures fluently. The acquisition of grammar takes much time and we don't want the students to think that a conscious mastery of all of the details of German grammar is a prerequisite to communication with native speakers of German.

The material in the **Strukturen und Übungen** should be integrated with the rest of the materials from other sections. The specific way you use this section will depend on your own teaching style and the students' learning preferences. Some instructors prefer to assign the grammar and exercises before they begin the corresponding section in the **Sprechsituationen**. Others assign parts of the grammar and exercises as they are working on a particular section, and still others use the grammar and exercises as a follow-up after they have completed the corresponding section of the **Sprechsituationen** in class. We recommend that the students be aware that the sections in the grammar usually (but not always) relate to the activities they are doing in class. However, we emphasize that the materials in the grammar and exercise sections do not bear the primary responsibility for developing the ability to use grammar in spontaneous speech. On the other hand, for many adults a clear grammar explanation is affectively very satisfying, and on this basis alone we have often made grammar assignments. Only in a specific class situation can you judge the appropriate time and emphasis to be given to grammar assignments. We suggest that you avoid detailed grammar explanations during the class itself whenever possible: they rarely help more than a few students and invariably take away valuable time from the acquisition activities. More detailed comments on specific grammar points are found in the Instructor's Notes in the margins of the Instructor's Edition.

We have also tried very hard in **Kontakte** to introduce the various points of German grammar in a "spiraled" fashion. This means that each point is introduced and reentered several times. Our numbering system partially reflects our attempts at spiraling: for example, genitive functions are begun in A.3 and spiraled into the text in Sections 13.1 and 13.2. Thus we do not expect students to learn a particular structure or rule during any particular section, but rather we expect them to BEGIN learning at that time and to CONTINUE learning throughout the course.

Most of the grammar exercises are short and coherent; that is, they make sense. We recommend that grammar exercises usually be assigned as written homework, because we believe that the written work is more conducive to a focus on grammar. However, in many cases the exercises can be done orally between instructor and students or even in student pairs. We recommend that you distinguish carefully between an exercise in which the focus is on grammar and an acquisition activity in which the focus is on the message. Otherwise the students will get the idea that they should focus on grammar in all oral activities. Many instructors assign the grammar exercises as homework and quickly check them in the following class period. Keep in mind that while grammar errors are not corrected directly in activities—in which the focus is meaning and errors are corrected by natural expansions—grammatical errors are corrected during learning exercises, since the focus here is indeed on grammar and correctness. The answers to all grammar exercises are found in the Appendix of the student text.

ARBEITSBUCH

The **Arbeitsbuch** contains activities and exercises that provide for more contact with German outside of the instructional period. Of the four sections, only a minor part, the pronunciation and orthographic exercises, is aimed toward learning; both the comprehension activities and the writing activities are acquisition-oriented, the first to supply more and more varied oral input and the second to provide opportunities for creative written output.

For details on how to use the workbook see the Preface to the Instructor at the beginning of **Kontakte: Arbeitsbuch**.

SCOPE AND SEQUENCE

	themes/topics	grammar
Einführung A	Aufforderungen	A.1 Imperativ 1: Sie
	Namen der Studenten	A.2 Präsens 1: heißen
		A.3 Genitiv 1: Personennamen
	Beschreibungen (Teil 1)	A.4 Hilfsverben 1: sein
	Farben	
	Kleidung	A.5 Genus
	Zahlen	A.6 Negation 1: nein/nicht
	Begrüßen und Verabschieden	
	Gespräche	A.7 Pronomen 1: du/ihr versus Sie
Einführung B	Die Klasse	B.1 Genus und Artikel
	Der Körper	B.2 Bestimmter und unbestimmter Artikel
		B.3 Plural der Substantive
	Beschreibungen (Teil 2)	B.4 Imperativ 2: Sie und du
	Die Familie	B.5 Hilfsverben 2: haben
	Wetter und Jahreszeiten	B.6 Negation 2: kein
		B.7 Akkusativ 1: ein/kein
Einführung C	Uhrzeit	C.1 Uhrzeit
	Herkunft und Nationalität	C.2 Präsens 2: kommen (aus)
		C.3 Pronomen 2: man
	Studienfächer	
	Geburtstage und Jahreszahlen	C.4 Präpositionen 1: Zeit (um/am/im/—)
	Biographische Informationen	C.5 Ordnungszahlen 1: Datum, Geburtstag
Kapitel 1 Freizeit und Vergnügen	Freizeit	1.1 Präsens 3: regelmäßige Verben
		1.2 Wortstellung 1: Fragesatz und Aussagesatz
		1.3 gern
		1.4 lieber
	Vergnügen	1.5 Präpositionen und Kasus
		1.6 Präsens 4: Verben mit Vokalwechsel
	Tagesablauf	1.7 Wortstellung 2: zweiteilige Verben
Kapitel 2 Besitz	Besitz	2.1 Akkusativ 2: Artikel und Personalpronomen
		2.2 Modalverben 1: möchten
	Geschenke	2.3 Präpositionen 2: Akkusativ
	Geschmacksfragen	2.4 Possessivpronomen
		2.5 Modalpartikel 1: denn und ja
	Orte	2.6 Präpositionen 3: Antwort auf woher/wohin

	themes/topics	grammar
Kapitel 3 **Talente, Pläne,** **Pflichten**	Talente und Fähigkeiten Zukunftspläne Pflichten Körperliche und geistige Verfassung	3.1 Modalverben 2: können 3.2 Modalpartikel 2: doch 3.3 Modalverben 3: wollen 3.4 Modalverben 4: müssen, sollen, dürfen 3.5 Wortstellung 3: Nebensätze (wenn, weil)
Kapitel 4 **Ereignisse und** **Erinnerungen**	Tagesablauf Erlebnisse anderer Personen Ihre eigenen Erlebnisse Erinnerungen Erfahrungen	4.1 Perfekt 1: haben und sein 4.2 Perfekt 2: regelmäßige und unregelmä- ßige Partizipien 4.3 Modalpartikel 3: eben und eigentlich 4.4 Perfekt 3: Partizipien mit und ohne ge- 4.5 Präpositionen 4: vor und seit
Kapitel 5 **Geld und** **Arbeit**	Einkaufsbummel Gefälligkeiten In der Klasse Beruf und Arbeit	5.1 Demonstrativa 1: Bestimmter Artikel 5.2 Dativ 1: Personalpronomen 5.3 Dativ 2: Artikel und Possessiva 5.4 Dativ 3: Valenz und Wortstellung 5.5 Dativ 4: Präpositionen 5.6 Hilfsverben 3: werden 5.7 Schwache maskuline Substantive auf -(e)n
Kapitel 6 **Wohnen**	Wohnen Hausarbeit Wohnmöglichkeiten Nachbarn	6.1 Komparation 1: Positiv und Komparativ 6.2 Präpositionen 5: Wechselpräpositionen 6.3 Präteritum 1: war, hatte 6.4 schon/noch nicht; noch/nicht mehr 6.5 kennen/können/wissen 6.6 Nebensätze 1: daß, ob
Kapitel 7 **Unterwegs**	Geographie Transportmittel (Teil 1) Transportmittel (Teil 2) Reiseerlebnisse	7.1 Relativsätze und Relativpronomen 7.2 Komparation 2: Superlativ 7.3 Präpositionen 6: feste Verb-und- Präpositionsgefüge 7.4 Wo-Verbindungen 7.5 Da-Verbindungen 7.6 Wortstellung 4: Zeit, Art und Weise, Ort
Kapitel 8 **Kindheit und** **Jugend**	Kindheit Jugend Erfahrungen und Erinnerungen	8.1 Perfekt 4: Wiederholung und Ergänzung 8.2 Präteritum 2: Hilfsverben, Modalverben und wissen 8.3 wann/wenn/als 8.4 Präteritum 3: starke und schwache Verben 8.5 Plusquamperfekt
Kapitel 9 **Gesundheit und** **Krankheit**	Körperteile Krankheiten Arzt, Apotheke, Krankenhaus Unfälle und Notfälle	9.1 brauchen + zu 9.2 Reflexiva 1: Pronomen und Verben 9.3 Infinitiv mit zu 9.4 Demonstrativa 2: dieser und jener 9.5 lassen 9.6 Dativ 5: unpersönliche Konstruktionen

(continued)

	themes/topics	grammar
Kapitel 10 **Essen und** **Einkaufen**	Essen und Trinken Haushaltsgegenstände und deren Gebrauch	10.1 Adjektive 1: Form und Verwendung 10.2 Adjektive 2: Komparation und Ordnungszahlen 10.3 Pronomen 3: welcher, jeder, mancher, solcher
	Einkaufen und Kochen Beim Kleiderkauf	10.4 stehen/stellen, sitzen/setzen, liegen/legen
Kapitel 11 **Auf Reisen**	Reisepläne	11.1 Konjunktiv II 1: Höflichkeitsform der Modalverben 11.2 Adjektive 3: substantivierte Adjektive
	Den Weg finden	11.3 hin und her 11.4 Präpositionen 7: den Weg beschreiben
	Tourismus	11.5 Modalverben 5: doppelter Infinitiv 11.6 Reflexiva 2: Verben mit festen Präpositionen
Kapitel 12 **Auffordern** **und Einladen**	Befehle, Aufforderungen und Bitten	12.1 Imperativ 3: Zusammenfassung und Ergänzung 12.2 Nebensätze 2: Temporalsätze und Finalsätze
	Guter Rat ist teuer	12.3 Konjunktiv II 2: würde, hätte, wäre 12.4 Nebensätze 3: abhängige Fragesätze
	Im Restaurant	12.5 Zum Gebrauch der Fälle: Zusammenfassung und Ergänzung
Kapitel 13 **Wir und** **die Welt,** **heute und** **morgen**	Familie, Partnerschaft und Ehe	13.1 Genitiv 2: Flexionsformen 13.2 Genitiv 3: Präpositionen 13.3 Adjektive 4: eine andere Sicht
	Die Welt von morgen Stereotype und Vorurteile	13.4 Futur 13.5 Konjunktiv II 5: als ob
Kapitel 14 **Was uns angeht** **—Aktuelle** **Probleme**	Geschichte und Erdkunde Politik und Wirtschaft	14.1 Passiv 14.2 Unbestimmte Zahladjektive und Zahlwörter
	Probleme einer Industriegesellschaft	14.3 Nebensätze 4: Konditionalsätze und Konzessivsätze